ESER TUTEL • Gemiler... Süvariler... İskeleler...

ESER TUTEL 1933'te İstanbul'da doğdu. 1954'te Galatasaray Lisesi'ni bitirdi. İstanbul Üniversitesi Fransız Filolojisi'ne devam ederken Türkiye Yayınevi'nin yayımladığı *Hafta* dergisinde çalışmaya başladı. Bâb-ı Âli'de geçen 40 yılı aşkın meslek hayatında *Son Posta, Akşam, Hür Vatan, Hürriyet, Güneş, Günaydın* gazeteleri ile *Hayat Ansiklopedisi* ve *Hayat* dergisinde çalıştı. Hürgün'de *Yıllarboyu Tarih* dergisini çıkarttı. Çok sayıda çevirisi olan Eser Tutel'in İletişim Yayınları'nda yayımlanan Türk sivil denizcilik tarihini ele aldığı *Şirket-i Hayriye* (1994-1997) ile *Seyr-i Sefain, Öncesi ve Sonrası* (1997), *At ve Atçılık* ile *At Yarışları ve Atlı Sporlar* adlı kitapları var. *Gemiler... Süvariler... İskeleler...* denizi, gemileri ve denizcileri konu aldığı üçüncü eseridir.

İletişim Yayınları 489 • İstanbul Dizisi 12
ISBN 975-470-689-1
© 1998 İletişim Yayıncılık A. Ş.
1. BASKI 1998, İstanbul

DIZI KAPAK TASARIMI Ümit Kıvanç
KAPAK Suat Aysu
DIZGI Remzi Abbas
UYGULAMA Çiğdem Dilbaz
DÜZELTI Sait Kızılırmak
KAPAK BASKISI Sena Ofset
İÇ BASKI ve CILT Şefik Matbaası

İletişim Yayınları
Klodfarer Cad. İletişim Han No. 7 Cağaloğlu 34400 İstanbul
Tel: 212.516 22 60-61-62 • Fax: 212.516 12 58
e-mail: iletisim@iletisim.com.tr • web: www.iletisim.com.tr

ESER TUTEL

Gemiler...
Süvariler...
İskeleler...

Çalışmalarım sırasında yardımlarını esirgemeyen
deniz ticareti yazarı Sayın Orhan Kızıldemir;
gemi modelcisi Sayın Rahmi Topçu ve
Denizcilik İşletmeleri Şehir Hatları'ndan
Sayın Erdem Aksoy'a şükranlarımı sunarım.

E. T.

İçindekiler

Önsöz

Gençler bilmezler... Hoş; bırakın gençleri, bizler de pek bilmiyoruz ya... Eskiden İstanbul'da, Hacı Davut vapurları varmış.. Ben, yüzyılımızın başında diyeyim; siz anlayın, geçen yüzyılın sonlarında olduğunu...

Tekneleri kağşamış, makineleri de ilk buhar devrinden kalma, eski mi eski, hurda mı hurda bu gemilerin gönderinde Osmanlı bayrağı çekili olurmuş, ama hangi tabiyete hizmet ettiklerini Allah'tan başka kimsecikler bilmezmiş. İsimleri de bir acayipmiş bunların: *Diyana... Halikarnas... Merkür... Batlamyus...* gibi... Bu derme-çatma vapurların çoğunun acenteleri de yokmuş. Şirketin idarehane adresi olarak, çoğunda hep "On board" deye geminin kendi gösterilirmiş.

Vapur simsarları, köhne otellerin sıralandığı Sirkeci sokaklarını gırtlaklarını patlatırcasına avaz avaz bağırarak dolaşır, dolmuş kâhyaları gibi, vapurun kalkmak üzere olduğunu haber verirlermiş:

-"Haydi kalkıyor! Şile... Kurucaşile... Amasra.. Bartın... İnebolu... Tirebolu... Samsun... Giresun... Tâ Hopa'ya kadar gidiyor! Haydi kalkıyor! Vakit kalmadı! Hava patlamadan demir alıyor! Yer kalmadı, yetişen kazanıyor!.."

Çığırtkanın sesini duyanlar, denklerini, hurçlarını hammalın sırtına attıkları gibi doğru Sirkeci kıyısına koşarlarmış. Bakarlarmış, hurda bir tekne, bacasından kara kara dumanlar yükseliyor, ötesinden berisinden de bembeyaz buharlar kaçırıyor. Birkaç gemici başta toplanmış, sözde demir almaya çalışıyor... Maksat, iş üzerinde görünüp, yolcuların bir an önce gemiye binmesini sağlamak!

Ama o demir bir türlü alınamadığı gibi, o köhnemiş gemi de bir türlü

7

rıhtımdan ayrılamazmış. Tâ ki kamaralar, ambar üstü, çığırtkanın sesini duyup koşan yolcularla tıka basa doluncaya kadar... Sonunda, "Bindik bir elâmete, gideriz kıyamete!" misali, çürük gemi Karadeniz'e çıkar, azgın dalgalarla boğuşma bahasına yola koyulurmuş... İskele kumandası verilince sancağa, sancak denince de iskeleye kaçan bu hurda gemilerle selâmete mi çıkılır, kıyamete mi varılır, orası ancak Allah'ın bileceği bir işmiş!

Bu anlatılanlar, sayıları ellilere, altmışlara varan büyüklü, küçüklü, ciddi, gayrı ciddi birçok gemi kumpanyasının gemileri... O yıllarda, Karadeniz olsun, Ege adaları ya da Akdeniz olsun, deniz aşırı iskelelere, karadan yol olmadığı için hep gemilerle gidilirmiş: Ya yukardaki gibi özel kumpanyaların, ya da bir devlet kuruluşu olan İdare-i Mahsusa'nın gemileriyle...

Aslında İdare-i Mahsusa gemilerinin çoğu da, Hacı Davut gemileri kadar olmasa da, yine hep eski, yıllarca hizmet görmüş, çürüğe ayrılma zamanı çoktan gelmiş de geçmiş teknelermiş. Daha sonraki yıllarda da, Seyr-i Sefain döneminde idareye hep kullanılmış gemiler satın alınmış, ama bunların arasından yine de güzel, sağlam tekneler çıkmış. Kuruluşundan yaklaşık yüz yıl kadar sonra idareye yeni ve modern gemilerin ısmarlanıp inşa ettirilmesi, ancak Atatürk'lü yıllarda mümkün olmuş.

Demek istenen, geçmişi 170 yılı bulan makinalı gemi tarihimizde, pek çok gemi gelmiş, geçmiş. Bunların arasında eskileri de olmuş, yenileri de... Bu gemilerde süvari, zabitan, çarkçı, makinist, reis ya da gemici olarak -ki çoğu "Karadeniz uşağı"- binlerce deniz adamı hizmet görmüş. Bu fedakâr insanlar, kar, kış, sis, tipi demeden o liman senin, bu iskele benim, hem de sırasında canlarını tehlikeye atarak çalışmışlar.

Türk bayraklı gemilerin, bu teknelerde görev yapan gemi adamlarının öykülerini konu alan bu kitap, daha önce yayımlanan *Seyr-i Sefain, Öncesi ve Sonrası* adlı kitabın devamıdır, hatta tamamlayıcısıdır; büyük tersanelerimizi, Haliç'te, İzmir Körfezi'nde çalışan vapurları, Van Gölü'ndeki feribotları, Deniz Nakliyatı'nın şileplerini, tankerlerini anlatmaktadır. Limanlarımız, rıhtımlarımız, Gemi Kurtarma İşletmesi, deniz fenerlerimiz, Kılavuzluk Servisi, Cankurtarma hizmetleri ile kaptan yetiştiren okulların tarihçesi de yine bu kitapta yer almaktadır.

Evet... Hacı Davut vapurları örneğindeki gibi, zor bir işe giriştik bir kere.. Önümüzde dalgalı, çalkantılı, çetin bir umman uzanıyor...

Ne diyelim? Söylenecek tek şey, şundan başkası olmasa gerek:

-"Haydi, selâmetle..."

Eser TUTEL

Dünden Bugüne

- Gemiler...
- Süvariler...
- İskeleler...

1900'lerin başlarında tipik bir İstanbul iskelesi.

Ner'de o eski güzelim gemiler?

İlk buhar makineli geminin İstanbul limanına girişinden günümüze kadar yüzlerce irili ufaklı gemi, vapur, şilep, tanker, römorkör ve benzeri hizmet tekneleri geldi, geçti. Bunların arasında uzun ömürlüleri çıktığı gibi, pek kısa bir sürede filo dışında kalanları da oldu. Kimi sevildi, beğenildi; kimilerinin adı halk arasında uğursuza çıktı. Güzel olanlarının yanında estetiği tartışılanları da vardı. Kimileri rahattı, kimileri rahatsızdı. Birçoğu çoktan unutuldu, gitti; ama aralarından birkaçı hâlâ eski birer dost gibi anılıyor.

Döneminin gerçek yüzer sarayı: Germanic

Gülcemal, eski adıyla *Germanic* geçen yüzyılın sonlarında Atlantik'te sefer yapan lüks yolcu gemilerinin en güzel, en hızlı ve en konforlularından biriydi. Yaşlanmaya başladığı zaman satılarak *Ottawa* adıyla çalıştırılmış, daha sonra da Osmanlı Seyr-i Sefain İdaresi tarafından satın alınmıştı. Ama yaşlanmıştı. Birkaç kez el değiştirmiş olmasına rağmen yine de bütün öteki gemilerden üstündü.

Eski Jön Türkler'den Ubeydullah Efendi (soyadı: Hatipoğlu) 1893'te Amerika'ya meşhur Chicago Sergisi'ne gövevli olarak giderken Liverpool'den bu gemiye binmişti. Anılarında *Germanic*'i o kadar güzel anlatır ki, bu gemiyi tanıtabilmek amacıyla onun anılarından* birkaç alıntıya yer vermek istedik:

(*) *Ubeydullah Efendi'nin Amerika Hatıraları,* İletişim Yayınları, 1989.

Türkiye Seyr-i Sefain İdaresi'nin gerçek bir transatlantik olan Gülcemal *yolcu vapuru 1930'lu yıllarda Karaköy rıhtımında. Arkadaki gemi ise, burnu bastonlu,* Cumhuriyet. Gülcemal*'in bağlı bulunduğu yerde bugün Şehit Hatları'nın Kadıköy iskelesi var.*

"*Germanic* vapurunda iki sınıf yolcu vardı," diye yazıyor Ubeydullah Efendi. "Birinci ve üçüncü sınıf. Bu vapurun ikinci sınıf kamarası yoktu. Kamara olarak yalnız birinci sınıf vardı. Üçüncü sınıf, göçmenlere mahsustu. O da vapurun ön tarafındaydı; yataklar, tayfa yatakhaneleri gibi yerlerdeydi. Göçmenlerin verdiği ücret 4 lira idi.

"İkinci sınıf kamara olmadığı için yemek salonu da bir tane idi. Bu salon vapurun tastamam ortasında idi ki salıntının en az hissolunan yeri de burasıydı. Yemek salonundan yukarıya güverteye çıkan merdivenin yanıbaşında, salonun üçte biri kadar genişlikteki kütüphane yeralıyordu. Bu kütüphane gezinti güvertesinin üzerinde bir köşk idi. Kütüphanenin her tarafında güzel masalar ve üzerlerinde yazı takımları vardı. İsteyen yazı yazıyor, isteyen okumakla vakit geçiriyordu.

"Yemek salonunun vapurun baş tarafına bakan yerinde bir büyük piyano ve ayna vardı. Bunun dışı, göçmenlerin gezindiği güverteydi. Arkaya bakan taraftaki merdivenle kamaraların koridoruna giriliyordu ki, buradaki kamaralar tek yataklı ve hamamlı idi. Bunların ücreti Liverpool'den New York'a kadar 80 lira idi. Buradan uzaklaşıp vapurun kıç tarafına yaklaştıkça ücret eksiliyor, buna karşılık çark gürültüsü ve salıntı ziyadeleşiyordu. Kamaralardaki yatak sayısı da artıyordu.

"Benim bulunduğum kamara hayli uzakta ve 4 yataklı idi. Ücreti de yalnız 10 adet sarı İngiliz lirası idi. Bu saydığım yerlerden başka bir de sigara içilecek salon vardı ki, o da hemen hemen kütüphane genişliğindeydi.

"Vapurda sabahleyin sekiz buçukta, öğleyin yarımda, akşam yedide olmak üzere üç defa mükemmel yemek çıkıyor, ikindi dört buçukta bisküvilerin, keklerin, böreklerin, meyvelerin, şekerlemelerin envaını ihtiva eden tereyağlı, peynirli bir çay veriliyordu. Yemeklerde tatlı-tuzlu, etlisebzeli, kuru-yaş, taze-salamura, balık-tavuk her şey bulunur ve yediğimiz etler, tavuklar her gün taze taze kesiliyordu. Yalnız kuş sütü, deve kanadı bulunmuyordu.

"Ben bu vapurda gördüğüm ziyneti, intizamı, temizliği o güne kadar, hatta belki bugüne kadar hiçbir yerde görmedim. Bu mürettep yemeklerin haricinde sabahleyin kahvaltı denilen, yemekten evvel isteyene et suyu, isteyene taze inekten sağılmış süt, akşam istediği saatte çay-kahve veriliyordu. Bunlardan para alınmıyordu.

Gemi süvarisi yolculara hitap ediyor

"Vapura girdiğimiz günün ertesi günkü sabahı, birinci sabah idi. Daha İrlanda Denizi'ndeydik. İkinci sabah açık denize çıktık. Kahvaltıdan kalkan, yukarıya, güverteye çıkıyordu. Ben de çıktım. Gördüm ki kütüphanenin dış duvarına bir cetvel asılmış. Tetkik ettim. Anladım. Biz Liverpool'den kaç mil uzaklaşmışız; New York'a ne kadar mil mesafe kalmış; hangi arz, hangi tûl dairesinde bulunuyoruz; bu seyir ile saatte kaç mil mesafe katetmiş oluyoruz? Cetvel bunları gösteriyor ve her gün saat dokuzda aynı hesapları gösteren yeni cetvel asılıyor.

"On ikiyi çeyrek geçe herkes umûm yemek salonunda hazırdı. Sofranın intizamı tarif olunur bir şey değildi. Derken vapurun kumandanı salona girdi. Herkes ihtiramla ayağa kalktı. Bu zat hafif sakallı idi. Elli yaşlarında kadardı. Yanından geçtiği masadakileri kâh bakışlarıyla, kâh bir iki kelimeyle selâmlıyordu.

"Yerine geçtiği zaman yemeğe daha beş dakika vardı. Ayakta durdu ve bizlere hitap etmeye başladı. Evvelâ cetveldeki açıklamalardan sözetti. Sonra vapurun ne kadar tayfası olduğunu, vapurda görevli kaç zabit bulunduğunu, herkesin sıhhatte mi, yoksa mariz olarak hastanede mi yattığını, onu bildirdi. Vapurun ne kadar kömürü, ne kadar kumanyası mevcut olduğunu, rasatlara göre yolumuzda fırtına yahut makinelerde sakatlık olup olmadığını ve daha yolcuları alâkadar edecek ne varsa hepsini teker teker saydı.

"Sonra, 'Hanımlar, Efendiler! İşte hâlimiz bu! Kumanyamız, kömürümüz kâfi, adamlarımız sağlam, herkes vazifesinin başında. Vapurumuzda hiçbir sakatlık yok. Vapurun selâmetle gideceği yere varması için biz elimizden geldiğince çalışıyoruz. Ancak tevfik Allah'tandır' dedi.

"Ben, vapurdan Amerika'ya çıktığım zaman İstanbul'a yazdığım ilk mektupta tevekkülün mânâsını *Germanic* vapurunda İngilizler'den öğrendiğimi yazdım.

"Kumandan sözünü bitirdiği zaman, buyurun diyerek yerine oturunca, herkes de oturdu, sonra kumandan alenî bir besmele çekerek yemeğe başladı.

Fırtınada verilen konser

"Vapur yola devam ediyor, saatte 14 mil alıyordu. Vapurun içinde çiçek yetiştirilir bahçesi bile vardı. Yemek masasını donattıkları çiçekler her gün taze taze oradan devşiriliyordu.

"Hareket ettiğimizin kaçıncı günü olduğunu hatırlamıyorum, her gün öğle taamı zamanında yolculara söz söyleyen vapur kumandanı, bir gün önümüzde şimalden cenuba seyreden bir fırtına olduğunu ve bunun içinden ancak üç günde geçebileceğimizi haber verdi. Vapurun, gerek metanet ve resaneti, gerekse vapuru idare edenlerin gayret ve mahareti cihetiyle daha büyük fırtınalarla bile mücadeleye ve onlara karşı da mukavemete muktedir olduğunu söyledi. Fırtınaya ne zaman girileceğini de iki saat kadar önceden haber vereceklerini bildirdi.

"Her gece konserler tertip olunuyordu. Sohbetler yapılıyor, konferanslar veriliyordu. Herkes bir toplulukta sunabileceği ne marifeti varsa meydana koyuyor, liyakatine göre tahsîn kazanıyordu.

"Daha biz fırtınanın içine girmeden şiddetle esen rüzgârın savurduğu serpintiler güverteyi gezinilmez bir hale getirmişti. Artık kütüphane salonunun kapısından kimse dışarı çıkamıyordu. Yemek salonu tenhalaşmıştı.

"Bir müddet sonra salıntılardan, gıcırtılardan fırtınanın tam içine girdiğimiz anlaşıldı. Fırtına, dalgaları büyütüyordu. Yükseklikleri 7-8 metreyi bulmuştu. Vapur sanki uçuyordu. Buna rağmen sofralar tertemizdi. Saat onda

İki bacalı, dört direkli ünlü Gülcemal *gemisi, döneminin en hızlı ve en konforlu transatlantiklerinin başında geliyordu. Yıllarca İngiltere ile New York arasında yolcu taşımış, sonra bir Kanada kumpanyasına, daha sonra da Seyr-i Sefain İdaresi'ne satılmış, 75 yıl hizmet görmüştü.*

konser başlayacaktı. O saatte halk yine yeni tuvaletlerle salonda hâzır oldu. Programlar dağıtıldı. Acaipti. Çünkü programlar lüks tarzında basılmıştı. Ben bu programları dışarda evvelce basıp da hazırlamışlar zannettim. Halbuki sonradan öğrendim ki, vapurun içinde lüks matbaası varmış.

"Pek kibarca giyinmiş bir hanım alkışlar arasında piyanoya geçti. Bir iki parça opera çaldı. Sonra iki Kanadalı erkek, yüksek ve lâtif bir sesle bir şey okumaya başladılar. Daha başkaları da çaldı, söyledi. Bunlar yolculara fırtınayı filân unutturdular.

Şimdi de sis bastırıyor

"Ertesi sabah asılan cetvel, iki günden beri vapurun mesafe katetmekte hayli güçlük çektiğini gösteriyordu. Bugün havanın rengi sisli ise de rüzgârda ve sallantıda pek fark yoktu. Öğle taamında salonda yüz kişiden fazla adam vardı. Kaptan da yemekte hazırdı. Fırtınadan çıkılacağını müjdelemesi ortalığa neşe getirdi. Masaların üzerindeki takımlar bağlı ise de salıntı şiddetini kaybetmişti.

"Ertesi gün uyandığımız zaman vapuru müteessir etmeyecek derecede hafif bir hareket vardı. Öğle taamı vakti başlamıştı. Vapur birdenbire denizin ortasında durdu. Önümüzde kesif bir bulut gözüküyordu. Beş altı dakika sonra bu kesif bulutun içine girdik. Vapur duruyor, vapurun içinde ne kadar düdük varsa şiddetli şiddetli ötüyordu. Vapurun güvertesinde yan yana duran iki kişi birbirini görmüyordu. Ne güneş görünüyordu, ne başka bir şey. Bu büyük bir korku idi. Bu sis bir saat kırk dakika kadar sürdü. Açıldığı zaman kimsenin benzinde kan kalmamış olduğu görülüyordu."

Ubeydullah Efendi'nin *Germanic*'le olan yolculuğunu anlattığı sayfalar böyle sürüp gidiyor. Sonunda *Germanic* bir adacık üzerinde cesim heykel olan "Hürriyet Hanım" heykelinin yanından geçip New York limanının rıhtımlarından birine yanaşıyor. İşte bu gemi, yıllar sonra Osmanlı Seyr-i Sefain İdaresi tarafından satın alınacak ve *Gülcemal* adı verilecek olan gemidir. Yani, ilk ve son transatlantiğimiz.

Yıllar sonra kaleme aldığı anılarının bu kısmında üstad şunları yazıyor:

"Gönül isterdi ki, Gâzi'mizin öyle cesim bir heykeli Kızkulesi'ne dikilsin ve elinde yine bir fanusla Asya'yı aydınlatıyor gibi gösterilsin ve fânus elektrik ziyasıyla hakiki surette Marmara'yı tenvir etsin!"*

Teknesi yeşil, güvertesi krem rengindeydi

İdare-i Mahsusa döneminin *Halep* ve *Şam* adlı iki gemisi vardı ki, ikisi de o günlerin estetik ölçülerine göre gerçekten çok güzel gemilerdi. İkisi de teknesiyle, bacasıyla, direğiyle, dümeniyle, kısacası her çizgisiyle zarif birer yat görünümündeydi.**

Geçen yüzyılın ikinci yarısında, dünyanın büyük denizcilik kumpanyaları, yelken devrinin kapanmak üzere olduğunu ve geleceğin artık makineli gemilerde olduğu gerçeğini görmeye başlamışlardı. Bu düşünceyle de filodaki yelkenli gemileri birer ikişer bırakıp yerlerine buhar makineli gemiler yaptırıyorlardı.

Bir İngiliz armatörü olan George Thompson da bunlardan biriydi. İngiltere-Avustralya arasında uzun posta seferleri yapmak üzere iki gemi

---

(*) *Gülcemal* hakkında *Seyr-i Sefain, Öncesi ve Sonrası* (İletişim Yayınları, 1997) adlı kitabın 120-126 ve 146. sayfalarında geniş bilgi verilmiştir.

(**) Bu gemiler hakkında *Seyr-i Sefain, Öncesi ve Sonrası* (İletişim Yayınları, 1997) adlı kitabın 106-107. sayfalarında geniş bilgi verilmiştir.

İngiltere ile Avustralya arasında yolcu taşımak üzere inşa edilmiş lüks bir gemi olan Halep Çanakkale Savaşı sırasında bir İngiliz denizaltısı tarafından Marmara'da Akbaş önlerinde batırıldı.

inşa etmeye karar verdiği zaman, yaptıracağı gemilerin yolcular tarafından rağbet görmesinde, sağladığı konfor kadar dış görünüşünün de önemli olduğunu biliyordu.

İngiltere'den tâ Avustralya'ya kadar uzun bir yolculuk yapmak üzere inşa edilecek bu iki geminin sağlamlığı elbette ki ön plânda geliyordu. Tek makineli ve tek uskurlu geminin, direklerinde gerektiğinde kullanmak üzere yelken donanımları da olacaktı. İkisi de, pek az bir tonaj farkı hariç, birbirinin eşiydi. Biri 3.684, öteki 3.662 grostonluktu. 110 metre boyları vardı. Genişlikleri 13,5 metre, su kesimi de 7 metre kadardı.Bunlardan *Aberdeen* (ki sonra *Halep* adını alacaktır) 1881'de İskoçya'nın Glasgow şehrinde R. Napier and Son tezgâhlarında inşa edildi. Teknesi yeşil, güverte üstü donuk krem rengindeydi. Açık sarıya boyalı bacasıyla gerçek bir okyanus kraliçesinden farksızdı. Köprüüstü ise cilâlı maunla kaplanmıştı. Saatte 13,5 mil hız yapabiliyordu, ama uzun seyirlerde hızı 12 mil kadardı. Üç direğindeki yelkenleri açınca, kömürden yana hayli tasarruf edebiliyordu.

Aberdeen, bu yüzyılın başlarında, Boer Savaşı sırasında Güney Afrika'ya koloni askerinin sevkinde kullanıldı. 1906'da, Londra'da, kardeşi *Australasian*'la birlikte 32.000 İngiliz lirasına Osmanlı Devleti'ne satıldığı zaman 25 yaşındaydı.

Halep adı verilen bu gemi önceleri Karadeniz postasında kullanıldı. Daha sonra, Çanakkale Savaşı sırasında, 28 Ağustos 1915 günü Akbaş limanı önlerinde Marmara'ya gizlice sızmayı başaran *E-11* numaralı İngiliz denizaltısı tarafndan batırıldı. Bir süre, denizin içinde enkaz halinde kaldı. Beş yıl sonra, 1920'de çıkartılıp hurda fiyatına satıldı. Bir tedbirsizlik sonucu batırılmasaydı, daha uzun süre iyi-kötü hizmet edebilecek durumdaydı.

Şam gemisi daha uzun ömürlü oldu

1884 yılında yine George Thompson'un Aberdeen Linen kumpanyası tarafından Glasgow'da R. Napier and Son firmasına inşa ettirilen *Australasian* 10 Nisan 1884 günü denize indirildi. İlk seyir tecrübesi 7 Haziran'da yapıldı. 12 mil hızı vardı. Başta gelen özelliği, teknede hiçbir titreşim ve sallantının hissedilmemesiydi.

Australasian yolcular tarafından o kadar beğenildi ve sevildi ki, kumpanya, bu gemiyle daha çok sayıda yolcuya hizmet verebilmek için, ertesi yıl seferden alıp tekneye iki kat fazla kamara sığdırdı. Bu arada kamaraların tavanları cilâlı kuşgözü akağaçtan, alabandalar da maun olarak yeniden yapıldı. Özellikle yemek salonundaki ağaç işçiliği görenlerde hayranlık uyandıracak kadar kusursuzdu; hele salona yerleştirilen nefis bir şömine eşsiz bir sanat eseriydi.

1906 yılında İdare-i Mahsusa tarafından satın alınan *Australasian*'a *Şam* adı verildi. O da kardeşi *Halep* gibi Çanakkale Savaşı sırasında, 25 Ağustos 1915 günü, Çardak limanı önünde yine aynı İngiliz denizaltısının attığı torpidonun isabetiyle ağır şekilde yaralandı. Ama hemen İstanbul'a çekilerek esaslı bir tamirden geçirildi. Ertesi yıl yeniden sefere kondu.

1924'e kadar aralıksız yolcu seferlerinde kullanılan bu güzel gemi artık 40 yıllıktı. Sık sık onarılması gerekiyor, büyük masraflar açıyor, zaman zaman uzun süre seferden kalıyordu. Sonunda kadrodan çıkartıldı, kömür gemisi olarak kullanılmak üzere İzmit'e götürüldü. 4 yıl İzmit'te kıçtan karaya bağlı kaldıktan sonra 1928'den 1955'e kadar da İstanbul'da şehir hattı vapurlarına kömür deposu hizmetini gördü. 1955'te sökülmek üzere bir İtalyan firmasına satıldığı zaman 71 yıllık tekneydi.

Ama, İtalyanlar, 1955 yılının 1 Ağustos günü Savona'ya getirilen *Şam*'ı sökmekten vazgeçip şilep haline getirerek Panama'ya sattılar. Bir süre Uzak Doğu'da çalışan gemi bu sefer de Elder Demster firmasına satıldı. Kısa bir süre sonra da elden çıkartıldı.

İdare-i Mahsusa ve Osmanlı Seyr-i Sefain İdaresi'nin en güzel yolcu gemilerinden *Şam*'ın yeri, başka bir gemiyle doldurulamadı.

Mustafa Kemal Paşa Samsun yolunda

Söz, eski gemilerden açılmışken, Atatürk'ün bir avuç ideal arkadaşıyla birlikte Samsun'a giderken bindiği *Bandırma* vapuru akla geliyor. Adı

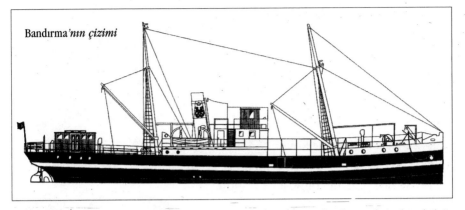

Bandırma'nın çizimi

Millî Mücadele tarihine geçen bu küçük vapurun da ilgi çekici bir hikâyesi var.

Mustafa Kemal Paşa'nın 16 Mayıs 1919 günü arkadaşlarıyla birlikte gizlice bindiği bu küçücük gemi hakkında çok şeyler yazılıp anlatıldıysa da, bazı yanlışları düzeltmek amacıyla ona bu sayfalarda kısa da olsa yine yer vermek gerekiyor.

Bandırma 1878 yılında İngiltere'nin Glasgow yakınlarında Paisley'de H. Mac Intyre gemi tezgâhlarında şilep olarak inşa edilmiş. 279 grostonluk olup 47 metre boyunda. Adı *Trocadero* konmuş. Yedi yıl sonra, merkezi Atina'da olan bir Yunan kumpanyasına satılınca *Kymi* olarak değiştirilmiş. 1891'in 12 Aralık günü Erdek'te kayalara bindirmişse de kurtarılarak yüzdürülmüş, elden geçirilmiş, sonra da P. Derasemo, İstanbul kumpanyasına satılmış. Böylece ilk olarak İstanbul Limanı'na kaydı yapılmış.*

1894'te İdare-i Mahsusa tarafından satın alınan bu vapurun adı artık *Panderma*'dır. Ama, kuruluş 1910'da Osmanlı Seyr-i Sefain İdaresi adını alınca, onun da adı *Bandırma* olarak değiştirilmiş. Bir süre Marmara'daki hatlarda yolcu ve yük taşımış. Mürefte-Şarköy posta seferini yapmakta iken 28 Mayıs 1915 günü *E-11* İngiliz denizaltısı tarafından, Silivri'nin 10 mil kadar açığında torpillenmiş. Ama yine çıkartılıp onarılmış. Bir süre sonra seferden alınarak Haliç'e bağlanmış. Tekrar onarılarak çalışacak duruma getirilmiş. Yıllardan 1919'dur.

Memleket öylesine büyük bir yokluk içindedir ki, her kuruluş gibi Seyr-i Sefain İdaresi de elindeki her imkânı değerlendirmek zorundadır. Nitekim, Mustafa Kemal Paşa ile beraberindeki heyeti Samsun'a götürmesi için, çaresiz bu 41 yıllık, eski, küçük gemi tahsis edilir.

(*) *Bandırma* için aynı eserin 97-98. sayfalarına bakınız.

Usta kaptanın içinde kalan ukde

O sırada geminin süvarisi 48 yaşındaki İsmail Hakkı Kaptan'dır (soyadı: Durusu, 1871-1940). İkinci kaptan Üsküdarlı Tahsin Kaptan, Başmakinist ise Mehmet Ağa oğlu Hacı Süleyman Efendi'dir. İsmail Hakkı Kaptan, Kayseri'nin bir köyündendir, 20 yaşında Leylî Ticaret-i Bahriye Mektebi'nden stajyer olarak mezun olmuştur. O güne kadar İdare'nin birçok gemisinde çalışmış, hatta bir seferinde kumanda ettiği gemiyle birlikte batmıştır da. Haklı bir savunmadan sonra yeniden göreve getirilmiştir.

İsmail Hakkı Kaptan *Bandırma*'nın süvarisi olduğu zaman, 1919 yılının 1 Mayıs günüdür. Kaderde, 16 gün sonra Mustafa Kemal Paşa ile arkadaşlarını İstanbul'dan alarak tehlikelere göğüs gere gere Samsun'a götürmek de vardır.

Gazi Mustafa Kemal Paşa ile arkadaşlarını Samsun'a götüren Bandırma gemisinin süvarisi İsmail Hakkı Kaptan (Soyadı Durusu).

1940 yılında aramızdan ayrılan İsmail Hakkı Kaptan'ın torunu Nejat Ulugöl, gazeteci Ertan Ünal'a konuyla ilgili olarak şu gerçekleri dile getirmişti:

-"Yapılan yayınlarda, dedemin rencide olmasına yol açan bazı yanlışlıklar yeraldı. Bunların başında dedemin Karadeniz'e ilk defa çıktığı ifadesi gelmekteydi. Kendisine acemi kaptanlık yakıştırılması dedemin çok ağrına gitmiş. Annemden çok dinlediğime göre dedem, Karadeniz'i avcunun içi gibi bilen, tecrübeli, dirayetli bir deniz adamıymış.

"O tarihlerde bir gazetede Falih Rıfkı Atay imzalı bir yazıda dedemin Karadeniz'e ilk kez, üstelik pusulası, paraketesi olmayan çürük çarık bir gemiyle çıktığı, Atatürk'le ilk kez gemide karşılaştığı, rota filan saptamadan yol aldığı gibi yanlışlar bulunuyormuş.

"Cumhuriyetin ilânından 6 ay kadar önce emekli olan dedem, gazeteye bir açıklama göndererek bu yanlışların düzeltilmesini istemiş. Karadeniz'e ilk defa çıkmadığını, gemisinde bir değil, iki pusula bulunduğunu, Atatürk'le hareketinden önce Şişli'deki evinde buluşarak kendisine yolculuk hakkında bilgi arz ettiğini belirtmiş. Ama nedense gazete bu düzeltmelere yer vermemiş.

"Atatürk gibi tedbirli bir kişinin gelişigüzel bir gemiye binerek, üstelik tecrübesiz bir kaptanla Karadeniz'e açılacağına inanmak, saflık olur. Bir gün önce yâverini göndererek İsmail Hakkı Kaptan'ı Şişli'de bugün müze olan eve davet etmiş. Ona kahve ikram etmiş, kendisinden yolculuk hakkında bilgiler almış.

"Annemin anlattığına göre, dedem, hareketten bir gün önce Şişli'deki evinde Atatürk'le konuştuktan hemen sonra eve geldiğinde çok heyecanlıymış. Evdekilere, 'Çok önemli bir vazifeye gidiyorum,' demiş. Sabaha kadar da heyecandan uyuyamamış. Yıllar sonra, gerçeklerin saptırıldığını görünce gönderdiği düzeltmenin gazetede yayınlanmayışı, içinde ukde kalmış. Hatta çocuklarına sırası geldiğinde, işin doğrusunu anlatmalarını vasiyet etmiş."

Kaptan'ın yeğeni olan bankacı Orhan Karadeniz de bu konuyla ilgili olarak şunları anlatıyor:

-"İsmail Hakkı Kaptan, dayımdı. Mektep mezunu, mesleğinin ustası bir deniz adamıydı. Öldüğünde ben 16-17 yaşlarındaydım. Gerçeklerin bilinmemesine, hele hele saptırılmasına çok üzülürdü. Anlattığına göre, Mustafa Kemal yol boyunca kaptan köşküne hiç gelmemiş. Bir kez bile, açıktan git veya şu rotayı izle diye de müdahale etmemiş. Arada bir yâverlerden birini gönderip yol durumu hakkında bilgi almış, hepsi o kadar. Kamarasında karargâh erkânıyla sürekli toplantılar yapmış. Gemi kıyıya çok yakın bir yol izlemiş. İngiliz gemileri önlerini kesecek olursa hemen karaya baştankara edecek, yolcularını çıkartarak onların kıyıda gizlenmelerine imkân sağlayacakmış.

"Cumhuriyet'in ilânından sonra Atatürk dayımı çağırtmışsa da o çekindiğinden gitmemiş. Halbuki gitse, bir yanlışlık nedeniyle çok az, sadece 6 lira emekli maaşı bağlandığını söyleyerek bu yanlışlığın düzeltilmesini rica edebilirmiş. Halbuki kamarotu gitmiş, kendine dayımın maaşının üç katından çok maaş bağlatmış."

Emektar *Bandırma* 1925 yılında kadro dışı bırakılarak Haliç'te söküldüğü zaman 47 yıllık bir tekneydi. Gazi Mustafa Kemal Paşa, Kurtuluş Savaşı'ndan sonra 1 Temmuz 1927 günü ilk kez İstanbul'a geldiği zaman, limandaki bayraklarla süslü gemileri görünce *Bandırma*'yı hatırlamış, nerede olduğunu soracak olmuş. İlgililer söküldü demeye ağızları varmadığı için "Seferde, ya da bakımda efendim," cevabını vermişler.

O yıllarda satın alınan bir gemiye *Bandırma* adı verilmiş, eskisinin isim levhası da bu yeni gemiye takılmış. Sonraları bu geminin adı *Ülgen* olarak değiştirilmiş.

Gazal *römorkörünün Yunan şilebini esir aldığı gün*

Deniz ticaret filomuzun bazı gemilerine, Trablusgarp, Balkan ve Birinci Dünya Savaşı'nda olduğu gibi, Kurtuluş Savaşı yıllarında da vatan savunmasında görev verilmiştir. Hem de boylarına boslarına bakılmadan... O yıllarda ticaret filomuz hayli eski gemilerden oluşuyordu. Buna rağmen kahraman denizcilerimiz, römorkör, kurtarma gemisi ya da gümrük motoru türünden küçücük teknelerle boylarından büyük işler başarmışlardır.

İşte, İdare'nin sadece 45 grostonluk küçücük bir römorkörü olan *Gazal*'ın akıl almaz macerası...*

Ortadan katlanarak arkaya yatan ince uzun bacasıyla *Gazal* basit bir römorkördü. Mütareke döneminin karanlık günlerinde, İstanbul'da askerî sevkiyatın emrinde hizmet görürken Karadeniz'in Ereğli limanına gönderilmişti. Ama Millî Hükûmet, bu küçücük römorkörden bile yararlanmak zorundaydı. Rusya'dan teslim alınacak silâh, cephane ve daha başka savaş malzemesinin acele olarak Karadeniz'deki limanlarımıza sevkedilmesi gerekiyordu, ama hangi gemilerle?

Sonbahar gelmiş, Karadeniz'in o göklere çıkan fırtınaları başlamıştı. Ama elde bu işi görecek başka tekne olmadığından bu zorlu görev, ne bahasına olursa olsun, 45 grostonluk küçük *Gazal* römorkörüne verilmişti.

Küçük römorköre büyük görev

Verilen görev, Rusya'nın Tuapse limanından teslim alınacak silâh ve cephaneyi Trabzon'a getirmekti.

Gazal'ın süvarisi Önyüzbaşı Adil Kaptan, Tuapse'ye giderek iki adet 7,5'lik, iki adet 8,8'lik dört sahra topu ile pek çok piyade tüfeği ve bunların sandıklar dolusu cephanelerini yüklemişti. Römorkör aldığı yükle iyice sulara gömülmüştü; içerde dönecek yer kalmamıştı. Ruslar, bu küçük teknenin Trabzon'a varamadan daha yarı yolda sulara kaynayacağı görüşündeydiler. Ama *Gazal,* 24 saatte Tuapse'den Trabzon limanına varmayı başardı. Ruslar sonradan haberi öğrenince çok şaşıracaklardı. Trabzon'daki ilgililerin ise sevincine diyecek yoktu.

(*) Bu römorkörle ilgili teknik bilgi için *Seyr-i Sefain, Öncesi ve Sonrası* (İletişim Yayınları, 1997) adlı kitabın 157. sayfasına bakınız.

7 Ekim 1922 günü bir avuç denizcimiz minik Gazal *römorkörü ile (sağdaki) Yunan bandıralı* Urania *adlı koca şilebi ele geçirmişlerdi. Soldaki ise,* Galata *römorkörü.*

Ama Adil Kaptan'ı tatsız bir sürpriz bekliyordu: Yeni gelen bir emirle malzemenin Trabzon yerine İnebolu'ya çıkartılması bildirilmişti. *Gazal,* şiddetli fırtınaya rağmen tereddüt etmeden tekrar demir aldı, düşman gemilerine görünmemek için kıyı kıyı tâ İnebolu'ya giderek bu zor görevi de yerine getirdi.

Gazal *inanılmaz işler başarıyor!*

Bu küçük tekne Millî Kuvvetlerin emrine girdikten sonra gerçekten büyük işler başardı. Nasıl mı?

* 20 Ekim 1920 günü, 564 tüfek, 586 kasatura ve 494 sandık cephane getirerek...

* 21 Mayıs 1921 günü, yedeğinde çektiği tepeleme silâh yüklü *Dana* adlı yelkenliyle 3.386 sandık cephaneyi bize kazandırarak...

* 21 Ekim 1921 günü, iki adet seri atışlı sahra topu, bir hayli tüfek aksamı ve 5.189 sandık cephaneyi vatana naklederek...

* 14 Aralık 1921 günü 651 sandık dolusu top mermisini Rusya'dan Anadolu topraklarına getirip boşaltarak...

Bunlar minik *Gazal*'in başarılarından sadece birkaçıydı. Yalnız 1921 yılı Haziran ayında Polathane limanına 2.622 sandık top mermisi getirip boşaltmıştı ki, bu rakam bile bu küçük römorkörün dalgalarla boğuşarak

23

Gazal *römorkörü'ndeki bir avuç denizcinin akıl almaz bir şekilde ele geçirdiği Yunan bandıralı* Urania *gemisi. Sonra bu şilebin adı* Samsun *ve* Galata *olarak değiştirilecektir.*

gördüğü işin büyüklüğünü göstermeye yetiyordu.

Bir seferinde, bir İngiliz muhribiyle karşılaşan *Gazal,* mahmuzlanarak batırılmaktan, son anda düşman gemisinin bir mayına çarpması sonucu kurtulmuştu. İngiliz muhribi pruvasından yara alınca, *Gazal* de bu fırsatı değerlendirerek selâmeti Trabzon limanına kaçmakta bulmuştu.

Gazal'e yeni bir görev daha

Cephanenin yanı sıra asker sevkiyatında da hizmet gören *Gazal* römorkörü, bir keresinde de karakol görevine çıkartılmıştı. Hem düşman hakkında keşif yapacak, hem de Romanya'dan malzeme getiren düşman gemilerinin önlerini kesecek, onları batıracaktı. Bu iş için tek bir topu vardı, o kadar. Üstelik uzun zamandan beri kullanılmamış bir toptu bu.

Aslında iki yıla yakın bir zamandan beri bakımı yapılamadığı için *Gazal* de hayli çaptan düşmüştü. Birkaç saatlik bir seyirden sonra mutlaka durdurulması, istiminin yükseltilmesi gerekiyordu.

1922 yılının 8 Eylül günüydü. *Gazal,* ufukta av kollayarak ağır ağır seyretmekteydi ki, ufukta bir şilep farketti. Kumandan Nazmi Bey'in ilk işi römorkörün kıçındaki bayrağı indirmek oldu Şilebi yakalaması zor olacağı için bir hileye başvurarak şansını denemek istedi. Başladı üst üste kısa kısa düdük çalmaya... Bu, teknenin zor durumda olduğu anlamına geliyordu.

Şilep düdük seslerini duymuş, rotasını değiştirerek üstlerine doğru gelmeye başlamıştı. Bir süre sonra da iyice yaklaşmıştı. 3.000 grostonluk kadar vardı. Öyle ki burnundaki *Urania* yazısı iyice seçilir hale gelmişti.

Nazmi Kaptan elindeki megafonla şilep kaptanına seslenerek hangi milletten olduklarını, nereye gittiklerini sordu. Şilep kaptanı da Yunan gemisi olduklarını, Köstence'den hareket ettiklerini, İstanbul'a gittiklerini söyledi.

"O halde hemen teslim olunuz!"

Nazmi Kaptan yine megafonla seslendi:

-"Sancağınızı çekin, göreyim."

Şilebin kıçındaki direğe mavi-beyaz haçlı Yunan bayrağı çekildi.

Gazal'in direğine Türk bayrağı çekmelerini işaret eden Nazmi Kaptan da şilebin süvarisine şu kesin emri verdi:

-"Hemen teslim olunuz!"

O sırada Mülâzım Seyfi Bey de fora top ederek namluyu *Urania*'nın kaptan köprüsüne çevirivermişti. Her şey o kadar âni oluvermişti ki, Yunan süvari telsizini bile kullanmak fırsatını bulamamıştı.

Nazmi Kaptan *Gazal*'i Yunan şilebine aborda ederek İkinci Kaptan Mülâzım Sabri Bey'i, yanında silahlı üç askerle birlikte gemiye çıkardı. Göz açıp kapatıncaya kadar kaptan köşkü kontrol altına alındı, telsiz susturuldu, süvari, ikinci kaptan ve çarkçıbaşı esir alınıp *Gazal*'e getirildi. Gemide 2.200 ton kereste ile 65 ton karpit vardı. Onlara da hemen el kondu.

45 tonluk küçücük *Gazal* römorkörünün esir aldığı 3.000 tonluk koca *Urania* şilebi, yıllarca *Samsun* adıyla Türk bayrağı altında hizmet gördü. Gemi önce Türkiye Seyr-i Sefain İdaresi'ne devredildi. Sonra 1927'de Kırzade Şevki Bey tarafından satın alınarak *Galata* adı verildi. Cumhuriyet'in ilânından sonra İstanbul limanına geri dönen *Gazal* ise, yine eskiden olduğu gibi kâh gemileri çekerek, kâh peşindeki koca koca mavnaları sürükleyerek daha uzun yıllar boyunca çalıştı, durdu.

Ne yazık ki kahraman *Gazal*'den Müze'de hiçbir şey yok. Ne isim levhası, ne pusulası saklandı, ne de kahramanlık öyküsünü bilip hatırlayanlar hayatta kaldı...

Alemdar'ın da Karadeniz'de kahramanlıkları var

Alemdar 1898'de Danimarka'da inşa edilmiş 362 grostonluk bir tahlisiye gemisiydi. Bir Danimarka firması, kapitülasyonların sağladığı olanaklardan yararlanarak bu gemiyi Marmara'da kurtarma gemisi olarak kullanıyordu.*

Birinci Dünya Savaşı'na girildiği zaman Çanakkale Boğazı'ndan dışarı çıkamayan bu tekneye Osmanlı hükûmeti derhal el koydu. Sonra da çarkçıbaşısı tarafından gizlice Karadeniz'e çıkartılarak Ereğli'ye götürüldü; artık Anadolu Hükûmeti'nin emrindeydi.

Ama isterseniz, *Alemdar*'ın öyküsünü başından anlatalım...

Yıl, 1921, günlerden de 23 Ocak'tı.

İstanbul, işgal yıllarının en acı günlerini yaşıyordu. Anadolu'daki Türk ordusu, birkaç güne kadar Yunan ordusuyla İnönü kasabasının önlerinde karşı karşıya gelecekti.

Haydarpaşa'da yatmakta olan *Alemdar,* tüm ışıklarını söndürdükten sonra gizlice demir alıp dikkatleri çekmemeye çalışarak Boğaz'a doğru dümen kırdı. Beşiktaş ile Ortaköy arasında demirli düşman savaş gemilerinin yanından görünmeden geçmesi ancak bir mucizeyle mümkündü. Bu mucize gerçekleşti, görünmeden geçti. Karadeniz'e çıkınca da makinesine tam yol vererek doğuya doğru ilerlemeye başladı. Karadeniz'de bütün şiddetiyle Ayandon fırtınası hüküm sürüyordu. *Alemdar*'ın yapabileceği en yüksek hız, saatte ancak 10 mil kadardı.

Kurtarma gemisinde hepsi hepsi 10 kişi vardı. Kaptanın da bu sularda pek tecrübesi olduğu söylenemezdi. Çarkçıbaşı Kadıköylü Osman Efendi, güverte lostro-

Uzun yıllar boyunca kurtarma gemisi olarak aralıksız hizmet eden Alemdar, her zaman "Gazi" olarak anıldı.

(*) Teknik bilgi için *Seyr-i Sefain, Öncesi ve Sonrası* (İletişim Yayınları, 1997) adlı kitabın 154-155. sayfalarına bakınız.

mosu Recep Reis, bir makina lostromosu, iki yağcı, üç ateşçi, iki de gemici... Hepsi de bir an önce Ereğli'ye varmak için telâş içindeydi. Çünkü kaçtıkları farkına varılırsa hemen peşlerinden yollanacak bir geminin yetişip onları yakalaması işten bile değildi.

Şimdi de doğru Sinop limanına

Ereğli'ye selâmetle vardılarsa da, liman reisi onlara İstanbul'dan kaçtıklarının anlaşıldığını haber verdi. Bu durumda Ereğli'de barınmalarına imkân yoktu. Gelen haberlere göre, Zonguldak'taki Fransız liman reisi de *Alemdar*'ın yakalanması ve mürettebatıyla birlikte İstanbul'a geri götürülmesi için *C-27* numaralı Fransız gambotunu görevlendirmişti.

Bu durumda *Alemdar*'ın hemen limandan ayrılması gerekiyordu. Acele kömür ve yağ ikmali yapıldı. Gemiye Üsküdarlı İsmail Hakkı Kaptan kumanda edecekti. Makina Yüzbaşısı Beykozlu Âdil Bey başmakinist, Mülâzım-ı evvel Rizeli Ali Efendi de İkinci Kaptan olarak görevlendirildi. Ayrıca tecrübeli gemiciler bulunup onlara yardımcı olarak verildi.

26 Ocak'ı 27'ye bağlayan gece, saat 3:00 sularında *Alemdar* Ereğli limanından çıkarak Sinop'a doğru dümen kırdı.

Hareketlerinin üzerinden pek az bir süre geçmişti ki, tam karşılarından çok hızlı bir teknenin geldiğini farkettiler. Böylesine hızlı bir tekne, ancak bir gambot olabilirdi.

Tehlikeyi gören İsmail Hakkı Kaptan, gemisini teslim etmektense karaya oturtarak düşmana yar etmek istemedi. Ama düşman gambotu, İsmail Hakkı Kaptan'ın aklından geçenleri sezmiş olmalı ki, *Alemdar*'la sahil arasına girmeyi başardı.

Bu durumda yapılabilecek pek bir şey kalmamıştı. Fransız gambotu *Alemdar*'a aborda oldu. Fransız erler Türk gemisine doluşuverdiler. Verilen emre uymak gerekiyordu. *Alemdar* çaresiz geri döndü. Zonguldak limanına girdi. Kıçtan kara bağladı.

"Römorkörü İstanbul'dan kimler kaçırdı?"

Burada işgal kuvvetlerinin Karadeniz komodoru ve Zonguldak Liman Reisi olarak görevli bulunan Fransız deniz Yüzbaşısı Tilli, askerleriyle gemiye girerek İsmail Hakkı Kaptan'a, gemiyi İstanbul'dan kaçıranların kimler olduğunu sordu. Yüzbaşı, aklınca gemiyi kaçıranları bizzat istanbul'a götürüp teslim ederek kumandanlarının gözüne girmeyi düşünüyordu.

-"Gemiyi kaçıranlar Ereğli'de kaldı," diye cevap verdi İsmail Hakkı Kaptan. "Ben gemiyi onlardan teslim aldım." Kimseyi ele vermemişti, ama iş bu kadarla kapanacağa benzemiyordu.

-"O halde Ereğli'ye gidiyoruz! dedi Fransız Yüzbaşı. Dedi ama, bunu göze alamadığı için de hemen ağız değiştirdi: "Hayır, İstanbul'a gidilecek!"

Çaresiz gidilecekti İstanbul'a. Ama ya gitmemenin bir çaresi varsa?

İsmail Hakkı Kaptan'la Yüzbaşı Âdil Bey, kayıtsız gibi görünmeye çalışarak aralarında sanki havadan, sudan bir şeyler konuştular. Yüzbaşı Tilli yanıbaşlarındaydı. Kaldı ki, *C-47* numaralı gambot da arkalarından onları izliyordu.

Önce Yüzbaşı Âdil Bey kaptan köşkünden ayrıldı, sonra da Fransız Yüzbaşı emrine ayrılan kamaraya çekildi. Yukarda İsmail Hakkı Kaptan'la silâhlı Fransız eri yalnız kalmışlardı. Saat 11:30'a geliyordu ve Bababurun'a 11 mil mesafedeydiler.

Tam o anda İsmail Hakkı Kaptan cebinden çıkardığı düdüğünü var kuvvetiyle öttürdü. Uzun uzun.. Kuvvetle...

Bu, tüm mürettebatın beklediği işaretti.

İsmail Hakkı Kaptan aynı anda Fransız erinin üzerine atlayarak silâhını elinden kapıvermişti. Öteki tayfalar diğer Fransızlar'ı kıskıvrak yakalayıvermişlerdi. Tilli de ne oluyor diyerek kamarasının kapısını açınca, karşısında İkinci Kaptan'ın üzerine çevirdiği silâhı gördü, ne yapacağını bilemedi.

-"Bütün adamlarınız yakalandı. Teslim olun Yüzbaşı!"

Aralarında çıkan boğuşmada, Beykozlu Adil Bey Fransız subayını altına alıp ellerini arkasından bağlayıvermişti.

Evet, *Alemdar*'a yeniden sahip olunmuştu, ama arkadan kendilerini izlemekte olan gambotu ne yapacaklardı?

-"Döğüşeceğiz!" dedi İsmail Hakkı Kaptan. "Başka çaremiz yok!"

Fransızlar'dan alınan silâhlar mürettebatın elinde, herkes bir köşeye mevzilendi. O sırada da *Alemdar* rotasından ayrılarak birden döndü, Ereğli'ye doğru dümen kırdı. Makinesi tam yol çalışıyor, tekne sanki ek yerlerinden ayrılacakmış gibi şiddetle sarsılıyordu.

Gambottakiler ateşe başlıyor

Ama gambottakiler durumun farkına varmışlardı. İhtar anlamında bir mermi yolladılar. *Alemdar*'dakilerin aldırış etmemesi üzerine peş peşe top atışına başladılar. Bu arada *Alemdar* birkaç isabet aldı. Serdümen Recep Reis kanlar içinde yere yığıldı, kaldı. Ama Yüzbaşı Âdil Bey de gambottaki topun başındaki eri vurmayı başardı. Hiçbir er artık top başına geçmeye cesaret edemiyordu. Derken makinalı tüfeği kullanan erin de vurulmasıyla gambottakiler paniğe kapıldı.

Alemdar'ın bacası delik deşik olmuştu; giderek istim basıncı azalıyor, tekne yoldan düşüyordu. Ama Ereğli iyi-kötü de olsa görünmeye başlamıştı. İsmail Hakkı Kaptan, *Alemdar*'ı tekrar karaya oturtmak istediyse de, gambot yine kara tarafından araya girerek buna meydan vermedi. Artık iyice karaya yaklaşılmıştı ki, karadan doğru tüfek sesleri duyuldu. Karadan gambota ateş ediliyordu. İki ateş arasında kalan Fransız gambotunun kumandanı da vurulunca *Alemdar* bunu fırsat bilip yine tam yol Ereğli limanına doğru kaçmaya devam etti. Bacası delik deşikti, gövdesi mermi yaralarıyla doluydu.

Alemdar'da üç şehit verdik. İsmail Hakkı Kaptan gemisini sığ sulara oturttuktan sonra Ereğli'den gelen motorlarla önce şehitleri çıkarttı. Sonra da esir alınan düşman askerlerini...

Fransız gambotu ise, avını elinden pisi pisine kaçırmanın hıncını, Ereğli üzerine gelişigüzel mermi yağdırarak almak istedi. Sonra ters yüzü geri dönerek kayboldu, gitti.

Mürettebat, tekneye dolan suyu, koşup gelen Ereğli halkının da yardımıyla, sabırla kova kova boşalttı. Bir yandan da denize indirilen dalgıç dipteki yarayı kapatmaya çalışıyordu. Ve, *Alemdar* sonunda kendi imkânlarını kullanarak yüzdürüldü. Halkın sevinç gözyaşları arasında Karadeniz'in hırçın sularında köpükler bırakarak yeniden yola çıkarken, takvimler 1921'in 5 Şubat'ını gösteriyordu.

Alemdar, Bahriye Müfrezesi Kumandanlığı'nın emrine verildi. *Gazal* gibi, hatta 4 numaralı rüsumat motoru gibi, Trabzon limanında üslendi, Anadolu'ya silâh ve mühimmat taşıyarak Kurtuluş Savaşı boyunca pek şerefli görevini sürdürdü. Cumhuriyet yıllarında da kurtarma gemisi olarak 1954'e kadar aralıksız hizmet verdi. O yıl kadro dışı bırakılan *Alemdar* Bahattin Hiçyılmazlar Şirketi tarafından satın alındı. 1960'ta tanker dubası oldu. Şirket hayli yaşlanan *Alemdar*'ı 27 Ekim 1971 günü bir başka denizcilik şirketine sattı... Birkaç kez daha el değiştirdikten sonra 1982'de hurdaya gitti. Söz gelişi, jilet yapılmak üzere...

Ama, bu şerefli gemi hep *"Gazi"* *Alemdar* olarak anıldı.

Ondan da günümüze destanlaşan kahramanlık öyküsünden ve de eski bir fenerinden başka bir şey kalmadı. (Bak: Gemi Kurtarma İşletmesi Müdürlüğü. Sayfa: 317)

Burnu cıvadralı Cumhuriyet *gemisi*

Hangi tip olursa olsun, hangi hatta çalışırsa çalışsın, her geminin bir başka kişiliği vardır. Yolcular bazı gemileri ötekilerden daha çok severler; bazılarına uğursuzluk yakıştırırlar, bazılarını da nedendir bilinmez, fazla tutmazlar.

Burnu bastonlu *Cmuhuriyet* yolcu gemisi, Denizyolları'nın en sevilen gemilerinden biriydi. Tıpkı dört direkli, iki bacalı *Gülcemal*, tıpkı rahmetli Şefik Kaptan'ın bembeyaz bir kuğudan farksız *Ankara*'sı gibi. Yalnız o mu, süvarisi Büyükadalı Bahtiyar Kaptan da İdare'nin en çok sevilen, en çok saygı duyulan kaptanlarındandı. Tıpkı, daha sonraki dönemlerde çarkçıbaşısı olan Ahmet Kızıldemir Kaptan gibi...

Cumhuriyet, İskoçya'nın ünlü Denny Brothers Dumbarton Tersanesi'nde Çarlık Rusyası'nın siparişi üzerine 1893'te yapılmıştı. Bağlama limanı Odesa olmuş, adı: s/s *Coraleva Olga* konmuştu. Ertesi yılın 22 Ocak günü Rus deniz ticaret filosunda yerini almış, on yıl kadar Karadeniz'in sert sularında çalışmış, Odesa ile Varna, Köstence, oradan Sıvastopol, Novorissisk sonra da Batum arasında posta seferlerinde yolcu, yük taşımış, durmuştu. Sağlam, güçlü ve denizci bir tekneydi.*

Ama Birinci Dünya Savaşı patlak verince geminin şansı döndü. Rus donanmasının Ereğli açıklarında Osmanlı donanmasının çok değerli üç savaş gemisini birden batırması üzerine, Alman Amirali Souchon'un komutasındaki iki Alman savaş gemisi de -ki bunlar *Goeben (Yavuz)* ile *Breslau*'dur *(Midilli)*- Sıvastopol'u topa tutarak misillemede bulunmuştu.

Bu arada, Karadeniz'de seyir halinde olan *Corelava Olga*'ya da el koyularak İstanbul'a getirilmişti.

Savaş yılları sona erince, 1921'de onarılan gemi Seyr-i Sefain'e verilerek Türk sularında sefere kondu. Adı, o sıralarda Cumhuriyet'in ilânı nedeniyle *Cumhuriyet* olarak değiştirildi. Siyah gövdesi, burnunda gerektiğinde flok yelkeni açılmak üzere yerleştirilmiş ileriye doğru uzanan civadrası, iki direği ve biçimli silüetiyle İdare'nin en sevilen gemilerinden biri oldu.

(*) Fazla bilgi için, *Seyr-i Sefain, Öncesi ve Sonrası* (İletişim Yayınları, 1997) adlı kitabın 157. sayfasına bakınız.

Birinci Dünya Savaşı sırasında Ruslar'dan ele geçirilen Cumhuriyet *gemisi Boğaz sularında.*

1930 yılında ilk dış hat seferleri başlatıldığı zaman o zamanki genç süvarisi Aziz Bey'le İskenderiye' ye seferler yaptı. O hatta da sevildi, rağbet gördü, beğenildi.

Ama artık hayli eskimişti. *Cumhuriyet* 1954 yılının 13 Mart günü hurdaya çıkartıldı ve İtalyan bozmacılara satıldı. La Spezia'ya doğru son seferine çıkarken, bu 61 yıllık geminin arkasından el sallayanlar, çok sevilen bir dosttan ebediyen ayrılmanın bırukluğu içindeydiler.

Lütfi Kaptan sergi gemisiyle Rusya yolunda

Cumhuriyet'in ilk yıllarında *Karadeniz*'in bütün bir yaz boyunca Avrupa limanlarına yaptığı bir sergi seferi vardır ki, o günlerin önemli olaylarındandır. Genç Türkiye Cumhuriyeti'nin Avrupa'nın önemli merkezlerinde tanıtılması amacıyla düzenlenen bu sefer, olumlu sonuçlar vermiş, etkili bir propaganda aracı olmuştur.

Böyle bir sergi seferinin düzenlenmesi, büyük ticaret firmaları tarafından ortaya atılmış, gazetecilerden destek görmüş, birkaç mebusun girişimiyle de gerçekleşmişti. Gezinin, o günlerin en gözde gemilerinden *Gülcemal* ile *Karadeniz*'den hangisiyle yapılması gerektiği konusunda önce karar verilememiş, sonunda böyle bir sefer için *Karadeniz* daha uygun görülmüştü.

1926 yılıydı. *Karadeniz* 22 Haziran Salı günü Karaköy rıhtımından hareket etti. Süvarisi, titizliği, otoritesi ve denizcilik tecrübesiyle tanınan ünlü Lütfi Kaptan'dı. İkinci Kaptan: Süreyya Gürsu, Üçüncü Kaptan: Asım Alnıak, Dördüncü Kaptan Vedat Karaaslan'dı. Mülâzım Kaptanlar ise, Ne-

Seyyar sergi gemisi olarak İngiltere üzerinden Rusya'ya kadar uzanan Karadeniz, Kopenhag limanında.   *(Madalyon içinde: İkinci kaptan Süreyya Gürsu)*

cati Kaptan, Şefik (Gogen) Kaptan, Ethem, Zeki, İsmail Kaptanlar'dı. Çarkçıbaşı, Kantarcı İsmail Efendi idi. Gemi, önce Haliç Tersanesi'nde onarıldı, yer yer de tâdil edildi.*

Gemide kimler yoktu ki!

Mimar Asım Bey (Kömürcüoğlu) tarafından dekore edilmiş, ambarlara düzenlemeler yapılarak reyonlar yerleştirilmişti. Gemide yolculardan başka o günlerin tanınmış ses, saz ve tiyatro sanatçıları, basın temsilcileri, devlet adamları ve görevliler vardı. Gazeteci Vâlâ Nurettin (Va-Nu) ile Celât Esat Beyler (Arseven) bu kişilerin en tanınmışlarıydı.

Sergi Komiseri, geziye eşi Luhika Hanım ve kızkardeşi Belkıs Hanım'la katılan Rauf Manyasî Bey'di. Ayrıca şair Kemalettin Kamu, nükteleriyle tanınan Bal Mahmut (Baler) ile eşi Samiha Hanım, Refii Bayar ile eşi Zekiye Hanım, öğretmen İclâl Hanım (Maarif Vekili Mustafa Necati Bey'in teklifiyle katılmıştı), Özbekler Tekkesi Şeyhi Ata Bey, Pertev Paşa ile kızı, Şekerci Ali Muhiddin Hacıbekir, Y. Mimar Naci Meltem (geminin restorasyonunda çalışmıştı), Seyfettin Çürüksulu Beyler de vardı. Mevcut,

---

(*) *Karadeniz* hakkında teknik bilgi için *Seyr-i Sefain, Öncesi ve Sonrası* (İletişim Yayınları, 1997) adlı kitabın 173 ve 295. sayfalarına bakınız.

125'i gemi adamı, 47'si Riyaset-i Cumhur orkestrası üyesi olmak üzere 285 kişiyi buluyordu.

Sergi iki kısma ayrılmıştı: Satış ve nümune daireleri: Satış dairesinde, tütün, Kütahya çinileri, el halıları, Hacı Bekir şekerlemeleri, kehribar, kıymetli taşlardan yapılmış işlemeler ve çeşitli antikalar bulunuyordu. Nümune dairesinde ise, yün, pamuk gibi hammaddeler, hububat, afyon gibi tıbbî hammaddeler, meşe palamudu, fındık, tahtadan süs eşyaları, deri işleri, ipek kozaları, Beykoz, Hereke ve Bursa fabrikalarının deri ve kumaş imalatları, maden örnekleri ve ekonomik durumu gösteren grafikler yeralıyordu. Dahası, türlü çeşitli tekel ürünleri... Gemide bir de orkestra vardı ki şefi, İstiklâl Marşı'nın bestecisi Zeki Üngör'dü.

Karadeniz gemisi İstanbul'dan hareket ettikten sonra Mudanya'ya uğrayarak kısa bir süre için de olsa Reisicumhur Gazi Mustafa Kemal Paşa'yı misafir etti. O sırada Gazi, Bursa'da bulunuyordu. Beraberindeki zevatla Mudanya'ya giderek en ince ayrıntıları bile gözden geçirmişti. Akşamüstü Bandırma iskelesine yanaşan gemiden çıkmış, Lütfi Kaptan'ı, bu görevinde başarılar dileyerek uğurlamıştı.

Balolar veriliyor, eğlenceler düzenleniyor!

İlk olarak Akdeniz'de Cezayir'in Bona limanına uğrayan *Karadeniz* oradan İspanya'nın Barcelona limanına demirlemişti. Sonra da Atlantik'e açılarak Fransa, İngiltere, Hollanda, Belçika, Almanya üzerinden İskandinavya'ya, en son da Finlandiya'ya kadar uzanmıştı. Yol boyunca Riyaset-i Cumhur orkestrası konserler veriyordu. Uğranılan limanların en önemlileri Bona (şimdiki Anaba, Cezayir), Barcelona (İspanya), La Havre (Fransa), Londra (İngiltere), Amsterdam (Hollanda), Danzig (Polonya), Kopanhagen (Danimarka), Anvers (Belçika), Marsilya (Fransa), Cenova (İtalya). Gemiyi günde 1.200-4.000 arasında ziyaretçi geziyor, tütün başta olmak üzere pek çok malın satışı yapılıyordu.

Karadeniz İstanbul'dan hareket ettikten ve 18 ayrı limana uğradıktan sonra, 5 Eylül 1926 Pazar günü İstanbul'a geri döndü. Gezi 86 gün, 22 saat sürmüştü. Bu sürenin 40 gün 16 saati seyirde, 46 gün 6 saati de limanlarda geçmişti. 9.981 mil yol yapılmış, 2.778 ton kömür, 971 ton tatlı su tüketilmişti. 12 Avrupa devletinin 16 limanı ziyaret edilmiş, bu arada da limanlara girip çıkılmak için 44 yabancı kılavuz kaptan alınmıştı.

Bu süre içinde *Karadeniz* vapurunda 16 balo ve dine verilmişti. Gemi zabitanı ve sergi düzenleme kurulu gemi dışında da 36 ziyafete katılmıştı. Sergi, o zamanın parasıyla 60.000 liraya malolmuştu.

Program gereği son liman Saint Petersburg (sonraları Leningrad) idi. O zamana kadar hiçbir Türk gemisi bu limana girmemişti. Lütfi ve Süreyya Kaptanlar, kılavuz kaptan almayı şan ve şereflerine yediremediklerinden, kendi gayretleri ve yetenekleriyle Skagerrak Boğazı'nı geçerek Petersburg limanına demirlediler.

O günlerin basınında bu ilk sergi seferinden sitayişle bahsedildi ve beklenileni fazlasıyla verdiğine dair pek çok yazı yazıldı, pek çok haber yeraldı. Bu başarıda Türkiye Seyr-i Sefain İdaresi'nin büyük payı olduğu da sık sık belirtildi.

Kimdi bu Lütfi Kaptan?

Seyr-i Sefain'in başta gelen süvarilerinden Lütfi Kaptan, asker kökenliydi. *Demirhisar*'ın kumandanıydı. Kıdemli yüzbaşılıktan emekli olmuştu. "Topuz" lâkabıyla anılırdı. Babası da denizciydi. Kısacası cesareti ve vatanseverliğiyle tanınmış bir kumandandı Lütfi Kaptan. Çok da sakin tabiatlıydı. Trablusgarp, Balkan ve Birinci Dünya Savaşı'nda yıllarca hizmet görmüş, Çanakkale Savaşları sırasında da *Basra* torpidosunun süvarisi olarak görev yapmıştı.

1915'te *Demirhisar*'da görevli iken gemisini İngilizler'in eline geçmemesi için Sakız adasında terk-i sefine etmişti; yâni tüm mürettebatıyla birlikte gemisini terketmiş, batması için de üç yere bomba koymuştu. Sonra, kendi de dahil bütün tayfalar denize atlamışlardı. İngilizler uluslararası kurallara aykırı olarak, suda yüzen Türk bahriyelilerine makinalı tüfekli ateş açmışlar, sonra *Demirhisar*'ı esir almak için gemiye çıkmışlardı. Ne var ki gemi, infilak ederek battığından yine de İngilizler'in eline geçmemişti.

1919'da Donanma'dan ayrılarak Seyr-i Sefain'de görev alan Lütfi Kaptan'ın filodaki ilk görevi *Reşit Paşa* gemisinin süvariliği oldu. Yaptığı seferlerle savaş sonrasında Yunanistan ve Mısır'da bulunan Alman askerlerini Almanya'nın Wilhelmhaven ve Hamburg limanlarına ulaştırdı.

Lütfi Kaptan 1920 yılının 13 Mart tarihli mektubunda, ailesine şunları yazıyordu:

"Buradaki gemi acentesinin İngiliz ve Almanlar'la olan 5 - 6 vapuru var. Acentenin patronu diğer bizim gemilere göstermediği suhuleti bana gösteriyor. Gemilerin en büyüğü olan 8.000 tonluk gayet güzel yeni ge-

minin süvariliğini deruhte etmemi ve ailemin tekmil masrafı kendine ait olmak üzere Hamburg'a gitmemi her gün benden rica ediyor. Pek fazla maaş ve ticaretten yüzde on beş prim vereceğini vaad ediyor. Ben buna mukabil vatana avdet ümidi olmadan Almanya'da bir dakika bile yaşayamayacağımı söyleyince, 'Esasen öyle olduğunu pek iyi anladığım ve bildiğim halde yine de sana söylemekten kendimi alamıyorum,' diyor. 'Senin gibi üç kaptanım olsaydı, mevcut gemilerim on misli olurdu,' diye teessüf ediyor."

Lütfi Kaptan 1921'de *Gülcemal*'in süvariliğine getirildi. O sıralarda *Gülcemal* Ottoman-America kumpanyası adına aracılık yapan Dedeyan adlı bir Ermeni işletmeci tarafından kiralanmıştı.

Seyr-i Sefain'de görev almadan önce yıllarca Donanma'da hizmet gören Lütfü Kaptan denizcilik camiasında "Topuz" lâkabıyla anılırdı.

Lütfi Kaptan, *Gülcemal*'le Amerika'ya dört sefer yaptı. Ancak firmayla çıkan anlaşmazlıklar nedeniyle New York limanında gemiye haciz bile kondu. Lütfi Kaptan kendi gayretleriyle hem gemiyi hacizden kurtardı, hem de idarenin şerefini...

Ailesine yazdığı bir mektupta, "New York'a muvasalatımızdan (varmamızdan) üç gün mukaddem (önce) Amerika gazeteleri müttehiden (anlaşarak) aleyhimizde neşriyata başladılar. Şüphesiz bu da Dedeoğlu'nun bir tuzağıydı. Neşriyatta geminin pis, nezafetsiz (temizlikten yoksun), yolcuların hasta ve pasaportsuz olduklarından bahis ediliyordu. Bu meseleyi derhal Washington'daki Muhacirin Nezareti (Göçmen Bakanlığı) nazar-ı dikkate alarak New York'taki müfettişlerine şiddetli talimat vermişti. Büyük bir asabiyet ve heyecanla vapuru teftişe geldiklerinde hâlet-i ruhiye birdenbire tahvil etti (değişti) ve derhal telsiz telgrafla vapurun limana vürut eden (varan) en temiz ve nezafetli vapurlar meyanında bulunduğu nezarete bildirildi. O akşam yolcular tahliye edilmeye başlandı."

Lütfi Kaptan'ın renkli kişiliği

Bakın, "Sivil amiral" olarak tanınan denizcilik yazarı Abidin Daver, Lütfi Kaptan'dan nasıl sözediyor:

"Mütareke'de *Gülcemal*'i Amerika'ya o götürdü. Hayatında asla gitmediği bu uzak memlekete yaklaştığı zaman, sisler ve buzlarla karşılaşmıştı. Fakat, bu tabii manialara rağmen, sanki her gün gidip geldiği bir liman imiş gibi, New York'un ağzını gösteren meşhur Hürriyet fenerini eliyle koymuş gibi buldu. Vapurdaki ecnebi yolcular ve Amerikalılar bu yüksek denizciliğe şaşmışlardı. Onların, 'Bu sisli havada feneri hangi vasıta ile buldunuz?' şeklindeki suallerine, 'Dikkat vasıtasını kullanarak!' cevabını vermişti.

"*Gülcemal* Amerika'da birçok maceralar geçirdi. Lütfi Kaptan da bu maceraların bütün zahmetini çekti. Parasız, hatta aç kaldı. Nihayet gemisini Amerikalılar'ın elinden kurtararak memlekete getirdi.

"Lütfi Kaptan'ı son defa Mısır'dan gelirken *İzmir* vapurunda görmüştüm. İskenderiye'de her defa olduğu gibi, yine bir afyon kaçakçılığı olmuştu. Mısır zabıtası *İzmir* vapuru mürettebatını mesul etmek istiyordu. Lütfi Kaptan güzel bir İngilizce, makûl ve mantıki bir lisan, fakat katî bir azim ile mürettebatını müdafaa etti. Geminin dışında yakalanan afyonlardan katiyyen mesuliyet kabul etmeyeceğini söyledi. Vapurun kalkmasına on dakika varken, saatler sürecek taharriyata asla müsaade edemeyeceğini bildirdi ve zamanında vapurunu kaldırdı."

Abidin Daver'in, Lütfi Kaptan'la ilgili başka anıları da var:

"Pire'den kalktığımız zaman, süratli bir Yunan vapuru *İzmir*'le yarış etmek ve onu geçmek hevesiyle arkamızdan geliyordu. *İzmir* azami süratiyle seyretmek suretiyle bu yarışı kazanmak istedi. Fakat öteki vapur daha yollu olmakla beraber, tamirden de yeni çıkmıştı ve bu yarışa hazırlanarak limanda son haddine kadar istim tutmuştu. Yavaş yavaş bize yetişti. Pire limanı açıklarında kayalık bir ada var. Onu bordalarken Lütfi Kaptan'a dedim ki, 'Kaptan Bey, biraz sancağa alınız da, Yunan vapuruna ada ile bizim aramızdan geçecek yol bırakmayalım. Yol kesmeye yahut iskele tarafından dolaşmaya mecbur olsun da bizi geçemesin.'

"Lütfi Kaptan gülerek, 'Görüyorum ki sadece sporcu gibi düşünüyorsunuz, Daver Bey' dedi. 'Onun yolunu kesersem, belki de birdenbire duramaz ve rotasını değiştiremez. Karaya düşmek tehlikesine maruz kalır. Gerçi bu ihtimal pek azdır, ama vardır. Denizciler, denizde birbirine engel olmamak, bilakis yardım etmek mecburiyetindedirler. Hem onun yolunu kesmek denizciliğin asalet ve nezaketine uymaz.' Yunan vapuru, biraz sonra yanımızdan geçerken süvarisi megafonla bağırıyordu: 'Teşekkür ederim, Kaptan. Yolumu kesmemekle kibarlık ettiniz.' O zaman anladım ki, Yunan gemisinin kaptanı da önce benim düşündüğüm gibi düşünmüş, Türk vapuru kaptanının kendisine yol vermeyeceğini sanmış, fakat aldanmış."

Lütfi Kaptan, denize, denizciliğe gönül vermiş, gerçek bir deniz kurduydu. Bu arada kemanını da yanından ayırmazdı. Bir seferinde, ev hediyesi olarak şahsına verilmiş boyalarla koca geminin gerekli yerlerini boyatmıştı.

Lütfi Kaptan 1928 yılında *İzmir*'in süvarisiydi. Afganistan Kralı Emanullah Han'la eşi Kraliçe Süreyya'yı çok tehlikeli koşullar altında Rusya'nın Sıvastopol limanından alarak güvenlik içinde İstanbul'a getirmeyi başarmıştı. Ayrıca Sovyet Rusya'nın önemli liderlerinden Troçki'yi de İstanbul'a getiren odur. Troçki'nin hediye ettiği gümüş sigara tabakası, bugün kızı tarafından muhafaza edilmektedir.

1931 yılında Lütfi Kaptan'ı *Ege*'nin süvarisi olarak görüyoruz. *İzmir*'e de *Ankara*'nın süvarisi Aziz Kaptan atandı. Aziz Bey 1897 doğumluydu. Almanya'da öğrenim görmüş, bir buçuk yıl kadar Amerika'da staj yapmıştı. Birinci Dünya Savaşı sırasında Alman donanmasında bulunmuş, Çanakkale muharebelerini yakından görmüştü.

Lütfi Kaptan, *Ege*'ye verildikten bir yıl kadar sonra hastalandı, sonra da İstanbul'da hayata veda etti. Henüz 46 yaşındaydı. Ölümü denizcilik camiası için gerçekten büyük kayıptı.

Nur içinde yatsın.

Nerede o eski Kadıköy vapurları!

Eski Kadıköylüler gibi, eski Kadıköy vapurları da onlarla birlikte yok oldu gitti...

Kadıköy vapurları Türkiye Seyr-i Sefain İdaresi'nin gerçek bir gurur kaynağıydı. Güzelliği, temizliği, düzeni, kısacası her şeyiyle bir başka havası vardı bu vapurların...

Şirket-i Hayriye'nin aynı yıllarda çalışan vapurlarına son zamanlarda üstünü başını ihmal etmiş, babayani görünüşlü, gelişigüzel kişiler de biner olmuştu. Genç anneler ağlayan bebeklerini pışpışlayarak susturmaya çalışırlar, başaramazlarsa, bir kenarda altını değiştirmeye kalkabilirlerdi. Özellikle alt salonda, nisbeten tenha olduğu için ayakkabılarını çıkarta-

Yıl, 1928... Kalamış adlı şehir hattı vapuru, inşa edildiği Fransa'dan henüz yeni gelmiş. Kadıköy ve Adalar hattı yolcuları bu yeni vapuru çok sevmiş, çok beğenmişler. Kadıköylüler arasında eski yandan çarklılara binmek yerine, bir sonraki vapuru bekleyip Kalamış'a binenler bile var!

rak uzanıp horlaya horlaya uyuyanlara sık sık rastlayabilirdiniz. Satıcılar uluorta gezinir, yolcular yüksek sesle konuşabilirdi. Yanınıza şapka, paket, hırka vs. koyarak eşiniz, dostunuz için pekâlâ yer ayırabilirdiniz. Daha bir rahat, daha bir samimiydi Boğaz yolcuları...

Ama Kadıköy vapurları?

Eğer Haydarpaşa'ya uğrayıp da tren yolcularını almamışsa, Kadıköy vapurlarındaki yolcular temiz pak giyimli, hareketleri ölçülü, yanındakilere daha bir saygılıydılar. Kadıköy'ün bebekleri ağlamazlardı, altlarını kirletmezlerdi sanki... Salonlarda yatanlara, hele ayakkabılarını çıkararak rahat etmek isteyenlere hiç rastlanmazdı. Rastlanırsa da onlar, kamarot ya da biletçilerin uyarısıyla toparlanmak zorunda kalırlardı. Satıcılar gezinmez, gezinse de uluorta bağırmazlardı. Daha bir ölçülü, daha bir görgülü gibiydi Kadıköy'ün, Fenerbahçe'nin, Moda'nın yolcuları...

Tabii, bu dediklerimiz 1930'lu, bilemediniz, 1940'lı yılların işiydi...

Şimdi Kadıköy vapurlarının da hiçbir farklılığı kalmadı. Özellikle iş saatlerinde otobüsler gibi kalabalık sefer yapan bu vapurlarda bir itiş-kakıştır sürüp gidiyor. Bebekler de ağlıyor, satıcılar da bağırıyor, dilenciler de askıntı oluyor, her türlü saygısızlık yapılıyor. Demek istediğimiz, Kadıköy vapurları da giderek Büyük İsanbul'un bir parçası haline geldi; daha da gelmekte devam edecek.

Enis Tahsin Bey, vapurları anlatıyor

Bakın, Bâbıâli'nin emektarlarından *Akşam* gazetesinin yazı müdürü Enis Tahsin Til, çocukluğunun (1910'ların öncesi olsa gerek) şehir hattı vapurlarını nasıl anlatıyor:

"O tarihlerde Haydarpaşa'ya Anadolu Şimendifer Kumpanyası vapur işletirdi. *Bağdat, Basra, Halep* adındaki üç vapurdan biri daima istirahat eder, bu esnada hakiki bir revizyona tâbi tutulur, diğer ikisi de seferleri rahat rahat idare ederdi. Süt gibi bembeyaz, tertemiz olan bu vapurlara Kadıköylüler imrenirlerdi. Fakat yapacak bir şey yoktu. Değil *Bağdat, Basra, Halep*, Adalar hattına işleyen 19-20 numaralılarla, *Neveser*'den birinin Kadıköy seferlerine tahsis edilmesini bile tatlı bir rüya gibi karşılarlardı.

"Kadıköy hattına işleyen bir de 5 numara vardı. "Tonton"a kardeş, yahut ağabeyi olan bu vapur 4 numaradan bir parça daha yollu idi. Fakat buna mukabil vapurun iki büyük kusuru vardı. Birincisi: Vapur Kadıköy iskelesinden kolay kolay ayrılamaz, sert havalarda baş tarafa yelken açmaya mecbur olurdu. İkincisi: Vapurun üst salonu yoktu, yolcular kışın alt salona inerler, burada âdeta karanlıkta otururlardı.

"5 numarada elektrik yoktu. Alt kat salonu, bir petrol lambasıyla aydınlatılmaya çalışılırdı. Tabi bunda muvaffak olunamazdı. Yan kamarada yer

Yüzyılımızın başlarında, derme-çatma Kadıköy iskelesi. Hareket saatini bekleyen vapur, Neveser.

bulamayarak aşağıya inenlerin çoğu bu uzun seferi uyuklamakla geçirirdi.

"Vapurda kalorifer de yoktu. Merdivenin başına konmuş bir soba alt kat salonu ısıtmaya çalışırdı. Bazen kıpkırmızı kesilen sobanın büyük bir tehlike teşkil etmesine rağmen salonun dibinde rahat rahat oturanlar olurdu.

"Tonton"a gelince, bu vapurun üst salonu ve kendine göre bir vekarı vardı. 5 numara Adalar hattına işleyen vapurlarla bazen yarışa çıkardı. "Tonton" böyle işe kalkışmaz, yanından gelip geçen vapurlara adeta istihfafla, onlara hafife alarak bakardı.

Bir gün dümen tertibatı bozulunca...

"Sonbaharın serin bir akşamı 4 numara Köprü'den Kadıköyü'ne hareket etti. Vapur çok kalabalıktı. Resmî dairelerin tatil saati olduğundan yolcular arasında müsteşarlar, umum müdürler vardı.

"Vapur, limanda demirli şileplerin arasından geçerken dümen tertibatı bozuldu. Bu ârıza ara sıra olurdu. Fakat bu defa her zamankinden şiddetli idi. Vapur önce bir yandan bir şilebe çarptı. Buradan kurtulunca da başka bir vapura bindirdi. Yolcular telâş ve endişe ile güverteye fırladılar. Bazı gençler kendilerini 4 numaranın çarptığı şilebe attılar; bazıları da denize atlamak üzere soyunmaya başladılar.

"Vapur bir de Sarayburnu rıhtımına çarpmak tehlikesini anlattıktan sonra kendisini bu sahadan kurtardı, ağır yürüyüşü ile Kadıköy istikametini tuttu.

"Hadise bütün yolcuları heyecanlandırmıştı. İskeleye çıkan yolcular, 'Bu vapuru bir daha işlemeyecek hâle getirelim!' diyerek o zaman bomboş olan kumluktan torbalarla, kese kâğıtlarıyla kum almaya başladılar. Bunları makinelere atacaklar, "Tonton"u bir daha işlemeyecek hale getireceklerdi!

"Vapurdaki müsteşarlar, umum müdürler işe müdahale ettiler: 'Nafıa Nâzırı Hallaçyan Efendi'ye bir telgraf çekiyoruz. Bunda, vaziyeti anlatacağız, yarından itibaren 4 numaranın yerine hayatımızı emniyet edeceğimiz başka bir vapur tahsis edilmezse vukua gelecek hadiselerden mesuliyet kabul etmeyeceğimizi bildireceğiz. Arzu eden, telgrafa imzasını atar. Bu vaziyet karşısında yarına kadar bekleyelim!' dediler.

"Bu sözler vapurdaki bütün yolcular tarafından tasvip edildi. Vapurdan çıkanlar evlerinin yolunu tuttular.

Yolcular bir de ne görsünler!

"Ertesi sabah iskeleye gelen herkes gelecek vapuru merakla bekliyordu. Sarayburnu'nu dönen ve yaklaşmakta olan vapurun yine mahut "Tonton" olduğu görülünce bekleyenleri bir hiddet bulutu kapladı. Bu defa daha tertibatlı gelen yolcular getirdikleri kaplara hemen kum doldurmaya başladılar. Bunu gören iskele memurları derhal işe müdahale ederek şu teminatı verdiler:

-"'Gelmekte olan vapur gerçi 4 numaradır, fakat Kadıköy hattından alınmış, Adalar hattına verilmiştir. Şimdi Kadıköyü'ne uğrayarak Adalar'a gidecektir!'

"Bu teminat herkesi güldürdü. Ama 4 numaranın arkasından *Neveser* vapuru görülünce yolcuların hepsi rahat bir nefes aldı. *Neveser* de gerçi pek parlak bir vapur değildi, fakat Köprü-Kadıköy seferini 20 dakikada yapıyordu. Vapurun elektriği, kaloriferi vardı.

"4 numaranın Adalar hattına verilmesi bu sefer de Adalar halkını endişelendirmişti. Onların da şiddetle karşı çıkması üzerine "Tonton" istirahate çekildi. *Neveser* Adalar'a işlemeye başladı. Kadıköy hattı için de geçici olarak Şirket-i Hayriye'den iki vapur kiralandı.

Yolcular acele karaya çıkartılıyor...

"Birinci Dünya Savaşı'nı izleyen yıllarda Kadıköy yolcuları büyük bir tehlike atlattılar. Harp başlar başlamaz Nafıa Nezareti Haydarpaşa ve Kadıköy seferlerini birleştirmiş, o süt gibi bembeyaz Haydarpaşa vapurlarına elkoymuştu. İlk iş olarak bu güzel vapurlar siyaha boyandı. Sık sık yapılan bakımları da tarihe karıştı.

"İstanbul'un işgali yıllarında bir akşam gazeteden çıkmış son vapurla Kadıköyü'ne gidiyorduk. Bindiğimiz vapur üç beyazdan biri, galiba *Basra* idi. Eskisi gibi itina edilmediğinden sürati hissedilebilecek derecede azalmıştı. Vapur, Köprü'den ayrıldıktan az sonra küüüt diye bir yere çarptı. Bütün yolcular güverteye fırladı. Bu sırada vapur ikinci defa olarak Sarayburnu rıhtımına çarptı ve sarfedilen gayretlere rağmen rıhtımdan ayrılamadı.

"Kaptan, durumun tehlikeli bir hal almasından korkarak yolculara karaya çıkmalarını, doğruca Köprü'ye giderek orada hazır bulunacak bir vapura binmelerini bildirdi.

"Hepimiz karaya çıktık ve ilerlemeye başladık. Bu sırada Fransızlar'ın Senegalli Zenci nöbetçilerinden birine rastladık. Nöbetçi, içlerinde kadınlar ve çocuklar da bulunan bu kalabalık kafileye bakarak sordu:

"-'Ne var? Bir felaket mi oldu?'

"Vaziyeti anlatınca geçmemize müsaade etti. Süratli adımlarla Köprü'ye geldik, istim üzerinde duran başka bir vapura bindik.

"Şirket-i Hayriye'den kiralanan o iki vapur senelerce Kadıköy hattına işledi. Denizyolları İdaresi'nin Fransız tezgâhlarına ısmarladığı üç vapur (*Kadıköy, Moda, Burgaz*) 1912'de gelince kiralama sona erdi. Zaten çok geçmeden de Birinci Dünya Savaşı patlak verdi, askerî makamlar vapurlardan birçoğuna elkoydu. Fakat "Tonton"u tekrar sefere koymayı kimse düşünmedi.

İdarenin öteki vapurları

"O tarihlerde vakit vakit Kadıköy hattında çalışan iki vapur daha vardı: *Ferah* ve de *Eser-i Şevket. Ferah*, bir zamanlar şehir hatlarında çalışan vapurların en yollusu idi. Şirket-i Hayriye'nin süratiyle meşhur 38 baca numaralı *Şükran* ve 44 baca numaralı *İntizam* adlı vapurlarını daima geride bırakırdı. Fakat nazar mı değdi, yoksa tembel vapurlarla düşüp kalkması mı sebep oldu, bilmiyorum, vapurun sürati birdenbire azaldı. Bu durum karşısında *Ferah* seferden çekildi, tamir için havuza alındı. Fakat bütün çalışmalara rağmen ona eski süratini iade etmek kabil olmadı. *Ferah* kısa bir müddet süren çalışmasından sonra kadrodan çıkartıldı.

"*Eser-i Şevket*'e gelince... Bu koca davlumbazlı vapur şehir hatlarında

İdare-i Mahsusa'nın Aydın yolcu vapuru Ada postasında...   (*Fotoğraf: Ali Sami-Aközer*)

çalışanların en heybetlisi, fakat en yolsuzu idi. Seferde iken sanki inliyormuş gibi garip sesler çıkartırdı. Halk bir süre sonra buna *Eser-i Şevket* yerine, şikâyetler anlamına, *Eser-i Şekavet* adını takmıştı.

"O sıralarda, Beyoğlu'nda, İngiliz Sefareti karşısında 'Catacloum' adlı Avrupaî görünüşte bir bar açılmıştı. Burada Henri Yan adında Parisli bir sanatkâr her akşam mizah yanı ağır basan şiirler okur, bu arada da bol bol "Tonton"la alay ederdi.

"Buna imrenen *Karagöz* gazetesi, Karagöz'le Hacivat'a şimdi mealen hatırladığım şöyle bir konuşma yaptırmıştı:

"Hacivat: 'Bil bakalım, dünyanın en büyük kışlası neresidir?'

"Karagöz: 'İstanbul'da, Selimiye kışlası!'

"Hacivat: 'Nereden biliyorsun?'

"Karagöz: *'Eser-i Şekavet* vapuru kışlanın bir ucundan öteki ucuna 40 dakikada gidiyor. Geçişi bu kadar uzun süren başka bir kışla var mıdır?' "

Vapurların en güzeli, en çirkini...

Evet, Enis Tahsin Til'in anlattıkları burada bitiyor, ama şehir hattı vapurları bu kadarla biter mi hiç? Yeri gelmişken *Aydın*'ı, *Hereke*'yi birkaç satırla da olsa hatırlatmak gerek.

O yılların en hantal, en çirkin ve en yolsuz vapurları 4 ve 5 numaralı vapurlarsa, en güzel vapuru da *Aydın* idi. Gerçekten zarif bir vapur olan *Aydın*, sabahları erkenden Pendik ve Kartal'dan alaturka saatle 1:00'de Büyükada'ya yanaşır, bir çeyrek saat sonra da Heybeliada'dan kalkarak direkt olarak İstanbul'a giderdi. *Aydın*, akşamüstleri, yine alaturka saatle 10:00'da Köprü'den kalkarak aynı şekilde yine Adalar üzerinden Kartal ve Pendik'in yolunu tutardı. Köprü ile Heybeliada arasını dakikası dakikasına tam bir saatte alırdı. Bugün ise bu mesafe 50 dakikada alınıyor.

Öğle üstü seferlerini yapan 8 numaralı *Hereke*, 15 numaralı *Nüzhetiye* ve numarasız *Eser-i Şevket* biraz tıknefesti. Ahmet Rasim'in yazdığına göre, aheste giden bu vapurlarda Adalar'dan Köprü'ye varıncaya kadar 300 sayfalık bir kitabı okuyup bitirmek pek âlâ mümkündü. Okumayı sevmeyenler için ise yapılacak tek şey, alt salona inmek ve horul horul uyumaktı!

Bu 15 numaralı *Nüzhetiye* ile eşi 16 numaralı *Kadiriye*, tâ Mithat Paşa zamanında satın alınıp Tuna'da çalıştırılan eski mi eski, köhne mi köhne, iki bacalı, yandan çarklı vapurlardı.

17 numaralı *Şahin*, 18 ve 19 numaralı birbirinin eşi *Fenerbahçe* ile

Haydarpaşa, 21 numaralı, "iki başlı" denen *Kalamış,* Macaristan yapımı birbirinin eşi *İhsan* ile *Neveser,* 23 numaralı iki bacalı küçücük *Anadolu,* hepsi yandan çarklı olup yıllar boyunca şehir hatlarında Köprü-Kadıköy, Köprü-Adalar arasında yolcu taşıyıp durdular. Bu iki bacalı yandan çarklı *Anadolu* vapuru da az antika değildi hani... Süratli mi, süratli, üstelik bacaları arkaya doğru devrik ve fiyakalı bir gidişi olduğu için herkes bayılırdı bu vapura. Sabahleyin o azametli çarklarını döndürerek yola çıkar, ikindiden sonra Yalova'ya varırdı. O gece orada Tanrı misafiri olur, ertesi gün, sabah namazında yallah eder, Yenicami minarelerinde ikindi okunurken Köprü'ye yaslanırdı.

Anadolu *vapurunun Çarkçıbaşısı Adil Amca*

Bu iki bacalının kendisi kadar meşhur bir de çarkçıbaşısı vardı. Bu rindmeşrep ve nüktedan adama Adil Amca derlerdi. Uzun boylu, pos bıyıklı bir İstanbul çocuğu idi. Yıl on iki ay, kadeh elinden düşmez, yalnız Ramazan'da bir mütareke imzalayıp şişeye veda ederdi. Kadıköy'de, Osman Ağa Cami-i şerifinin arkasında Mektep Sokağı'ndaki evinin köşe penceresinde oturur, Kalamış'ta Çıngır'ın bostanından getirdiği körpe salatalıkları eliyle soyar, hafiften hafiften demlenmeye başlardı. Kadehler üçledi mi, o zaman pek meşhur olan "Dereboyu düz gider balam, bir kınalı kız gider," türküsü ile gönül yelpazelerdi. Eğer bu âlem bir de ay başına tesadüf ederse, bir çil çeyreği, yâni beş kuruşu, oğlu Hattaneli, yâni, Kasımpaşa'da Çarkçı Subay Okulu olan Haddehane'den Tevfik'e uzatır,

-"Hadi, iskele başındaki Andon'dan bir tabak tavukgöğsü kap da gel!" diye hovardalık etmeyi de unutmazdı. Bir tabak dediyse bu çay tabağı, salata tabağı filân değil, kocaman bir kayık tabaktı.

O günlerde anlatmışlardı: Adil Efendi'nin iki bacalısı bir gün Yalova'dan kalkmış, o gün de nedense kaptanın keyifli bir gününe rastgelmiş olacak ki, boyuna düdük çala çala Köprü'ye geliyormuş.

-"Düüüt! Düüüt! Düüüüt!"

Dur, dinlen yok. Tam Kızkulesi'ni bordaladıkları sırada Adil Efendi'nin kafasının tası atmış. Don-gömlek yukarı, kaptan köprüsüne fırlamış. O boğuk sesiyle şöyle demiş:

-"Baksana bana efendi kaptan! Senin düdüklerinden kazanda istim kalmadı. Ya kes şu düdüğü, veya alimallah bu gece Kızkulesi açıklarında stop edip ayazlayacağız, haberin olsun!"

Evet, eski gazetecilerden Ragıp Akyavaş 1910'lu yılların bu iki bacalı yandan çarklı *Anadolu* vapuru ile çarkçıbaşısını böyle anlatıyor.

İkisi de nur içinde yatsın...

Sermet Muhtar Bey'in kaleminden Kadıköy vapurları

Bir İstanbul âşığı olan yazar Sermet Muhtar Alus (1887-1952) eski İstanbul hayatını bütün girdisi çıktısıyla kaleme aldığı yazılarında şehir hattı vapurlarına da yer vermişti. 1938 yılının 18 Aralık günü *Akşam* gazetesinde çıkan "Eski Kadıköy, Haydarpaşa, Anadolu hattı ve Ada vapurları" başlıklı yazısında şöyle diyordu üstad:

"Köprü'den karşı kıyılara müşteri taşıyan, bir zamanlar Ayastefanos'a (şimdiki Yeşilköy) uğrayan bu vapurları öteden beri devlet işletmiş. Makam her devirde isim değiştirmiştir: Abdülaziz zamanında İdare-i Aziziye, Abdülhamid vaktinde İdare-i Mahsusa, Meşrutiyet senelerinde Seyr-i Sefain, Cumhuriyet'te de önce AKAY, şimdi de Denizbank...

"İdare-i Mahsusa'nın antikalıklarını yaşlılar pek âlâ bilir. O günlere erişmişlere geçmişi hatırlatan ve kulaklar çınlatan koskoca bir abidesi de elân mevcud: Direktörü Con Paşa'nın Büyükada'daki kâşanesi!...

"Ol gemilerin gerek deniz aşırı yerlere, gerekse civarlara sefer yapanları ne antika şeylerdi yarabbi!...

"Herkeste estek kösteğe bir merak olur ya, benimkisi de öteden beri büyüklü, küçüklü vapurlara iptilâ... Adları, şekilleri, yolları zihnime hayli menkuştur (işlemiştir).

"Yukarki başlığa ismi girenleri şöyle bir gözden geçirelim: 1, 2, 3 numaralı ilk emektarlara yetişemedim; gelgelim 4 ve 5 numaralıları mis gibi bilirim. Bitip tükenmez senelerce Kadıköyü'ne çark çevirip durdular. Bin içlerine, Muhayyelât-ı Aziz Efendi'yi eline al, kitabı bitirirken soluna bak; hâlâ Selimiye kışlası önündesin. Kızkulesi açıklarında lüfer tutan kayıkçıların bu vapurlara yanaşıp alışveriş ettiklerini bile duymuşlardanım.

Hançeresi hışırtılı... Vidaları laçka...

"Öylesine zavallı idiler ki kazanları kaç yerinden çimentolu; istim boruları müsteski (karnı su toplayan hastaların) hançeresi gibi hışırtılı; makinelerinin vidaları lâçka...

"Ahmed Rasim rahmetli bunlara "Tontun-u bahrîler" ismini vermişti.

1903'te Budapeşte'de, Tuna üzerinde yolcu taşıması için inşa edilen İhsan. *Bu zarif vapurun* Neveser *adlı bir de eşi vardı.* *(Fotoğraf: Ali Sami Bey-Aközer)*

Yan çarkları "Bıktım artık, bıktım artık!" diye tempo tutuyor, derdi.

"Borazan Tevfik'in şu fıkrası da hoştur: Bir Hıdrellez günü sinekkaydı tıraş, Köprü'ye koşarken "Nasibime *Ferah* vapuru çıkar inşallah!" diye adak adak üstüne... Bir de iskeleye gelsin ki 4 numara beklemiyor mu? Kadıköyü'ne varınca aynaya bakmış ki ne görsün? Sakalı bir parmak... Haydi bir perukâr (berber) dükkânına!...

"Bir tarihte içinde yangın çıkan 8 numaralı *Hereke* ile "Tonton-ı sâlis" (3 no.lu) ve Râbi (4 no.lu) Adalar'a öğle seferini yapıp yolu üç, dört saatte aşar, Haydarpaşa'nın 11 numarası da Köprü'ye lâakal (en az) üç çeyrekte varırdı.

"Bundan 38 yıl evvel (yâni 1900'de) Büyükada'da Hristos yokuşunda, Keşanlılar'ın köşkünde kiracı olarak bir yaz geçirmiştik. Köprü'den alaturka saat 10:00'da direkt olarak kalkan 14 numaralı *Aydın*, Büyükada iskelesini dakikası dakikasına tam bir saatte tutardı.

"Parmağım ağzımda şaştığım şu ki, bugünün *Burgaz*'ı, *Heybeli*'si, hatta *Suvat*'ı o köhne rekoru kıramadı gitti.

"Adalar'ın temellisi olmadığım, gitsem de bir iki ay istirahatle geçirerek Köprü'ye ancak, beş kere inip çıktığım halde kaygı çekenlerdenim.

"Bu güzelim, cânım yerlere daha çabuk erişilecek hiç değilse iki vapurcuk atla deveye mi? Bugün, 85 bin tonluk transatlantikler torpido hızıyla uçuyorlar!... kabilinden düşünüp dururken, Büyükada'yı da tutup Yalova'ya gidecek 18 millik motörlerin yaptırılacağını okuyunca, "Yarabbi şükür!" dedim.

"Gene eskilerden 15 numaralı *Nüzhetiye* ve 16 numaralı *Kadiriye* nam iki bacalılar da Marmara'da bocalarlardı. Bunlara da düştün mü saatlerce al deniz havasını... Hele kâğıt oyununa mı meraklısın, alt salona yerleşip otuzbir, piket, poker, gık deyinceye kadar oyna...

"Kaçın kurası imişler, biliyor musunuz? Mithat Paşa 1864'te Tuna valisi iken bunları müstacel (ivedi) olarak aldırmış. Yıllarca Tuna'da işlemişler, İstanbul'a oradan aktarmalar. 17 numaralı *Şahin,* Moda, Kalamış, Caddebostanı ilh... gibi Anadolu kıyılarına uğrardı.

"18 ve 19 numaralı *Fenerbahçe* ile *Haydarpaşa,* İngiltere yapısı, kunt (dayanıklı), yollu gemilerdi. Beş, altı sene evveline kadar çalıştılar; hatta biri iskelelik bile yaptı. Bir de iki başlı *Kalamış* adlı 21 numara vardı ki en ziyade Haydarpaşa'nın akşam ve sabah postalarını yapar, hat boyu sayfiyelerindeki paşalar ve beyefendiler hazaratını (hazretlerini) taşırdı."

İdare'nin başına büyük masraflar çıkartan yandan çarklı Büyükada yolcu vapurunun salonu gerçek bir yat gibi dayanıp döşenmişti.

İçinde kimler yoktu, kimler!

Sermet Muhtar Bey, "Haydi etrafa bir göz gezdirelim," diyerek yolcular arasında yeralan paşaların, saray mensuplarının, vezirlerin, müdürlerin, idare meclisi reislerinin, fabrika sahiplerinin ve o dönemin önde gelen pek çok kişisinin adlarını sıralıyor, hem de köşklerinin, konaklarının hangi semtlerde olduklarını tek tek, atlamadan... Sonra sözü yine şehir hattı vapurlarına getirerek yazısını şöyle bitiriyor:

"Haydarpaşa'nın üçüz beyaz vapurlarından (*Bağdat, Basra* ile *Halep*), bir ya da iki sene evvvel, İdare-i Mahsusa hesabına gelen ve Avusturya'da yaptırılan *İhsan* ile *Neveser,* kapı yoldaşlarının en sonuncusudur. *Neveser* emeğinde berdevam. Mahud (adı geçen) idarenin ilk numarasız vapuru, Kadıköy halkının gözbebeği *Ferah*'tı ki, tek silindiriyle meşhurdu. İkiz Tontonlar'ın içinde otuzluk, altmışlık paketlerini (sarma tütün kutuları) yarılamaya alışmış olan tütün tiryakilerindeki hayreti göreydiniz:

"-'İlk sigaramı söndürdüm, ikinciyi sarmaya kalmadı, iskeleye halatı attık! Rabbena hakkı için martı gibi uçuyor!...'

"Sıra numarası 23'te dama demişti. O da *Anadolu* isimli, iki bacalı ve hepsinin küçüğüydü. Pat, pat, pat Yalova'yı boylardı. Boyu, endamlı ve haylice de yollu olan *Büyükada,* Meşrutiyet yıllarında gelenlerdendir. Öyle obur çıktı ki, ocaklarına kömür dayandırabilirsen dayandır! Aslı astarı var mıdır, bilmem, duyduğumu söylüyorum. Yaşlı bir İngiliz binmiş. Sağına, soluna bakıp dururken tanıyıvermiş külhaniyi:

"-'Bu geminin eski adı şuydu; 50 yıl evvel İngiltere'de filân yerden falan yere işlerdi. Geçen harpte de kasaplık hayvan taşıdı!' demiş..."

Evet Sermet Muhtar Alus'un şehir hatlarında çalışan vapurları anlatan yazısı böyle... Tontonlar, Tuna'da çalışanlar, üç beyazlar ve de kömüre doymayan *Büyükada...*

Bu anlatılanlar da Adnan Giz'in kaleminden...

Kadıköylü yazar Adnan Giz de eski Kadıköy vapurlarını, bakın *Yıllarboyu Tarih* dergisinin 1979 Mayıs sayısında nasıl anlatmıştı:

"Eski İstanbul, eşsiz tarihini bilen ve yaşayan bir şehirdi. Onda saraylar, camiler, meydanlar, kahveler, yalılar gibi vapurların da halka malolmuş bir yaşam hikâyesi, bir kişiliği vardı. Kimi çok güzel, kimi ferah, kimi lâgar ve can sıkıcı sayılırdı. Uzun yıllar Üsküdar ve Boğaziçi halkını İstanbul'a taşı-

Halk arasında adı "Uğursuz"a çıkan Kadıköy yolcu vapuru lôdos bir havada, Adalar yolunda.
(Fotoğraf: Selâhaddin Giz).

yan eski Şirket-i Hayriye vapurları başlıbaşına bir tarihtir. Bu vapurlar Boğaziçi yalıları arasında kurulan dostça ilişkiyi, usta kaptanların selâm düdüklerini, eski İstanbul çizgileriyle anlatan ressam Salih'in konu aldığı yalı balkonlarından kaptanlara uzatılan rakı kadehlerinin öykülerini bugün hatırlayan bile yok. Ben, Şirket-i Hayriye'den daha genç olan ve yine de unutulan Kadıköy ve Marmara hattının eski vapurlarından sözedeceğim.

"Boğaziçi ve Marmara'da iki ayrı kuruluş tarafından sağlanan şehir içi ulaşımında, uzun süre yandan çarklı gemiler kullanılmış, giderek bunların yerini pervaneli gemiler almıştır. Kadıköy ve Adalar hattında da 1912 yılına kadar yandan çarklı gemiler çalışıyordu. Seyr-i Sefain İdaresi kurulunca ilk kez bir Marsilya tezgâhına pervaneli üç gemi ısmarlandı. 1912'de hizmete giren ve Kadıköy halkının birden ilgi ve sevgisini kazanan bu vapurlara *Moda, Burgaz* ve *Kadıköy* adları verildi. Birbirinin eşi olan bu üç vapurdan halk nedense en çok *Burgaz*'ı sevmişti. Yaşlı dayım da bu gemiye âşıktı ve ne zaman Kadıköy iskelesine inse, iskelede hazır gemi de bulunsa, o sırada *Burgaz*'ın nazlı nazlı Haydarpaşa'dan süzülüp geldiğini görünce hazır vapura binmez, *Burgaz*'ı beklerdi.

Vapurun da uğursuzu olur mu?

"Bu üç vapurdan *Kadıköy* biraz uğursuz sayılırdı. Nitekim birkaç önemli kaza geçirdikten sonra İstanbul limanının tutuştuğu bir gecede

... Ve, zavallı Kadıköy *1966 yılının 1 Mart günü limanda yanarak büsbütün elden çıktığı günlerde.*

feci şekilde yandı. 1 Mart 1966 günü, Boğaz'da iki Rus tankeri çarpıştı, denize dökülen mazotlar limanı ve iskelelerin bulunduğu bölgeyi kaplamıştı. O günün gecesinde *Kadıköy* vapuru Köprü'den Kadıköy'e 23:45 seferini yapacaktı. Vapur dolmuş, ancak tehlikeli durum nedeniyle kaldırılmamıştı.

"Birden iskele çevresindeki denizi alevlerin kapladığı, geminin ve iskelenin tutuştuğu görüldü. Halk panik içinde gemiyi boşalttı. Bir tanığa göre, geminin yanında oturan biri tutuşturduğu gazeteyi denize atarak bu faciayı başlatmıştı. İstanbul korkunç bir gece yaşamış, limanda ve rıhtımda bulunan gemiler demir alarak alevler arasından kaçıp kurtulmayı başarmışlardı. Böylece *Kadıköy* vapurunun hizmet süresi 54 yıl sürmüş, onun ardından 1967'de *Moda* vapuru çürüğe çıkartılmıştı. Daha nice yıllar yaşasın, önemli bir tamir gören *Burgaz* eski Kadıköy vapurlarının en yaşlısı olarak bugün de çalışıyor. Bu tarihî geminin boyu 61,26 metre, eni 9,14 metre, derinliği 3,44 metredir. Kışın 963, yazın 1.145 yolcu alıyor. Sürati 10 mildir," diye yazıyor Adnan Giz.

Dün 80 dakikalık yol, bugün 100 dakika!

"Üsküdar ve Boğaziçi vapurlarını işleten Şirket-i Hayriye uzun süre başarılı olmuştu. Buna karşın, Marmara'da vapur işleten Fevaid-i Osmaniye ve II. Abdülhamid zamanında onun yerini alan İdare-i Mahsusa kuruluşları aynı başarıya ulaşamamışlardı. Meşrutiyet'ten sonra 1910'da kurulan Osmanlı Seyr-i Sefain İdaresi, Marmara Denizi'nde şehir içi ulaşımı da üzerine aldı ve düzenli bir kuruluş olarak giderek gelişme gösterdi. Örnek olarak aldığımız 1911 yılının güz tarifesine göre Köprü'den Haydarpaşa ve Kadıköy'e günde 22, Adalar' a 12, Moda-Kalamış-Fenerbahçe'ye 6 sefer yapılıyordu. Bazı Ada vapurları Kartal, Pendik ve Yalova'ya kadar gidiyordu. 1911 tarifesinde Köprü-Kadıköy seferi 20 dakika, bugün kış tarifesinde 100 dakika süren Köprü-Kadıköy-Adalar seferi 80 dakika olarak hesaplanmıştı. Ayrıca Köprü'den Kumkapı-Yenikapı-Samatya ve Bakırköy'e uğramak suretiyle Yeşiköy' e kadar vapur işletiliyor, Köprü'den 8:30'da kalkan vapur, adı geçen iskelelere uğradıktan sonra 9:55'te Yeşilköy'e varıyordu.

İdare-i Mahsusa'nın ünlü Ferah vapuru

"İdare-i Mahsusa'nın İngiltere'de yapılmış meşhur bir *Ferah* vapuru varmış. Ben yetişmedim. Hüseyin Rahmi 1901'de yazdığı *Nimetşinas* romanını bu *Ferah* vapurunun Kadıköy iskelesinden kalkış sahnesiyle başlatır. Dilini değiştirmeden aktarıyorum:

"Mevsim Şubat, hava hafif lodos. Beşi çeyrek geçe postasını icraya hazırlanan *Ferah* vapuru Kadıköy iskelesinden fekki rabıtaya istical gösterir gibi hafif öttüğünü, sallandığını uzaktan işiten, gören müşterilerde ha gitti, ha gidiyor gibi bir telâş. Koşan koşana... Bilet kulübesinin önünde hanım, madam, kokona, police, bey, efendi, mösyö, esnaf, köylü gibi ecnastan müteşekkil bir izdiham...

"Her kafadan bir ses:

"-'Biletçi, çabuk et, kaçırıyorum.'

"-'Ah burada sikisdim kale... Ne içeriye giriyorum, ne dısarda çıkıyorum. Ligor vre, biz oturmadan o kaçacak!'

"Yok! Bizim hatırladığımız dönemde Köprü-Kadıköy ve Ada vapurları İstanbul'un en düzenli, en temiz ve yolcu bakımından en olgun -eski deyimiyle nezih- taşıtlarıydı.

Vapurların da hayat hikâyeleri var

"Osmanlı Seyr-i Sefain İdaresi'nden Cumhuriyet dönemine şu vapurlar ulaşmıştı: Önce yandan çarklılar: Üçü bir tip olarak *Bağdat, Basra* ve *Halep.* Sonra, ikizler: *Fenerbahçe, Haydarpaşa* ile *İhsan* ve *Neveser.* Pervaneli gemilerden yukarıda sözünü ettiğim *Moda, Burgaz, Kadıköy.* Birinci Dünya Savaşı'nda Almanya'dan alınan *Maltepe, Pendik, Kınalıada.*

"*Bağdat, Basra* ve *Halep*'in yaşantısı isimlerine uygun olarak son dönemdeki bir Osmanlı devlet adamının hayat hikâyesine benzer. Önce dörtte üçü birinci mevki kamaralı lüks vapurlar olarak sefere başlamış, şehzadeleri, beyleri, paşaları taşımış, Mütareke'den sonra devlet düşkünleri gibi giderek köhneleşmiş ve ömürlerini birer araba vapuru olarak bitirmişlerdi. Bu üç gemi, Alman asıllı Anadolu-Bağdad Demiryolu İdaresi tarafından Haydarpaşa-İstanbul arasındaki ulaşımı sağlamak amacıyla 1904'te yapılmıştı. Beyaza boyalı zarif görüntüleriyle İstanbul'a gelir gelmez pek beğenilmişlerdi. Baş ve kıç salonları birinci mevki kamaraydı. Ayrıca önemli kişiler için yan kamaraları vardı. Burada şunu da belirtmek isterim, Meşrutiyet'ten sonra olacak, bazı şehir hattı vapurlarında "Hanedan-ı saltanata mahsustur" plâkası ile Osmanlı Hanedanı üyeleri için özel bir kamara ayrılmıştı. O yıllarda Kızıltoprak'tan Bostancı'ya kadar hatboyu bölgesinde çok sayıda devlet büyüğü oturuyordu ve bu vapurlar trenle Haydarpaşa'ya gelen önemli yolcuları âdeta Bâb-ı Âli'ye taşıyordu. Bu yüzden yolcular arasında pek ağdalı bir protokol göze çarpardı.

Bir sigara içimlik yol

"Ama en çok göze çarpan, vapurların ilk yıllarındaki süratleri olmuştu. Sermet Muhtar'ın anlattığına göre bu vapurlardan birine ilk kez binenler şöyle anlatıyorlardı:

"-'Birader, güverteye çıktım, bir sigara tellendirdim. Sigara bitmeden baktım, Köprü'deyiz!'

"Bu üç gemi, *Bağdat, Basra* ve *Halep*, bir süre sonra Seyr-i Sefain İdaresi'ne verilecek, Kadıköy ve Haydarpaşa'dan çok Marmara ve Adalar hatlarında çalıştırılacaklardı. Yukarıda anlattığımız *Kadıköy* vapurunun talihsizliği gibi bunların arasında da *Bağdad* tekin çıkmamış, büyük kazalara uğradıktan sonra bir kere de batmıştı. Önce 1918'de sisli bir havada Adalar'a giderken Mühürdar önündeki kayalıklara bindirmiş, ölüm tehlikesi atlatan yolcular, kazayı görmeyen ama bağrışmaları işiten halk tarafından kurtarılmıştı. Gemi römorkörle Haydarpaşa mendireğine çekilerek bağlandı ise de batmış, yalnız direği ve bacası su üstünde kalmıştı. Bir süre sonra yarası kapatılarak yüzdürülmüş ve esaslı bir onarım gördükten sonra yeniden hizmete girmişti. Bu kez Köprü'nün Kadıköy iskelesine çarparak hem iskeleyi, hem de kendi burnunu parçalamıştı. Bu vapurlar İkinci Dünya Savaşı'ndan sonra araba vapuru haline çevrilerek çilelerini doldurdular.

Tuna'da çalışmak üzere yapılmış iki gemi

"Seyr-i Sefain'in Kadıköy ve Adalar hattında çalışan öteki yandan çarklı vapurları *Fenerbahçe, Haydarpaşa* ile *İhsan* ve *Neveser* çiftleriydi. Bu çiftlerden birinin Tuna'da işletilmek üzere yapıldığı söylenirdi. Şirket-i Hayriye vapurlarının bacasında birer numarası vardı. Seyr-i Sefain vapurlarına ise Marmara iskelelerinin isimleri verilirdi. Yalnız *Fenerbahçe* ile *Haydarpaşa* ayrıca 19 ve 20 olarak numaralanmıştı. Uzun yıllar Adalar'da oturarak bu yolculuğun çilesini çeken mizah üstadı Fazıl Ahmet Aykaç, *Haydarpaşa* vapurunu şöyle anlatıyor:

"Bulamadık bütün kış / Ne salon ne kamara
"Bizden bıkmış, usanmış / Zaten yirmi numara

"Bu gemiler arasında *İhsan*'ın eşi ve adı o zaman yolculara garip gelen ve eski Türkçe'yi iyi bilmeyenlerin "Nevâsir" şeklinde okudukları *Neveser* vapuru da yakın zamanlara kadar çalıştırıldı. Fazıl Ahmet bu çiftlerden *İhsan* için de şöyle diyor:

"Hem kendi ihtiyar / Hem de çürük kazanı
"Etse bir gün intihar/ Ayıplamam İhsan'ı

Bir eski yolcunun aradıkları

"65 yıllık Ada yolcusu olan dostum Arif Atıcı, birkaç yönden *Bağdat* tipi vapurları hasretle anmaktadır. Önce temizlik yönünden... 55-60 yıl önce (1920'ler) bu vapurlar son derece temiz tutulurmuş. Benim de hatırladığım kırmızı kadife kaplı döşemelerin üzerine ayrıca beyaz ketenden ütülenmiş örtüler örtülür, camlar sık sık silinir; sefer boyunca sık sık dolaşan kamarotlar vapurun kirletilmesine engel olur, onları da daha üst görevliler kontrol ederlermiş.

"Şimdi Kadıköy vapurlarına bindikçe merak ediyorum: Eskiden kamarot adı verilen görevliler bugün de var mıdır, varsa sefer boyunca nerede gizlenirler? Arif Atıcı'nın takıldığı ikinci nokta sürat konusudur. 'Ardı ardına yeni gemiler alınmasına karşın, elli yıldan beri ada yolculuğunda sürat bakımından önemli bir aşama olmamıştır' diyor ve ekliyor: 'Atmış yıl önce *Bağdat, Basra* vapurları havuzdan çıktıkları zaman yarım saatte Kınalı'ya varırlardı!'

Büyükada *vapuru skandalı!*

"Yaşlandıkça, eskiden kış da, lodos da daha çok olurdu gibi geliyor insana. Günlerce süren ve deniz dağlara çıkıyordu diye anlatılan lodos fırtınası, şehir hatlarının başlıca derdiydi. Cumhuriyet'ten sonra, galiba 1925'te Şehir Hatları'nı yönetenler, bu lodos derdine kesin bir çare bulmak için büyük ve oturaklı bir tekne satın almayı düşünmüş, bunun için de tâ İngiltere'ye bir heyet göndermişlerdi. Heyet, çok büyük ve oturaklı bu geminin çok da yaşlı olması gerektiğini düşünmüş olacak ki, bir İngiliz zengininin en az altmış yıl önce Kuzey Denizi'nde dolaşmak için yaptırdığı ve sonra Manş'ta bir yük taşıma şirketine sattığı gemiyi beğenerek o zamanki para ile 220.000 liraya satın almıştı. İstanbul'da yapılan 60.000 liralık bir onarımdan sonra gemi son derece şık ve lüks bir hale getirildi ve Büyükada adı verilerek sefere konuldu. Ada zenginlerinin binebilmek için can attıkları bu gemi, çok fazla kömür yakması, sık sık bozulması yüzünden birkaç yıl güçlükle çalıştırılabildi. Çürüğe çıkartılıp 4-5.000 liraya satılması, tek parti döneminde hükûmeti eleştiremeyen ve ancak Belediye, Tramvay, Sular İdaresi gibi kuruluşlara çatmakla yetinen gazetelere epeyi sermaye olmuştu.

Eskilerin eşi iki gemi daha ısmarlanıyor

"Seyr-i Sefain İdaresi bu acı denemeden sonra tecrübe edilmiş ve beğenilmiş *Burgaz* tipi vapurlardan, aynı Fransız tezgâhına iki gemi ısmarlamış ve 1928'de gelen bu yeni gemilere *Kalamış* ve *Heybeliada* adları verilmişti. Aradan 10 yıl gibi bir süre geçtikten sonra, Alman tezgâhlarında yaptırılan *Ülev* ve *Suvat* vapurları gerçekten güzel, dayanıklı ve rahat gemiler olarak İkinci Dünya Savaşı arifesinde hizmete girdi. Bu gemilerin boyu 62,43 metre, eni 10,28 metre, derinliği 3,4 metre, yolcu kapasitesi yazın 1.626, kışın 1.394'tü. Bugün 14 mil süratleri vardır.

"Bu iki eş gemiden sonra İkinci Dünya Savaşı sonuna kadar şehir hatlarına yeni vapur alınmamış, ondan sonra ise bugün çalışan gemilerin dönemi başlamıştır.

Şık hanımların bindiği vapur

"Bugün bütün şehir taşıtları gibi Kadıköy vapurunda da egemen olan kalabalık psikolojisidir. İte kaka giren, çıkan kalabalık, bireyleri kendi

1930'lu yılların Büyükada'sı, *bitmek ve tükenmek bilmeyen bakım çalışmalarının birinde.*

potasında eritir, kişiliklerini siler. Oysa elli yıl önceki Kadıköy vapurunda insanların ayrıcalıkları, özellikleri açıkça görülür, davranışlarından okunurdu.

"Vapurların hareket saatlerine göre yolcu karakteri değişirdi. Bu memur vapuru, öteki rahat ve aylak insanların vapuru sayılırdı. Kadıköy'ün şık kadınları 14:25 vapuru ile İstanbul'a geçer, en yeni giyim modelleri bu vapurda sergilenirdi. Vapurlarda bir de gruplaşmalar vardı. Belirli yolcular, her gün belirli vapurda, 'mir-i kelâm' söz ve sohbet ustası sayılan bir kişinin çevresinde toplanırlardı. Boğaz vapurlarını bilmem, ama zaman bakımından sohbete en uygun olan Ada vapurlarında nüktesi bol Adalı Avni Bey'in, Avukat Sadi Rıza'nın, Moda vapurunda Nazmi Acar'ın, Haydarpaşa vapurunda Ref'i Cevat Ulunay'ın çevresinde toplananlar, hatta onların yönettiği sohbete katılmak için bu vapurları seçenler vardı. Bu gruplarda ya sohbeti yöneten kişinin meraklı olduğu konular, ya da günün olayları konuşulur, siyasi olaylar -zamanın şartlarına göre- üstü kapalı, açık eleştirilirdi. Bu yüzden, sohbete kulak misafiri olan yabancılar yadırganırdı."

Evet, Kadıköylü yazar, zarif İstanbul Efendisi tipinin son temsilcilerinden Adnan Giz, Kadıköy vapurlarını işte böyle anlatıyor. Merhumun belirttiği gibi, İkinci Dünya Savaşı'ndan sonra yitirdiğimiz pek çok şey gibi, Kadıköy vapurlarının kişilikleri, temizlik ve seçkin yolcuları bir büyük nüfus patlamasının seline kapılıp gitti. Artık ne o eski Kadıköy vapurları kaldı, ne de o eski Kadıköy yolcuları. Bugün, bindiğimiz vapurun adına bile bakmıyoruz.*

Gazete sayfalarından birkaç gemi haberi

1930'lu yılların vapurlarından sözederken o yıllarla ilgili birkaç gazete haberine de burada yer verelim.

İşte, *Son Posta* gazetesinde 11 Temmuz 1935 günlü sayısında çıkan yukarda sözünü ettiğimiz *Büyükada* vapuru ile ilgili bir haber:

* *"Büyükada* deniz hamamı olacak

"Heybeliada Güzelleştirme Cemiyeti tarafından istimlâk edilen Yörükali Plâjı'nda denize girecek halka soyunma yeri ve gazino vazifelerini görmek için, kadro haricine çıkartılan *Büyükada* vapurunun satın alınması için AKAY İdaresi ile Belediye arasında müzakereler başladı. Yakında bu vapur alındıktan sonra, plaj önüne getirilip konacak, burada deniz hamamı vazifesini yapacaktır."

Ama satın alınmadığı gibi, deniz hamamı da olmadı *Büyükada.*

* Bu haber de 26 Şubat 1930 tarihli *Akşam* gazetesinden:

"Neveser vapuru kayboldu!

"Su aldığından dolayı Kınalıada'da iskele vazifesini gören *Neveser* vapuru bu fırtınada bir sergüzeşt geçirdi. Sabahleyin vapura binmek üzere iskeleye gelen halk, garip iskelelerinin yerinde yeller estiğini gördüler. Keyfiyet derhal etrafa bildirilmiş, *Neveser* aranılmış ve bulunamamıştır. Taharriyat devam etmiş ve Marmara açıklarında bir müddet serseri dolaştıktan sonra Heybeliada'nın kuytu bir mahallinde gelip durduğu görülünce çekilip eski mahalline getirilmiştir."

* 12 Aralık 1935 tarihli *Cumhuriyet'*ten bir kaza haberi:

"**Bağdat* Köprü'deki Karaköy iskelesine çarptı

"AKAY İdaresi'nin yandan çarklı *Bağdat* vapuru dün sabah Köprü'de Kadıköy iskelesine çarpmış, iskele üzerindeki küçük kitap ve sigara kulübesini hasara uğratmıştır. Bu sırada *Bağdat'*ın burnu adamakıllı ezilmiştir. Kaza şöyle olmuştur: *Bağdat* dün saat altı buçukta Pendik'ten kalkmış, Kartal ve Kadıköy'e uğradıktan sonra saat sekiz buçuğa doğru lima-

---

(*) Bütün bu şehir hatları vapurları hakkındaki teknik bilgi, *Seyr-i Sefain, Öncesi ve Sonrası* (İletişim Yayınları, 1997) adlı kitapta geniş olarak verilmiştir.

İzmir Körfezi'nde şiddetli fırtına nedeniyle 15 dakikada batan, 100'den fazla kişinin ölümüne neden olan İnebolu *gemisi.*

na girmiştir. Vapur, limanın kalabalık yerine gelmiş olmasına rağmen süratini kesememiş, olanca hızıyla AKAY iskelesine bindirmiştir. Bu âni sadme, vapurun içinde ve iskelede bulunanları müthiş bir korkuya düşürmüştür. Bilhassa vapur yolcuları *Bağdat* vapurunun limanda bir başka vapurla müsademe ettiğini zannederek büsbütün ürkmüşlerdir. Kaza yerine hemen zabıta memurları yetişerek tahkikatta bulunmuşlar, kaptanla çarkçının ifadelerini almışlardır. Kaptan Sadeddin'e tahkikat bitinceye kadar işten el çektirilmiştir."

İdare iki gemisini kaybediyor

İnebolu yolcu gemisinin İzmir Körfezi'nde fırtına nedeniyle Yeni Kale'ye varmadan Abdullah Ağa Çiftliği önlerinde batması, bu arada çok sayıda can kaybının olması, 1935 yılının önemli denizcilik olaylarından biridir. Kaptanın gemiyi yakın kıyıda karaya oturtması kabilken, oturtmayıp açıkta demirletmesi faciada ölenlerin sayısının artmasına neden olmuştu. Olayın haberini 12 Kasım 1935 tarihli *Akşam* gazetesinden izleyelim:

* *İnebolu* gemisi İzmir'de battı.

"130 kişi kurtarıldı. 102 kişinin ne olduğu belli değil.

"İzmir: Dün akşam *İnebolu* vapuru İzmir Körfezi'ne girerken Yıldız fırtınasından su alarak Kale önünde battı. Vapur, Mersin ve Antalya'dan geliyordu. Bir parça geciktiğinden saat 20'ye doğru körfez mahalline vasıl olmuştu. Kaza bu sırada oldu. Ve vapur 15 dakikada battı. Vapurda 150 yolcu ile 774 ton eşya vardı. Kaza üzerine derhal yardıma koşuldu. Civardan geçen *Polo* adlı İngiliz şilebi ve *İstiklâl* vapuru sandal indirerek yolcuları kurtarmaya başladılar. 130 kişi kurtarıldı. Bazı yolcu ve mürettebatın cesetleri bulundu. Sandal ve vapurlar sabaha kadar aramalara devam ettiler. Limandan alınan malûmata göre *İnebolu* 35 yıl önce İngiltere'de yapılmış, 1.082 gros tonluk eski bir gemi idi. Gemi Süvarisi Mehmet Ali Kaptan'dı, İkinci Kaptan da Besim'di. Gemide 90 mürettebat vardı. Ayrıca 190 yolcu bulunuyordu."

Trak *da Bandırma'da kazaya uğruyor*

Trak vapurunun başına gelenler de denizcilik camiasını can evinden vurdu.*

1944 yılının 28 Ocak günüydü. *Trak* yolcu gemisi, süvarisi Nedim Cemşit'in yönetiminde İstanbul'dan aldığı askerî birlikleri Gelibolu'ya götürmüştü. Tarife dışı bir seferdi bu. İkinci Dünya Savaşı'nın içinde asker sevkiyatında sık sık Denizyolları'nın gemilerinden yararlanılıyordu.

Trak, Gelibolu'dan İstanbul'a geri dönmek üzereydi ki, bir telsiz haberi aldı. Bandırma'da çok sayıda yolcu birikmişti; onları alıp İstanbul'a götürmesi isteniliyordu.

Marmara'da Yıldız-Poyraz fırtınası patlak vermişti. Ayrıca çok şiddetli bir tipi de görüşü imkânsız kılıyordu. Süvari, havanın harekete engel olabileceğini hatırlattıysa da İstanbul'dan verilen emir kesindi: Bandırma'da biriken yolcular İstanbul'a götürülecekti! Bu kesin emir üzerine *Trak* Gelibolu'dan hareket etti. Bir süre yol aldı. Bandırma limanına, Aya Andrea burnu arasındaki 1,5 mil genişliğindeki geçitten geçerek girecekti. Saat 20:30 olmuştu. Kumanda köprüsündekiler Aya Andrea fenerinin ışığını arıyorlardı. O sırada gemi 15 mil hızla seyretmekteydi.

Tipi artmıştı. Rüzgâr deli gibi

18 Ocak 1944 günü, şiddetli bir kar fırtınasında Bandırma yakınlarında kayalara binderek bir faciaya yol açan, henüz altı yıllık Trak *yolcu gemisi Almanya'dan yeni geldiği günlerde.*

(*) Fazla bilgi için *Seyr-i Sefain, Öncesi ve Sonrası* (İletişim Yayınları, 1997) adlı kitabın 204-205. sayfalarına bakınız.

1928 yapımı, bir kuğu gibi biçimli ve zarif Ankara *yolcu gemisi, kusursuz servisi, konforu ve rahatlığıyla haklı bir şöhret kazanmıştı.*

esiyordu. Deniz kudurmuştu sanki. *Trak* rotasından kısmen ayrılmış olmalı ki, olanca hızıyla önüne çıkan kayalara bindiriverdi. Hatta bir keçi gibi son hızla kayalara tırmandı, sonra da yana yaslandı, kaldı. Mürettebattan 25 kişi denizde ya da gemiden atladıkları kayalarda donarak hayatını kaybetti. Bu korkunç faciadan pek az kişi canını kurtarabildi.

Henüz altı yıllık bir gemiydi *Trak*. Enkazı uzunca bir süre keçiler gibi tırmandığı kayalıklarda kaldı. Süvarisi Nedim Cemşit de hayatını kaybedenler arasındaydı. *Trak'*a süvari olarak görevlendirileli henüz 10 gün olmuştu...

Ankara *denince akla Şefik Kaptan gelirdi*

1928'de Birleşik Amerika'da inşa edilmiş olan *Ankara*, bütün öteki gemilere benzemeyen, değişik tipte bir yolcu gemisiydi.* Ötekilerin yarı yolcu, yarı yük taşımak için yapılmış olmalarına karşı, *Ankara* bir kruvaziyer, bir tur gemisiydi. İlk adı, bir Kızılderili kabilesinin adı olan *Iroquois* idi. Güvertelerinde baştan sona yanyana kamaralar sıralanmıştı.

Yıllarca New York ile Bahama arasında sürat seferleri yapan dört beş gemiden biriydi *Ankara*, bir transatlantik yavrusuydu. 20 mile yakın hızı vardı. İkinci Dünya Savaşı çıkınca hastane gemisi haline getirilmiş, *Solace* adını almış, iki yanına kocaman birer kırmızı haç işareti boyanmıştı. Artık Pasifik sularındaydı. Adalarda sürüp giden kanlı savaşlarda yaralananları San Francisco'ya taşıyordu. Modern bir ameliyathanesi vardı. Sağladığı

(*) Fazla bilgi için, *Seyr-i Sefain, Öncesi ve Sonrası* (İletişim Yayınları, 1977) adlı kitabın 220 ve 222. sayfalarına bakınız.

imkân ve verdiği hizmetlerle 25.000 Amerikan askerinin kurtarılmasını sağlamıştı.

Bu güzel ve biçimli gemi, Denizyolları tarafından satın alındıktan sonra yapılan tadilatla 25 adet lüks mevki, 89 adet birinci mevki, 40 adet ikinci mevki, 5 adet de turistik kamaralı bir yolcu gemisi haline getirildi. Toplam 159 kamarası olmuştu Ankara'nın. Geminin yolcuları için ayrılan kısmı, tüm hacminin % 80'ine yaklaşıyordu. Geniş bir sigara salonu, büyük bir barı, rahat yemek salonları ile Ankara ferah bir gemiydi. Ayrıca garajı da olduğundan yolcuların arabaları yan taraftaki kapaklardan içeriye alınabiliyordu.

1950'li yıllarda Ankara ile Batı Akdeniz seferine, hele hele Gazeteciler Cemiyeti'nin bu gemiyle düzenlediği tâ Norveç'e kadar uzanan gezi seferlerine katılmanın zevki başka bir şeyde yoktu. Bunda da sanırız gerçek bir deniz kurdu olan süvarisi Şefik Kaptan'ın da büyük payı vardı. 1961'de Denizyolları'ndan emekli oluncaya kadar Şefik Kaptan Ankara ile bütünleşmiş gibiydi sanki. Bu güzel gemi Amerika'ya gitti. Kuzey Buz Denizi'ne çıktı. Son zamanlarda bir ara Swan adlı bir yabancı firmaya kiralandı, Ege adalarında, Yunan sularında çalıştırıldı.

Ankara *ile kimler yolculuk yapmadı ki!*

1950'ler ve sonrasında pek çok ünlü kişi bu güzel gemiyle unutamayacakları Akdeniz gezilerine çıktılar. Devlet adamları, yazarlar, gazeteciler, sanatçılar, aktörler, sporcular, turist kafileleri Ankara ile güzel yolculuklar yaptılar. İşte *Çalıkuşu*'nun babası Reşat Nuri Güntekin, işte *Nilgün*'ün yaratıcısı Refik Hâlit Karay, işte *Endülüs'te Raks*'la ölümsüzleşen Yahya Kemal Beyatlı, işte Türk dostu Fransız yazar Claude Farrère... Şehir Tiyatrosu'nun oyuncuları, Gazeteciler Cemiyeti'nin üyeleri... Daha? Yunan başbakanı Mareşal Papagos bile Türkiye'ye 1952'de bu martı gibi bembeyaz gemiyle geldi.

Ankara'nın sefere çıkışı da, seferden dönüşü de gazete sütunlarında haber olurdu: "Batı Akdeniz seferine çıkan Ankara gemisi dün, şu kadar yolcusuyla Galata rıhtımında, Yolcu Salonu'ndan hareket etmiştir." Ya da, "Batı Akdeniz seferinden dönen Ankara dün şu kadar yolcusuyla limanımıza gelmiştir" diye...

Bir keresinde Ankara İyon Denizi'nde ancak 30-40 yılda bir rastlanan şiddette bir fırtınaya çatmıştı da saatlerce dalgalarla çalkalanmaktan mutfaklarında sağlam ne yemek takımları kalmıştı, ne de cam eşya... Güverteden yüzlerce ölü balık toplanmıştı. Bir gazete bu olayı, *"Ankara* beyaz gitti, sarı döndü!" başlığıyla vermişti. Çünkü dalgaların bordaya çarpmasından geminin yer yer boyası dökülmüş, altından sarı astarı çıkmıştı!

Bir ara sefer gereği sık sık Hayfa'ya da uğradığından, gemide Musevi yolculara "kaşer salonu" adlı bir de küçük bölme ayrılmıştı; dindar Museviler'in yolculuk sırasında dinlerinin gereklerini yerine getirebilsinler diye... Yıllar sonra, söküldüğü günlerde her tarafı kurşun levhalarla kaplı bir kamarayla karşılaşılmıştı. Neden sonra, bu kamaranın, hastane gemisi olarak kullanıldığı günlerde röntgen odası olarak düzenlenmiş olduğu anlaşılmıştı.

Gemiler de gün gelir yaşlanır

70'li yılların ortalarına gelindiği zaman *Ankara* artık iyice yaşlanmıştı. Kazanları fazla yakıt sarfeder olmuştu. Kabloları, boruları eskimişti. Kaloriferi, artık kamaraları ısıtamıyordu. Dümen makinesinin iyice bir elden geçirilmesi gerekti. Hızı hayli düşmüştü, limanlara rötarsız varamıyordu.

1977'de *Ankara*'yı artık kadro dışı bırakmaya karar verdiler. Kadro dışı bırakılmak demek, bir süre sonra sökülmek üzere satılmak demekti. 1981, *Ankara*'nın son yılı oldu. Emektar gemiden, İdare'ye pek çok ve değerli mutfak malzemesinden başka ayrıca kamaralardan da yatak, mobilya vs. gibi malzeme çıktı. Borda tahtaları da o sıralarda inşa edilmekte olan Marmara tipi yolcu gemilerinden *Avşa* ile *Uludağ*'da kullanıldı.

Sonunda Makina Kimya Kurumu'nun, İzmir yakınlarındaki Aliağa'da Kaklıç koyundaki gemi söküm yerine römorkörle çekilen *Ankara* orada parçalandı ve hammadde olarak Karabük'e sevkedildi. Eski aylar nasıl kırpılıp yıldız yapılıyorsa, eski gemiler de sökülüp parçalanıp demirinden yararlanılıyor. Jilet oluyor, sözün gelişi... Buzdolabından otomobil sacına, toplu iğneden ataşa kadar her şey oluyor. En çok da bakır boru çıkıyor. Bu da onların kaderi...

Akdeniz'in gerçek kraliçesi *Ankara*'nın sökülmesi, haklı olarak onunla yolculuk yapmış olanları üzdü. Ama en çok üzülen kişi, yıllarca süvariliğini yapmış olan Şefik Kaptan oldu. O sıralarda Koçtuğ firmasında çalışmakta olan yılların denizcisi Şefik Gogen, sevgili *Ankara*'sının söküleceği haberini bu satırların yazarının ağzından öğrendiği gün, bir yakınını kaybetmiş gibi sarsılmıştı.

Annesi, oğlu Şefik'i ziraatçi yapmak istemiş

1903, Mardin doğumlu, Şefik Kaptan. Ailesi aslen Üsküdarlı. Yine bu satırların yazarının *Hayat* dergisinde iken yaptığı röportajda ilk kez denizle karşılaşmasını şöyle anlatmıştı Şefik Kaptan:

-"Babam asker olduğundan çocukluğum Anadolu'nun şurasında, burasında geçti. Erzincan'da iken, oturduğumuz evin yakınında gemili bir bahçe vardı. Evet, gemili bir bahçe! Sahibi, denize, denizciliğe meraklı biri olmalıymış ki, Erzincan gibi bir yerde gemi hasretini biraz olsun giderebilmek için bahçesine, taştan mı, tuğladan mı, tam olarak bilemeyeceğim bir gemi yaptırmıştı. Hem de boyu 40-50 metre uzun-

Şefik Kaptan son yıllarında, Koçtuğ firmasının gemilerinde süvarilik yaptığı günlerde.

luğunda bir gemi... Biz, mahallenin çocukları hep bu gemide oynardık. Uskur deliklerinden girer, çıkar, içinde bütün gün birbirimizi kovalardık.

"Bir gün babamın İstanbul'a tayini çıktı, toparlanıp hazırlandık. O zamanlar İstanbul'a en sağlam yol, Trabzon üzerinden deniz yolu... Gemiye nasıl bindiğimi pek hatırlayamıyorum. Karadeniz'de Değirmendere denilen yere geldiğimizde karşımda masmavi, uçsuz bucaksız bir su uzanmıyor mu! İşte, denizi ilk defa böyle gördüm ben.

"Denizin sonsuzluğu hayal gücümün çok ötesindeydi. Şaşırdım mı, korktum mu bilemeyeceğim. Ama hayran olduğum kesindi. Güvertenin kenarına oturdum, bacaklarımı sallandırıp hayranlıkla enginleri seyretmeye koyuldum. Görenler, vardavelanın arasından düşmemden korkarak beni tutup hemen kenara çektiler.

"Annem beni ziraatçi yapmak istiyordu. Ama ben denizci olmayı kafama koymuştum bir kere. O zamanlar Kuzguncuk'ta olan Kaptan Mektebi'ne girdim. Uğraştım, didindim, denizci şahadetnamesini almayı başardım. İlk tayinim *Galata* yatına oldu."

Tevazuundan, okulu "âlâ" derecede bitirdiğinden o günkü röportajda hiç söz etmemişti Şefik Kaptan. Birkaç yıl sonra arşivinden sicilini bulan deniz ticareti yazarı Orhan Kızıldemir, hocalarının hakkında yazdıkları sitayiş dolu satırları kendisine okuyunca 80 yaşın üzerindeki Şefik Kaptan çok heyecanlanacak, gözleri dolacak, sesi titreyecekti. 14-15 yaşındaki Üsküdarlı Şefik'in, çok çalışkan, hocalarına karşı saygılı, dirayetli ve örnek bir öğrenci olduğu yazılıydı sicilinde...

Uzun bir süre İstanbul-İmroz hattında çalışmıştı Şefik Kaptan. Mülazım iken de *Karadeniz*'de bulundu. Sonra *Ülgen*'le Şarköy-Gelibolu-Çanakkale-İmroz arasında posta seferleri yaptı. Bu geminin bizdeki ilk adı *Bandırma* idi, ama Atatürk'ü Samsun'a götüren *Bandırma* gemisi değildi. Bu gemiyle de uzun süre İstanbul-Bartın arasında çalıştı.

İkinci Dünya Savaşı'nın patlak verdiği günlerde *Aksu* yolcu gemisinde görevliydi. O günlerde seferler, güvenlik bakımından gelen bir emirle iptal edilmişti.

-"O sıralarda bir gün enspektörlükten çağırıldım," diye anlatıyordu Şefik Kaptan. "İskenderun'a malzeme gönderilmesi gerekiyormuş. Bana

Osmanlı Seyr-i Sefain İdaresi'nin ahşap San'a römorkörünü gösteren bu tarihî fotoğraf 1922'de Refet Paşa'nın Kasım ayında Gülnihal gemisiyle Anadolu Hükûmeti'ni temsilen İstanbul'a geldiği gün çekilmiş. Bayrağımızı ucundan tutarak açan genç, o günlerde genç bir mülâzım kaptan olan Şefik'tir. Yani, yıllar sonrasının Ankara'nın süvarisi, ünlü Şefik Kaptan. Herkes gibi o da Türk askerini yıllar sonra İstanbul'da görmenin tarifsiz sevincini taşıyor!

bu zor ve tehlikeli görevi kabul edip etmeyeceğimi sordular. Ben de kabul ettim.

"Eski adı *İnönü* iken sonra *Tunç*'a çevrilen 55 yaşındaki, bu hayli eski gemiyle yola çıktım. Savaş yılları... Almanlar Ege adalarını birer ikişer işgal ediyorlar. Denizaltılar her tarafta kol geziyor. Bunca tehlikeye rağmen bu hatta birkaç sefer yaptım. Şansımız vardı ki, bunlardan biriyle karşılaşmadık. Zor günlerdi o günler. Evden sefere çıkarken ailemle vedalaşır, hatta helâllaşırdım. Neler gelmedi başıma, bir keresinde teknemiz bile delindi. Az daha batıyorduk!"

Yıllar sonra Şefik Kaptan'a Genelkurmaylık'tan, bu zor görevin üstesinden geldiği için Vekil Ali Rıza Artunkal imzalı bir takdirname göndermişler. O da bir güzel çerçeveletmiş, ama sanki onunla öğünüyormuş gibi olmamak için, görünür bir yere asmayı gereksiz bulmuş. O gün, neden sonra ısrarımız üzerine getirip göstermeye razı olmuştu.

"Asıl Bermuda Üçgeni, İstanbul Limanı'nda!"

-"Bizde, gemileri de, personeli de erken kadro dışı bırakıyorlar," diyordu Şefik Kaptan. "Yetmiş yaşındaki bir denizci, kırk yaşındaki meslektaşından dört misli daha tecrübelidir. İnsan bu meslekte kaldıkça hem tecrübe kazanır, hem de daha bilgili olur.

"On yıldan beri sık sık Bermuda Üçgeni denen sulardan geçiyordum. Bermuda Üçgeni'nin adı çıkmış. Ben öyle tabiat üstü güçlere filân inanmam. Ben de her süvari gibi denize, haritama, pusulama, bir de fenerlere bakarım. Hiçbir anne, biz denizcilerin fenerleri kolladığı gibi çocuğunu kollayamaz. Gecenin karanlığı içinde, saatlerdir beklediğimiz fenerin titrek ışığını seçtiğimiz an, o dakikaya kadar çektiğimiz bütün sıkıntıları unuturuz! Bir de, sürekli meteoroloji raporlarını dinleriz.

"Bana sorarsanız, biz denizciler için İstanbul limanı Bermuda Üçgeni'nden kat kat daha tehlikelidir. Binlerce millik yolculuktan kazasız, belasız limana dönersiniz de, ne bileyim, Haydarpaşa mendireğini döneyim derken türlü türlü aksiliklerle karşılaşırsınız!"

Yüzme bilip bilmediğini sorduğumuz zaman, Şefik Kaptan mahcup bir çocuk gibi, "Ne yâni, kaptanlar yüzme bilecek de, gemisini bozulunca yüze yüze karaya mı çekecek?" diye gülümsemişti.

Onu, 1989 yılının Kasım ayında kaybettik.

Sen de nur içinde yat, Şefik Kaptan.

Atatürk'ün doyamadan öldüğü yat Savarona

Yalnız kendi döneminde değil, günümüzde de dünyanın en güzel yatları arasında yeralan *Savarona*'da, 60 yıla yakın bir zamandan beri Türk bayrağı dalgalanıyor. Atatürk'ün son hastalığında, ona deniz havasının iyi geleceği düşüncesiyle, bir yat satın alınmasına karar verildiği zaman, bu güzel yat henüz altı yıllıktı ve de döneminin en büyük yatıydı. Milletin Atatürk'e armağanı olan, sonra da Atatürk'ten millete yâdigâr kalan bu zarif gemi, sularımıza girdiği günden beri narin gövdesi, bembeyaz bordası, sarı bacaları ile her denizcinin gönlünde taht kurmuştur.

Bu güzel gemiyi 1930'da M. Cadwalader adında, büyük servet sahibi Amerikalı bir kadın, denizlerde gezip eğlenmek amacıyla Almanya'daki ünlü Blohm und Voss tezgâhlarına ısmarlanmıştı. Almanya'nın en önemli ve en büyük gemi inşa merkezlerinin başında gelen bu tersanede, pek çok ticaret ve savaş gemisinin, bu arada son dretnot *Yavuz*'un da inşa edildiğini anımsatmak, bu tezgâhların ciddiyetiyle birlikte verilen siparişin de önemini ortaya koyar.

Başta Birleşik Amerika olmak üzere dünyada pek çok devletin ekonomik bir krize sürüklendiği o günlerde Amerikalılar, ülkede işsizlik giderek tehlikeli bir durum alırken, bu özel yatın Amerika'da değil de, Almanya'daki bir tersaneye ısmarlanmasına haklı olarak çok içerlemişlerdi.

Savarona *denize indiriliyor*

Omurgası 29 Temmuz 1930 günü törenle kızağa konan *Savarona*'nın teknesi 28 Şubat 1931 günü tamamlandı. Temmuz ayında da gelenekler gereği burnunda şampanya şişesi patlatılarak törenle denize indirildi. Gemi, o zamanın parasıyla 10.400.000 dolara malolmuştu.

Amerikan hükûmeti bu gemiyi türlü yasal bahaneler ileri sürerek ülke karasularına sokmama yanlısı olduğundan, teknenin sahibesinden tescil edilmesi için maliyetine varan bir gümrük vergisi istedi. Sahibesi itiraz edince de ortaya çıkan anlaşmazlık, ödenmeyen gümrük vergisi nedeniyle *Savarona*'nın Amerika sularına girmesinin yasaklanmasıyla sonuçlandı. Bu nedenle gemi denize indiği 1931'den 1937'ye kadar geçen zaman içinde yaptığı iki dünya turu boyunca hep Panama bandırası altında dolaşmak zorunda kaldı.

Atatürk'ün daha ilk görüşünde, "Ne olurdu, bu güzel gemi birkaç yıl önce elimize geçseydi" demekten kendini alamadığı Savarona *yatı, yeni geldiği yıllarda İstinye koyunda.*

Sonunda çaresiz kalan Bn. Cadwalader, gözü gibi baktığı yatını önce Hamburg'da, sonra da Southampton'da satılığa çıkarmak zorunda kaldı. Almanlar bu güzel gemiyi başka ülkelere kaptırmak istemedikleri için üzerine haciz koymuşlardı. Ama Atatürk'e büyük sempatisi olan ABD Başkanı F. Roosevelet'in gönlü *Savarona*'yı Türkiye'nin almasından yanaydı. Nitekim, o günlerde New York limanına giren bir Alman transatlantiğine *Savarona*'nın karşılığı olarak haciz konulacağını bildirmesi üzerine, Almanya bizzat Hitler'in özel talimatı üzerine yatın üzerindeki haczi kaldırmak zorunda kaldı.

Savarona *adı nereden geliyor?*

"Sava", rivayete göre Atlantik'te yaşadığına inanılan bir efsane kuşudur; dendiğine göre, nasıl bir şeyse biraz martıya, biraz da pelikana benzemektedir... Hindistan'a mahsus siyah bir kuğu türü olduğunu söyleyenler de vardır. Tıpkı bizdeki, Anka ya da Hüma kuşu gibi, adı olup da kendi olmayan bir kuştur... "Rona" da Bn. Cadwalader'in genç kızlık adıdır... İkisini birleştirince ortaya *Savarona* gibi, hiçbir sözlükte yeralmayan bir sözcük ortaya çıkmıştır... Zaten biz satın aldığımız zaman da Bn. Cadwalader'in, geminin özellikle adının değiştirilmemesini rica ettiği söylenir. Hatta, bazılarına göre de şart koştuğu!

Safrası cıvalı olduğundan 90 derece yatmadıkça batmayacak şekilde inşa edilen *Savarona*'nın güzelliğini tarif etmek için ne sözcükler yeter, ne de satırlar, sayfalar... Kısacası, her görenin dediği gibi, bir kuğu kadar zarif bir yattır, hatta gerçek bir yüzen saraydır *Savarona*. Hele hele, yatın sahibi için özel olarak inşa edilen daire ile, kıç taraftaki konuklara tahsis edilecek özel kamaralar...

Savarona'nın yemek salonuna, kütüphanesine, dinlenme salonuna, özel dairelerine, kamaralarına, koridorlarına, kıyısına, bucağına, her köşesine, gemiden çok, bir ev havası verilmeye çalışılmıştı. Her şeyin en iyisi, en lüksü bu yattaydı, konforun her türlüsünü bu gemide fazlasıyla bulmak mümkündü. Örneğin, özel kamaraların her birinin banyosu değişik renklerdeydi, bu kamaralardaki yatak takımlarının da aynı renklerde olmasına bilhassa özen gösterilmişti.

Ama yatın en ilgi çekici yeri Bn. Cadwalader'in kendi için özene bezene dayayıp döşettiği özel dairesiydi. Bu dairenin banyosu çok kıymetli siyah mermerlerle kaplıydı. Belli ki, sarışın bir hanım olan yat sahibesi, bu siyah mermerleri, kendi sarışınlığını daha fazla ortaya çıkarması için özellikle seçmişti. Yedi yıl sonra, Atatürk'e de, yatta kaldığı o kısacık süre içinde, bu özel kamarayı tahsis ettiler.

Gizli bir merdivene açılan yerdeki kapak

Yatın sahibesi, yattaki yaşamını kolaylaştırmak amacıyla neler neler düşünmemişti ki! Kamarasının altındaki gizli koridor da bunlardan biriydi. Yerdeki halı kenara çekilip de ortaya çıkan esrarengiz bir kapak açıldığı zaman gizli bir merdiven ortaya çıkıyordu; bu gizli yolun, herkesin görmesini istemediği bazı misafirlerini sessizce geçirerek dairesine buyur edebilmek amacıyla tasarlandığı besbelliydi. Ayrıca, dairesinde içki saklamak için gizli bölmeler de vardı ki, içki yasağı günlerinde yararlanmak için düşünülmüş olmalıydı. Geminin denize indirilirken patlatılan şampanya şişesinin bir parçası da "patroniçe"nin özel dairesinin duvarında muhafaza ediliyordu.

Ama yatın en ilgi çekici yerlerinden biri, büyük salondaki görkemli şömineydi. Bn. Cadwalader bu şömineyi Portekiz'e yaptığı bir gezi sırasında tarihî bir şatoda görmüş. Çok beğenmiş. Kendisine satmaları önerisinde bulunmuş. Reddetmişler. Ama sıkıyı görünce papuç bırakacak kadınlardan olmadığı için, önce şatonun tamamını satın almış, alınca da şömineyi söktürüp, o sıralarda inşa edilmekte olan yatına monte ettirmiş! Şimdiki pek çok şömine gibi bir süs şöminesi olmayıp geminin bacasıyla bağlantılı oduğu için koca koca kütükler yakıp keyfine bakmak mümkünmüş.

Savarona'nın dinlenme salonu da bütün özellikleri ve ayrıntılarıyla gerçek bir şaheserdi. Zengin bir kütüphane, o günlere göre modern bir müzik seti ve de büyük bir klâsik müzik plâkları koleksiyonu en kaliteli misafirleri bile memnun edecek nitelikteydi.

Böylesine görkemli bir yatın, elbette ki mobilyaları da, mutfak takımları da o dönemin ihtişamını yansıtacak değerdeydi. Hele hele o şahane yemek salonu! Ortadaki masa 20 kişinin rahatça yemek yiyebileceği büyüklükteydi. Bardak takımları gerçek Bohemya kristalinden özel ısmarlanarak yapılmış, üzerinde *Savarona* yatı arması işlenmişti. Porselen tabaklar, açık yeşil renkteki ince işlemelerle süslüydü. Bembeyaz keten örtüler... Tiril tiril peçeteler... Akla ne gelirse: Tuzluklar, biberlikler... Ve de yatın tam teşkilatlı mutfağında hazırlanmış nadide yemekler...

Mutfağında yalnızca kuş sütü eksikti

Gemideki iki mutfaktan biri yatın sahibesiyle misafirlerine hazırlanacak yemeklere tahsis edilmişti, öteki mutfak ise mürettebata hizmet vermekteydi. İki de fırın vardı. Bu mutfaklar her zaman 300 kişiye her türden yemeğin hazırlanabilmesine imkân verecek şekilde donatılmıştı. Geminin en alt bölümünde yeralan buzhanede et, balık, yumurta, sebzeler için ayrı ayrı bölümler, akla gelebilecek hemen her türden yiyecek ve de içki stoku yapılacak yerler vardı. 10 ton etin, 2 ton balığın aylarca bozulmadan muhafaza edilebildiği bu buzhane bölümüne, içerde kazara birinin kapalı kalması halinde, korkunç sesler çıkartan bir imdat düdüğü bağlanmıştı.

Geminin en mükellef kamaralarından biri de süvariye tahsis edileniydi. Köprü üstü olsun, kazan ve makina daireleri olsun, her yer döneminin en ileri cihazlarıyla donatılmıştı. Geminin ön kısmı ise personele ayrılmıştı ki, bu karmaralardaki dolapların bile maundan yapılmış olduğunu söylemek, *Savarona*'daki konfor ve lüks hakkında bir fikir vermeye yeter sanırız.

Savarona *ilk kez Türk sularında*

1 Mart 1938 günü Türk hükûmeti tarafından satın alınan *Savarona*'ya 24 Mart günü Southampton limanında Ay-Yıldızlı bayrağımız çekildi. Törende Londra Büyükelçimiz Fethi Okyar, Cumhurbaşkanlığı Başkâtibi Hasan Rıza Soyak, Londra Deniz Ataşemiz, İktisat Vekâleti Deniz ve Hava Müsteşarı (Seyr-i Sefain'in eski Umum Müdürü) Sadullah Güney, İş Bankası Umum Müdürü Muammer Eriş, Etibank Umum Müdürü İlhami Nafiz Pamir hazır bulundular. *Savarona* artık Cumhurbaşkanlığı yatı olarak kullanılacaktı.

Süvarisi Sait Kaptan'a (Soyadı: Özege - *Ege*'nin süvarisi) ve Türkiye'den gelen 45 kişilik mürettebatına Türkiye'ye götürülmesi için teslim edilen geminin Southampton'dan ayrıldıktan sonra ilk durağı 12 Nisan'da Hamburg oldu. İnşa edildiği tersanede bakımı ve onarımları yapılan gemi, çalışmalar sona erince, Cebelitarık üzerinden İstanbul sularına gelip de Florya önlerinde demirlediği zaman günlerden 1 Haziran'dı. Saatler sabahın 6:30'unu gösteriyordu.

Savarona'nın Boğaz'a girip Dolmabahçe Sarayı'nın önünde demirlemesi öğleden sonrayı buldu. Atatürk gibi herkes daha ilk görüşte bu geminin güzelliğine hayran kaldı. Yumurta sarısına boyanmış iki bacası, lambri kaplı seyir dairesi, kendi aralarında çok hoş bir uyum sağlıyordu. Teknenin suyun içinde kalan kısmı kırmızıya boyanmıştı; beyaz bordayı bu kırmızı renkten ince bir siyah çizgi ayırıyordu.

Atatürk, beraberinde Başvekil Celâl Bayar, Cumhurbaşkanlığı Başkâtibi Hasan Rıza Soyak, Başyaver Celâl Tolgay, mebuslardan Kılıç Ali, yakınlarından Cevat Abbas, Salih Bozok ve de İstanbul Valisi Muhittin Üstündağ Beyler'le *Acar* motoruna binerek bu güzel yatı gezmeye gitti. Baştan aşağı dolaştı. Her köşesinde, o da, yakınları da hayranlıklarını gizleyemediler. Atatürk o geceyi ve daha sonraki günleri yatta geçirmeye başladı.

19 Haziran 1938 günü Atatürk, özel yatıyla Karadeniz üzerinden gelip İstanbul Boğazı'ndan transit geçmekte olan Romanya Kralı II. Carol ile hanım arkadaşını yata davet ederek kabul etti.

Beş gün sonra, 24 Haziran günü de Erdek'e kadar uzanarak bir deniz yolculuğu yapan Atatürk, bir tatbikat dönüşü o sularda bulunan Donanmamız tarafından karşılanıp selâmlandı. Erdek kasabası fenerlerle donatıldı, gemilerden toplar atıldı. Bu arada Donanma komutanı Amiral Şükrü Okan gelerek Atatürk'ü gemide ziyaret etti.

Ata'nın Savarona'daki son günleri

Atatürk, *Savarona*'da, giderek daha fazla rahatsızlık vermeye başlayan hastalığına rağmen yine de mutluydu. İş Bankası Umum Müdürü Muammer Eriş'in İngiltere'den getirdiği beyaz süeteri sırtından eksik etmiyordu; ayrıca kendine beyaz pantalon ve lâcivert ceketten oluşan bir de yat kıyafeti yaptırmıştı. Sık sık üst güvertede yemek yiyor; bu arada doktorların kesin pehriz talimatına pek de uymadığı görülüyordu.

9 Temmuz günü Vekiller Heyeti'ni *Savarona*'ya davet ederek üç buçuk saat süren önemli bir toplantı yaptı; onlarla iç ve dış konuları, özellikle Hatay meselesini görüştü. Ertesi gün de *Acar* motoruna binerek önce Florya'ya kadar uzandı, sonra da Boğaz'da gezindi. Ne var ki, hayli yorulmuştu; hastalığı bu geziden sonra birden arttı.

Savarona'da sıcaklık zaman zaman 30 dereceyi bulduğundan Atatürk büyük sıkıntılar içindeydi. Kamarasını biraz olsun soğutmak amacıyla kaldığı dairenin yanlarına büyük kaplar içinde buzlar yerleştirilerek boğucu sıcağı biraz olsun hafifletmek istediler. Sonra da belki biraz daha fazla rüzgâr alabilir umuduyla, *Savarona*'yı Dolmabahçe'den hareket ettirerek Büyükdere önlerine götürüp demirlettiler. Fakat esen rüzgâr, Boğaz'a paralel demirlediği için gemiyi yalayıp geçiyor, pek bir yararı olmuyordu.

Bu arada Atatürk, kaldığı dairenin hemen altına rastlayan dinamonun titreşim ve gürültüsünden rahatsız olduğu için makineleri durdurmak zorunda kaldılar. Yata gerekli olan elektrik, yata yanaştırılan bir denizaltıdan sağlanmaya başlandı.

Ama 23 Temmuz günü, sıkıntıları giderek arttığı için Atatürk'ü daha serin olacağı düşüncesiyle Dolmabahçe Sarayı'na geçmesi için ikna ettiler. Atatürk yattığı yerde taşınmayı kesinlikle reddettiği için, onu bir koltuğa oturtup taşımak zorunda kaldılar. Geceleyin saat 1:00'de, geminin ışıkları söndürüldü, yalnız iskele aydınlık bırakıldı. Koltukla birlikte *Acar* motoruna nakledilen Atatürk, oradan da Dolmabahçe Sarayı'nın rıhtımına çıkarıldı. Bu son yolculuğu ile, 54 gün süren Atatürk'ün *Savarona* günleri de sona ermiş oldu.

Ata'dan sonra Savarona...

Atatürk'ün ölümünden sonra *Savarona*'yı Münakalât Vekâleti'nin emriyle Hazine adına İstanbul Limanı Gemi Sicil Defteri'ne 2.051 numarayla kaydettiler. İkinci Dünya Savaşı yılları boyunca hava saldırısına uğramaması için Kanlıca'daki Bahai körfezinde bağlı tutulan gemi, bir süre Cumhurbaşkanlığı yatı olarak kullanıldıysa da 2 Temmuz 1951 günü Deniz Kuvvetleri Kumandanlığı emrine devredildi. Artık Deniz Harp Okulu'nun öğrenci eğitim gemisiydi *Savarona*... Uzun yıllar, 1976'ya kadar her deniz subayı ilk açık deniz seferini *Savarona* ile yaptı, ilk uzun yol tecrübesini *Savarona* ile edindi.

Savarona zaman zaman İran Şahı ile eşi Süreyya, Yunan Kralı Pavlos, Irak Kralı Faysal, Kral naibi Abdülillah gibi devlet adamlarını misafir etti, bu arada Almanya ve Pakistan'a iki de uzun sefere çıktı.

Ama akla gelmeyen şey, bir gün başa geldi: 3 Ekim 1979 sabahı bilinmeyen bir nedenle çıkan yangında geminin önemli bir bölümü alevler arasında kaldı. 24 saat süren facia boyunca pek çok eşya yandı, yok oldu. Sabotaj mıydı, kaza mıydı, her zaman olduğu gibi bu sefer de kesin anlaşılamadı. Atatürk'e hediye edilen bazı eşyaların denize atılma bahasına kurtarılmasına çalışılmıştı, ama artık O'nun Gölcük'e çekilen *Savarona*'sından geriye kalan, o güzelim bembeyaz bordası kararmış bir tekneden başka bir şey değildi.

Hizmet dışı kalan teknede en büyük hasar, kıç taraftaydı. Aylarca uğraşıldı, çalışıldı, sonunda *Savarona* baştan sona yenilendi. 1989 yılı Haziran'ında Türk ve Japon firmalarının oluşturduğu bir ortaklığa turistik amaçlı kullanım için 49 yıllığına kiralanmak istendi. Ama İstanbul 9. İdare Mahkemesi'nin kararıyla 1989 Kasım'ında yürütme durduruldu.

Şimdi gemi, Türk Loydu Gemi Sicili'nde Maliye ve Gümrük Bakanlığı, Gemi Kurtarma Deniz ve Turizm Anonim Şirketi'nin malı olarak gözüküyor. Seyrek de olsa, İstinye rıhtımından aldığı seçkin konuklarını alıp yine Boğaz'da gezdiriyor. Ya da evlenen ünlü ve varlıklı çiftlerin davetlilerine ev sahipliği yapıyor.

Yine güzel, yine görkemli ama bugünkü *Savarona* artık kesinlikle Atatürk'ün *Savarona*'sı değil.

Hele hele, Atatürk'ün ilk gördüğü gün,

-"Ne olurdu, bu gemi birkaç yıl önce elimize geçmiş olsaydı!" dediği Boğaz'ın gerçek incisi hiç değil.

* **SAVARONA:** 1931'de Almanya, Hamburg'da Blohm und Voss tezgâhlarında yat ve gezi gemisi olarak inşa edildi. Çelik perçin olan teknesi 4.701 net, 1.540 dw tonluktur. Beş güvertelidir, teknesi 11 perdeyle ayrılmıştır. Tam boyu: 124,3 metre, en geniş yeri: 16,08 metre, çektiği su: 6,19 metre, derinliği: 9,75 metredir. İki bacalı olup burnu klasik yatlarda olduğu gibi civadralıdır. Önceleri buhar makineli iken sonradan Amerikan yapısı, 16 silindirli 2 x 3.630 bhp gücünde, motorinle çalışan Caterpillard dizel motoru monte edilmiştir. Dakikada 1.000 devri vardır.

İSKELELER KENTİ İSTANBUL

İlk tarifeli yolcu vapuru seferlerinin başlatıldığı liman kentlerinden biri, İstanbul olmuştur. Şirket-i Hayriye adlı vapurculuk şirketinin 1851'de kurulmasından önce, 1840'lı yıllarda Tersane-i Âmire'nin yolcu vapurları, Boğaz sularında seyrek de olsa düzenli olarak halkın yararına hizmet vermeye başlamıştı. Ondan da önceleri, 1837'de, biri İngiliz, öteki Rus, iki yolcu vapurunun Kapitülasyonlar'dan yararlanarak Boğaz sularında yolcu taşımaya giriştiği biliniyor.

Bu nedenle, İstanbul demek camileri minareleri, konakları, yalıları, inişleri, yokuşları kadar, vapur demek, iskele demekti. Başınızın üzerinde çığlık çığlığa uçuşan kocaman martılar, boş bulunduğunuz bir anda düdüğünü öttürerek sizi sıçratan vapurlar, eski Boğaziçi'nin ayrılmaz birer parçası olan iskelelerin şiirsel görünüşünü tamamlardı. Hele hele o, semaver bacalı, koca davlumbazlı, muşamba tenteli, siyah kuğudan farksız eski Boğaz vapurları...*

Yolcular vapurları kahvelerde beklerdi

Boğaziçi, ancak Şirket-i Hayriye vapurlarının düzenli bir şekilde seferler yapmaya başlamasından sonra kalabalıklaştı, canlılık kazandı. Küçük yerleşim merkezleri, ancak vapurlar yolcu taşımaya başladıktan sonra gelişti, birer köy halini aldı.

Şirket-i Hayriye'nin kuruluş yıllarında Boğaz'da vapurların yanaşabileceği iskeleler henüz yok gibiydi, hepsi ihtiyaç karşısında birer ikişer yapılarak hizmete sokuldu. Yine de iskele sayısı çok azdı. Kaldı ki, çoğu iskelelerin de bekleme odaları, salonları yoktu.

Yolcular, kış günlerinde, vapur ilerdeki burnun gerisinden çıkıp kendini gösterinceye kadar en yakın kahvelerden birinde beklemek zorundalardı. İskelelerin sayısı zaman içinde arttı. Yanlarına birer bekleme odası yaptırıldı, bir gişe yerleştirildi, memur ve çımacı için odalar ayrıldı. Hemen hepsinin de yakınında bir camiin yeraldığı çoğu iskelenin bir kenarında da büfe-aktar arası küçücük bir satış yeri açıldı.

Başlangıçta, vapurların, iskelesi olmayan köylerde, önü yeterince derin yalılardan birine yanaşıp, yolcularını oradan aldığı da ol-

Şirket-i Hayriye'nin 40 yıldan fazla bir süre hizmet gören 35 baca numaralı küçük yolcu istimbotu. İşgüzar adlı bu küçük tekne yıllarca Köprü-Salıpazarı arasında yolcu taşıdı, durdu.

(*) Fazla bilgi için *Şirket-i Hayriye* (İletişim Yayınları, 1994 ve 1997) adlı kitaba bakınız.

muştu. Bazı kimseler de vapura kendi sandallarıyla yanaşır, artık baş tarafından mı olur, yan tarafından mı, nereden kolaylarına gelirse, vapura oradan çıkmaya çalışırlardı. Kazalara yol açacağı için vapurlara sandalla yanaşıp girmek çok geçmeden yasaklandı. Çünkü, sandalın, anafora kapılıp koca çarkın arasında içindekilerle birlikte hurdahaş olması işten bile değildi!

Yolcular önceleri iskeledeki memurdan bir marka alır, vapura girince de bu markayla içerde dolaşan biletçiye, bilet kestirirdi. Sonradan bu gereksiz usulden vazgeçildi; biletler doğrudan doğruya iskeledeki bilet gişesinde satılmaya başlandı. Vapurdaki görevli, biletleri elindeki zımbayla delerek iptal ederdi ki, bu usul iskelelere jöton turnikelerinin yerleştirildiği 80'li yıllara kadar sürdü, gitti. Günümüzde, ne ellerinde zımba, biletçiler kaldı, ne de o yeşil dört köşe mukavvadan, arkalarında gidiş-dönüş yazılı vapur biletleri... O güzelim Boğaz vapurları yok olup gittikten sonra, biletler yok olmuş, dert mi?

Yüzyılımızın başlarında Şirket-i Hayriye'nin Köprü'den Salıpazarı iskelesine vapur işlettiğini biliyor muydunuz? 1905 yılında açılan Köprü-Salıpazarı-Kabataş hattında yıllarca küçücük bir vapur çalıştı, durdu. *İşgüzar* adlı bu minik vapur yavrusu, aslında 15 net tonluk, teknesi sactan, tek silindirli bir çatanaydı. 1881'de, Şirket'in Hasköy'deki fabrikasında İngiltere'den getirtilen parçaların monte edilmesiyle ortaya çıkartılmıştı. Saatte 6 mil yapabiliyordu. Anlaşılan, o tarihlerde Köprü'den Salıpazarı'na ve Kabataş'a, saatte 6 millik bir hızla da olsa, denizden gitmek, karadan gitmekten daha kolay, daha çabuk, daha da ucuzdu. Yakınında bir de deniz hamamı bulunan ve odun depolarının arasına sıkışmış kalmış olan iskele, sonraki yıllarda hattın iptal edilmesiyle ortadan kalktı.

Sürre Alayı Kabataş iskelesinde

Kabataş iskelesi, 50'li yıllara kadar ahşap, derme-çatma bir iskeleydi. Önceleri kıyı henüz doldurulmadığı için bugünkü yerine göre hayli içerde, küçük limanın yanıbaşındaydı ve rıhtım da daha inşa edilmemişti. Yanıbaşında da -kısa bir süre önce temizlenip yeniden yerine yerleştirilen- mermer bir liman kitabesi yer alıyordu.

Kabataş iskelesine hem yolcu vapurları yanaşır, hem de Boğaz'ın iki yakasını birbirine bağlayan araba vapurları kapak atardı. Bu iskele Avrupa ile Asya'yı birbirine bağlayan araba vapurlarının iskelesi olması bakı-

1950'li yılların sonlarında Kabataş meydanı. Solda, Kartal ile Kabataş adlı birbirinin eşi iki araba vapuru. Sağda ise emektar 27 baca numaralı Sahilbent Üsküdar'dan gelmiş, yanaşmaya çalışıyor. Şehrin simgesi tramvayların kaldırılmasına daha beş yıl kadar var...

mından büyük önem taşı-
yordu. Öyle ki, her yıl Ara-
bistan çöllerinin yolunu tu-
tan Sürre Alayı, Üsküdar'a
Kabataş'tan kalkan yandan
çarklı emektar *Suhulet* ya da
Sahilbent adlı araba vapurla-
rıyla geçerdi.

Her yıl, Recep ayının
12'sinde meraklı kişiler, Pâ-
dişah tarafından Mekke'ye
doğru yollanan göz kamaştı-
rıcı hediyeleri, bu arada Kâ-
be örtüsünü de taşıyan allı,
pullu, süslü, püslü develeri
görmek için Kabataş'a inen
yollara dizilirler, sabır ve he-
yecanla, alayın geçmesini
beklerlerdi.

Kabataş meydanı zaman
içinde yeniden düzenlendi,

*Kabataş meydanı yeniden düzenlenirken yerine
yerleştirilen turalı tarihî liman kitabesi.*

elden geldiğince genişletilmeye çalışıldı. Ama 1970'li yıllardan itibaren
motorlu araç sayısının hızla çoğalması karşısında ihtiyaca cevap veremez
hale geldi. Peş peşe sıralanan otomobiller, kamyonlar araba vapuruna gi-
rebilmek için saatlerce beklemek zorunda kalıyordu. Artık İstanbul'da sa-
yısı hızla artan otomobillere ne araba vapurları yetiyordu, ne de koskoca
Kabataş ve de Üsküdar meydanları...

Bugün, Üsküdar ile Kabataş arasında çalışan araba vapurları seferleri
kaldırıldığı için Kabataş'a artık araba vapurları yanaşmıyor. 1989'da hiz-
mete giren yeni Kabataş iskelesi, spiral kaynaklı çelik borular çakılarak
inşa edildi. Aynı anda üç şehir hattı vapurunun bağlanmasına imkân ve-
ren bu yeni iskeleden yazları Adalar'a, Yalova'ya ve Çınarcık'a vapurlar
kalkıyor. İskele önünün derinliği 8,7 metre. Yanında bir küçük iskele da-
ha var ki, orası da her yarım saatte bir Üsküdar'a kalkan yolcu vapurları-
nın bağlandığı yer. Ama vapurlar çoğu zaman boş gidiyor, boş geliyor.
Eski araba vapurlarının iskelesinde de zaman zaman ya *Truva* ya da
Bandırma gibi güzellikten yoksun feribotlar bağlıyor.

78

Tarihî Hayrettin ve Beşiktaş iskeleleri

Bugünkü Barbaros Hayrettin Paşa iskelesinin olduğu yerde, çok eskiden beri rengârenk takaların, kapkara çatanaların, irili ufaklı motorların yanaştığı küçük bir ahşap iskele vardı. Buraya at arabalarıyla getirilen eşya, teknelere aktarılarak karşı kıyıya, genellikle de Üsküdar'a geçirilirdi. Bazen de atlar, arabalar...

Araba vapurları seferlerinin düzene konmasıyla Hayrettin iskelesi zamanla ortadan kalktı. Demir kazıkları uzun bir süre suyun içinde kaldı. Sonra, Beşiktaş iskelesinin yükünü hafifletmek amacıyla 1981 yılı kışında buraya çakılan çelik boruların üzerine bugünkü Barbaros Hayrettin Paşa iskelesi inşa edildi. Günümüzde bu iskeleye Boğaz hattı vapurları ile Beşiktaş-Kadıköy seferi yapan vapurlar yanaşıyor. İskele önünün derinliği: 7,6 metre.

Gelelim, yanıbaşındaki eski Beşiktaş iskelesine... Boğaz'ın Rumeli kıyısındaki ilk büyük iskelesi olması bakımından her zaman büyük önem

Beşiktaş'a, bugünkü yeni iskelenin yerinde bulunan eski Hayrettin iskelesi, ünlü denizci Barbaros Hayrettin Paşa'nın adını yaşatıyor. Araba vapuru seferlerinin yetersiz kaldığı durumlarda buradan Üsküdar'a, at, araba ve her türden yük taşıyan motorlar, mavnalar, yelkenliler, takalar kalkarlardı.   *(Fotoğraf: Faik Şenol)*

taşıyan bu binanın mimarı Ali Talât Bey'dir. Bina 1913'te yapılmıştır. İki yanında iki kulesi bulunan bu iki katlı yığma kârgir bina günümüze kadar birkaç kez tadil, birkaç kez de tamir edilmiştir. 1941'de, zemin kat bekleme salonundaki sivri kemerli revaklı kısım, 1979'da üst kat kısmen camlı bölmelerle kapatılmıştır.

Beşiktaş iskelesi son olarak 1987'de, o zamanın parasıyla toplam 60 milyon liraya esaslı bir şekilde yenilendi. Yolcuların vapura girdiği alan genişletildi, bekleme salonunun girişine jöton turnikeleri yerleştirildi, ortadaki dört köşe sütunlara, -ne yazık ki güzelliği hâlâ tartışılıyor- ikisi birbirinin eşi, dört çini pano monte edildi. İskele önünün derinliği: 5,7 metre.

İskele binasının üst katı 1950'li yıllara kadar düğün salonu olarak kullanılıyordu. Bir ara içkili lokanta da oldu. Hâlen, Denizcilik İşletmeleri emeklilerinin lokali. Aslında güzel manzarası olan bir mekân... Boğaz'ın, gemilerin, vapurların, kısacası karşı kıyının bıkmadan seyredilebileceği bir salon... Ama nedendir bilinmez, işlek bir yer olamadı, gitti.

Ortaköy iskelesi mi, botanik bahçesi mi?

Eski fotoğraflarda Ortaköy iskelesinin, bugünkü yerinde olmayıp, Büyük Mecidiye (bugünkü Ortaköy) Camii'nin biraz kuzeyinde olduğu görülüyor. Yâni, şiddetli poyraza açık bir yerde.. Şirket-i Hayriye kaptanları, kış aylarında yandan çarklı vapurlarını kimbilir ne büyük zorluklarla bu iskeleye yanaştırabiliyorlardı! İskele, sonradan caminin gerisine, bugünkü yerine nakledilmiş. İyi de edilmiş.

Ortaköy, Boğaz'ın sona kalan ahşap iskelelerinden biri... Şiddetli lodoslarda sular biraz yükseliyor, dalgalar iskeleyi yalamaya başlıyor, ama günümüzde senede kaç kez böylesine kuvvetli lodos oluyor ki... Zaten o zaman da vapur, iskeleye uğramadan yoluna devam edip gidiyor. İskele önünün derinliği: 8,7 metre.

Günümüzde çiçek meraklısı, zevk sahibi hem iskele memuru hem de çımacısı Abdülaziz Kupşi'nin sabırlı bakımı sayesinde iskele bir botanik bahçesinden farksız. Bekleme salonunun içi de, dışı da mevsimine göre renk renk çiçekler, yeşil yapraklar, boy boy sarmaşıklarla süslü... Keşke, öteki iskeleleri de böyle süsleyecek erbab-ı zevk görevliler çıksa da, o iskeleler de çiçeklerle süslense...

Kuruçeşme iskelesi ne yazık ki bugün yok; aslında var da yok. Nasıl mı? Eski iskele parkın gerisinde, hâlâ iyi-kötü yerinde duruyor ama, 40 yıldan fazla bir zamandan beri buraya vapur uğramıyor. İskele önünün derinliği: 7,6 metre.

Ama Arnavutköy iskelesi onun gibi şanssız çıkmamış. Eski ahşap iskele, 1980 sonrasında kıyı boyunca yalıların önünden geçirilen kazıklı yol nedeniyle geride kalınca, yerine 1988'de deniz kenarında yenisi inşa edildi. Eski iskele ahşap iken, yenisi beton yapıldı. Bu arada hazır yapılmışken, bekleme mahallinin önündeki yolcu çıkış yeri de eskisinden daha geniş tutuldu. Bir de çıkış kapısının tepesine renkli çinilerle süslü mü süslü bir Arnavutköy yazısı yazıldı. İskele önünün derinliği: 8,7 metre.

Kaptanlara ter döktüren Bebek iskelesi

Bebek iskelesi de Boğaz'ın hâlâ ahşap olarak kalan son iskelelerinden... Hem parktaki ulu çınarların, atkestanelerinin gölgesinde kalan bekleme salonu ahşap, hem de kıyıdaki, vapurun yanaşıp halatla bağlandığı asıl iskele... Zaman zaman, vapurların kuvvetle bindirmeleri sonucu iskeleyi ayakta tutan direkler yerinden oynuyor! Zannedersiniz ki, yanaşmak için ileri-geri manevralar yapan vapur bir çarpsa, koca iskele iskambil kâğıdı gibi yana doğru yıkılıverecek!

O günlerde bir akşam, vapurdan çıktığınızda bir de bakarsınız ki iskeleye dikine kocaman bir şahmerdan kurulmuş. Yan tarafta da üstüste yığılmış yedi metrelik, sekiz metrelik kocaman kocaman ağaç kazıklar istiflenmiş! Bu kazıkların şahmerdanla deniz dibine çakılması günler sürer. Varsa çürüyenleri sökülüp atılır, böylece iskelenin ömrü birkaç yıl daha uzatılır.

1980'li yıllarda, nasıl bir düşüncenin ürünüyse, yat limanı yapılmak istenen güzelim koy, Bebekli sağduyu sahibi denizseverlerin şiddetle

Boğaz iskelelerine çalışan Şirket-i Hayriye'nin 42 baca numaralı Resanet *adlı yolcu vapuru. Köprü iskelesinde bir kaza sonunda batan bu gemiye, çıkartılıp onarıldıktan sonra* Eser-i Merhamet *adı verildi.*

karşı çıkması sayesinde, üstelik çalışmalara da başlanmışken son anda kurtarıldı. Yoksa, az kalsın açıktaki çakarfenerle kıyının arasını doldurup poyrazı önleyecek bir mendirek inşa edeceklerdi.

Bebek, Boğaz'ın yanaşılması en zor ve tehlikeli iskelelerinden. İskele önünün derinliği: 4,9 metre. Hıdiv'in sarayının önleri çok sığ olduğundan, vapurlar, şamandıralarla belirtilmiş dar bir koridordan geçerek iskeleye yaklaşmak zorundalar. Özellikle yazları bu sahanın demirlemiş yatlar, motorlar, sandallarla dolu olduğu düşünülürse kaptanların bu daracık, üstelik de hayli sığ koridordan nasıl bir dikkatle geçmek zorunda oldukları daha iyi anlaşılır.

Bir sabah, 71 numaralı eski Şirket-i Hayriye vapuru *Halâs*'ta dinlemiştim: Bir gün, *Halâs*'ın kaptanı, Bebek'e yanaşmak için makineye staper işareti vermiş. Vermiş ama, nasıl olduysa, aşağıda makineleri, bir türlü stop ettirememişler. Bakmışlar, vapur ya demirli tekneleri paramparça, ya da iskeleyi darmadağın edecek; tabii o sırada kendi de bir yerlere çarpıp karaya oturacak! Tek çare, makinenin sıkışan valfını koca bir balyozla vurarak açmak!

Balyozu can havliyle öyle bir indirmişler ki, sıkışan valfı ancak böyle ayırabilmişler. Ama *Halâs* da tam yolla girdiği o daracık koridordan hızla geçerek yine aynı hızla derin sulara çıkmış! Tehlike, kaptanın ve çarkçıbaşının serinkanlılığıyla kimsenin burnu kanamadan atlatılmış, ama gelin bir de onlara sorun! Dediklerine göre ecel terleri döken kaptanın, sefer dönüşü Köprü'de iskeleye ayak basınca ilk işi, hemen İdare'ye gidip emekliliğini istemek olmuş! Doğruysa, gerçekten heyecan verici bir olay... Değilse, günahı anlatanın boynuna...

Rumelihisarı, Boyacıköy, Emirgân ve de İstinye iskeleleri

Eskiden, Boğaziçi'nin en dar noktasında yer alan Rumelihisarı, halk arasında Kayalar ya da Kayalar mevkii diye anılırdı. Ama artık Kayalar adını ne bilen kalmış, ne de söyleyen...

Rumelihisar da son yıllarda kapatılıp kaderine terkedilen iskelelerden. Son yıllarda bu ahşap iskelenin ne yazık ki, boyaları dökülmüştü, kırık camlarını kocaman örümcekler mekân tutmuştu.

Kalabalık otobüslerde eziyet çekmektense, gideceği yere rahatça, hem de deniz havası alarak vapurla gitmeyi tercih eden birkaç eski Boğaziçi sakini, aralarında imza toplayıp iskelenin yeniden açılması için işletmeye başvurmuştu. Sonuç: Sıfıra sıfır! Artık iskele yazları, Hisarlı çocukların denize dalıp çıkıp güneşlendikleri, sonra da aralarında güreş, boks, sumo, karate karışımı benzersiz bir sporu uyguladıkları bir gösteri merkezi olmaktan öte, başka bir hizmet veremiyordu. Son olarak iskeleye bir balık lokantası yerleşmiş bulunuyor. İskele önünün derinliği: 8,2 metre.

İskelede bir de acı bir olay geçmiş: Ünlü ressamlarımızdan Şevket Dağ son nefesini burada vermiş! Anlattıklarına göre, üstad bir gün Rumelihisarı'ndaki evine vapurla dönerken kalp krizi geçirmiş. Etrafına toplananlar haklı olarak telâş etmişler.

Yolculardan biri, "Aman beyfendi, iyi misiniz?" diye sorunca, Şevket Bey, elinden geldiğince sakin olmaya çalışarak, "Ne demek, iyi miyim, ölüyorum yahu!" demiş. "Ölüm dediğin davulla, dümbelekle gelmez ya! Böyle gelir işte!.."

Gerçekten de kalp krizi geçiren ünlü ressam, vapurdan iskeleye çıkarılırken oracıkta ruhunu teslim etmiş.

Boyacıköy iskelesi 1930'larda kaldırılmış; Emirgân daha uzun ömürlü çıktı. 1990'da kapatıldı.

Birinci Dünya Savaşı'ndan önce, günde ortalama 480 yolcusu olan, ayrıca 110 misafiri de buyur eden İstinye iskelesi de bugünlerde var olmak mücadelesi verenlerden... İskele önünün derinliği: 4,7 metre. 1991'de Tersane kaldırılıp işçiler de köyden elini eteğini çektiğinden beri, önüne bir duba bağlı duran bu iskelenin yolcuları giderek azalıyor. Önceki kış, yılbaşından sonra ilk kez deneme mahiyetinde açılan Kadıköy-İstinye hattı, belki de bu iskeleye biraz olsun canlılık getirecekti, ama olmadı, bu hattan sessiz sedasız vazgeçildi. Eski iskelenin yanıbaşına, İstanbul Deniz Otobüsleri için yeni bir iskele yapıldı.

"Aktarmalar Yeniköy'deeen!!!"

Boğaz'ın önemli iskelelerinden biri de Yeniköy iskelesi. Şirket-i Hayriye zamanında aktarmalar çoğunlukla hep bu iskeleden yapılırdı. Köprü'deki, hatta öteki iskelelerdeki iskele görevlisi sürme kapıyı açarken binenlerin şaşırmamaları için en yüksek sesiyle bağırarak onları uyarırdı:

-"Aktarmalar Yeniköy'deeen!!!" diye.

Boğaz postasını yapan vapur Rumeli kıyısı boyunca iskelelere uğraya uğraya yukarı çıkarken, Kanlıca, Çubuklu, Paşabahçe, Beykoz ve Kavaklar gibi Anadolu yakası iskelelerine çıkacak yolcular Yeniköy'de iner, kendilerini karşı kıyıya götürecek vapuru beklerlerdi. Aktarmalar için yolculardan fiyat farkı alınmazdı. Vapur hemen gelirse ne âlâ; ama bazen gecikir, o zaman da yolcular sabırsızlanarak söylenmeye başlarlardı. Eskiden beri uygulanagelen bu aktarma siste-

Yüzyılın başlarında Boğaz sularından bir "muş"... İstimli bu yat yavrusu, kimbilir hangi paşanın ya da hangi Sefaretin hizmetinde... *(Fotoğraf: Ali Sami Bey-Aközer)*

minden 50'li yıllarda vazgeçildi, böylece iskele üzerindeki o tatsız beklemeler de sona erdi. İskele önünün derinliği: 3,8 metre.

Evet, Tarabya ve Kireçburnu... Bu iki iskeleye de 1960'lı yıllardan sonra vapur uğramaz oldu. Tarabya iskelesi, yanıbaşında kale gibi yükselen Büyük Tarabya Oteli'nin plajı haline getirildi; yolcu çıkış mahalli, birkaç yıl daha yaygısını yere, tahtaların üzerine yayıp güneşlenen hanımlara, beylere hizmet etti. Sonra, o şirin iskele de kendini sökücülerin ellerinden kurtaramadı; tıpkı, bir sonraki, Boğaz'ın belki de en sert iklimli semti olarak bilinen Kireçburnu'ndaki kardeşi gibi.

Büyükdere iskelesi de, Arnavutköy iskelesi gibi hem var, hem yok. Eski Büyükdere iskelesi büyük, kırmızıya çalar rengiyle dikkati çeken, önü kemerli, büyük bir kârgir yapıydı. Ama sahil boyunca kazıklı yol geçirilip de iskele denizden içerde kalınca 1989'da yolun önüne yeni bir iskele binası inşa edilmesi mecburiyeti doğdu. Onarılıp restore edilen eski iskele binası 1994 yılının Eylül ayında satışa çıkartıldıysa da satılamadı. Yeni iskelenin önündeki derinlik: 3,8 metre.

Çımacının sahiplendiği ayı balığı

Eski Sarıyerliler, 1910'lu yıllarda eski iskelenin altında bir ayıbalığının yaşadığını anlatırlar. Bu, o zamanlar için pek de şaşılacak bir şey değildi, çünkü o yıllarda Boğaz'ın tertemiz sularında foklar da yaşardı, sürülerle yunus da... Zaten ne olduysa hep 1950'lerden sonra oldu. Önce foklar

Boğaz'dan kaçıp gitti, sonra da yunuslar... Bu gidişle de, çok yakında tüm balıklar, tüm deniz yaratıkları bir daha gelmemecesine yok olup gidecekler.

Anlattıklarına göre Büyükdere iskelesi çımacısının sahip çıktığı bu fok, insanlardan kaçmaz, aksine sandallara sokulur, gençlerle, balıkçılarla oynaşırmış. Bir gün bakmışlar, yanında bir de yavrusu var! Büyükdereliler sabahları ana-oğul fokları görmeden, gözleriyle de olsa onları sevmeden vapura binmez olmuşlar. Hele çocuklar balık atarak onları elleriyle beslemeye başlamışlar. Ama bir gün yavru ayıbalığı, vapurun birinin iskeleye bindirmesi sırasında kazıklar arasında sıkışıp kalınca, ezilerek ölmüş. Zavallı ana ayıbalığının, evlât acısından günlerce, hem de gözlerinden yaşlar gelerek ağladığını anlatırlar...

Birinci Dünya Savaşı'ndan önceki yıllarda Şirket-i Hayriye vapurları bu iskeleye her gün ortalama 1.024 kişi taşıyormuş. Yazları ise, iskelenin cuma ve pazarları 967, misafir olarak da 440 kişi gidip geleni olurmuş. İskelenin gişesi de o zamanın parasıyla 1.300 kuruş hasılat yaparmış. Ya bugün? Bütün bu kalabalığın belki de yüz mislini hep karadan otomobiller, minibüsler, otobüsler taşıyor, bunca parayı da onlar kazanıyor.

Sarıyer'e sabah akşam tek bir vapur var!

Eskiden Mesarburnu diye adlandırılan Sarıyer de Boğaz'ın önemli iskelelerinden. Ama artık Sarıyer'in de vapur yolcusu çok azalmış durumda. Taksim'den Sarıyer'e ilk İETT otobüsünün çalışmaya başladığı 1948'den beri, vapur yolcusunun sayısı gözle görülür şekilde azalmaya başlamış. Bugün, kış tarifesinde Eminönü'nden Sarıyer'e kalkan, o da yalnız akşamları, tek bir vapur var. Sabahleyin de Sarıyer'den Köprü'ye yine tek bir vapur iniyor. Buna karşılık Eminönü'nden, Taksim'den, Beşiktaş'tan Sarıyer'e, Rumelikavağı'na sık sık, üstelik de kalabalık mı kalabalık otobüsler gidip geliyor.

Günümüzde Boğaz yolcularının vapur yerine otobüsü tercih etmesindeki suçu, hâlâ eski sistem vapurlarla birlikte çağdaş deniz otobüsleri de çalıştıramayan ve de halkı deniz yoluna çekemeyen Denizcilik İşletmeleri'nde aramamalı da kimde aramalı?! Bereket, Anadolukavağı-Rumelikavağı-Sarıyer arasında ring yapan motorbotlarla ayrıca gezi seferleri yapan vapurlar çalışıyor da, Sarıyer iskelesinin kapısına kilit vurulmuyor. İskele önünün derinliği: 3,6 metre.

Yenimahalle'ye en son olarak vapur 1982 kışında uğramış. Aynı yılın yaz tarifesinde, iskeleler arasında Yenimahalle adı yeralıyorsa da hizasında vapurların uğradığına dair tek bir işaret yok. Yâni iskele var da, uğrayan vapur yok! Zaten, daha sonraki yıllarda da iskele bütünüyle iptal edilmiş.

Rumelikavağı iskelesi ise, gişelerini köyün son 20 yılda gösterdiği gelişme sayesinde açık tutabiliyor. Balık lokantalarına gelenler, ya da karşı kıyıdaki Anadolukavağı'na geçmek isteyenler bu iskeleyi iyi-kötü yolcusuz bırakmıyorlar. İskele önünün derinliği: 5,2 metre.

Rumeli kıyısında hizmet vermiş olan en uzak iskele, Altınkum. Ama bugün onun da yerinde yeller esiyor. Altın sarısı kumu, billûr gibi berrak suyuyla Boğaz'ın en güzel köşelerindenmiş Altınkum. 1930'lu yıllarda Şirket-i Hayriye hem halka hizmet, hem de yazları gelirini arttırmak için burada plâj tesisleri kurmuş. Tabii bir de iskele yaparak düzenli vapur çalıştırmaya başlamış. Dahası, o sıralarda İngiltere'ye yeni ısmarlanan 74 numaralı vapura da *Altınkum* adını koymuş.

Şirketin özendirmesiyle Altınkum, kadın, erkek, çoluk çocuk, bir arada denize girilebilecek bir aile plajı olarak hayli rağbet görmüş. Ne var ki, bir süre sonra, şehre uzaklığından ötürü olsa gerek, zamanla gelen gideni azalmaya yüztutmuş. Hele İkinci Dünya Savaşı'nda askerî bölge içine alınıp da çevreye giriş çıkışlar yasaklanınca, Altınkum'a yapılan vapur seferlerinin kaldırılması ve iskelenin de, plâjın da kapatılması mecburiyeti doğmuş.

Köyün merkepleri korkup bakkal dükkânına girince

Boğaz'ın daha yukarı kesiminde Garipçe ve Rumelifeneri köyleri var, ama oralara vapur çalışmıyor. Tıpkı, karşı kıyıdaki Anadolufeneri ve Poyrazköy'e de işlemediği gibi...

Anadolu kıyısının en uzaktaki iskelesi, Anadolukavağı. Balık lokantalarının arasında kalan ahşap iskele 1987'de yenilenerek çok sayıda yolcuya hizmet verecek duruma getirildi. İskele önünün derinliği: 5,7 metre. Beykoz'dan gelip köye inen yol, eskiden askerî bölge içinde kalıyordu. Bugün ise, yine askerî bölge içinden geçilerek de olsa, köye otobüs ve otomobillerle karadan da gidilebiliyor.

Şirket-i Hayriye'nin tanınmış kaptanlarından Süreyya Kaptan'ın eski ahşap Anadolukavağı iskelesiyle ilgili bir anısı var. Bakın, yıllar önce bu anısını nasıl anlatmış Süreyya Kaptan:

Geçen yüzyılın sonlarında Sirkeci iskelesi. Sağda, Şirket-i Hayriye'nin 27 baca numaralı araba vapuru Sahilbent var. Hamallar, simitçiler, satıcılar ve karşıya, Üsküdar'a geçmek için kupa ya da faytonlarla gelmiş vapur yolcuları... Fotoğrafın çekildiği tarihte henüz Sirkeci rıhtımının inşa edilmemiş olduğu görülüyor. (Fotoğraf: Sebah & Joaillier)

-"Bir kış mevsimi, hava karlı ve tipiliydi. 53 numaralı *İnşirah* ile Boğaz'ın son seferini yapıp bitirmiş, son yolcuları da çıkartıp sonra da bağlamak üzere Anadolukavağı iskelesine gidiyordum. 53 numara tek uskurlu olduğu için, iskelelere yanaşırken yakından manevra yapılır.

"İskele yakınında değildik. Makineye staper işareti verdim. Bu sırada birden bire bir sağanak (şiddetli rüzgâr) boşandı ve vapurumuzun başını yanaşacağımız iskeleye doğru dikti. Anafor suları da vapurumuzu sancak (sağ) tarafından tuttu, kaptı. Bu durum karşısında iskeleye bindirmemek için gereken manevraları yaptımsa da iskele ile aramızdaki mesafenin darlığı yüzünden vapuru açamadık. Baş omuzlukla iskeleye hızlıca bindirdim. İskele eski ve çürük olduğu için kırıldı ve vapurla birlikte anaforun etkisiyle biraz sürüklendi. Çok şükür ki, bu kaza da bu şekilde iskelenin kırılmasıyla bitti, kimsenin burnu bile kanamadı.

"Fakat bu kaza sırasında cidden garip bir hadise de olmuştu. Sözüm meclisten dışarı, o zaman Anadolukavağı'nda merkepler başıboş gezerler ve geceleri de sokaklarda yatarlardı. Bizim vapur iskeleye çarptığı zaman iskele civarında birkaç merkep varmış. Vapurun iskeleye çarpmasından çıkan gürültüden fevkalâde ürkerek neye uğradıklarını kestiremeyen hayvanlar, o sırada iskele civarındaki dükkânının kepenklerini kapatmakla meşgul bulunan bakkalın dükkânına birdenbire hücum etmişler ve iki-üç tanesi birden içeriye girivermiş! Zavallı bakkal, hayvanların bu âni hücumu karşısında dükkânı olduğu gibi bırakıp bütün kuvvetiyle kaçmaya başlamış. Nihayet etraftan yetişenler merkepleri binbir zorlukla dışarı çıkartabilmişler de bakkal da rahat bir nefes almış!"

Ring seferi yapan motorbotlar da olmasa...

İstanbul'da iki Sütlüce vardır: Biri Haliç'te, öteki ise Anadolu Kavağı ile Beykoz arasındadır. Boğaz'daki Sütlüce'nin devamlı iskelesi olmamıştır. Yalnız 30'lu yıllarda burada uygun bir iskele binası yapılmış ve yazları vapurlar geçici olarak buraya uğratılmıştır. O zamanlar Yûşâ'ya gidecek olanlar bu iskelede inerler, ya yaya olarak ya da arabalarla Yûşâ Hazretlerini ziyarete giderlerdi.

Sütlüce'yi geçip Beykoz'a gelelim... O kadar eski değil, 1970'te, Beykoz iskelesinden günde Köprü'ye 14 vapur kalkardı. Yine, aynı yıl, 15 vapur da Köprü yönünden Beykoz'a gelerek yolcularını boşaltırdı. Demek istenen, Beykoz yirmi beş yıl önce, günde 30 vapurun uğradığı işlek bir iskele idi. Bugün ise -kış tarifesinde- sabah üç vapur kalkıyor, akşamları da yine üç vapur gelerek bağlıyor. İskele önünün derinliği: 6,5 metre.

Bu arada, Denizcilik İşletmeleri'nin Yeniköy'le Beykoz arasında ring seferleri yapan motorbotları var. 1989'da, hayli geniş bir yolcu boşaltma mahalli inşa edilmiş, bekleme yeri de esaslı bir şekilde onarılmıştı. Akşamdan gelip bağlayan son vapur, sabahleyin ilk seferini 6.10'da yapıyor: Kış günü, güneş henüz doğmadan, tan yeri iyice ağırmadan... Ama öğle üzeri Beykoz'dan karşıya geçmek için vapur ara ki, bulasın... Yolcular, Denizcilik İşletmeleri'nin motorbotları, öğle saatlerini günün yorgunluğunu çıkarmak ister gibi iskeleye bağlı olarak geçirdiklerinden Yeniköy'e ister istemez dolmuş motorlarıyla geçmek zorunda kalıyor.

Eski Paşabahçe iskelesi ise kaderine terkedilmiş. Ama 1989 yılında, 100 metre kadar aşağısında yeni bir Paşabahçe iskelesi inşa edilmiş. Bu yeni iskelenin 150 m. karelik yolcu salonu ve 22 x 40 m. boyutlarındaki yolcu çıkış mahalli var. İskele önünün derinliği: 5,6 metre. 1970'li yılların başında İstinye ile Paşabahçe arasında çalıştırılan araba vapuru için yan tarafta bir araba vapuru iskelesi yapılmıştı. Ama 1973'te Boğaziçi Köprüsü açıldıktan sonra fonksiyonunu kaybettiği için bu hat kaldırıldı. Araba vapurunun kafadan yanaşıp kapak attığı yeri bugün küçücük bir park haline getirmişler.

Çubuklu iskelesi de tenha mı tenha...

1912'de inşa edilen Çubuklu iskelesi de günümüzde Boğaz'ın tenha iskelelerinden biri. Şirket-i Hayriye istatistiklerine göre, 1914'te bu iskeleye günde 160 kişi gelir gidermiş. Yazları, cuma ve pazarları bu sayı 187'ye çıkar, misafir sayısı da 48 kişiyi bulurmuş. Günlük hasılat ise 245 kuruşmuş. 1991'de inşa edilen yeni iskelenin yolcu çıkış mahalli betondan yapılmış. İskele önünün derinliği: 5,6 metre.

Yanıbaşında bir de küçücük kayık limanı olan Kanlıca iskelesi de, komşu iskeleler gibi vapur yüzüne hasret. Sabah-akşam yanaşan bir, iki memur vapurundan başka saatte bir, İşletme'nin Bebek-Kandilli-Anadoluhisarı-Kanlıca arasında ring seferleri yapan beyaz motorbotları uğruyor da, iskeleye biraz olsun canlılık geliyor. Onun da yolcu çıkış mahalli 1990'da betondan yapılarak yenilenmiş; bu arada iskele meydanı da yeni baştan düzenlenmiş. Bir de sık sık vapur uğrasa, ne iyi olacak... İskele önünün derinliği: 6,5 metre.

Boğaz'ın en dar yerinde bulunan Anadoluhisarı iskelesi de son dönemde yenilenen iskelelerden. 1989'da baştan sona onarılmış ve nedense pembeye boyanmış: İskele binası 1365 m. kare. Önünde de betondan 21 x 21 m.'lik beton yolcu çıkış mahalli var. İskele önünün derinliği: 7,2 metre.

Biraz aşağısındaki Küçüksu iskelesi de otobüsler ve minibüslerle başedemeyip yokolup giden iskelelerden. Tıpkı Altınkum gibi, burası da 30'lu yılların başlarına kadar doğal bir kumsalmış. Şirket-i Hayriye burada da plaj tesisleri ile bir de iskele yapmış. Boğaz postası yapan vapurlar uğradıktan başka, Bebek'ten kalkan 55 ve 56 numaralı küçük vapurlar da iskeleye yolcu taşımaya başlamışlar.

Bir aralar, Şirket'in İstanbul halkını Küçüksu'da denize girmeye teşvik etmek amacıyla gidiş-dönüş vapur bileti alanlara ayrıca bilet kesmeden plaja sokmak, bedava bir şişe meşrubat ikram etmek gibi kolaylıklar sağladığı biliniyor. Ama zamanla burası da eski rağbetini kaybetmeye başlayınca, yolcusu gözle görülecek şekilde azalmış. Derken, iskeleye, son olarak vapur 1980'de uğramış. Sonunda iskele büsbütün kaldırılarak yeri çayevi olarak kiraya verilmiş. Peki ya bugün? Salaş çayevi, eski iskelenin yerine yapılmış. Eski iskele ise sanki yel gelip üfürmüş gibi uçmuş, gitmiş, bitmiş...

Kandilli'nin önünde bir dubalı iskele

Kandilli kıyısının önü çok derin ve akıntılı olduğundan, buraya kolay kolay kazık çakılamamış, vapurların yanaşması için oracığa bir duba bağlanmış. Yakın zamanlara kadar vapurlar, kalın zincirlerle dibe demirlendikten başka karaya da bağlanan bu dubaya yanaşırdı. Vapur yolcuları önce dubaya çıkarlar, daracık kısa bir köprüden geçerek iskele binasına varırlardı. Ama çoğu zaman vapurun bindirmesiyle duba yerinden oynar, birden geriye doğru kaçarak atlamak isteyenler için ciddi bir tehlike yaratırdı. Bunun için de ya çımacı, ya da vapurun halat başındaki gemicisi daha vapur yanaşmadan, çıkmak için acele eden yolcuları uyarırdı:

-"Atlamayalım beyler! Atlamayalım! Duba geri kaçacak!"

Kandilli iskelesi Şirket-i Hayriye tarafından yapıldıktan kısa bir süre sonra 1916'da yanmış, yerine yapılan iskele de 1978'de Liberya bandıralı bir geminin çarpması sonucu paralanmıştı.

Sonradan yeni iskele yapılırken bu duba kaldırıldı, yerine beton bir iskele yapıldı. İskele önünün derinliği: 9,6 metre. Bununla beraber, çok eski fotoğraflarda, Kandilli iskelesinin önünde duba görülmüyor.

Boğaz'ın Anadolu yakasının en tenha, en sessiz köylerinden Vaniköy'ün şirin iskelesi de yok olup gidenlerden. İskeleye en son olarak vapur 1982 kışında uğramış. Seferler kaldırıldıktan kısa bir süre sonra, ahşap iskele yıktırılmış. Yerinde, iskele arsasının Diyanet'e ait olduğunu bildiren bir tabelâ var. Üzerinde, "Bu yer Türkiye Diyanet Vakfı'nın tapulu malıdır. Denize girmek yasaktır!" diye yazıyor.

Birinci Dünya Savaşı'nın henüz sona erdiği günlerde iskele serseri bir mayının çarpmasıyla havaya uçmuş. Olayı, Şirket' in 59 numaralı *Kamer* vapurunun süvarisi Eyüp Kaptan şöyle anlatmıştı:

Akıntının ortasında başıboş bir mayın!

-"1918 yılının 6 Aralık günüydü. Boğaz postasını yapmak üzere Köprü'den hareket etmiştim. Şiddetli bir Karayel esiyordu. Rüzgâr sert, dalga-

90

lar iriydi. Çift uskurlu vapur bu fırtınada zorlukla yol alıyordu. Bir ara denizin üzerinde, projektörün ışığında garip bir cisim gördüm. Baktım, bu bir mayındı! Hemen âni bir manevrayla gemiyi mayından uzaklaştırdım. Yolcular şaşırmışlardı. "Ne oluyoruz? Kaptan ne yapıyor?!" diye telâşa kapılmışlardı.

"Vaniköy'e uğramadan geçip doğru bir sonraki iskele olan Kandilli'ye yanaşarak Vaniköy yolcularını buraya indirdim. Bu arada da gemicilerden birini mayın görüldüğünü haber vermesi için doğru Vaniköy'e yolladım.

"Gemici gecenin karanlığında nefes nefese Vaniköy'e doğru koşmaya daha yeni başlamıştı ki, büyük bir tarakkayla irkildim. Sonradan anlattıklarına göre, mayın Vaniköy Camii ile iskelenin arasında kıyıya düşerek patlamış, iskeleyi yıkmış, rıhtımı havaya uçurmuş, camiin kalın kristal camlarını kırmıştı. Bereket can kaybı olmamıştı."

Çengelköy iskelesi de 1990'da 811 milyon liraya yenilendikten sonra sabah akşam da olsa hâlâ hizmet veren iskelelerden. İskele önünün derinliği: 6,9 metre. Onun da yolcu çıkış mahalli beton. Eskiden, civar bostanlardan toplanıp küfelere, sepetlere doldurulan taze taze sebzeler, özellikle de Çengelköy'ün çıtır çıtır, kendine has mis kokulu salatalıkları, Çengelköy iskelesine getirilerek İstanbul'a indirilirmiş. Küfelerin, sepetlerin vapura bindirilişi uzun sürdüğünden kaptan da, yolcular da, sabırla beklemek zorunda kalırlarmış.

Boğaziçi yazarı İffet Evin, iskele binasının hanımlara ayrılan birinci mevki odasının, duvarda büyük bir yaldızlı aynası ve kırmızı kaplı oturma yerleriyle yalıların misafir odasını andırdığını yazıyor. Bugün ise ne mevki farkı kalmış, ne de hanımlar için ayrı, aynalı özel odalar...

Beylerbeyi'nin teşrifat meraklısı kibar yolcuları

Eskiden, daha çok gün görmüş devlet ricalinin, kibar beylerin, zarif beyzadelerin oturduğu semt olan -adı üstünde- Beylerbeyi, küçük limanın yanıbaşında hâlâ sabah, akşam yalnız köy halkına değil, turistlere de iyi kötü hizmet veriyor. Boğaz'da sona kalan ahşap iskelelerden... İskele önünün derinliği: 5,7 metre.

Beylerbeyi, iskele meydanının düzenlenip, çevrede turistik dükkânlar, deri mamuller, hediyelik eşya satan butikler, büfeler, açık hava çayhaneleri, midyeciler, börekçiler açıldığından beri Boğaz'ın az-çok rağbet gören iskelelerinden. Ama kimse Beylerbeyi'ne artık vapurla gelmiyor: Ya arabayla, ya da otobüsle geliyorlar... Bugün sabah-akşam dışında vapur olmadığından bu kıyıları gündüz gözüyle denizden seyretmenin imkânı yok. İsteyenler, daha çok iyi havalarda pazar sabahları kıyıdaki kahvede oturup Boğaz'ı, denizi seyrediyorlar.

Eskiden, zaten Çengelköy'den gecikerek gelen vapur, Beylerbeyi'ne yanaşınca, bu sefer de o kibar beyler, beyzadeler "Önce siz buyurun efendim!" diye birbirlerine buyur ederek yukarda kaptanın, içerde de yolcuların sabrını taşırırlarmış.

Kuzguncuk iskelesi, öteki Boğaz iskelelerine hiç mi hiç benzemeyen, yandaki yalıya yaslanmış, iki katlı kârgir bir bina... Mimarı Ali Talat Bey. Vapurun yanaşma mahalli Beylerbeyi'ninki gibi ahşap. Binanın terasında Denizcilik İşletmeleri'nin sosyal tesisi yeralıyor. İstanbul'un doya doya seyredildiği, insana huzur veren, manzaralı bir yer...

Kuzguncuk, Boğaz'ın yanaşması da, kalkması da en zor iskelelerinden. İskele önünün derinliği: 7,1 metre. Hele motorlu vapur kaptanları, geçici de olsa istimli vapurlarda çalıştıkları zaman, alışık olmadıklarından, kumanda vermekte biraz gecikirlerse vapuru şiddetli akıntıya kaptırır, kendilerini göz açıp kapayıncaya kadar suların ortasında bulurlardı. İşi yoksa, tekrar aşağıya, "Çan! Çan!", "Çin! Çin!" diye kumanda verir, makineleri bir tornayt, bir tornistan haldur huldur çalıştırır, gemiyi iskeleye yeniden yanaştırmaya çalışırlardı. Kaptanların böyle zamanlarda en kızdıkları şey de, iskelede vapurdan çıkanların, "Bu ne acemi bir kaptanmış?" gibilerden başlarını kaptan köşküne kaldırarak kendilerini mânalı mânalı süzmeleriydi.

Kuzguncuk yolcularının çoğu yakın zamanlara kadar semt sakinleri olan Yahudi ailelerdi. Bu gürültücü kalabalık da vapura girmek için kapıdan öyle bir itiş-kakış ileri atılırlarmış ki, bu kalabalığın bir türlü sonu gelmeyecek sanılırmış. Kısacası, Çengelköy'ün sebzelerinden, Beylerbeyi'nin ağırdan alan ekâbirinden sonra, buna bir de Kuzguncuk'un bu gürültücü kalabalığı da eklenince, kaptanlar rötarı nasıl kapatacaklarını şaşırırlarmış.

Şirket-i Hayriye'nin eskilerinden Ömer Kaptan, kendisine her sabah Köprü'ye niçin geciktiğini soran enspektöre şu cevabı vermiş:

—"Efendim, Çengelköy'ün sebzevatına, Beylerbeyi'nin teşrifatına, Kuzguncuk'un da haşeratına bir çare bulunmadıkça, ben daha çoook geç kalırım!"

...Ve, Boğaz'da açılan ilk iskele: Üsküdar

Şehir Hattı vapurlarının her yarım saat, hatta her yirmi dakikada bir yolcu alıp, yolcu indirdiği Üsküdar'ın, Şirket-i Hayriye'nin Boğaz kıyılarında yaptırdığı ilk iskelesi olması gibi bir özelliği de var. İlk yapılan iskele bugünkünden biraz daha içerde, tarihî çeşmeye biraz daha yakında imiş. 1906'da ilk iskele binası yıkılıp yerine yenisi inşa edilmiş. Açık limon sarısı renginde, iki katlı bu yeni binanın üzerinde beyaza boyalı kafesler, süslü kabartmalar varmış; sütunlarla süslü, özenilerek yapılmış, yalı gibi şirin bir bina imiş. Köşelerinde kuş kafesleri gibi özenle kondurulmuş, süslü, oymalı bilet gişeleri yeralıyormuş. Ama bina zamanla bu güzelliğini kaybetmiş; bakımsız kalınca köhnemiş, gitmiş. Hemen yanında da iki sıralı dükkânların sıralandığı kısacık bir sokak varmış. Vapurdan çıkanlar buradaki berber, ayakkabı boyacısı, aktar gibi dükkânlardan alışveriş yaptıktan sonra evlerinin yolunu tutarmış. Sonraki yıllarda bütün bunlar kaldırılmış.

1983 yılında inşa edilen bugünkü iskelenin mimarı, Orhan Şahinler. Bu binaya günümüzde, yılda en az 30 milyondan fazla yolcu girip çıkıyor. Soldaki iskeleye Eminönü'nden, sağdakine de Beşiktaş'tan gelen vapurlar yanaşıyor. İskele önünün derinliği: 8,7 metre. Ayrıca her saat başı Kabataş'tan gelen vapurlar da yolcu bırakıyor. En solda da, Denizcilik İşletmeleri'nin Eyüp hattında çalışan motorbotlarının iskelesi var. Ne var ki, Haliç'in iç kesimi çamurla hayli dolduğundan ve bir türlü taranarak temizletilemediğinden, motorbotlar çamura saplanıp kalmak korkusuyla ancak Balat'a kadar gidebiliyorlar. Bu durumda Hasköy, Ayvansaray, Sütlüce, Eyüp iskelelerinin de kapısını artık çalan yok.

Eski Üsküdar araba vapuru iskeleleri de zaman içinde kaldırılan iskelelerden... 1988 yılının Nisan ayında, Ulaştırma Koordinasyon Merkezi'nin aldığı karar gereğince Üsküdar Meydanı'nın yeniden düzenlenmesi söz konusu olunca, 116 yıldan beri sürdürülen Üsküdar-Kabataş hattı seferlerine son verildi. Böylece de araba vapuru iskeleleri işlevini kaybetti. Bugün bu iskelelere, daha çok sefer saatini bekleyen boş yolcu vapurları bağlıyor. İskele önünün derinliği: 5,7 metre.

Evet... Eskiden Boğaziçi demek, her şeyden önce deniz demek, vapur demek, iskele demekti. Ya bugün ne demek?

Bugün ise, balık istifi otobüsler, tek kişiyle giden son model otomobiller ve katar katar minibüsler... demeye, inanın insanın dili varmıyor.

Galata Köprüsü boyunca sıralanan vapur iskeleleri

İstanbulluların günlük hayatında Galata Köprüsü'nün daima vazgeçilmez bir yeri olmuştur: Bunun önemli nedenlerinden biri de, Kadıköy, Boğaz, Ada ve Yalova ile Eyüp iskelelerinin yıllar boyunca hep bu köprüde yeralmış olmasıdır.

Sinemanın mucidi Lumière Kardeşler'in -1896'yı izleyen ilk yıllarda olsa gerek- İstanbul'a gönderdiği kameramanlarının çektiği filmlerin birinde, Galata Köprüsü'nün önündeki iskelelerde, semaver bacalı, siyaha boyalı, yandan çarklı Şirket-i Hayriye vapurlarını görmek mümkündür. Alexandre Promio adlı operatörün kiralık bir kayıktan çektiği anlaşılan bu filmde, bacasından dumanlar salan bir vapur, çarklarını döndürerek yavaş yavaş iskeleden ayrılmaktadır. Eski bir Şirket-i Hayriye vapurunu, birkaç saniye için de olsa, Köprü iskelesinden hareket ederken izlemek, insanı yüz yıl öncesine götürdüğü için heyecan vericidir.

Zaman içinde, Karaköy ile Eminönü'nü bağlayan Galata köprülerinde her zaman şehir hattı vapurları için iskeleler mevcut olmuştur. Tâ ki vapurlar, yaşlılıktan kendini ayakta zor tutar hale gelen 1912 Köprüsü'ne gitgide daha büyük zararlar vermeye başladıklarından, 70'li yılların sonlarında son iskele de kaldırılıp yanıbaşındaki Eminönü rıhtımına nakledilinceye kadar...

Benzeri zor bulunan bir deniz istasyonu!

Köprü'nün Boğaz'a bakan yanından Kadıköy-Haydarpaşa, Adalar, Üsküdar ve de Boğaz ile Harem-Salacak hattı vapurları kalkardı. Haliç'e bakan taraftaki küçük iskeleden de Eyüp vapurları...

1930'lu, 40'lı, 50'li yıllarda, bugünkü Ziraat Bankası'nın önünde sac dubaların üzerinde yer alan büyük iskelenin sol tarafı Haydarpaşa, sağ tarafı da Kadıköy vapurlarına ayrılmıştı. Kalın zincirlerle hem Köprü'ye, hem de baş tarafından dibe oturtulan beton bloklara tesbit edilmiş olan bu büyük iskele, 1933-38 yılları arasında varlığını sürdüren AKAY idaresi zamanında Haliç Tersanesi'nde yapılmış, 2 Ekim 1936 günü törenle hizmete sokulmuştu. Ama ondan önce de, aynı yerde, yine benzeri bir iskele olduğu biliniyor.

İdare'nin 1937'de yayınladığı *Türk Deniz Ticareti* adlı kitapta, bu yeni iskelenin "Avrupa'da bile emsaline nadir tesadüf olunan, her türlü konfor

1936'da yapılan Köprü'deki ikinci Haydarpaşa-Kadıköy vapur iskelesi. Sağ tarafa Kadıköy'e, sol tarafa da Haydarpaşa'ya giden vapurlar yanaşırdı. Bu iskele de, daha sonrakiler gibi dubaların üstüne yapılmış olup kalın zincirlerle hem Köprü'ye bağlanmıştı, hem de denizin dibine demirliydi. Fotoğrafın en solunda, köprü geçiş parasını toplayan görevlilerin kulübesi var. Ama köprü parası 1930'da kaldırıldığı için, kulübede artık gazete, dergi, kibrit, sigara, ayna, tarak gibi öte-beri satılıyor olmalı. (Fotoğraf: Selahattin Giz).

ve tekemmülâtı câmi, yepyeni, modern bir deniz istasyonu" olduğu belirtilmekteydi. Yâni, Avrupa'da bile benzerine ender rastlanan, her türlü konfor ve yeniliği hâiz yepyeni, modern bir deniz istasyonu...

Keyifli bir yerdi, iskeledeki birahane

İskelenin alt katı vapur yolcularına ayrılmıştı. Üst katta da önceleri AKAY'ın, sonraları da Şehir Hatları İdaresi'nin enspektörlük büroları vardı. En uç tarafta da bir birahane... Bütün limanın, gidip gelen vapurların, bacasını kırarak köprü altından geçen çatanaların, yük alıp boşaltan gemilerin keyifle seyredildiği bir yerdi bu birahane... İskele, zaman zaman vapurların yanaşırken bindirip yaslanmaları nedeniyle şiddetle sarsılır; camlar, çerçeveler şangırdar; ayakta duranlar düşmeseler de dengelerini kaybederek hep bir yana sendelerlerdi. Masalardaki şişelerin, bardakların da yerlerinden fırlayıp devrilmesi, cabası...

Göztepe ya da *Erenköy* adlı vapurlar Haydarpaşa'ya; *Kadıköy, Burgaz, Moda* ya da *Heybeliada* gibi birbirinin eşi vapurlar da daha çok Kadı-

100 yıl öncesinden bir Haliç görüntüsü: Eski Haliç vapurlarından yandan çarklı 2 numara Galata'da Kalafat yeri'nin önünde. Açık olan güvertenin üstü brandayla örtülü. Anlaşılan, soğuk ve yağmurlu havalarda yanlardaki brandalar da indirilip bağlanacak.

Köprü'deki Kadıköy-Haydarpaşa iskelesi, esaslı bir onarıma ihtiyaç gösterdiği günlerde...
Kadıköy'den gelip yanaşan vapur, yolcularını boşaltıyor. Hareket saati gelinceye kadar da,
üzerine bağlanacak olan kapkara bir mavnadan küfe küfe kömür ikmali yapacak.
(Fotoğraf: Selâhattin Giz)

köy'e çalışırdı... Ama, genellikle de bu hattın vapurları, önce Haydarpaşa'ya uğrar, sonra Kadıköy'e geçerdi. Dönerken yine Haydarpaşa'ya yanaşarak tren yolcularını alır, sonra ver elini tekrar Köprü iskelesine...

Vapurlar Köprü'de yolcu indirip bindirirken, üzerine yanaşan kayıklarda, kavun, karpuz hariç, mevsimine göre çeşitli meyveler satılırdı: Bursa şeftalileri, çavuş üzümleri, kavak incirleri, can erikleri... Bu arada, eğer vakit varsa vapurun küfe küfe kömür ikmali de oracıkta bordasına yanaşan kapkara bir mavnadan yapılıverirdi.

Bir de baktık, koca iskele sulara gömülüvermiş!

Ne var ki, yıllar boyunca aralıksız, gece-gündüz hizmet veren bu iskele zamanla eskidi, bakıma muhtaç hâle geldi. Asılı olduğu kalın bir ray üzerinde gidip gelen sürme kapıları yamuldu, parmaklıkları eğrildi, bozuldu. Allah bilir, dubaları da çürüyüp delindi; yolcular pek farkına varmasalar da, zaman zaman tehlikeler yarattı.

İskele, özellikle taşıyıcı dubaları elbette gerektikçe onarılıyordu. Ama bir gün geldi ki, iskele, çaresiz, yolculara kapatıldı. Kadıköy ve Haydarpaşa'ya gidecek vapurlar, yeni iskele yapılıp yerine yerleştirilinceye kadar, Köprü'deki Ada iskelesinden kalkmaya başladı.

Kapatılışının üzerinden de çok geçmeden, bir sabah çürüyen dubaları da su aldığından, koca iskele yana yatarak yarı beline kadar denize gömülmemiş mi! Bu durumda iskeleyi, 18 Aralık 1958 günü ister istemez doğru Haliç'e, Tersane'ye çekmek zorunda kaldılar.

Birkaç ay içinde alelacele yaptırılan yeni iskele bu sefer Köprü'ye değil de, diklemesine Karaköy rıhtımına bağlandı. Yâni, bugünkü yerine: Rıhtım boyunca uzanan eski binalardan Kefeli Han'ın (bugünkü adıyla Uğurlu Han'ın) önüne...

Karaköy iskelesi alevler arasında kalınca...

Yazık ki, bu iskele de 1 Mart 1966 günü, iki Sovyet tankerinin liman ağzında çarpışmaları sonunda çıkan yangında, 54 yıllık *Kadıköy* vapuruyla birlikte alevler arasında kalıp ağır hasar gördü. Tabii yine hemen kollar sıvandı, çabuk tarafından onarılarak o yılın Haziran ayına yetiştirildi.

Bu yüzer duba şeklindeki çelik konstrüksiyon iskelenin ömrü 24 yıl oldu. Yenisi yapılarak 8 Ekim 1984 günü (ki bugünkü iskeledir) hizmete sokulurken, birkaç yıl önce yangından kurtarılıp onarılan eski iskele de

1936 yılında yenisi yapılıncaya kadar hizmet veren Galata köprüsü'ne dikine bağlanmış olan en eski Kadıköy vapur iskelesi.　　　　　　　　　　　*(Fotoğraf: Faik Şenol)*

İstinye Tersanesi'nde tekrar elden geçirilip 1986 yılı Ocak ayında, hizmet binası olarak kullanılmak üzere karşı kıyıya, Harem'e bağlandı. Hâlâ orada durup durmakta, sefer saatini ya da sökülmeyi bekleyen vapurlara iskele tarifesi görmekte... Bulunduğu yerdeki su derinliği: 6,5 metre.

Bugün hizmet veren 1984, İstinye Tersanesi yapımı Kadıköy-Haydarpaşa iskelesi de çelik konstrüksiyon tipinde. 81 m. uzunluğunda, 26,5 m. genişliğinde; 9 sac duba üzerinde yeralıyor. Hem altı adet kalın zincirle rıhtıma bağlı, hem de baş tarafında sekiz büyük çapa ile dibe demirli. Su derinliği, 6,5 metre. Yolcular sekiz gişeden jöton alıyor, 12 turnikeden geçerek vapura biniyor. İçerde bir gazete ve kitapçı dükkânı ile bir de resim, fotoğraf ve el işlerinin sergilendiği camlı bölme var. Üst kat, tabii yeni İdare'nin büroları: Teknik Baş Enspektörlük, İskele ve Hareket Baş Enspektörlükleri, vs...

Köprü'deki Adalar ve Yalova iskelesi

Köprü'de, Haydarpaşa-Kadıköy iskelesinden sonra, ikinci iskele Adalar ve Yalova vapurlarının iskelesiydi. Eskiden Adalar'a, üç kürekçinin kürekle çektiği sağlam kayıklarla iki saatte gidilirdi. Ama vapur çalışmaya başlayınca bunlar birer, ikişer ortadan kalkmıştı. Vapurlarla Adalara bir, bir buçuk saatte gidilebiliyordu. Bu hatlarda çalışan *Bağdat, Basra* gibi eski istimli yandan çarklılar, ya da *Suvat, Ülev* gibi daha yeni, daha modern, uskurlu vapurlar buraya bağlar, yine yolcularını alarak buradan kalkarlardı. *Suvat* da, *Ülev* de, sağlam, büyük ve hayli yollu, birbirinin eşi güzel vapurlardı. Bu nedenle daha çok Adalar ve Yalova seferlerine konurdu.

Tramvaydan atlayıp nefes nefese merdivenleri inen yolcular, biletlerini köprüaltındaki Uzun Ömer piyango bayiinin yanıbaşındaki gişelerden acele alıp sürme kapılar kapanmadan kendilerini vapura zor atarlardı.

Kaptan yukardan, çımacıya "Koyver!" diye seslenirken gemici halatı çözer, çımacı da sürme iskeleleri çekerken, meslektaşına "Selâmetle!" diyerek hayırlı yolculuklar dilerdi. Teknenin arkasındaki sular birden gürültüyle karışarak köpüklenir, vapur da burnunu yavaş yavaş iskeleden açarak başını denize doğrulturdu. Önce Kadıköy'e gider, sonra sırasıyla Adaların yolunu tutardı: Kınalıada, Burgaz, Heybeli ve de Büyükada...

Bahar ve yaz aylarında, hele hele pazar günleri Ada vapurlarından iğne atsanız yere düşmezdi: Kabına sığamayan genç kızlar, delikanlılar... Çamlar altında, gözden uzak, başbaşa birkaç saat geçirecek olmanın he-

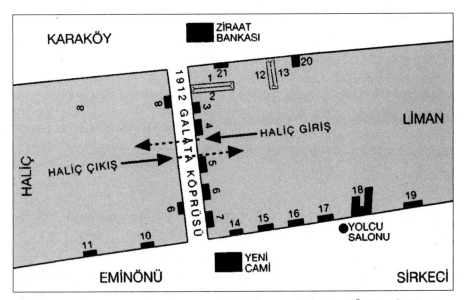

1. *Haydarpaşa İ. (E.), 2. Kadıköy İ. (E.), 3. Adalar-Yalova, Moda İ. (E.), 4. Üsküdar İ. (E.),*
5. Boğaz (Rumeli) İ. (E.), 6. Boğaz (Anadolu) İ. (E.), 7. Harem-Salacak İ. (E.), 8. Haliç İ. (E.),
9. Haliç İ. (Sonradan), 10. Haliç (Sonradan), 11. Haliç İ. (B.), 12. Kadıköy İ. (B.),
13. Haydarpaşa İ. (B.), 14. Denizotobüsleri İ. (B.), 15. 3 No'lu Boğaz İ. (B.), 16. 2 No'lu Kadıköy
İ. (B.), 17. 1 No'lu Üsküdar İ. (B.), 18. Sirkeci Araba Vapuru İ. (B.), 19. Adalar İ. (B.), 20.
Denizotobüsleri İ. (B.), 21. Eski Rıhtım İ. (Moda-Kalamış'a vs.)

İ. İskele, (E.) Eski, (B.) Bugün

yecanı içindeki sevgililer... Ya da çoluk çocuk, Ada'daki dostlarına baskın vermeye giden kalabalık ziyaretçiler... Daha vapur Sarayburnu'nu dönmeden nevaleler açılır, hemen çeneler oynamaya başlardı: Yoldan alınmış ya da evden hazırlanmış sandviçler, kuru köfteler, börekler ya da kaynamış yumurtalar... Derken, akordeonlar çıkartılarak omuzlara geçirilirdi. Gelsin tangolar, gitsin rumbalar! Sırasında, ortada yer açılarak kızlı erkekli, yanak yanağa dans bile edilirdi.

Bazı Ada vapurları Yalova'ya da giderdi. Nedense Bursa yolcularının bir kısmı Mudanya postasına binmektense Ada vapurlarını tercih ederdi. Köprü-Adalar-Yalova bu posta seferlerinde yolculuk üç saati geçerdi. Bursa'ya Yalova üzerinden gitmek daha mı kısa sürerdi, yoksa daha mı ucuzdu bilemeyeceğim; ama arada büyük bir fark olduğunu pek sanmıyorum.

Yalova yerine Kartal ve Pendik'e giden Ada postaları da vardı. Kaldı ki, Moda, Kalamış, Caddebostan, Suadiye, Bostancı, Maltepe sonra da Adalar'a gidecek Adalar-Anadolu-Plâj seferlerinin eski yandan çarklı vapurları da yine bu iskeleden kalkardı.

Köprü'den İzmit'e vapur seferleri

Daha da eskiden, 1920'li yılların sonlarına kadar Yalova, Şehir Hatları'nın iskelesi sayılmazdı; Yalova'ya, İzmit postası yapan gemiler giderdi. O da her gün değil, ancak haftada üç gün! İzmit'e kalkan postanın ilk uğradığı iskele Yalova idi: Sonra sırasıyla Darıca, Karamürsel, Ereğli, Gonca, Değirmendere, Kazıklı, Seymen ve İzmit... O geceyi İzmit'te bağlayarak geçiren gemi ertesi gün geri dönmek üzere hareket eder, ancak akşamüstü İstanbul'a varırdı.

Yalova'ya Şehir Hatları vapurları, hem de haftada her gün olmak üzere ilk kez 1929 yılında, Atatürk'ün direktifi üzerine çalışmaya başladı; böylece Yalova hattı, Şehir Hatları'na verilmiş oldu.

İzmit Körfezi'nde, zaman içinde şu iskeleler yer aldı:

* Körfezin kuzey kıyısında: Darıca, Hereke, Yarımca, Tütünçiftlik, Derince, İzmit.

* Körfezin güney kıyısında: Karamürsel, Ereğli, Ulaşlı, Halidere, Gonca, Değirmendere, Kavaklı, Donanma, Gölcük.

Gelin, beş saatte İzmit'e gidelim!

1956-57 kış tarifesine göre, saat 17:00'de Köprü'den hareket eden İzmit hattı vapuru, önce Bostancı ve Heybeli, arkasından da dokuz körfez iskelesine yanaştıktan sonra ancak 22:10'da İzmit'e yanaşıyor. O zamanlar İzmit körfezini dolaşan bugünkü gibi düzgün yollar yok, İzmit'e ve çevresine gidecek olanlar, ya Adapazarı trenine binecekler, ya da Şehir Hatları'nın *Kınalıada, Pendik* gibi Birinci Dünya Savaşı'ndan kalma emektar vapurlarına...

Köprü'den İzmit'e yolculuk ne kadar mı sürerdi? Tastamamına 5 saat, 10 dakika.. Tabii, vapur rötar yapmazsa... İyi de, bugün, yepyeni otobüslerle beş saatte paralı yoldan tâ Ankara'ya gidiliyor!

Halen uygulanmakta olan 1997-98 yılı kış tarifesine göre, Körfez Hattı'nda yalnız Karamürsel ile karşısındaki Hereke arasında vapur çalışıyor. Son olarak kışın günde altı sefer var; yolculuk süresi: 45 dakika...

Karamürsel iskelesi ahşap kazık sistemine göre yapılmış. İskele önünün derinliği: 5,5 metre. Hereke iskelesi ise Sümerbank İşletmesi'ne ait iken 1981 yılı Ocak ayında çökmesi üzerine, on yıl sonra tamir edilerek Ekim ayında yeniden hizmete açılmış. İskele önünün derinliği: 3,7 metre.

Galata Köprüsü'ndeki sıra sıra iskelelerden Üsküdar vapurlarının kalktığı iskele. Yanaşmak üzere manevra yapan vapur ise, Şirket-i Hayriye'nin 70 baca numaralı Ziya vapuru. Sonradan bu vapur Erenköy adını alacaktır.　　　　　　　　　　　　　*(Fotoğraf: Selâhattin Giz)*

Kartal-Yalova arasında ilk araba vapuru seferi 15 Temmuz 1949 tarihinde başladığından beri, motorlu araçlar İzmit körfezini dolaşmak külfetinden kurtuldu. 1979 yılında Darıca-Yalova arasında da araba vapuru seferleri başlatılmıştı. 1988'de 19 Eylül günü körfezin kuzey kıyısında Eskihisar, güney kıyısında da Topçular arasında yeni araba vapuru hattının açılmasıyla Kartal-Yalova ile Darıca-Yalova hattı araba vapuru seferleri giderek azaltıldı, sonunda da büsbütün kaldırıldı.

Eskihisar iskelesi başlangıçta betonarme kazık sisteminde üç rampalıydı. Yetersiz kalınca 1993 yılında iki rampa daha inşa edildi. İskele önünün derinliği: 5,5 metre. Topçular iskelesi de betonarme kazık sisteminde olup 1988 yılında hizmete girdi. Personel için üç ayrı blokta 17 adet lojman ile iskelenin gerisinde 300 tonluk bir yakıt deposu var. Araç geçişlerinde, Boğaz köprüleri ve otoyollardaki gibi bilgisayarlı gişe sistemi uygulanıyor. İskele önünün derinliği: 6 metre.

Bugün Körfez'de araba vapuru seferleri yalnız Eskihisar-Topçular arasında yapılıyor. Seferlerin 24 saat boyunca her onbeş dakikada bir aralıksız sürdürülmesine rağmen, tatil günleri sabah ve akşamları meydanda ciddi yığılmalar oluyor, hayli bir süre beklenmeden karşıya geçilemiyor.

Üçüncü iskele, Üsküdar yolcularının iskelesiydi

Köprü'deki Adalar-Yalova iskelesinden bir sonraki iskele, Şirket-i Hayriye'nin Köprü-Üsküdar arasında çalışan vapurlarına ayrılmıştı. *Rağbet, Kamer, İnşirah* ya da *İmbisat* gibi eski istimli vapurlar Üsküdar yolcularının gözdesiydi. Karşı kıyı ne kadarlık mesafe ki? Bindikten 18 dakika sonra bir de bakardınız, Şemsipaşa'yı geçip Üsküdar önlerine gelivermişsiniz!

Köprü'nün orta kısmında, küçük teknelerin geçmesi için iki göz bulunduğundan bu bölümde iskele yoktu. Küçük tekneler, üzerinde yeşil ışık yanan gözden geçerek Haliç'e girerlerdi. Kırmızı yanan göze ise, karşıdan gelebilecek teknelerle çatışmamak için kesinlikle girilmezdi. Uzun bacalı römorkörler, Köprü'ye çarpmamak için bacaların ek yerinden kırarlar, öyle geçerlerdi. Daha büyük tekneler ise Haliç'e girmek ya da dışarı çıkmak için, sabahın erken saatlerinde Galata ve Unkapanı köprülerinin açılmasını beklemek zorundalardı.

Şimdi de Boğaz vapurlarının iskeleleri

Köprü'nün daha sonraki üç iskelesi, Boğaz'a çalışan yine Şirket-i Hayriye vapurlarınındı. Bunların ilki, Boğaz'ın Rumeli yakasına, ikincisi de Anadolu yakasına sefer yapan vapurlara ayrılmıştı: O güzelim *Halâs*'ların, *Altınkum*'ların, *Güzelhisar*'ların ya da *Küçüksu*'ların iskelesiydi bunlar...

Peki, Boğaz vapurları hangi iskelelere mi uğrardı?

* Rumeli kıyısında, -çok eskiden Salıpazarı, ender olarak da Kabataş-Beşiktaş, Ortaköy, Kuruçeşme, Arnavutköy, Bebek, Rumelihisarı, Mirgün (Emirgân), İstinye, Yeniköy, Tarabya, Kireçburnu, Büyükdere, Sarıyer, Yenimahalle, Rumelikavağı ve 30'lu yıllarda yaz günleri Altınkum...

* Anadolu kıyısında da Üsküdar, Kuzguncuk, Beylerbeyi, Çengelköy, Vaniköy, Kandilli, Küçüksu, Anadoluhisarı, Kanlıca, Çubuklu, Paşabahçe, Beykoz, bir ara Sütlüce ve son olarak da Anadolukavağı...

Köprü'den iskelelere uğraya uğraya, arada bir karşılıklı iki kıyı arasında zigzaglar yaparak tâ Kavaklar'a kadar gitmek, çoğu zaman gecikmeli olarak, iki saatten fazla sürerdi. Varsın sürsün! Yaz günleri Boğaz'ın karşılıklı iki kıyısını seyrederek, püfür püfür esen poyraza karşı böyle bir de-

Galata Köprüsü'ndeki eski Haliç iskelesinde 7 numaralı Haliç vapuru Eyüp'ten gelmiş, iskele dubasına yanaşmaya çalışıyor. (Fotoğraf: Faik Şenol)

niz gezintisini dünyanın başka hangi şehrinde yapabilirdiniz? Rüzgârla çırpınan tentenin altında, mis gibi deniz havası alarak kahvenizi höpürdetmenin zevkini, başka nerede bulabilirdiniz? Şimdiyse vapurlarda ne tente kaldı, ne de gölgesinde içilecek doğru dürüst bir fincan kahve...

Köprü'nün en sondaki iskelesi de yine Boğaz'a çalışan Şirket vapurlarınındı. Bu iskele hayli içerde olduğu için, buraya daha çok *Tarzınevin, Şihap, Dilnişin, Tarabya* gibi Şirket'in küçük vapurları yanaşırdı. Bunlar tek uskurluydular, öteki vapurların yanından sıyrılarak geçebilmek için kaptanları bir ileri, bir geri manevralar yapmak zorunda kalırdı. Bu küçük vapurlar daha çok Harem ve Salacak'a çalışır, özellikle yaz günleri Salacak plajının müşterilerini taşırdı. Bir ara Üsküdar iskelesinden de kaldırılan bu küçük vapurlar önce Harem'e, sonra Salacak'a uğrayarak tekrar Köprü'ye dönerlerdi. Vapurun Köprü'den hareketiyle tekrar Köprü'ye dönmesi 40, bilemediniz 45 dakika sürerdi. Bazı ayağına çabuk açıkgözler, öğle vakti iş yerinden izin alıp bu vapurla acele tarafından Salacak'a gider, yine çabuk tarafından denize girip serinler, sonra biraz gecikmiş olarak işinin başına dönerdi! Yapabilirseniz, bugün yapın da görelim, bakalım.

Şehre yakın plâj mı kaldı? Bırakın plâjı, İstanbul'da girilecek deniz mi kaldı?

1920'li yılların başlarında Haliç'te Kasımpaşa iskelesi. Su henüz bulanmamış, dip derin. Vapur iskeleden daha yeni ayrılmış, ama ne beis? Oracıktaki kira kayıklarından birine binerseniz, sizi

Eyüp'e gidemeyen Eyüp vapurları!

Köprü'nün Haliç'e bakan yanında, Karaköy'e yakın bir yerde Eyüp vapurlarının iskelesi vardı. Bu iskeleye Haliç Şirketi'nin, siyaha boyalı, kaptan köşkü önde, direksiz küçük vapurları bağlardı. Sonradan 23 Kasım 1936 günü Belediye'ye verilen, 16 Temmuz 1941 günü de Devlet Denizyolları Umum Müdürlüğü'ne devredilen bu vapurlar Haliç'te hemen hemen hepsi de 1910'lu yıllarda inşa edilmiş olan şu iskelelere uğrardı:

* İstanbul tarafında: Hal (Yemiş), Cibali, Fener, Yeni Atölye, Balat, Ayvansaray, Defterdar, Eyüp.

* Beyoğlu tarafında: Azapkapı, Kasımpaşa, Camialtı, Hasköy, Halıcıoğlu, Sütlüce. Daha içerde, sabah akşam işçiler için vapurların uğradığı Fişek Fabrikası'nın küçük iskelesi vardı ki buraya Saçma iskelesi de denirdi. En içerde de Kâğıthane... Bu son iki iskeleye ancak, su burada çok sığ olduğu için Haliç vapurlarının küçük ve altı düz olanları yanaşabilirdi.

Ne var ki, bu karşılıklı iskelelerin birkaçı zaman içinde kapatıldı. Bugün ise Üsküdar'dan hareket eden beyaz motorbotlar Eminönü'ne yanaşıyor. Sonra Karaköy ve Unkapanı Köprülerinin altından geçtikten ve Ka-

birkaç kuruşa Cibali'ye de, Balat'a da, Fener'e de, Eyüp'e de atıverir. Kayıkların burnunda hem Fransızca hem de eski Türkçe "Kasımpaşa" diye yazıyor. Yanıbaşında da iskele numarası var.

sımpaşa'ya, Fener'e uğradıktan sonra çamura saplanıp kalmamak için daha sonraki iskelelere gidemeyip Balat'a bağlıyor. Kısacası, adı üstünde Eyüp vapurları, artık Eyüp'e kadar bile gidemiyor.

İskele, şantiyenin içinde kalınca...

Köprü'deki Haliç vapurlarının iskelesi 1981'de Eminönü'ne nakledildi. Sonra da 1982'de yeni Galata köprüsünün inşaat çalışmaları sırasında şantiye sahası içinde kaldığından, STFA firması tarafından 1986 yılı Ağustos ayında eski Yemiş iskelesi yakınında prefabrike geçici bir iskele yapıldı. Önüne de bir duba bağlandı. İskele önünün derinliği: 4,2 metre. Beyaz motorbotlar hâlen bu iskeleye uğruyor. Yemiş ve Cibali iskeleleri yıkıldığı için bugün mevcut değil.

Kasımpaşa iskelesi Haliç'in en büyük iskelesi: Ahşap kazıklar üzerinde yapılmış; önünde bir duba bağlı olup, iskele önünün derinliği 4,5 metre. Ama biraz ilerisinde su iki karışa kadar iniyor: Derenin önü o kadar sığ ki, aç martılar, çamur birikintileri üzerinde, yalnızca ayakları suyun içinde, yürüyüp duruyorlar.

Fener iskelesi de ahşap kazık üzerinde olup onun da önünde duba

1930'lu yılların sonunda Sirkeci. Bugün araba vapurlarının yanaştığı iki iskelenin bulunduğu yerde kayıklar, sandallar, mavnalar var. Bir de Sadıkzade kumpanyasının kıçtan kara bağlamış bir şilebi. Güvertesinin sıra sıra şarap fıçılarıyla dolu olduğuna bakılacak olursa, ya Şarköy'den geliyor, ya Marmara Adası'ndan ya da Mürefte'den, Tekirdağ'dan... Solda, yukarda, Sirkeci garı. Onun önünde de, yuvarlak pencereli binanın alt katında, meşhur Balaban Lokantası. Sağda da gümrük ambarları. *(Fotoğraf: Selâhattin Giz).*

var. İskele önünün derinliği: 5,2 metre. Balat ve kapatılmış olan Hasköy iskeleleri de keza hep ahşap kazık sisteminde. İskele önünün derinliği: Balat'ın 3,1 metre, Hasköy'ün 3,8 metre. 1967 yılının Ekim ayında kapatılan Ayvansaray iskelesi, 1980 yılının Şubat ayına kadar buradaki koltuk ambarının iskelesi olarak kullanılıyordu, ama sonra yeniden onarılarak 1980 yılı Şubat'ında seferlere açıldı. Bugün bu iskeleye de artık vapur uğramıyor. İskele önünün derinliği: 3,9 metre. Halıcıoğlu iskelesi de yıkılarak ortadan kaldırıldı.

1967'de kapatılan Sütlüce iskelesi yeniden inşa edilerek 1989 yılının Haziran'ında hizmete açıldıysa da teknelerin yanaşma yerinin derinliği 2 metreye indiğinden 1991 yılının Aralık ayında kapatılmak zorunda kalındı. 1993 Mayıs'ında yandığı için iskele binası kullanılmaz halde. İskele önünün derinliği: 2,1 metre. Bu arada, yine ahşap kazıklar üzerindeki Eyüp iskelesi de çevresindeki su derinliğinin 2 metrenin altına inmesi ne-

Bugünkü Sirkeci'den bir görünüm: Sirkeci Garı yine yerli yerinde. Sağda, kıyıdaki Gümrük binaları çoktan yok olmuş. İki araba vapuru manevra yapıyor. 1 ve 2 numaralı iskelelerde de Kadıköy ve Üsküdar'a gidecek Şehit tipi iki şehir hattı vapuru var.

deniyle 1991'den itibaren seferlere kapalı tutuluyor. Defterdar iskelesi de hizmet dışı... Kâğıthane iskelesi ise çoktan yoklara karıştı.

En kalabalık iskeleler, Eminönü rıhtımında

Köprü'den kaldırılan iskeleler, 30 yıldan fazla bir zamandan beri Eminönü ve Sirkeci rıhtımı boyunca sıralanıyor. Eminönü'ndeki dört iskele de balkon sistemi şeklinde inşa edilmiş. İskele binaları betonarme.. Önlerindeki su derinliği 9,5 - 5,5 metre arasında değişiyor. 1 numaralı iskele Üsküdar, 2 numaralısı Kadıköy, 3 numaralısı Boğaz vapurlarının iskelesi. 4 numaralı iskele ise bugün Büyükşehir Belediyesi'nin çift burunlu deniz otobüslerine ait.

Sirkeci'deki araba vapuru iskelesinden de gündüz saatlerinde her yarım satate bir Harem'e çalışan araba vapurları kalkıyor. 1981 yılının Aralık ayında yıkılan iskele, ertesi yıl Ekim ayında yeniden inşa edilerek hizmete sokulmuştu. İnşaat çalışmaları sırasında, arabalara değilse de yolculara hizmet edebilmek için geçici olarak Eminönü-Harem arasında yolcu vapurlarının çalıştırıldığını hatırlıyorum. Daire şeklindeki bugünkü iskele binası betonarme dolgu sisteminde; kapak atmak için iki rampası var. İskele önünün derinliği, 5,5 metre.

Sirkeci'deki son iskele, Adalar ve Yalova-Çınarcık vapurlarının iskelesi. Betonarme dolgu sistemindeki iskelenin önünde bir duba bağlı. Vapurlar buraya bağlıyorlar, iskele önünün derinliği 5,5 metre kadar.

Şimdi gelelim Marmara'nın Anadolu kıyısı iskelelerine

Boğaz girişindeki iki küçük yerleşim merkezi olan Salacak'ın da, Harem'in de yolcu sayısı Üsküdar'a kıyasla çok azdı. Sığ olduğu için ahşap bir köprü gibi denize doğru uzanan Salacak iskelesi, Kızkulesi'nin hemen gerisindeydi ve İstanbul'da gurubun en güzel seyredildiği yerlerden biriydi. Ne yazık ki, bugün ne Salacak plajı kaldı, ne de o güzelim romantik Salacak iskelesi: Üsküdar-Harem boyunca uzanan sahil yolu geçirilirken, ikisi de kaldırılıverdi. Kara tarafında kalan iskele, bir süre bir dernek tarafından çay bahçesi olarak kullanıldı.

Eski Harem vapur iskelesi de artık yok olan iskelelerden... Şimdi eski iskelenin bulunduğu yerde araba vapuru iskeleleri var. Hemen arkasında da Anadolu'nun her köşesine hareket eden koca koca otobüsler ve o gü-

Solda, 1924 yılında Harem iskelesi. Bugün burada iki dalgakıranın koruduğu Harem araba vapuru iskeleleri yer alıyor. Arkada sağda, tarihî Selimiye kışlasının yedişer katlı kuleleri...

1930'lu yıllarda bir hava fotoğrafında Haydarpaşa Garı. Denize çakılan 1.700 kazık üzerine inşa edilen gar, hizmete açıldığı 1908'den itibaren İstanbul için Anadolu'ya açılan kapı olarak büyük bir önem kazanacak. Önündeki iskele binası, mimar Vedat Bey'in eseri. Sağda, sıra sıra bağlanmış mavnalar. (Fotoğraf: Selâhattin Giz).

zelim otobüslerin çirkin yazıhaneleri... Sirkeci'den gelen araba vapurları Harem'deki küçük limana girerek buradaki rampaya kapak atıyorlar... İskele önünün derinliği: 6,2 metre.

Çinilerle süslü Haydarpaşa iskelesi

Karayollarının henüz bugünkü kadar gelişmediği dönemde Haydarpaşa garı Anadolu'nun İstanbul'a açılan kapısı olarak büyük önem kazanmıştı. İnşası 1908'de sona erip hizmete açılan Haydarpaşa garının önündeki zarif ve çinilerle süslü iskele binası, o dönemin ünlü mimarlarından Vedat Bey'in (Tek) eseri. 1915-17 yılları arasında yığma taş bina olarak yapılan bina, Kütahya çini sanatının son büyük ustalarından Mehmet Emin Bey'in elinden çıkmış nefis çinilerle bezenmiş. İskele binası 1988 yılının Şubat ayında, aslına uygun şekilde restore edildi. İskele önündeki derinlik, 6,5 metre.

Kıyı doldurulup üzerine Haydarpaşa garı inşa edilmeden önce Haydarpaşa vapurları, denize doğru dikine uzanan taş iskeleye yanaşırmış. Kıyıyı azgın lodos dalgalarından koruyan dalgakıran henüz inşa edilmediği için, fırtınalı günlerde kaptanların da, yolcuların da ne büyük sıkıntılar çektiklerini tahmin etmek zor olmasa gerek.

Sırada eski Kadıköy iskelesi var

Köprü'den Kadıköy'e ilk vapur, Fevaid-i Osmaniye idaresi tarafından 1846'da çalıştırılmaya başlanmış. Kadıköy'de deniz çok eskiden III. Mustafa'nın yaptırdığı İskele Camii'nin önlerine kadar geliyormuş. Kıyı zamanla doldurulmuş, bu arada Haydarpaşa Garı'nın inşası sırasında daha da doldurularak 1908'de bugünkü Kadıköy meydanı ortaya çıkmış. Böyle olunca da salaş, derme çatma eski Kadıköy iskelesi haliyle ortadan kalkmış.

Bugünkü iskele, 1915 yılında yarı beton, yarı yığma olarak yapılmış. Son onarımı sırasında ortaya çıkartılan mermer levhanın üzerinde eski harflerle 1926 tarihi okunuyor. Binanın üst katı 1989 yılının Ocak ayından beri Türkiye Denizcilik İşletmeleri'nin lokali.

1959'da büyük bir tamir gören bu bina, 1984-86 yılları arasında yeniden onarıldı, son olarak da 1995'te bir kez daha elden geçirildi. Bugün bu iskeleden, Beşiktaş vapurları kalkıyor; ayrıca Adalar hattında çalışan va-

Ünlü mimar Vedat Bey'in yaptığı Haydarpaşa vapur iskelesi günümüzde de hizmet vermekte.

1960'lı yıllarda Kadıköy iskelesi. Suvat adlı şehir hattı vapuru İstanbul'a inecek yolcularını alıyor.

Kadıköy iskelesinin, üzerinde eski harflerle 1926 yazılı isim levhası.

purlar da buraya yanaşıyor. Önündeki suyun derinliği 3,8 metre. Üst katında Şehir Hatları İşletmesi'nin sosyal tesisi yeralıyor.

Günümüzde Karaköy ve Sirkeci'ye giden vapurların kalktığı yeni Kadıköy iskelesinin yerinde 50'li ve 60'lı yıllarda Sirkeci'den gelen araba vapurlarının iskelesi vardı. Sonraları buraya Ada vapurları da uğramaya başlamıştı. 1982 yılının Ekim ayında eski iskele ve iskele binası yıkılıp yerine bugünkü kazıklar üzerindeki iki katlı iskele binası inşa edildi. Üst katından, eğitim salonu olarak yararlanılıyor. En önemli sorun, vapurlarla yanaşma yeri arasında kot farkı bulunması: özellikle küçük vapurlar yanaştığı zaman, vapur hayli aşağıda, iskele de yukarıda kalıyor. İnsan, sürme iskeleden yukarıya doğru tırmanırken denize düşmemek için önüne mi bakacak, yoksa çarpmamak için başını mı kollayacak, şaşırıp kalıyor. İskelenin önündeki derinlik, 5,7 metre. İskele-

1930'lu yıllarda, havadan çekilmiş bir fotoğrafta Moda iskelesi. Bugün, yanyana beton apartmanların sıralandığı Baklatarlası ve Şifa semtleri henüz bomboş. Bırakın sekiz, on katlı apartmanları, ne konak var, ne de köşk! Her yer çayır, her taraf boş arazi... (Fotoğraf: Selâhattin Giz)

nin üst katında, Şehir Hatları'nın Gemi Zabitleri Derneği, Emekliler Derneği, Eğitim ve Geliştirme Merkezi var.

Bugün İnci Burnu'nda, eski Kadıköy Evlendirme Dairesi'nin yanıbaşındaki deniz otobüslerinin iskelesi ise henüz çok yeni... Buraya Büyükşehir Belediyesi'nin çift burunlu deniz otobüsleri yanaşıyor. Yeni inşa edilen mendirekler sayesinde en sert havalarda bile Kadıköy koyu, Haydarpaşa önleri tâ Harem'e kadar adeta sütliman... Besbelli, bütün eziyeti eski kaptanlar, eski yolcular çekmiş.

Marmara'nın Anadolu kıyısı iskeleleri

Moda'dan tâ Pendik'e kadar kıyı boyunca sıralanan iskelelere, Adalar-Anadolu-Plaj seferleri hattında çalışan vapurlar uğrardı. Yani zarif yandan çarklılar, sonraları da şehir hatlarının ilk dizel motorlu Köy tipi vapurları...

Köprü'den bu hatta kalkan vapurların ilk iskelesi Moda olurdu; vapur sonra sırasıyla Kalamış, Caddebostan, Suadiye, Bostancı, Maltepe iskelelerine uğradıktan sonra karşıya geçip Büyükada'ya yanaşır, sonra da Heybeliada'da bağlayarak geceyi orada geçirirdi. Daha da ilerde Kartal ve Pendik iskeleleri vardı ama, buralara daha çok Adalar'dan gelen vapurlar uğradığı için, bu iki iskele Moda-Kalamış vs. vapurlarının rotası üzerinde bulunmazdı.

Ne yazık ki, Şehir Hatları İşletmesi, kara taşımacılığıyla rekabet edemediği için zamanla yolcusu azalan, hatta tükenen bu iskeleleri birer ikişer kapatmak zorunda kaldı: Önce Kalamış ile Suadiye, arkasından da Caddebostan iptal edildi. Bu hatta son olarak vapur 1987-88 kışında Moda'ya işledi. Sonra? Moda iskelesine de kilit vuruldu.

Bir süredir terkedilmiş durumda bulunan tarihî Moda iskelesinin binası da Haydarpaşa iskelesi gibi Mimar Vedat Bey'in eseri. İnşaası 1916-17 yıllarında sona eren iskele binasına, denize uzanan taş bir iskeleden yürüyerek gidilirdi. İskele önünün derinliği: 5,6 metre kadardı. Taş iskele, özellikle akşamüstleri, İstanbul'dan gelen yolcuları karşılamaya gelen Modalılarla dolardı. Zarif Kütahya çinileriyle süslenmiş iskelenin üst katı sonradan kaldırıldığı için bina bugün tek katlı. 1964 yılı Ekim'inden, yeniden açıldığı 1979 yılına kadar sahil gazinosu olarak kullanıldı. Kadıköy iskelelerinin onarım ve yeniden inşaası süresince, Adalar'ın Kadıköy bağlantısı bu iskeleden yapıldı. 1992 yılı Nisan ayından beri ise tamamen terkedilmiş durumda. Son olarak, Kadıköy Belediyesi tarafından satın alındığı duyuldu.

"Kalamış'tan bir vapuuur kalkıyoor, kalkıyooor..."

Kalamış iskelesi, yanaşacak vapurların kum banklarına oturmaması için, derince suya erişinceye kadar denize doğru uzayıp giderdi. Bu nedenle uzaktan bakılınca, büyük taş blokların üzerine tahtalar döşenmiş ahşap bir köprüyü andırırdı. Bunun altındaki gözlerin en sondakinden kürekleri kapamak, başınızı çarpmamak için de kendinizi iyice arkaya vermek şartıyla pekâlâ sandalla geçebilirdiniz. Kalamış iskelesinin ahşap binası, çoğu öteki iskelelerde olduğu gibi aynı zamanda iskele memurunun lojmanıydı.

Bütün bu kıyıdaki iskeleler gibi Kalamış iskelesi de lodosa açıktı. Hava karşıdan doğru estiği zaman deniz kabarır, arka arkaya kıyıya saldıran dalgalar yüzünden vapur kolay kolay iskeleyi tutturup yanaşamazdı. Bazı sabahlar bakardınız, lodos dağlara çıkıyor! Uzunca bir süre bekledikten sonra Fenerbahçe fenerinin arkasından çıkan zavallı vapur işaret şamandıralarının açığından geçerek dalgalarla boğuşa boğuşa koya girmeye hiç

1970'li yıllarda bir kış günü tenhalığında gün batarken Kalamış iskelesi.

teşebbüs etmeden yoluna devam edip giderdi. Anlaşılırdı ki kaptan Kalamış'a uğramayacak! Gerçekten de vapur Kalamış'a da, Moda'ya da uğramadan, bir süre sonra Moda burnunun gerisinde gözden kaybolurdu. O zaman yapılacak tek şey, işe gecikmemek için hemen tramvaya binerek Kadıköy'e gitmekti. Kadıköy'den de vapur çalışmıyorsa, bu sefer doğru Üsküdar'a...

Eskiden Fenerbahçe'de de bir iskele varmış ve Bizans'tan kaldığı tahmin edilen dalgakıran kalıntısının üzerindeymiş. Dr. Müfit Ekdal, *Bir Fenerbahçe Vardı* adlı kitabında, bu mendireğin üzerinin tahtalarla döşenmiş, önüne de vapurların kolayca yanaşması için bir duba bağlanmış olduğunu yazıyor:

"1910 yılında, Köprü'den kalkan vapur, Moda ve Kalamış'tan sonra Fenerbahçe'ye de uğrar, Caddebostan'a giderdi," diyor.

Anlaşılan, sonradan yolcusu azaldığı için, bu kıyının kapatılan ilk iskelesi Fenerbahçe olmuş.

Caddebostan ve Suadiye iskeleleri de, Salacak ve Kalamış iskeleleri gibi, denize doğru uzanmıştı. Bu iskelelerin açılmasıyla çevreye gösterilen rağbet artmış, iskele çevresi kısa zamanda bir piyasa yeri olarak büyük önem kazanmıştı. Ne var ki, vapur seferlerinin kaldırılmasından sonra iki iskele de kıyının doldurulup üzerinden yeni sahil yolunun geçirilmesiyle tarihe karıştı. Bugün Suadiye vapur iskelesinin bulunduğu yerde Suadiye Yacht Kulübü bulunuyor.

Bostancı iskelesi ve daha da ilerisi...

Günümüzde bu kıyıda Bostancı ve Kartal iskeleleri çalışıyor. O da, Adalar'la yaz kış, gün boyunca vapur bağlantısını sağladığı için...

1912-13 yıllarında inşa edilen iskele binasının mimarını kesin olarak bilemiyoruz. Eski antik limanın önünde, uzunca bir taş rıhtımının ucunda yer alan bu yığma binanın karakteristik özelliği, çatısında bir kubbenin bulunması; tıpkı, Beşiktaş, Kadıköy, Büyükada iskelelerinde olduğu gibi, bir süs kubbesi bu... İskelenin yolcu mahalli, 1978'den sonra genişletildi. İskele önü derinliği, 4 metre.

Bugün Bostancı mendireğinin içinde, Büyükşehir Belediyesi Deniz Otobüsleri İşletmesi'nin terminal binası ile çift burunlu teknelerinin bağlama iskeleleri yer alıyor. Buradan kalkan tekneler, Kabataş, Karaköy, Yenikapı, Bakırköy, Yalova ve Adalar'a seferler yapıyor.

Eskiden daha ilerde Maltepe, Kartal ve Pendik iskeleleri vardı. Bu is-

1891'de çekilmiş bu 107 yıllık fotoğraf, o günlerin Caddebostan iskelesini gösteriyor. Yandan çarklı vapurun yanaştığı iskelenin bulunduğu yerden, günümüzde boydan boya sahil yolu geçiyor.

keleler de yanlış politika sonucu, zamanla yolcularını kara taşımacılığına kaptırdı. Böyle olunca, Köprü'den kalkarak Adalar üzerinden Kartal ve Pendik'e giden son vapur 1974 yazında çalıştı.

İdare, aradan 16 yıl geçtikten sonra Kartal ve Pendik hattını yeniden canlandırmak amacıyla harekete geçti. 1990 yılı Şubat ayında Pendik iskelesi 250 milyon lira harcanarak betonarme olarak yeniden yapılırcasına onarıldı. Bu arada Kartal iskelesi de baştan sona yeniden elden geçirildi. Ve bu iki iskeleye Köprü'den tekrar vapur seferleri kondu. Kondu ama, bu seferler fazla rağbet görmeyince Pendik iskelesi 15 Eylül 1992 günü hizmet dışı bırakıldı. Bugün hiçbir amaçla kullanılmıyor.

Kartal iskelesi ise, sahil dolgu çalışmaları sonrasında kullanılamaz hâle gelince, eski araba vapuru iskelesinin yerine, bu iskelenin 100 m. kadar doğusunda Belediye tarafından 1993 yılı Ekim'inde yeni bir iskele inşa edildi. İskele önünün derinliği: 4,2 metre. 1996-97 Kış tarifesinde Kartal-Büyükada-Heybeliada-yine Kartal şeklinde hem de her gün için ring seferleri konmuştu. Dileriz, arkası gelir. Buradan şimdilik yalnız Yalova'ya karşılıklı dört sefer var. Eski bina ise Trafik Ekipler Müdürlüğü'ne verilmiş.

Her yaz başında, Adalar'a sayfiyeye gideceklerin eşyalarını götürmek üzere bir vapur kaldırılırdı: Şehir Hatları'nın yandan çarklı Fenerbahçe vapurunun baştan sona açık olan üst güvertesine yazlıkçıların denkleri, sepetleri, paketleri, öteleri-berileri yığılmış... Aynı sefer bir kez de sonbaharda tekrarlanacak. Tabii bu sefer, Adalar'dan İstanbul'a...   (Fotoğraf: Faik Şenol).

1930'lu yıllarda Pendik vapur iskelesi. Arka planda Maltepe yolcu vapuru, önünde çektiriler, alamanalar; en önde de bir at arabası. Günümüzün Pendik'inden ne kadar farklı...

Ada iskelelerindeki pazar kayıkları

Köprü'den Adalar'a vapur ilk kez 1846 yılında çalıştırılmaya başlanmış. O yıllarda, Boğaz'da ve Haliç'te olduğu gibi İstanbul'dan Adalar'a da her gün pazar kayıkları kalkıyormuş. Yolcular da, yükler de Adalar'a hep bu büyük kayıklarla taşınırmış.

Ama, vapur seferlerinin iyi-kötü düzenli olarak yapılmaya başlanmasıyla pazar kayıklarının müşterileri giderek azalmaya yüz tutmuş. Yandan çarklı bir vapur, sabahleyin Büyükada'dan kalkarak öteki adalara uğraya uğraya Köprü'ye iniyor; öğleden sonra da bu sefer Köprü'den kalkarak yine Adalar'ın yolunu tutuyormuş.

Büyükada'nın ilk vapur iskelesi, o zamanki Plaj Oteli'nin yanıbaşındaki kayalık yerde imiş. 1899'da bugünkü iskelenin olduğu yerde, yeni bir ahşap iskele binası yapılmış. Ama ihtiyaca kâfi gelmediği için, 1914-15 yıllarında İzmitli mimar Mihran Azaryan tarafından bugünkü taş iskele binası inşa edilmiş. İskelenin bugün üç yanaşma yeri var; iskele önünün derinliği: 4,2 metre.

Binanın cephesinde çini panolar yer alıyor. Alt katında bekleme salonları ile gişelerin bulunduğu binanın üst katı 1918-23 yılları arasında gazi-

1885 yılında çekildiğini tahmin ettiğimiz bir Büyükada iskelesi fotoğrafı... İskelede yolcu almakta olan vapur bir Şirket-i Hayriye, yanda bağlı bekleyen de Halic-i Dersaadet Vapur Şirket-i Hayriyesi'nin vapuru. Tenteli kayıklardan, açık renk kıyafetli yolculardan yaz olduğu anlaşılıyor.

no olarak kullanılmış. 1928-50 yılları arasında Cumhuriyet Halk Partisi'nin Adalar ilçe binası olmuş. 1950-51 arasında da kışlık sinema... Bugün ise burada toplantı salonları, belediye doktoru ve Belediye Zabıtası var.

Sedef adası, Yürükali'yi silip süpürüyor

Yürükali plajına gidecek olanlar için 1940'lı yıllarda Dil burnunun hemen gerisinde denize doğru uzanan küçük bir ahşap iskele yapılmıştı. Ama 1960'lı yıllardan itibaren Sedef adasının giderek rağbet görmesi üzerine bu iskele kapatıldı. Bugün, yaz aylarında Bostancı'dan Adalar'a çalışan vapurların bazıları Sedef adasına da uğrayıp duba şeklindeki iskeleye yanaşıyor. İskele önünün derinliği: 3,6 metre.

Büyükada iskelesinin sağında Büyükşehir Belediyesi'nin çalıştırdığı çift burunlu deniz otobüsleri için yaptırılan katamaran iskelesi varsa da, o da Kadıköy'deki gibi henüz çok yeni.

Cumhuriyet'in ilk yıllarında Büyükada iskelesinde yandan çarklı bir vapur beklemekte...

1927'de Heybeliada iskelesi. Nejat Gülen'in "Heybeliada" kitabında sözünü ettiği iskele, bu iskele...

Nejat Gülen, *Heybeliada* adlı kitabında doğup büyüdüğü adada ilk iskelenin yine şimdiki yerinde, ahşap oymalı, süslü mü süslü, bir kuş kafesi gibi zarif bir bina olduğunu yazar. Tamiri bitip tükenmeyen bu iskelenin yerine, 1940'larda beton bir iskele yapılmış. Bugünkü betonarme kazık sistemindeki iskele binası ise 1993 yapısı. İskele önünün derinliği 4,2 metre.

Burgaz ve Kınalıada'daki eski iskele ve binası 1993'te yıktırılarak yeniden inşa edilmiş; geniş yolcu platformu, izdiham yaşanmasına fırsat vermiyor. İki iskelenin su derinliği: 4, 8 metre. 1993 yılında, İstanbul Üniver-

1890'lı yıllarda Heybeliada vapur iskelesinde vapur bekleyen, çoğu azınlıklardan olan ada yolcuları... Arkadaki büyük bina, Donanma'ya yıllarca denizci yetiştiren tarihî Bahriye Mektebi.

1930'lu yılların ortalarında Burgaz iskelesi. Yanaşmış olan vapur, eski adı Hüseyin Haki *olan ve idare tarafından satın alındıktan sonra adı değiştirilen* Göztepe. *Baca forsundaki A harfi de AKAY idaresinin simgesi.* (Fotoğraf: Selâhattin Giz)

1890 yılında Kınalıada iskelesi. Vapur henüz gelmiş olmalı ki, iskelenin üstünde fesli, bastonlu beyler, şık hanımlar çıkış kapısına doğru yürüyorlar. İskelenin arkası inanılmayacak kadar boş.

1930'lu yıllarda Yalova iskelesi. Memur odası ile bekleme salonu gözümüze inanılmaz derecede küçük görünüyor. Taş iskeleye sağlı sollu yanaşmış vapurlardan soldaki Kalamış, sağdaki ise Maltepe... Önde sağda da yolcu bekleyen bir Bursa otobüsü. (Fotoğraf: Selâhattin Giz)

sitesi Su Ürünleri Fakültesi'nin öğretim üyeleri ve öğrencilerini Yassıada'ya götürüp getirmek amacıyla sabah akşam vapur çalıştırılmaya başlanmıştı. Vapur burada, kıyıya bağlanan bir dubaya yanaşıyordu. İskele önü derinliği: 6,7 metre idi. Ama sonra Fakülte kaldırılınca, seferler de kaldırıldı.

Yalova ve Çınarcık iskeleleri

İstanbul'dan Bursa'ya gidecek çoğu yolcuların Yalova üzerinden gitmeyi tercih etmeleri nedeniyle Yalova vapurlarında da, iskelede de her zaman izdiham yaşanırdı. Hele yaz günleri, vapurda itiş-kakıştan geçilmez, insan iskelede benzeri görülmemiş bir telâş ve yığılmadan bunalırdı.

Yalova iskelesi taş bir rıhtım şeklinde denize doğru uzanırdı. Bunun baş tarafında sağlı sollu bekleme salonu ile iskele memurunun odası ve bilet gişesi vardı. İskele önünün derinliği: 3,8 metre olan taş iskele uzantısının iki yanına da vapur yanaşabiliyordu. Ama, daha sonraları ihtiyaca yeterli olamadığı için, iskele binası yenilendi, taş iskele esaslı bir şekilde elden geçirildi. İskele, 1988'de Eskihisar-Topçular hattı açıldıktan sonra araba vapurlarının Yalova'dan kaldırılması üzerine, bugün yalnız yolcu iskelesi olarak hizmet vermektedir.

90 yıl öncesinin Yeşilköy iskelesi. O günleri hatırlayanların hiçbiri hayatta olmasa gerek...

Giderek gelişen Çınarcık'ta iskele yapılarak vapur çalıştırılmaya 1975 yılı yazından itibaren başlandı. Bu iskeleye vapur Heybeli ve Büyükada'ya uğradıktan sonra gidiyordu; yolculuk, Bahçe tipi vapurlarla, iki saat sürüyordu. Beton iskelenin 1991 yılının Ağustos ayında, *Fahri S. Korutürk* adlı vapurun bindirmesi sonucu yolcularla birlikte çökmesiyle meydana gelen kaza, bereket versin can kaybı olmadan ucuz atlatıldı. Hemen mendirek içine duba bağlandı da vapurların yanaşması sağlandı, bu arada eski iskelenin yerine yenisi betonarme olarak inşa edildi. İskele önünün derinliği: 6,,5 metre. 1995 yılının yazında Çınarcık'ın daha da batısında yer alan Esenköy'ün yolcuları için Sirkeci-Heybeliada-Çınarcık-Esenköy şeklindeki bir deneme seferi başlatıldıysa da, sonradan kaldırıldı.

Bugün artık yapılmayan Yeşilköy seferleri

Geçen yüzyılın ortalarından itibaren, Köprü ile Yeşilköy arasında da yolcu vapuru çalıştırılmıştı. 1852 yılının baharında başlayan bu seferler bir ara kaldırıldıysa da 1905'te yeniden konularak Birinci Dünya Savaşı'na kadar sürdürüldü. Kaldırılış nedeni de, Marmara'ya sızan düşman denizaltılarının gemileri torpilleyerek Marmara'da, hatta limanda ciddi tehlikeler yaratmasıydı.

Köprü'deki iskeleden hareket eden vapur önce Kumkapı'ya uğradıktan sonra, sırasıyla Yenikapı, Samatya (bugünkü adı Kocamustafapaşa), Makriköy'e (bugünkü Bakırköy) yanaştıktan sonra Ayastefanos'a (bugün Yeşilköy) varıyordu. Yıllar boyunca bu hatta vapur çalıştırılmadı. 1998 yılının yaz tarifesinde Sirkeci-Büyükçekmece hattında sabah-akşam da olsa vapur çalıştırılacağının ilân edilmesini çok kimse hayretle karşıladı. Henüz deneme seferleri mahiyetinde olan bu hatta düzenli olarak vapur çalıştırılıp çalıştırılmayacağına duruma göre karar verilecek.

Evet, İstanbul demek, nasıl camiler, minareler, köprüler, kuleler demekse, biraz da gemiler, iskeleler, vapurlar ve deniz âşığı yolcular demek.

İstanbul'da -birçoğu yolcusuzluktan kapatılmış da olsa- bugün de iskeleler var. Kimi eski, kimi yeni; kimi büyük, kimi küçük... Hepsi de İstanbul'un bir parçası... Bakımlı da olsa, ihmal edilmiş de olsa yolcuların günlük yaşamlarında bu iskelelerin hâlâ önemli bir yeri var.

İskeleler... Vapurlar... Lodos dalgaları... Ve, martı çığlıkları...

Bunlar da olmasa, nasıl anlayacağız İstanbul'da yaşadığımızı?

İskeleler Köprü'ye kaç mil uzaklıkta

* Anadolu kıyısı-Adalar-Yalova hatları iskeleleri

İskele	Mesafe (Deniz mili*)	İskele	Mesafe (Deniz mili*)
Salacak	1,44	Maltepe	9,10
Harem	1,76	Kınalıada	7,40
Haydarpaşa	1,90	Burgazada	9,22
Kadıköy	2,15	Heybeliada	10,20
Moda	3,10	Büyükada	10,90
Kalamış	3,65	Kartal	13,05
Caddebostan	5,30	Pendik	15,20
Suadiye	5,90	Yalova	24,90
Bostancı	6,50		

* Boğaz-Rumeli kıyısı iskeleleri

İskele	Mesafe (Deniz mili)	İskele	Mesafe (Deniz mili)
Salıpazarı	0,90	İstinye	7,70
Kabataş	1,11	Yeniköy	8,44
Beşiktaş	1,78	Tarabya	9,75
Ortaköy	2,88	Kireçburnu	10,55
Kuruçeşme	3.83	Büyükdere	11,28
Arnavutköy	4,40	Sarıyer	11,92
Bebek	5,12	Yenimahalle	12,17
Rumelihisarı	6,07	Rumelikavağı	13,41
Emirgân	6,90		

* Boğaz-Anadolu kıyısı iskeleleri

İskele	Mesafe (Deniz mili)	İskele	Mesafe (Deniz mili)
Üsküdar	1,86	Anadoluhisarı	6,47
Kuzguncuk	2,41	Kanlıca	7,52
Beylerbeyi	3,51	Çubuklu	8,52
Çengelköy	4,04	Paşabahçe	9,43
Vaniköy	5,09	Beykoz	10,55
Kandilli	5,66	Anadolukavağı	14,14
Küçüksu	6,05		

(*) 1 deniz mili, 1.852 m.'dir.

1980'li yıllarda Eyüp vapur iskelesi. Lodos günlerde Haliç çok kötü kokuyor; sular da boz bulanık bir renk almış. Ama iskele de, yanındaki kahve de yine güzel, hâlâ pitoresk.

* Haliç hattı iskeleleri

İskele	Mesafe (Deniz mili)	İskele	Mesafe (Deniz mili)
Yemiş	0,24	Ayvansaray	1,75
Cibali	0,67	Halıcıoğlu	2,10
Kasımpaşa	0,76	Eyüp	2,05
Fener	1,14	Sütlüce	2,25
Balat	1,44	Kâğıthane	3,40
Hasköy	1,60		

* Yeşilköy hattı iskeleleri (Sarayburnu'ndan)

İskele	Mesafe (Deniz mili)	İskele	Mesafe (Deniz mili)
Kumkapı	1,65	Bakırköy	6,15
Yenikapı	2,40	Yeşilköy	8,70
Yedikule	3,50	Florya	10,70
Zeytinburnu	4,65		

1933-38 yılları arasında Büyükada iskelesi. Tam karşıda, o günlerin gözde olan üslûbuna uygun olarak inşa edilmiş tepesi kubbeli, iskele binası. İskelenin iki yanında AKAY'ın biri uskurlu, öteki yandan çarklı iki yolcu vapuru. Ada'ya çıkanlarla vapura binen yolcular, birbirine karışmış. Kalabalık arasında gelişigüzel kıyafetli kimse yok. Herkes tertemiz, derli toplu, kerli ferli.

* İzmit hattı (İzmit'ten)

İskele	Mesafe (Deniz mili)	İskele	Mesafe (Deniz mili)
Başiskele	2,05	Konca	9,40
Seymen	2,07	Ulaşlı	10,00
Kazıklı	4,02	Ereğli	12,70
Y.Belediye	4,08	Hereke	14,40
Derince	4,40	Karamürsel	14,90
Gölcük	5,01	Darıca	24,70
Yüzbaşı	5,06	Yalova	31,40
Değirmendere	6,08	Pendik	37,06
Halidere	7,08	İstanbul	52,00
Tütünçiftlik	7,80		

İskeleleri bir de Ahmet Rasim'den dinleyelim...

Üstad Ahmet Rasim, *Şehir Mektupları* adlı yazılarında Karaköy'den Kadıköy vapuru iskelesini bakın nasıl anlatıyor:

"Ben demedim mi bu beş numara ile dört numara bir iş çıkartacaklar diye! Bunları tamire göndermemeli; altlarını temizletmemeli. Dediklerim çıktı: Köprü'ye çarpa çarpa, sulara vura vura dubayı delmişler. Su almaya başlamış.

"Köprü'de bir gürültü!

-"Kadıköy iskelesi batıyor!" ·

-"Kadıköy vapuru da delinmiş, denize gidiyor!" sadalarıyla karışık bir heyecan peyda oldu. Dikkat ettim. Kahve dükkânı filân yaslanmış. Güldüm. Heyecan içinde kalanlardan biri sordu.

"Dedim ki: "Hava lodos da ondan."

-"Fakat buraya lodos vurur mu?"

-"Serpintisi gelir a... Bu her gün olağan şey... Eski Üsküdar gazinosunu hatırlıyor musunuz? Siz dua edin de vapurların altı Marmara açıklarında delinmesin!.."

İdare için şairler maniler söylüyor

O günlerin âdeti gereği, külhanbeyi edebiyatı geleneklerinden olarak İdare-i Mahsusa hakkında maniler de söylenmiş, destanlar da yazılmıştır Aşağıdaki dörtlükler, İdare-i Mahsusa ile Şirket-i Hayriye rekabetini ele almakta, bu arada İdare-i Mahsusa'nın vapurlarını övmekten geri kalmamaktadır:

Halep düdüğünü üç kez çekince
Eser-i Şevket de ona yol verince
Kalamış da tam istim üzre gelince
Şirket de işi anladı sonra

19 ile 20, hem *Aydın*
Bağdat, Basra ve *Bartın*
Yarış yerine kalınca pek yakın
Şirket de işi anladı sonra

47 ile 48 bir yana yatıyor
19, 50'yi peşine takıyor,
49 *Moda'*dan kömür alıyor
Şirket de işi anladı sonra.

Burada geçen numaralardan 19, 20 İdare-i Mahsusa'nın *Fenerbahçe* ile *Haydarpaşa;* 47, 48, 49, 50 ise Şirket-i Hayriye'nin *Tarzınevin, Dilnişin, Hale, Seyyale* adlı vapurlarıdır. Bu fahriyenin mısralarından da açıkça anlaşıla-

Eski Kadıköylüler'in günlük hayatında vazgeçilmez bir yeri olan eski Kadıköy vapur iskelesi.

bileceği gibi, İdare-i Mahsusa'nın vapurları övülmekte, Şirket-i Hayriye'nin o sıralarda (1904) yeni getirttiği vapurlarıyla açıkça alay edilmektedir.

Bu sefer de Şirket-i Hayriye taraftarları onlara şu mukabelede bulunurdu:

"O vapurlar ki, derya üzeredir, tamir görmezler;
"O vapurlar ki, derya üzeredir, deryada yüzmezler,
"Yüzerler belki deryada, fakat tamir görmezler,
"Hava sert olunca, ukde-i zinciri çözmezler."

Bu mukabelede bulunuş, Şirket-i Hayriye taraftarlarını çok mutlu etmiş olmalı ki, Kadıköylü bir şair, İdare-i Mahsusa vapurlarının yaşlılığını ileri sürerek, buna şu mısraı ilâve etmişti:

"Efendi; eskiye hürmet edip pîranı üzmezler"
(Ukde-i zincir: Zincirin düğümü, Pîran: Yaşlılar, kocamışlar)

Bir de Ahmet Rasim'in şehir hattı vapurlarıyla ilgili bir hicviyesine rastladık, ona da burada yer vermek istiyoruz. Rahmetli üstad *Servet* gazetesinde, Şirket-i Hayriye'nin en süratli vapurlarından meşhur 44 baca numaralı *İntizam*'ın ağzından bakımdan çıktıktan sonra yeniden sefere başlaması nedeniyle bakın vapurun kaptanına nasıl sesleniyor:

"Pek özledi cânım seni, cânanım efendim,
"Gel vardiyama, lâklaka efşanım efendim,
"Şirket ben tathire bedel etmede telvis,
"Berbat oluyor sevgili kazgânım efendim.

"Memul ederim, bir iki gün sonra bu âciz,
"Bosfor üzerinde olacaktır gene bâriz
"Senden dilerim tatyib ile kullan
"Zira değilim eski metanetleri haiz

"Çarkım dönecek, sonra pişman olacaksın,
"Stop ederim, zâr-ü perîşan olacaksın,
"Rahmetmezsen sen bana, kimler eder artık
"Ey, sen ki mürüvvetli kaptânım olacaksın."

(Efşan: Saçan, Tathir: Temizleme, Telvis: Kirletme, Kazgan: Kazan, Memul etmek: Ümit etmek, Tatyib: İyi muamele, Zâr: Ağlama, Rahmetmek: Acımak, Mürüvvet: İnsanlık.)

O yıllarda Şirket-i Hayriye ile İdare-i Mahsusa vapurlarını tutanların arasındaki rekabetin bugünkü Galatasaray-Fenerbahçe taraftarlarının rekabetinden farksız olduğu anlaşılıyor.

Aşağıdaki destan ise *Batum* vapurunda ateşçilik yapmış bir gemici tarafından söylenmiş. İlgi çekici özelliği şu ki, içinde İdare'nin 50'den fazla gemilerinin hepsinin adı geçiyor:

İdare'nin olmuş Mahsusa nâmı
Devlete hizmeti çok Hakk kelâmı
Akdeniz, Marmara hem *Karadeniz*
Götürür getirir ehl-i İslâmı

       Malakof'la *Pürsud* hem *Kılıçali*
       Kartal'la *Maltepe, İzmit, Heybeli*
       Medar-ı Tevfik'le *Nüzhetiye*'ye
       Binüp de efendim dünya görmeli

Şerefresan ile *Seyyare, Şehber*
Savurup dumanı süratle gider
Kayseri, Mudanya, Hereke, Pendik
Hepsinin ismini eyledik ezber

Gelibolu ile *Girit, Gedikler*
Çeşme, Dolmabahçe süratle gider
Köhneler dumanı savurur ama
İstim tutmasını üç saat bekler

Bahr-i Cedid, Necad, Ceylan, Midilli
İzmir, Karamürsel, Şahin de belli
Kars'a, *İstinye*'ye, hem *Plevne*'ye
Bir selâm çakayım şöyle *Kandilli*

Selâmet, Sakarya, Lütfiye, İhsan
Ali Saip Paşa, Kaplan'la *Arslan*
Tarsus'la *Tuna, Nimet-i Hüda*
San'a'yı, *Mesud*'u durma yaz heman

Bartın ile *Biga* hem *Anadolu*
Cümle iskeleler mal ile dolu
Deryada efendim bu İdaredir
Padişahımızın kanadı kolu

Medar-ı Tevfik, Musul'la *Batum*
Marmara, Hayreddin cümlesi malûm
Canik'le *Selânik* unutulmasun
Yazdık vapurları işte bilumum

Ammâ ki efendim kasdımız başka
Bir yaprak eklemek kitâb-ı aşka
Yosma hanım ile Tayfa civanın
Nakli macerası sığınıp Hakk'a

Evet... Denizi, gemileri böylesine sevenler de var, "Suyu bardakta, gemiyi duvarda görmeli!" diyenler de...

İKİNCİ BÖLÜM

Haliç'teki Beş Buçuk Yüzyıllık Denizcilik Geleneği

- Tarih boyunca tersanelerimiz
- Türkiye Gemi Sanayii A.Ş.

Sultan Aziz döneminde, Haliç Tersanesi ile Divanhane binası.

Tarih boyunca tersanelerimiz

Tersane, Arapça kökenli bir kelime; "Dâr-üs-sınâ'a" tamlamasından bozma. Sanat evi demek oluyorsa da, Türkçe'de gemi inşa edilen tezgâh anlamına geliyor. Batı dillerine de geçen bu sözcük, İtalya'da "Arsenale", İngiltere'de, Fransa'da, Almanya'da da yine "Arsenal" şeklinde kullanılıyor.

Selçuklular döneminde, Sinop (1214), Alanya (1227) ve Aydın Beyliği'ne ait İzmir Tersanesi'nde (1326) donanma için gemiler inşa edildiği biliniyor. Buralarda 80-100 tonluk ahşap tekneler inşa edilip donanımları yapılıyordu. Daha sonraki yıllarda, Osmanlı Devleti'nin kurulmasıyla, İzmit, Karamürsel, Gemlik, Aydıncık (Mersin'e bağlı) ve Gelibolu'daki tersanelerde de gemi inşa edilmeye başlanmıştı. Bunların en önemlileri İzmit ile Gelibolu Tersaneleriydi ki, bunlarda yılda 15'er kadırga yapılabiliyordu.

Yükselme döneminde, İstanbul, Süveyş, Rusçuk Tersaneleri kurulduktan başka, öteki tersaneler de büyütülüp genişletildi. Öyle ki, donanmamızın 1571 yılının Ekim ayında İnebahtı'da Haçlı Donanması tarafından perişan edilişinin üzerinden altı ay gibi çok kısa bir zaman geçmesine rağmen, yoktan var edilircesine inşa edilen 242 parça gemiyle yeniden denize açılması, bu tersanelerin büyüklüğü ve iş gücü hakkında bir fikir vermeye yeterlidir.

Gemi inşa sanayiinin daha sonraki yüzyıllarda dünyadaki gelişmelere kolay kolay ayak uyduramamasına rağmen, özellikle İstanbul'daki büyük tersane yabancı ülkelere bağımlılık duymadan uzun yıllar varlığını korumayı başardı. 1773'te Mühendishane-i Bahr-i Hümayun adlı eğitim merkezinin kurulmasıyla Batı ülkelerinden uzmanlar getirildi; modern teknolojinin bizde de uygulanabilmesi için çalışmalara başlandı. Bu kuruluş, günümüzdeki İstanbul Teknik Üniversitesi ile Deniz Harp Okulu'nun temeli kabul edilmektedir.

Haliç'teki tarihî tersaneler bugün de faaliyetlerini sürdürmekteler. Bu arada İstinye Tersanesi 1991 yılı Ağustos ayında kapatılarak Pendik'e taşınmış bulunuyor. Pendik Tersanesi büyük bir gemi inşa ve onarım merkezi. Ayrıca İzmir'de de Alaybey Tersanesi var. Tuzla, özel tersanelerin bir araya toplandığı bir gemi inşa ve onarım merkezi oldu. Haliç'teki Taşkızak, Gölcük'teki ve İzmir'deki askerî amaçlı tersaneleri saymazsak, Van Gölü kıyısında, Tatvan'da, göldeki gemilerin bakımını ve onarımını gören bir tersane daha vardı ki, o da son yıllarda Türkiye Denizcilik İşletmeleri A.Ş.'nin bünyesinden alınarak Türkiye Devlet Demiryolları'na bağlandı. Ayrıca, kıyılarımızdaki irili, ufaklı sayıları 35'i bulan tersanelerde tekne onarılıyor, tadil, hatta inşa ediliyor.

Kırım Savaşı sırasında (1854-1856) müttefikimiz olan İngilizler, Sarayburnu'nda, I. Mahmud'un yanan yazlık sarayı olan Yalı Köşkü'nün yerine gemileri için bir tamir fabrikası kurmuşlar, başına da gemi inşa mühendisi Vilimus'u getirmişlerdi. Savaş sona erince İngilizler bu fabrikayı bize bırakıp gittiler. Dönemine göre çok ileri bir teknikteki bu fabrikada *Merih* ile *Zühaf* adlı korvetlerin makineleri takıldıktan başka, *Merih* ile *Utarit* adlı korvetlerin de makinaları yapılmıştı. Bu tesisler, yazık ki sonradan kaldırılmıştır.

HALİÇ TERSANESİ

Osmanlı Devleti'nde ilk tersaneler hep askerî amaçlı olarak önemli bir deniz üssü olan Gelibolu'da, sonraları da İstanbul'da, Sinop'ta, İzmit'te, Süveyş'te, Basra'da, Rusçuk'ta ve Samsun'da kurulmuş. Ama hepsinden önemlisi, bugünkü Haliç, Camialtı, Taşkızak ile Hasköy Tersaneleri'nin bulunduğu hayli geniş alanda yeralan İstanbul Tersanesi, yâni, o zamanki adıyla, Tersane-i Âmire.

O dönemin Tersane-i Âmire'sinin yer aldığı Haliç'in kuzey kıyısı boyunca, bugün dışardan içeriye doğru sırayla, Haliç Tersanesi, Kuzey Saha Deniz Komutanlığı, Camialtı Tersanesi, askerî Taşkızak ve Jandarma ter-

1798'de Mahmut Raif Efendi'nin Kasımpaşa Kapısı'nda inşa ettiği ilk kuru taş havuz.

saneleri sıralanmakta. En içerde de Şirket-i Hayriye'den kalma Hasköy Tersanesi var.

Günümüzde, Haliç'teki tarihî Haliç ile Camialtı Tersaneleri büyük bir gemi inşa, onarım ve bakım merkezi. Tarihî Haliç Tersanesi'nde üç kuru havuz yeralıyor. Bunların ilk yapılanı, 3 numaralı kuru havuz olarak anılan, Kasımpaşa'ya en yakın olanı. En son yapılanı ise, Atatürk Köprüsü'nün yanıbaşındaki 1 numaralı kuru havuz. Ortada kalan kuru havuz ise, tabii ki 2 numaralı olanı. Havuzların numaralandırılması her nedense inşaat sırasına göre değil de, Azapkapı'dan Kasımpaşa'ya doğru bir sıra izleyecek şekilde yapılmış.

Haliç boyunca uzanan Tersane-i Âmire tesisleri

Bugün Kasımpaşa kıyısındaki küçük koy, daha Ortaçağ'da bile, Bizanslılar ile Cenevizliler zamanında liman olarak kullanılıyordu. Haliç Tersanesi'nin temeli, Bizans fâtihi II. Mehmed tarafından fethin ikinci yılında, 1455'in 11 Aralık günü atıldı. Yüzyıllar boyunca da Türk donanmasında yeralacak savaş gemilerinin bir çoğu hep burada inşa edildi.

Yavuz Sultan Selim 1513'te donanmanın güçlendirilmesini emrettiği zaman, Galata'nın batısında, bugünkü Kasımpaşa'nın hemen altındaki geniş vadide yeni bir tersanenin yapılmasına başlandı. II. Bayezid döneminde de tersanenin genişletilip büyütülmesine çalışıldı. Yavuz Selim'in zamanında da Gelibolu'daki tersane küçültülüp bir kısmı kaldırıldı. Malzemenin büyük bir kısmı İstanbul'a nakledildi. İlerde Galata'dan tâ Kâğıthane deresine kadar uzanan kıyı boyunca gemi inşa tezgâhlarının sıralanacağı bu dev tersanenin kurulmasına Cafer Kapudan nezaret etmekteydi.

Venedikli gezgin Baili'nin yazılarından, burada, 1513-14 kışında, içinde inşa tezgâhı yeralan ilk dört gözün sona erdirildiğini biliyoruz. Yine Venedikli gezgin Antionio Giustiniani, 1514 yılı Haziran ayında biten gözlerin sayısının 50'yi, Temmuz ayında da 100'ü bulduğunu kaydetmiştir.

Bu bilgilerden tersanenin inşasına ne büyük önem verildiği ve çalışmaların ne büyük bir hızla sürdürüldüğü anlaşılmaktadır. Kıyı boyunca yanyana sıralanan bu gözler kalın duvarlı, kiremitle örtülü hafif çatısı olan kapalı gözler halindeydi; her birinde bir ya da iki kadırga inşa edilebiliyordu.

Dünyanın en önemli denizcilik merkezi

Her göz için 50.000 akçe tahsis edilmiş ve 150 gemi yapılması emredilmişti. İmparatorluğun dört bir köşesindeki tersaneler de idare bakımından hep buraya bağlıydı. Çalışmalar 1515 yılında sona erdirildiyse de tersaneye zaman içinde hep yeni yeni ilâveler yapıldı. Öyle ki, Haliç'teki inşa tezgâhları, zamanla donanım ve malzeme depoları, havuzları, kışlaları, yelken dikim yerleri, hatta zindanlarıyla, kısacası her şeyiyle dünyanın sayılı büyük denizcilik merkezlerinden biri olacaktı. Tersane-i Âmire, Osmanlı devletinde, Batı tekniği ve modern bilimin ilk kez uygulandığı bir endüstri merkezi olarak her dönemde büyük önem taşıyacaktı.

1539 yılında çıkan bir yangında gözlerin bir kısmı büyük ölçüde zarar gördüyse de yerlerine hemen yenileri yapıldı; 1500'lü yılların sonlarına doğru, bu gözlerin sayısı 130-140'ı buldu. Bunların bazısının içinde kereste gibi yapı malzemesi depolanmıştı, daha sonraları, bazılarında da savaşlarda başarı gösteren ünlü kadırgalar muhafaza altına alındı.

Donanmanın giderek güçlenmesi karşısında Batı'daki denizci devletler, Haliç'teki tersanelerde aralıksız olarak sürdürülen faaliyeti izleyebilmek için ajan olarak Galata ve Pera'daki Venedikliler'den yararlandılar. Bunlar, tersanelerdeki her tür gelişmeyi, İtalya'daki ilgililere, sadık birer casus olarak, düzenli olarak bildirmekteydiler.

Haliç'in iç kesimindeki sığ sulara kadar uzanan bu büyük tersanenin çevresi, 1557'de Kaptan Paşa Sokollu Mehmet Paşa'nın (1505-1579) emri

Kimin yaptığı bilinmeyen eski bir resimde, Tersâne-i Âmire'nin bugünkü Aynalıkavak Kasrı (solda) ile Camialtı Tersanesi'nin (sağda) yeraldığı geniş alanın uzaktan genel görünüşü.

üzerine, altı yerinde kapı bulunan yüksek bir duvarla çevrildi. Tersanede çalışan işçilerin evleri ve birçok küçük işletme, Tersane'nin gerisindeki bölgede yeralıyordu. Tersaneyi kara tarafından çepeçevre kuşatan duvarın Galata'ya açılan kapısına Azaplar Kapısı (bugünkü Azapkapı), Kasımpaşa deresine açılan kapısına Kasımpaşa Kapısı, kara tarafına açılan kapılarına Nakkaşhane Kapısı, Zindan Kapısı, Şahkulu Kapısı, Hasköy'e açılan kapısına da Hasköy Kapısı adı verilmişti.

Ünü bütün dünyaya yayılan tersane zindanları

Bu bölgeyi, Galata'dan, ünü bütün dünyaya yayılmış olan ve "Bagno" denen hapishane ayırmaktaydı. Burada tutulan mahkûmlar, donanmadaki kadırgalarda kürekçi olarak kullanılıyordu. Yine burada daha önceden Mimar Sinan (1492?-1588?) tarafından inşa edilmiş büyük bir zift ambarı vardı. 1614'te Kaptan Paşa için bütün tersane yapılarına hâkim bir yerde bir büyük saray, 1707'de de Vezir Çorlulu Ali Paşa tarafından bir cami ilâve edildi.

Bizde inşa edilen ilk kalyon olan *Uzunçarşi*'nın omurgası 1648 yılında bugünkü Haliç Tersanesi'nde kızağa kondu. Gemiye bu adın verilmesinin nedeni, Uzunçarşı esnafının bağışladığı paralarla yapılmış olmasıydı. Evliya Çelebi'ye göre Tersane, başlıbaşına bir şehirden farksızdı. 1700'lü yıllarda daha büyük gemilerin yapılma zorunluğu ortaya çıkınca tersanedeki kızaklar yetersiz kalmaya başladı. Büyütülen tezgâhlarda, 6 Ekim 1718'de ilk kez üç ambarlı (güverteli) bir savaş gemisinin inşası sona erdirilerek büyük bir törenle denize indirildi. 1722-23 yıllarında da büyük bir divanhane, yâni Bahriye Nezareti binası inşa edildi.

Gemilerin tipleri de giderek değişiyordu. *Niheng-i Bahrî* 1740'ta, *Fetih-i Bahrî* 1746'da, *Birr-i Bahrî* 1747'de, *Nusretnüma* 1749'da, *Berid-i Zafer* 1750'de yine bu tersanede yapılıp donatılarak denize indirildi. Cezayirli Gazi Hasan Paşa (Ölümü: 1790) ile III. Selim'in damadı Küçük Hüseyin Paşa (1758-1803) Tersane'ye büyük hizmetlerde bulundular. Ne var ki, zamanla tesislerin teknik bakımdan çağın gerisinde kalmaya başladığı gözden kaçmıyordu.

İlk kuru havuz bir İsveçli'nin eseri

Bugünkü Haliç Tersanesi'nde bulunan üç kuru havuzdan en eskisi, Kasımpaşa iskelesine en yakın olanıdır; Sultan III. Selim'in saltanat yıllarında, 1796-1799 tarihleri arasında yapılmıştır.

Büyük gemilerin bakım ve tamiri için bir kuru havuz inşa edilmesi kararlaştırıldığı zaman Fransa ve İsveç'ten bu tür inşaatlarda bilgili ve tecrübeli mühendisler davet edilmekle işe başlandı. Bu uzman kişiler gerekli incelemeleri yaptıktan sonra hazırladıkları raporlarını ilgililere verdiler.

Fransız mühendisler, kuru havuzun yapılacağı yeri önce tarakla kazacaklarını, bu arada kayayla karşılaşılırsa, su altında parçalayıp düzelttikten sonra, büyük bir "keson" içinde çalışarak kuru havuzu inşa edeceklerini bildirdiler.

Kesonu, su altında temel atmak için yararlanılan, havası boşaltılmış dev bir kutu olarak tarif edebiliriz. Bu sistem, daha önce Toulon'da 1774-1777 yıllarında Mühendis Groignard tarafından uygulanmıştı. 100 x 30 x 11 metre boyutlarındaki dev ahşap keson, içine taş ve su konularak batırılmış, su boşaltıldıktan sonra kuru havuz inşa edilmişti. Ne var ki, inşaat sona erdikten hemen sonra duvarlarda çatlaklar oluşmuş ve sızıntı suları binbir zorlukla, ancak su içinde sertleşen puzzolan betonu dökülerek önlenebilmişti. Roma çimentosu da denen puzzolan harcı, bir tür volkanik külün kireçle karıştırılmasıyla elde ediliyordu, özelliği ise suyla temas edince donarak sertleşmesiydi. Çimentonun bulunmasından önce bu madde su altı inşaatlarında büyük ölçüde kullanılmaktaydı.

İsveçliler'in teklifi daha cazip geliyor

İsveçli mühendisler ise deniz tarafına "palplanş", yâni birbiri içine geçme perde çakarak içerde kalan deniz suyunu boşaltacaklarını, sonra da toprak hafriyatına başlayacaklarını bildirdiler. Kazı işleri sona erince de çalışmaları kuru inşaat çukurunda sürdüreceklerdi.

Uzun süren incelemelerden sonra İsveçliler'in teklifinin daha uygun olduğuna karar verildi. Bu tercihin bir nedeni de, İsveç projesinin, Fransız projesine kıyasla 2,2 kat daha ucuz olmasıydı.

İhaleyi kazanan İsveçli mühendisler grubunun başkanı, Başmühendis Rhode, İsveç-Osmanlı Savunma Anlaşması gereğince, beraberindeki teknik heyetle birlikte 1795 yılında İstanbul'a geldi. Öğrenimini, su altında inşaat tekniğiyle ilgili çok önemli bir kitap yazmış olan Daniel Thunberg'in yanında yapmıştı. Sonraları da, İsveç'te, Carlscrona'da deniz inşaatlarında çalışarak büyük tecrübe kazanmıştı.

İsveçli mühendisler, önce havuzun yerini tesbit etmek için muayene kuyuları açmakla işe başladılar. Bu muayene kuyularını açmakla hem zemin incelemesi yapacaklar, hem de su boşaltma araçlarının yeterliliğini tecrübe etmiş olacaklardı.

Nihayet havuzun inşaatına başlanıyor

Bu arada Başmühendis Rhode, 18 x 18 metre boyutlarında ve 10,5 metre derinliğinde açtığı muayene kuyusundaki suyun nasıl boşaltılacağını göstererek ilgililerin takdir ve güvenini kazandı. Bununla da kalmadı, kuru havuzun tahtadan bir de maketini yaptırarak ilgililere gösterdi. Sonra Türkler'den de teknik elemanlar alarak 1796'da inşaat çalışmalarına başladı.

Önce, projedeki gibi kuru havuz yapılacak yerin önü tarakla bir güzel temizlendi. Deniz suyunun inşaat çukuruna doluşmasını engellemek için, kıyıya önceden belirttiği gibi birbirine geçme palplanş çekildi. İnşaat sahası 75 x 37,5 boyutlarında ve 10.5 metre derinliğinde kazıldı, inşaat çu-

Pertusier'nin 1817'de yaptığı gravürde Tersane ile "darağacı maçunası" denen büyük vinç.

kuru ahşap desteklerle tutuldu ve sızan sular sürekli boşaltılarak işçilerin hep kuru bir zeminde çalışması sağlandı.

Çalışmalar sırasında yakındaki taş ambarların altının boşalması sonucu meydana gelen oturma nedeniyle duvarlarda çatlaklar görüldü, bu arada bazı yerlerde hasar meydana geldiyse de tehlikeli durum hemen önlendi. İnşaat çukurunun bir bölümünde, eski bir binanın altındaki gevşek dolgudan sızmaya başlayan suyun giderek artması karşısında bina hemen yıktırıldı ve gevşek toprak kil dolgu maddesiyle dolduruldu.

Taşlar tek tek işlenip yontuluyor

Bu havuzun yapımında taş olarak, İstanbul'da liman inşaatlarında çok kullanılagelen devonien mavi kalkerleri tercih edildi. Havuzun taş blokları birbirine kenetlenecek geçecek şekilde kesilip işlendi. Harç olarak, İtalya'dan getirtilen su altı inşaatlarında dayanıklı puzzolan harcı kullanıldı. Havuz tabanı, 75 sm. kalınlığında taşlarla kaplandı. Yan duvarlarda, havuzun içine doğru inen basamaklar vardı.

1796 yılında başlayan kuru havuz çalışmaları üç yıl sürdü ve 1799'da tamamlandı. Başmühendis Rhode başta olmak üzere öteki İsveçli ve

Türk mühendisler cömertçe ödüllendirildi. Bu havuzun inşaatında çalışan ve tecrübe edinen bazı ustalar, daha sonraki yıllarda inşa edilen 2 numaralı kuru havuzda da çalıştılar. Başmühendis Rhode ise İsveç'e dönmedi, 1811'de İstanbul'da ölünceye kadar başka hizmetlerde bulundu.

XIX. yüzyıl başlarında Fransa'nın İstanbul'da görevli sefiri General Sebastinani (1772-1851), Napoléon Bonaparte'a yolladığı bir raporunda Tersane-i Âmire'den ve Donanma'dan şöyle sözediyordu:

"Osmanlılar'ın deniz kuvveti 27 üç ambarlı harp gemisi ve 20 kadar firkateynden meydana gelmektedir. Bu filo Avrupa'daki mevcut filoların en güzelidir. Bu filoyu Brun ile Benoit adlı iki Fransız mühendisi inşa etmiştir."

Gerçekten de o devirde Haliç'teki tersanelerde şu savaş gemileri inşa edilmişti: *Mesudiye* (118 toplu), *Selimiye* (62 toplu), *Tavus-u Bahrî* (82 toplu), *Aslan-ı Bahrî* (76 toplu), *Âsar-ı Nusret* (76 toplu), *Bahr-i Zafer* (72 toplu), *Mesken-i Zafer* (50 toplu), *Hüma-yı Zafer* (50 toplu), *Zafer-i Küş* (26 toplu), *Cengâver* (26 toplu), *Şüca-i Bahrî* (26 toplu), *Saika-i Bahar* (26 toplu), *Ateşfeşan* (26 toplu), *Selâbetnüma* (26 toplu). Bu yelkenli savaş gemilerinden *Âsar-ı Nusret* ile *Bahr-i Zafer* adlı kalyonları İsmail Kalfa, *Hüma-i Zafer* adlı fırkateyni Dimitri Kalfa inşa etmişti; bütün öteki tekneleri inşa eden ise Brun adlı Fransız mühendisti.

III. Selim zamanında giderek genişleyip yapılan tersane arazisine yer açmak amacıyla, tersane bahçesinde yeralan Aynalıkavak Sarayı'nın yıktırılmasına gerek görüldü; arazisi Tersane'ye verildi. 1805'te de Taşkızak ve Ağaçkızak tesisleri kuruldu.

Havuzun onarılması gerekince...

Bu kuru havuzun daha sonraki yıllarda onarılması gerekti. Havuzun suyu boşaltıldığı zaman duvarlarda su kaçakları olduğu görülürse, alınacak önlem, hasarlı duvarın dibinde muayene kuyusu açmak ve kaçağın olduğu yere tonlarca puzzolan harcı ve taş doldurmaktan ibaretti. Onarım için bu yöntemden yararlanıldı.

İnşaatın sona ermesinden 15 yıl sonra 1814'te, -ki o tarihte Başmühendis Rhode öleli üç yıl olmuştu- havuzun denize bitişik köşesinde, deniz yüzeyinden 0,75-1,5 metre aşağıda duvar taşlarının havuz içine doğru meylettiği görüldü. Hemen bir çukur kazılıp ahşap kazıklarla beslendikten sonra içine yine puzzolan harcı ile moloz doldurularak havuzun onarımı yapıldı.

Gemi boylarının giderek büyümesi karşısında daha büyük havuzlara ihtiyaç olacağı anlaşılıyordu. Nitekim, 1865 yılında *Osman Gazi* zırhlısının havuza alınması, ancak kuru havuzun kara tarafındaki baş duvarı kaldırılıp içeriye doğru kazılması, deniz tarafında da kapak yerine geçici olarak palplanş perde kullanılarak nisbeten büyütülmesiyle mümkün olabilmişti.

Daha sonraları 1 numaralı kuru havuzun inşaatını yapan Vasil Kalfa, 1874-76 yılları arasında bu 3 numaralı havuzun da boyunu karaya doğru uzatmayı başaracaktır.

Sultan Mahmud döneminde ikinci bir kuru havuz

II. Mahmud döneminde ikinci bir kuru havuza daha ihtiyaç görülünce, bunun birincinin yanıbaşında, Kasımpaşa deresi ile Azapkapı arasında yapılması uygun görüldü. Bu ikinci kuru havuzun inşasına 1821 yılında bir önceki kuru havuz örnek alınarak Başmühendis Ali Bey ile, Manol Kalfa'nın gözetiminde başlandı. Manol Kalfa, bir önceki 3 numaralı kuru havuzun inşaatında da çalışmış, tecrübe sahibi olmuş bir kişiydi.

Ertesi yıl Ali Bey'in değiştirilmesi sözkonusu olunca, inşaata Mühendishane üçüncü halifesi Abdülhalim Efendi Başmühendis olarak atandı. Kuru havuzun ölçekli bir maketini bizzat Abdülhalim Efendi hazırlayıp, ilgili makama sundu.

Bu yeni kuru havuzun inşasına, bir öncekinde olduğu gibi, yine deniz tarafına palplanş perde çakılmasıyla başlandı. Sonra sıra içindeki suyun boşaltılmasına geldi. Bu sayede çalışmaların kuru bir ortamda yapılması sağlandı.

Ne var ki, çalışmalar sırasında bir kaza meydana geldi. Başlangıçta, deniz tarafında 3,75 metre kalınlığında, çift sıra ahşap palplanşlarla oluşturulan batardo, yâni geçici bir bent kullanılması kararlaştırılmışsa da, sonradan maliyeti düşürmek amacıyla tek sıra palplanş perde yapılması yeterli görülmüştü. Palplanş perdenin suyu geçirmemesi için de arkasına dolgu maddesi olarak kil yığılmıştı. Ama yağan şiddetli bir yağmur, palplanş perdenin deniz suyunun basıncına dayanma gücünü azaltınca, 11 metreyi aşan derinlikte perdenin bazı yerleri kırıldı. İnşaatın sürdürülebilmesi için hasar gören yerlere acele takviye yapıldı da, tehlike çabuk giderilmiş oldu.

Bu kuru havuz 1825'te tamamlanıp hizmete sokuldu. Bu arada, 1818'de yeni bir Divanhâne binası inşa edildi. Ayrıca bir tür yüzer vinç olan maçu-

Tersanede büyük kalyonların inşası için yapılmış kapalı tezgâh.

naların yapımına da önem verildi; böylece gemilerin bakım ve inşaları nisbeten kolaylanmış oldu. Ama, çok geçmeden iki kuru havuza rağmen, bunların yetersiz kalacağı belli oldu. Yeni makineli gemiler, boyları da giderek uzadığı için mevcut havuzlara sığamıyorlardı. Onarım için sıra bekleyen gemilerin çoğu da bu süre içinde çürümekten kurtulamıyorlardı.

1828'de Eyüp'te İplikhane-i Âmire (halat ve ip fabrikası) kuruldu. Bir yandan Tersane'nin büyütülmesi, öte yandan da yan sanayiin geliştirilmesi için çalışılıyordu.

Bir İngiliz denizcisinin gözüyle Haliç'teki tersaneler

Sultan II. Mahmud zamanında Haliç'teki tersaneleri gezip gören İngiliz denizcisi Adolphus Slade'in yazdıkları da bu tersanenin büyüklük ve önemini vurgulaması bakımından ilgi çekicidir.

İngilizler'in Doğu Akdeniz filosunda görev yapmakta olan genç deniz subayı Adolphus Slade* 1819 yılının Mayıs ayında İstanbul'a geldiği zaman, mihmandarı tarafından gezip görmesi için Haliç'e götürülmüştü. Slade, sonradan yazdığı *Türkiye Seyahatnamesi* adlı eserinde gördüklerini şu satırlarla ifade etmişti:

(*) *Seyr-i Sefain, Öncesi ve Sonrası,* Sayfa: 19 (İletişim Yayınları, 1997)

"Haliç limanı dünyadaki limanların en güzeli, en iyisidir. Suyu içinden geçen akıntı nedeniyle daima temiz ve berraktır ve her kertede esen rüzgarlara karşı korunmaktadır. Buradaki büyük tersaneyi de ziyaret ettim ve dünyanın en büyük gemisini tersane rıhtımına yanaşmış olarak görmek mutluluğuna ve zevkine erişmiş oldum. Biraz ötedeki kızak üzerinde, yapımı hemen hemen tamamlanmış çok güzel ve zarif, 60 toplu bir firkateyn duruyordu. Bu iki geminin de mühendis ve mimarları Osmanlı ustalarıydı ki, daha sonra öğrendiğime göre bu ustalar Sultan III. Selim Han zamanında Osmanlılar'ın hizmetinde bulunan Fransız mühendis M. Le Brun'ün yetiştirdiği ehil kişilermiş. Bu kudretli Osmanlı gemi inşa mühendisleri, Bombay'daki ünlü mühendisimiz Bonam Impatje gibi matematik ve geometri bilimlerinden habersiz, göz kararıyla iş yapıyorlarmış."

Adolphus Slade, biz Türkler'den gördüğü yakın ilgi üzerine 1849 yılında Donanma-yı Hümayun'un hizmetine girmiş, yıllarca hizmet etmişti. Kırım Savaşı sırasında Osmanlı Donanması ile Müttefik Donanması arasındaki bağlantıyı kurmakta başarı kazanan, Osmanlı donanmasının modernleştirilmesi alanında hizmet veren bu kişi, Tuğamiralliğe kadar terfi etmiş, son yıllarında hep "Müşavir Paşa" diye anılmıştır. Kırım Savaşı'ndan sonra İstanbul Liman Müdürlüğü'ne getirilen Adolphus Slade, 1864 yılında emekli oluncaya kadar Türk denizciliğine büyük hizmetlerde bulunmuştur.

Üçüncü bir kuru havuza daha ihtiyaç var

Sultan Abdülmecid zamanında üçüncü ve ötekilerden daha büyük bir kuru havuzun inşa hazırlıklarına girişildi. Bugün 1 numaralı kuru havuz olarak adlandırılan bu havuza ilk kazma 1857 yılında vuruldu. Yeri ikinci havuzla Azapkapı arasında kalan sahadaydı; buradaki odun depoları istimlâk edilerek kuru havuz için yer açılmıştı.

Çalışmaları yürütecek olan Vasil Kalfa, tersanedeki inşaatlarda büyük hizmeti geçmiş olan babasıyla birlikte yıllar önce 2 numaralı kuru havuzun inşaatında da çalışmıştı; bu işlerde bilgi ve tecrübe sahibiydi. Ne var ki inşaat, 1861-1869 yılları arasında çalışmalar durduğu için 13 yıl sürdü ve havuzun tamamlanması ancak 1870 yılında Sultan Abdülaziz zamanında mümkün olabildi. Bu başarısından ötürü Vasil Kalfa ile emeği geçenler Saray tarafında ödüllendirildi.

Daha sonraki yıllarda tersanede o zamana göre büyük savaş gemileri-

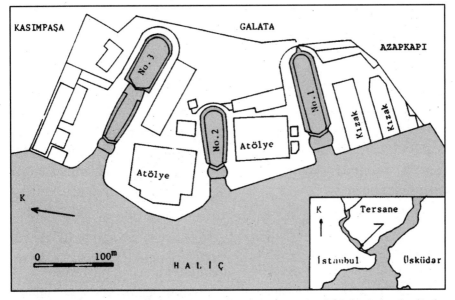

Bugünkü Haliç Tersanesi, Unkapanı Köprüsü ile Kasımpaşa arasındaki alanda yeralmaktadır.

nin inşa edilebilmesi mümkün oldu. Tersane, yakın zamanlara kadar hep askerî amaçla kullanıldı. İlk yerli imalat dökümhaneyi yapmayı başaran Dökmecibaşı Ali Bey ile kardeşi, Rusçuk'ta, Tuna'da çalıştırılan vapurların tamirhanesini kuran Ferik Hüsnü Paşa, hep Haliç Tersanesi'nden yetiştiler. Ayrıca uzun zaman Konya valiliği yapan Şemsi Paşa, ülkemizde ilk lokomotifi yapmayı başaran Hüsnü Paşa hep Haliç Tersanesi'nden yetişmiş değerlerdir. Gençliğinde Edinburg'a giderek matematik konusunda uzmanlaşan geleceğin Hüsnü Paşa'sı, dönüşünde Bahriye Mektebi'nin ilk ders programlarını da yapan kişi olmuştur.

Tersane, bir okuldan farksızdı

O zamana kadar makineler hep model çıkartma yöntemiyle yapılmaktaydı. Seanks adlı İngiliz makine mühendisi Türk öğrencilere dizayn ile çizim öğretmişti ki, Tersane'de yetişen öğrencilerden Hasköylü Eşref Bey ile Hoca Sami Bey, *Hüner-i Perver* adlı zırhlının makinelerini yaparak bizde ilk yerli gemi makinesini imal eden kişiler oldular.

Sultan Aziz döneminde Divanhane yıktırılıp, yerine Mimarbaşı Serkis Balyan'a yeni bir Divanhane binası inşa ettirildi ki, bugün Kuzey Deniz Saha Komutanlığı olarak kullanılan bina, bu binadır.

Böylece, bugünkü Haliç Tersanesi'nin faaliyet sahası meydana çıkmış oluyordu. Bu arada, 1875 yılında en eski havuz, ihtiyaca yeterli olmadığı görülerek genişletildi; uzunluğu 153, genişliği 16, derinliği de 9,5 metreye çıkartıldı. Başlangıçta, havuzlardaki suların boşaltılması mandalar tarafından döndürülen dolaplarla sağlanıyordu. Gözleri bağlanan mandalar ağır ağır yürüyerek çarkı çeviriyor, çark da pompayı çalıştırarak suyu tahliye ediyordu. Gençken Azapkapı kapısından tersaneye alınan bu mandaların bir kenarda da ahırları vardı. Yıllarca çalışarak hayli yıpranan bu mandalar sonunda törenle emekliye sevkediliyor, hayatlarının sonuna kadar Okmeydanı'nda başıboş otlamak üzere Hasköy kapısından serbest bırakılıyorlardı. Ferit Halit Paşa, bu sistemi ıslah ettirdi. O günlere göre modern sayılacak buhar makinelerini devreye sokarak suların daha hızlı bir şekilde boşaltılmasını sağladı.

Feth-i Bülend, Muin-i Zafer ve *Avnullah* korvetlerinin onarımı için İtalya'daki Ansaldo fabrikasına Haliç Tersanesi içinde yer gösterilmesi, İdare'nin başına çok geçmeden birtakım sorunların açılmasına neden oldu. Sanki bir imtiyaz elde etmiş gibi Haliç'e yerleşmek gayreti içine giren bu İtalyan kuruluşuna söz dinletmek hiç de kolay olmadı. Şirketin geri gönderilmesi, ancak Meşrutiyet'in ilânından sonra mümkün olabildi.

Yukarıda sözü edilen bu üç havuzdan başka, II. Abdülhamid'in Bahriye Nazırı Bozcaadalı Hasan Hüsnü Paşa'nın (1832-1903) girişimiyle Avrupa'dan bir de yüzer havuz satın alındı. Parçalar halinde yurda getirilen bu havuz tersanede monte edildi. Böylece tersanede 150 tona kadar küçük gemilerin tamirini yapmak mümkün oldu.

1908'den sonra giderek önemini kaybetmeye başlayan Tersane-i Âmire tesisleri 1910'da İdare-i Mahsusa'ya devredildi. 1913'te Doklar, Tersaneler ve İnşaat-ı Bahriye Şirket-i Osmaniyesi adlı bir şirket kurularak Tersane-i Âmire'nin bir bölümü ile havuzlar bu çatının altında toplandı. Cumhuriyet'in ilânından hemen sonra 1924'te de Tersane Gazi'nin emriyle Türkiye Seyr-i Sefain İdaresi'ne bağlandı.

Modern bir tersaneye doğru

1 Temmuz 1933 günü kurulan Fabrika ve Havuzlar Müdürlüğü bünyesinde yer alan tersanenin elden geldiğince yenilenip modernleştirilmesine çalışıldı. Kuru havuzlar onarıldı, mekanik âletler yenilendi, eskilere yeniler ilâve edildi.

1903 yapımı Neveser *ile 1914 yapımı* Kınalıada Haliç Tersanesi'nde *yeni yapılmakta olan Kadıköy-Haydarpaşa yüzer iskelesine bağlanmışlar. İki vapurun bacasında da AKAY'ın forsu var. O günlerde Unkapanı Köprüsü bir lodos fırtınasında dağılıp gittiği için, yenisi yapılıncaya kadar eski köprünün yeri boş kalmış. Bir süre sonra yüzer iskele römorkörlerle çekilerek Galata Köprüsü'nün dış kısmına, dik gelecek şekilde bağlanacak.* (Fotoğraf: Selâhattin Giz)

Bu yıllar içinde Van Gölü İşletmesi için 200 beygir gücünde iki adet yolcu ve yük gemisi, PTT için posta motorları, Kılavuzluk İdaresi için servis motorları, AKAY için 74 m. boyunda, 18 m. genişliğinde, 7 adet duba üzerinde kurulu büyük bir yolcu iskelesi yapıldı; bu iskele Galata Köprüsü'ne diklemesine bağlanarak Kadıköy ve Haydarpaşa vapurlarının iskelesi olarak kullanılmaya başlandı.*

1952'den itibaren Denizcilik Bankası'na geçen Haliç Tersanesi'nde üç adet kuru havuzun dışında, 70 ve 80 m. boyunda, saç teknelerin inşa edilebileceği gemi inşa kızakları kuruldu. Ayrıca, saç ve köşebent, makine, marangozhane, elektrik atölyesi ve diğer yardımcı atölyeler ve bir dökümhane yapıldı.

Bu arada 11 adet 25 ton kaldırma gücünde, ray üzerinde hareket eden atölye kreynleri kuruldu. Bunlara ilâve olarak 125 ton kaldırma gücünde bir yüzer kreyn daha hizmete sokuldu. O günlerde Camialtı Tersanesi ile Hasköy Atölyesi, yönetim bakımından Haliç Tersanesi'nden ayrıl-

---

(*) Bk. Eser Tutel, *Seyr-i Sefain, Öncesi ve Sonrası*, S: 190, (İletişim Yayınları, 1997)

dı, ikisi de müstakil birer tersane olarak hizmet vermeye başladı.

Haliç Tersanesi, bir iktisadî devlet teşekkülü olan Türk Gemi Sanayii A.Ş.'ye bağlıdır. Kasımpaşa deresi ile Atatürk Köprüsü arasında kalan 69.810 m. karelik bir alana yayılmış durumdadır. Rıhtımı 475 m. uzunluğundadır. Tarihî değeri olan üç kuru havuzu ile iki inşa kızağı vardır. 5800 dwt'luk gemileri inşa edebilecek kapasitededir.

Haliç Tersanesi'nde son dönemde başlıca şu gemiler inşa edilmiştir:

* Yolcu gemileri: *Avşa* (1975), *Beydağı* (1994 yılı Kasım ayında donanımı sona erdi, *Mavi Marmara* adını aldı), *Çıldır* (sonra *Karadeniz* adını aldı). *İstanbul* feribotunun da yalnız donatımı yapıldı (1970).

" Yolcu vapurları: *Şehit Adem Yavuz* (1976), *Şehit Karaoğlanoğlu* (1977), *Şehit Sami Akbulut* (1977), *Şehit Caner Gönyeli* (1977), *Şehit Necati Gürkaya* (1977), *Şehit İlker Karter* (1980), *Hamdi Karahasan* (1980), *Şehit Mustafa Aydoğdu* (1981), *Sarayburnu* (1985), *Moda* (1985), *Karşıyaka* (1985), *Şehit Metin Sülüş* (1986), *Beşiktaş I* (1986), *Caddebostan* (1987), *Rumelikavağı* (1987), *Mehmet Akif Ersoy* (1988), *Anadolufeneri* (1988), *Kilyos III* (1988), *Bahçekapı* (1988), *Fahri S. Korutürk* (1990).

* Araba vapurları: *Kartal* (1954), *Kabataş* (1956), *Hürriyet* (1960), *Orhan Erdener* (1962), *Hüseyin Hâki* (1963), *Sirkeci* (1964), *Şemsipaşa* (1965), *Kınalıada* (1971), *Cemalettin Erem* (1971), *İntepe* (1982), *Kocadere* (1982), *Fırkatepe* (1982), *Halıdere* (1987).

Haliç Tersanesi'nin günümüzde havadan görünüşü.

* Feribotlar: *Orhan Atlıman* (1971), *Tatvan* (1975), *Van* (1976). Van gölünde çalıştırılmak üzere inşa edilen bu gemiler, tekneleri tersanede yapıldıktan sonra sökülerek Tatvan'daki tersaneye gönderilmiş, sonra orada yeniden monte edilerek Van gölünde suya indirilmişlerdir.

Tersanede ayrıca 1960'lı yıllarda Deniz Kuvvetleri için 8 adet çıkarma gemisi inşa edilmiştir. 1440 grostonluk *Asfalt II* tankeri, 696 grostonluk *Aygaz* LPG tankeri, 100 ton kaldırma kapasiteli *Yaşar Doğu* ile 90 ton kaldırma kapasiteli *Barbaros II* adlı iki yüzer vinç, 5.500 dw tonluk, kuru yük gemisi *Kaş*, 1.500 beygir gücünde *RM 1501, RM 1502, RM 1503, RM 1504, RM 1505* adı verilen beş adet römorkör, 2.500 beygirlik *Söndüren 10, Söndüren 11, Söndüren 12* adlı yangın söndürme tertibatlı üç römorkör, 48 adet muhtelif motorbot (Pilot, Sağlık, Kontrol vs.), *Sütlüce, Halıcıoğlu, Kâğıthane, Defterdar, Asmalı, Ayvansaray, Arnavutköy, Aynalıkavak, Büyükçekmece, Göksu II, Kumla, Küçükçekmece, Küçüksu, Selimpaşa* adlarında Haliç tipi 14 motorbot hep Haliç Tersanesi'nde inşa edilip donatılmıştır. Özellikle son 20 yıl içinde tezgâhları hiçbir zaman boş kalmamıştır.

Tersane'deki havuzların boyutları aşağıda görüldüğü gibidir:

	Boyu (m.)	*Genişliği (m.)*	*Derinliği (m.)*
1. Kuru havuz	118,75	20,0	13,5
2. Kuru havuz	83,85	16,0	10,5
3. Kuru havuz	153,40	16,3	9,56

Yeni inşa tezgâhlarının boyutları ise şöyledir:

	Boyu (m.)	*Genişliği (m.)*
1. Kızak	56,0	18,0
2. Kızak	90,0	22,0

Çelik işleme kapasitesi yılda 3.169 ton, gemi inşa kapasitesi yılda 11.100 dw ton, inşa edebileceği en büyük gemi 5.800 dw ton, havuzlayabileceği en fazla tonaj da 8.000 dw tondur. Yılda 80-100 gemi havuzlayıp onarım yapabilecek güçtedir. 1.200 personeli vardır.

1984'te Ulaştırma Bakanlığı'nın Türkiye Gemi Sanayisi A.Ş.'ye bağlanan tersanenin 1994 Nisan ayında Camialtı ve İzmir'deki Alaybey Tersaneleriyle birlikte satılacağı duyurulmuştur. Bu üç tersaneyi satın almaya Dok - Gemi İş Sendikası talip olmuştur. Çeşitli nedenlerden ötürü yalnız

Haliç Tersanesi'nin 1993 yılında 130 milyar lira zararda olduğu belirtilmiştir. Ne var ki, bugüne kadar bu tersaneler satılamamıştır. Tersanede son olarak Ferrostaal adlı Alman firması için 6570 dwt.'luk bir dökme yük gemisinin inşası devam etmektedir.

CAMİALTI TERSANESİ

Haliç'teki bir başka büyük tersane de Camialtı Tersanesi'dir. Fethin ikinci yılında, 1455'te Fatih Sultan Mehmet tarafından kurulmuştur. Kasımpaşa deresi ile askerî Taşkızak Tersanesi arasında yeralmaktadır. Aslında, eski Tersane'nin bir bölümüdür.

Camialtı Tersanesi'nin başlangıçta birkaç göz kızağı, bir divanhanesi, bir de mescidi vardı. II. Bayezid tarafından 1484'te genişletildi. Kemal, Burak ve Pirî Reis'lerin inşa ettirdikleri donanmanın büyük bir bölümü burada yapılmıştı. Yavuz Sultan Selim bu tersaneyi daha da büyüttü; bu arada üstü kapalı gemi inşa ve onarım kızakları yaptırttı. Kanunî Süleyman döneminde kapalı kızakların sayısı 200'e çıkartıldı, ambarlar ve mahzenler inşa edildi.

I. Sultan Mahmud'un döneminde kuru taş havuzun ve eski havuzların inşasına başlandı. III. Selim zamanında, 1790'da darağacı maçunası, II. Mahmud zamanında, 1830'da haddehane ve dökümhane, 1831'de demirhane, 1837'de Valide Kızağı ile taş kızak, Abdülmecid'li yıllarda, 1848'de "küçük çekiç" fabrikaları kuruldu. II. Abdülhamid'in zamanında da, 1885'te ve ertesi yıl kazanhane, çelik fırını ve modelhane yapılarak tersanenin artan ihtiyaçlara cevap verecek hale getirilmesine çalışıldı.

Tersane'nin yanıbaşında, 1842'de, Foster Rhodes'in planları uygulanarak askerî Taşkızak Tersanesi kurulmuştu.

Sadi Bey'in taş kızağı

Seyr-i Sefain İdaresi, gemilerin onarımı ve bakımları için Fener'de Sadi Bey kızağından ve atölyelerinden yararlanıyordu. Cumhuriyet'in ilânından sonra, 1925 ve 26 yıllarında, o zamana kadar Deniz Kuvvetleri Kumandanlığı'na ait olan bugünkü Camialtı Tersanesi'nin bulunduğu yerin bir kısmına taşınan İdare'nin fabrikası, 1932 yılına kadar burada kalarak çalışmalarını sürdürdü. Daha sonra da bugünkü Haliç Tersanesi'ne taşındı.

1939 yılında burada, Devlet Limanları İşletmesi Umum Müdürlüğü'nün

Tersane'deki taş havuza alınmış bir yandan çarklı yolcu vapuru   *(Yıldız Albümü'nden)*

Liman İşletmesi'ne bağlı bir Liman Atölyesi kuruldu. 1944'e kadar, mavna, duba ve Liman İşletmesi'ne ait deniz araçlarının tamir yeri olarak kullanılan bu atölye, bu tarihte Devlet Denizyolları İşletmesi'ne devredildi ve Yeni Atölye adı altında Fabrika ve Havuzlar Müdürlüğü'ne bağlı olarak çalıştırılmaya başlandı. Denizcilik Bankası kuruluncaya kadar burası zaman zaman onarıldı ve küçük çapta yeni inşaatlarla takviye edildi.

1952'de Denizcilik Bankası'nın kuruluşundan sonra 1953 yılının Ocak ayında bağımsız bir ünite haline getirilerek Camialtı Tersanesi adını aldı. Her türden, makineli, makinesiz deniz araçlarının onarımı, bakımı ve gerekli techizatını yapabilecek derecede modernleştirilen bu tersanede yeni gemilerin de yapılması tasarlanıyordu.

Birinci Beş Yıllık Plân'da, Camialtı Tersanesi'nin büyütülmesine ve iş hacminin arttırılmasına da yer verildi. İlk olarak 15.000 tonluk kuru yük gemilerinin yapılması için harekete geçildi. Birinci ve İkinci Beş Yıllık Plân'ın hedeflerine ulaşılabilmesi için, tersaneye 65 milyon lira sarfedilerek alt yapı, kızak ve rıhtımlar yapıldı. Makine, Elektrik, Marangoz, İnşa ve Dökümhane atölyeleri elden geldiğince modernleştirildi; araç ve gereçler yenilendi. 1981'de sac raspalama ve boyama birimleri eklendi. 1984'te Ulaştırma Bakanlığı'yla ilgili bir kuruluş olan Türkiye Gemi Sanayii A.Ş.'ye bağlandı.

72.000 metrekarelik bir iş sahası ve 400 metre rıhtımı olan tersanede 20.000 tona kadar tanker ve cevher gemisi, ya da yaklaşık 18.000 dw. tona kadar yük gemisi ile 155 metre boya kadar her türden özel tipte gemiler yapılabiliyor. 900 personeli vardır. Yıllık çelik işleme kapasitesi 5.934 ton, gemi inşa kapasitesi 20.800 dw. tondur. Yeni inşa kızaklarının boyutları ise şöyledir:

	Boyu (m.)	Genişliği (m.)
1. Kızak	91,7	16,5
2. Kızak	140,0	24,0

Tersane'de inşa edilmiş değişik tipteki başlıca gemileri yapılış tarihleriyle şöyle sıralayabiliriz:

* Yolcu vapurları: *Camialtı I* (1961), *Camialtı II* (1961), *Sedefadası* (1973), *İnciburnu* (1973), *Bostancı* (1974).

* Feribotlar: *2 Nisan* (1953), *İstanbul* (1970), *Bandırma* (1976), *Tekirdağ* (1977), *Bozcaada* (1984), *İskenderun* (1991).

* Araba vapurları: *Karamürsel* (1956), *Harem* (1965), *Salacak* (1966), *Eminönü* (1967), *Topkapı* (1971), *Eyüp* (1971), *Selâmiçeşme* (1988), *Sultantepe* (1989), *Zeytinburnu* (1989), *Esenköy* (1989), *Gayrettepe* (1990), *Mecidiyeköy* (1990), *Okmeydanı* (1990).

* Kuru yük gemileri: *Abidin Daver* (1960), *Amiral Ş. Okan* (1970), *Niğbolu* (1973), *Çaldıran* (1973), *Mohaç* (1973), *Preveze* (1973), *Antalya* (1974), *Ağrı* (1974), *Artvin* (1975), *Antakya* (1975), *Kaş* (1984), *Kayseri* (1985), *Kemah* (1985), *Çeşme I* (1986), *Çine* (1986), *Söke* (1986), *Söğüt I* (1987), *Kilitbahir* (1987).

* Dökme yük gemileri: *Bitlis* (1981), *Burdur* (1982), *Bolu* (1983).

Ayrıca 15.000 ton kaldırma gücü olan yüzer havuz (1962) ve Deniz Kuvvetleri için *Ulubat* adlı su gemisi ile 1.200 dwt'luk *Yakıt I* ve *Yakıt II* tankerinden başka römorkörler ve hizmet tekneleri de yapılmıştır. Şu sıralarda, *Aşkabat* ile eşi *Taşkent* adlı iki konteyner gemisinin inşa ve donatım çalışmaları sürdürülmektedir.

1984'te Ulaştırma Bakanlığı'nın bir kuruluşu olan Gemi Sanayisi A.Ş.'ye bağlanan tersanenin 1994 Nisan'ında satışa çıkartılacağı duyulmuştur. Dok - Gemi İş Sendikası'nın talip olduğu tersanenin 1993'teki zararının 63 milyar lira olduğu belirtilmiştir. Ne var ki, Tersane'nin satışı gerçekleşmemiştir. Kızaklarında halen Ferrostaal adlı Alman firması için yapılmakta olan her biri 6.750 dwt'luk iki kuru yük gemisinin inşaat çalışmaları sürdürülmektedir. Altı adet ısmarlanan bu gemilerin inşaasına Haliç ve Camialtı Tersaneleri'nde devam edilecektir.

HASKÖY TERSANESİ

Şirket-i Hayriye çalıştırdığı vapurların bakım ve onarımlarını yapmak için, 1861 yılında Hasköy ile Halıcıoğlu arasında bir atölye kurmuştu. Başlangıçta birkaç binadan oluşan bu atölye, kısa bir süre içinde eldeki imkânlar nisbetinde genişletilmişti.

1884'te 45 metre boyunca ağaç bir kızak yapılmış, çekme gücü olarak da istimle çalışan bir ırgat yerleştirilmişti. 1910 yılında yeni bir kızak daha ilâve edilmiş, istimli ırgat elektrikle çalışır duruma getirilmiş, torna tezgâhları, inşaiye atölyesi ve marangozhane kurulmuştu.

Yıllar boyunca bir Alman teknik müdürün yönetimi altında çalıştırılmış olan bu tersanede, ki o zamanlar "fabrika" deniyordu, küçük hizmet tekneleri yapıldıktan başka, Necmettin Kocataş'ın yönetimi yıllarında, 1938'de, iki de birbirinin eşi, küçük birer Boğaz yolcu vapuru yapılmıştı:

1890'lı yıllarda Şirket-i Hayriye'nin Hasköy fabrikasındaki inşa ve tamir kızakları.

75 baca numaralı olanına *Kocataş,* 76 baca numaralı olanına da *Sarıyer* adı verilmişti. Bu iki vapurda, Hıdiv Abbas Hilmi Paşa'nın *Nimetullah* adlı yatından çıkartılan iki buhar makinesi kullanılmıştı. Bu iki geminin her biri 56.369 liraya malolmuştu. Eğer yurt dışında yapılmış olsalardı, her biri 105.000 liraya malolacaktı.

Şirket-i Hayriye'nin 1945 yılında devlet tarafından satın alınması üzerine, Hasköy Tersanesi de (Adı atölye ya da fabrika olarak da geçer) Devlet Denizyolları ve Limanları Umum Müdürlüğü'ne devredildi. 1952 Mart'ında Denizcilik Bankası'na devredilen tersane, önceleri Haliç Tersanesi'ne bağlı olarak bir Başmühendislik olarak çalıştıysa da 1954'ten itibaren Gemi İnşa ve Tamir İşletme Müdürlüğü adını alarak bağımsız bir ünite olarak çalışmalarını sürdürdü. 1984'te Ulaştırma Bakanlığı'nın bir kuruluşu olan Türkiye Gemi Sanayisi A.Ş.'ye bağlandı.

Tersanede inşa edilen başlıca gemiler şöyle sıralanabilir:

* Feribot: *Gökçeada* (1972).

* Yolcu vapurları: *Kocataş* (1938), *Sarıyer* (1938), *Vaniköy* (1954), *Beykoz* (1955), *Hasköy* (1960).

Tersane 11.257 metrekarelik bir alanda faaliyetini sürdürmekteydi. Rıhtım uzunluğu 193 metre idi. Biri yaylı, öteki felekli, 50'şer metre boyunda iki kızağı vardı. Tersane 1997 yılında işadamı Rahmi Koç tarafından, modern bir denizcilik müzesi kurulmak üzere satın alınmıştır.

İSTİNYE TERSANESİ

İstinye'de, poyraza da, lodosa da kapalı bir koy olması bakımından, eskiden beri gemi bakım ve onarım yerleri vardı. Ahşap teknelerin, büyüklü, küçüklü yelkenlilerin birçoğu, burada kalafatlanırdı. Ancak burada bakım, onarım ağırlıklı gerçek bir tersanenin kurulması için ilk adımlar 1856'da atılmış, Zaptiye Müşiri Fuad Paşa'nın arazisi üzerinde ticaret gemileri için bir bakım, onarım ve gemi inşa tersanesi inşası için ruhsat verilmişti.

Bu tersane için ilk somut adımlar ise 1912'de atıldı. İstanbul Limanı'nın ticarî önem kazanması ve Boğaz'dan geçen gemi sayısının giderek artması ile yoğunlaşan ihtiyacı karşılamak üzere Haliç'tekilere ek olarak, yeni bir tersane kurulması gündeme geldiğinde 1909'da bu işe İtalyanlar talip oldu. Gerçekten İstinye, tersane kurulması için çok elverişli bir yerdi. 1909'da İtalyanlar'a, karşı sahildeki kalafat yerlerine zarar vermemek;

Kısaca "Rıhtım Anonim Şirketi" denen İstinye'deki (eski Stena) "Yukarı-Boğaz Doklar ve Atölyeler Osmanlı Anonim Şirketi"nin hamiline çıkartılmış bir hisse senedi (Yıl: 1911).

yabancılardan değil, Osmanlı tebaasından alınan kimselerin çalıştırılması şartıyla ruhsat verildi. Ancak gemi bakımı ve onarımı yapılabilecekti. İtalyan şirketi hemen çalışmalarına başladı, kıyı dolguları ve arkadaki yamacın oyulması gibi işleri tamamladıysa da, araya Trablusgarp Savaşı'nın girmesiyle çalışmalar yarıda kaldı.

1912'de, aynı yerde, Saint-Nazaire adlı bir Fransız şirketi, Fransızca adı Société Anonyme Ottomane des Docks et Ateliers du Haut-Bosphore (Boğaziçi, İstinye Havuz ve Destgâhları Osmanlı Anonim Şirketi) adlı bir tersane kurarak gemilere havuzlama ve onarım ve bakım hizmetleri vermeye başladı.

Koyun güneyinde kurulan tersanenin çekirdeği, İstinye'nin o zamanki Neslişah Sultan mahallesinde, daha önceden depoların bulunduğu bölgede, sonraları tersaneye genel müdür olacak Mösyö Negri'nin arsası üzerindeydi. Şirket bu arsanın çevresindeki diğer arsaları da alarak tersane alanını genişletti. Japonya'da İngiltere için yapılmış 8.500 ton kapasiteli, tulumbaları buhar gücü ile çalışan bir havuz satın alındı. 11.400 metrekare alana dökümhane, makine ve inşaat atölyeleri kuruldu ve İstinye Tersanesi 20 Aralık 1912 günü Mösyö Negri yönetiminde hizmete girdi. Boğaz'dan geçen gemiler, gerektiği zaman bu tersaneye girerek onarımlarını yaptırabiliyorlardı.

Birinci Dünya Savaşı'na kadar Fransız şirketinin işlettiği tersaneye, savaş çıkınca askerî öneme sahip olduğu için, donanmanın bakım ve onarımının burada yapılması amacıyla devlet tarafından el kondu. *Goeben (Yavuz)* koyun güney kıyısına, *Breslau* da *(Midilli)* kuzey kıyısına yanaşıp bağlamaya ve tersaneyi üs olarak kullanmaya başladılar.

Yadigâr-ı Millet *İstinye'de batıyor*

Almanlar'ın gemiye sokmadıkları Türk deniz erlerini tersane binalarının birinin kapısına "Yavuz Kışlası" diye yazarak burada yatırdıkları söylenir. 10 Temmuz 1917 günü bu iki savaş gemisini batırmak için gelen İngiliz uçakları birkaç bomba attılarsa da sonuç alamadılar; isabet alıp olduğu yerde batan gemi ise, *Yadigâr-ı Millet* adlı muhribimiz oldu.

Tersane, 1918'de Mondros Ateşkesi'nden sonra, İngiliz kuvvetleri tarafından işgal edildi. Daha sonra bu sefer de Fransızlar tersaneyi ele geçirip 1928'e kadar çalıştırdılar. Son dönemin tecrübeli Türk ustaları hep bu dönemde yetişti. O yıl devlet tarafından satın alınan kuruluş, Nisan ayında Denizbank'a, ertesi yılın Temmuz'unda da Devlet Denizyolları İşletmesi'ne, 1944'te Devlet Denizyolları ve Limanları Umum Müdürlüğü'ne bağlandı. 1952'de Denizcilik Bankası'nın bünyesinde yer aldı. Bu arada genişletilip modernleştirilmesi için çalışmalarda bulunuldu. 1983'te Türkiye Denizcilik Kurumu'na geçen kuruluş, 1984'te de Türkiye Denizcilik İşletmeleri'ne devredildi.

Tersane'nin son zamanlara kadar kullanılan müdüriyet binası, bir zamanlar Muhsin Han yalısı (İran Sefareti yazlığı) iken, sonra Şura-yı Devlet azası Şerif Hüseyin'e satılmış, sonra da Müşir Deli Fuat Paşa tarafından alınmıştı. Bugün de bu bina mevcuttur. Tersane'nin 750 personeli vardı. Yılda ortalama 400 kadar geminin tamir ve havuzlama hizmetini yapabilmekteydi. 35.396 metrekarelik bir alan üzerinde yeralan tersanenin rıhtım uzunluğu 606 metreyi buluyordu. Üç adet yüzer havuzu vardı:

	Boyu (m.)	Genişliği (m.)	Kaldırma kapasitesi
1. Yüzer havuz	137,15	21,3	7.500
2. Yüzer havuz	67,32	29,4	5.000
3. Yüzer havuz	152,10	29,4	14.500

İkinci ve üçüncü havuzlar uç uca getirilerek 192,5 metre uzunluğunda büyük bir havuz elde ediliyordu.

17 Mart 1978 Cuma günü, İstinye Tersanesi'nde inşa edilen Aydın Güler adlı yolcu vapuru, alkışlar arasında, yandan denize indiriliyor. *(Hayat arşivi).*

Tersanede bugüne kadar başlıca şu gemiler inşa edildi:

* Yolcu vapurları: *Bostancı* deniz otobüsü (1956), *Caddebostan* deniz otobüsü (1956), *Çengelköy* (1956), *Ortaköy* (1958), *Maltepe* (1962), *Suadiye* (1964), *Temel Şimşir* (1977), *Aydın Güler* (1981), *Büyükada* (1988), *Rumelifeneri* (1988), *Kızıltoprak* (1988).

1977'de, Bayram Camcı'nın müdürlüğü sırasında, 37.976 grostonluk *Germik* tankerinin bakım ve onarımı burada gerçekleştirildi. Ayrıca, 20 tonluk *Pehlivan* adlı yüzer kreyn, 150 tonluk *Liman VIII* adlı su gemisi, *Pilot III, Pilot IV, Hopa I, RM 1001, RM 1002, RM 1003, Erdemir I, Erdemir II* adlı değişik tiplerde römorkörler, 300 tonluk *Manisa I* tankeri, bir adet avcı botu, *Kaptan Kemal* adlı 1.700 dwt'luk koster, 2250 t. kaldırma kapasiteli ek havuz pontonu, *Tekel 27, Tekel 28* adlı 2 adet koster, *Anafartalar* adlı onarım ve hizmet gemisi, *Hamit Kaplan* ile *Celal Atik* adlı iki adet yüzer ekskavatör, *İmralı 10* adlı koster ile çeşitli layter ve motorlar hep İstinye Tersanesi'nde inşa edilmişlerdir.

Yıllarca Türk ya da yabancı pek çok geminin havuzlandığı ve onarıldığı tersane, 1985'te uygulamaya giren 2.960 no.'lu Boğaziçi yasasının 12. maddesi gereğince kapatıldı ve bu alan turizm merkezi ilân edildi. 26 Ağustos 1991 günü tesisin alelacele nakledilmesine başlandı. Havuzlar ve makine bölümü Pendik ve İzmir'deki Alaybey Tersanesi'ne dağıtıldı. Bü-

159

1991 yılının Ağustos ayında kapatılan İstinye Tersanesi'nin büyük yüzer havuzu römorkörlerle limana doğru çekilmek üzere koydan çıkartılıyor. Yıllarını tersaneye vermiş emekli ustaların gözlerinde iki damla yaş var. Dudaklarında da üç sözcük: "Tersaneye yazık ettiler!"

yük yüzer havuz römorkörlerle çekilerek önce Tophane rıhtımına bağlandı, sonra da Pendik Tersanesi'ne götürüldü. Bugün atölyeler ve ambar binaları yıktırılmış olup tersanenin kapladığı alan boşaltılmış durumdadır.

PENDİK TERSANESİ VE AĞIR SANAYİ TESİSLERİ

En yeni ve en modern tersanemiz olan Pendik Tersanesi'nin geçmişi 1939'a kadar geriliyor. Önceleri Tuzla'da kurulması plânlanan yeni tersanenin kuruluş çalışmaları, araya İkinci Dünya Savaşı'nın girmesiyle, yarıda kalmıştı. Tersanenin kurulacağı alan kamulaştırılmış, Pavli adası bir mendirekle karaya bağlanmıştı.

1956-57 yıllarında konu yeniden ele alınarak Vickers-Armstrong firmasına bir proje hazırlattırıldı. Ama, daha sonra görülen lüzum üzerine proje, büyük şirketlerin katıldığı bir ihale sonunda Cekop adlı bir Polonya firmasına yeniden yaptırıldı.

953.000 metrekarelik bir alana yayılan Pendik Tersanesi'nin rıhtım uzunluğu 316 + 98 metreyi buluyor. Yılda çelik işleme kapasitesi 60.000 ton. Tersane yılda 240.000 dw ton tutarında gemi yapabilecek kapasitede. İnşa edebileceği en büyük gemi, 170.000 dw ton olabiliyor. Kuru havuzu 300 x 70 metre boyutlarında. Ayrıca 188 metre uzunluğunda ve 29,4 metre genişliğinde bir de yüzer havuzu var. 1.200 kişi çalışıyor.

Tersane'nin temeli 1969'da, Kaynarca koyunda atıldı. 1978 yılının Kasım ayından itibaren elektrik bağlanarak bazı tezgâhları çalışır duruma getirildi. 1982'de, tersanenin birinci kademesinin açılışı yapıldı. Böylece ufak çapta da olsa üretime geçilmiş bulunuyordu.

Sulzer firmasıyla anlaşma yapılıyor

Bu arada gemi inşa sanayiimizin başta gelen ihtiyacı olan gemi dizel motoru yapımında ilk kez ciddi bir adım atıldı. Motor fabrikasında, İsviçre'nin Sulzer firması ile 31 Temmuz 1981 tarihinde bir lisans anlaşması imzalandı. Bu anlaşmaya göre 58-196 d/devirli 2.000-35.000 beygir gücünde düşük devirli dizel motorları ile 510-580 d/devirli 4.500-14.300 beygir gücünde orta devirli dizel motorlar üretilebilecekti. İsviçre Sulzer firmasının izniyle ayrıca 1981'de Polonya'nın H. Cegielski firması ile imzalanan yan lisans anlaşması altında, 720-1000 d/devirli, 570-3.500 beygir gücünde yüksek devirli dizel motorlar da üretilecekti. Günümüzde, yeni yapılan gemilerin çoğunda artık Pendik yapımı yerli Sulzer motorlar çalışıyor. Tersanenin kapalı fabrika alanı 8.640 metrekare. Burada 35.000 beygir gücü büyüklüğünde gemi motorları yapılabiliyor. Ayrıca Galvaniz tesisi, Boya fabrikası, Oksijen fabrikası, Asetilen tesisi gibi yardımcı üniteler yeralmaktadır.

Pendik Tersanesi'nde ilk kez denize indirilen gemi 1982'de *Kilis* adlı yük gemisi oldu. Kuruluş, 1984'te Ulaştırma Bakanlığı'nın bünyesinde yer alan Türkiye Gemi Sanayisi A.Ş.'ye bağlandı.

1991'de hizmete giren 300 metre genişliğindeki kuru havuzda 170.000 dw. ton kadar gemilerin havuzlama tamiri yapılıyor. Ayrıca su altı ve su üstü boya üretme de sürdürülüyor.

Ülkemizin en büyük gemi inşa, bakım ve onarım merkezi olan Pendik Tersanesi'nde başlıca şu gemiler inşa edildi:

* Araba vapurları: *Topçular* (1986), *Eskihisar* (1986), *Karamürsel* (1986), *Hereke III* (1986), *Değirmendere* (1986).

* Kuru yük gemisi: *Kilis* (1985).

* Katamaran tipi deniz otobüsü: *Temel Reis* (1998)

76.000 dw. tonluk, 250 metre boyunda, 32 metre genişliğinde, 14 metre yüksekliğinde ve 9,9 metre derinliğindeki *Alma Ata* ile eşi *Baku*

adlı iki dökme yük gemisinin inşa ve donanım çalışmaları sürdürülmektedir.

* Pendik Tersanesi'nde ayrıca Polonya için, Polish Steamship Co. firmasına 26.300 dw tonluk üç dökme yük gemisi: *Ziemia Gornaslaska* (Aralık 1990), *Ziemia Lodzka* (Nisan 1992) ve *Ziemia Cieszynska* (Nisan 1993) adlı üç gemi.

Ayrıca, her biri 7.200 dwt'luk *Hacı Mustafa Torlak* ile *Süalp Ürkmez* adlı iki kuru yük gemisi, 8250 dwt'luk *Kınalı* adlı kuru yük gemisi, *Seka III* ile *Pendik* adlı iki römorkör, *Marin S-I, Marin S-II* adlı iki adet atıksu tankeri, üç adet kreyn, *Barbaros III* adlı büyük yüzer kreyn hep Pendik Tersanesi'nde inşa edilmişlerdir. Halen Almanya için 5.500 dwt'luk Ro/Ro-Lo/Lo-Container Ship tipinde gemilerin inşası sürdürülmektedir.

ALAYBEY TERSANESİ

Bugün İzmir'de Alaybey Tersanesi'nin yer aldığı kıyıda eskiden beri gemi onarım tezgâhları bulunuyordu. İzmir rıhtımı imtiyazını elinde bulunduran Guiffray şirketi, gemilerle birlikte küçük bir atölye halindeki bu tersaneyi de işletmişti. Kurtuluş Savaşı sırasında tersane bir ara Yunanlılar'ın denetimine girdiyse de 12 Nisan 1933 tarihinde Guiffray Şirketi'nin İzmir limanındaki haklarıyla birlikte, tersane de devlet tarafından satın alındı.

5 Ağustos 1925 günü kurulan İzmir Liman ve Körfez İşleri İnhisarı T.A.Ş., devraldığı vapurların ve hizmet teknelerinin onarım, bakım ve kızaklanmaları için bir tersane kurmak gereğini duymuştu. Bu girişim, bugünkü Alaybey Tersanesi'nin (ALATAŞ) çekirdeğini oluşturmuştur.

Aralıksız 9 yıl hizmet gören bu şirket, 1 Ağustos 1934 günü devletleş-

tirilerek Maliye Vekâleti'ne bağlı İzmir Liman İşletmesi Umum Müdürlü-ğü'ne devredilince, henüz bir atölye düzeyinde olan bu tersane de yeni umum müdürlüğe devredilmiş oldu. Umum müdürlük iki yıldan daha az bir süre sonra, 1 Haziran 1936 günü bu sefer de İktisat Vekâleti'ne bağla-nınca, adı İzmir Liman İşletmesi Müdürlüğü şeklinde değiştirilen kuruluş da bu yeni işletmeye bağlandı.

1 Ocak 1938 günü Denizbank'ın kurulmasıyla İzmir Liman İşletmesi, bu sefer de Denizbank'a bağlandı. Daha sonra sırasıyla, Devlet Limanları Umum Müdürlüğü'ne, 1944'te Devlet Denizyolları Umum Müdürlüğü'ne, 1952'de de Denizcilik Bankası TAO'ya bağlı olarak çalışmalarını sürdür-dü. 1969'da bağımsız bir işletme haline getirildi. Bugün, Alaybey'de iki tersane vardır. Bunlardan biri Deniz Kuvvetleri Komutanlığı'na, öteki Türkiye Gemi Sanayisi AŞ.'ne bağlıdır.

İstinye Tersanesi'ndeki 7.500 ton kaldırma kapasiteli 1 no.'lu yüzer havuz Pendik Tersanesi'nin kuru havuzunda onarılarak bakımı yapılmış, sonra İzmir'e götürülerek Alaybey Tersanesi'nde hizmete sokulmuştur. 15 Mayıs 1992 gününden itibaren bu havuzda, gemi havuzlarının faaliyetine başlanmıştır.

Tersane, 71.433 metrekarelik bir alanda yer alıyor; rıhtım uzunluğu 100 metre. Ahşabiye, makine, inşaiye, atölye ve yardımcı ünitelerden oluşuyor. 2 seyyar kızağı var. Yılda 708 ton çelik işleyebiliyor. 1.000 dw tonluk gemi inşa edebilecek kapasitede ve yılda 100 gemi onarabilecek güçte.

Tersanede son yıllarda başlıca şu gemiler inşa edildi:

* Yolcu vapurları: *Alaybey* (1977), *9 Eylül* (1977), *Tuzla* (1988), *Ambarlı* (1988), *Kumburgaz* (1988).

* Araba vapuru: *Haznedar* (1990). Ayrıca *Toros I* adlı yakıt tankeri, *Asfalt 3* ile *Asfalt 4, Söndüren 5, Söndüren 6, Söndüren 7, Söndüren 8, Pilot V. İğneci, Pilot C. Çubukçu, Akbaş, Dilburnu, Yamanlar, Sarayburnu, Side, Çatalkaya, Esenkıyı, Hızırbey, Karşıyaka, Kadifekale, Boztepe, Aksu* adlı römorkörler, *Ertürk I* feribotu, ile pek çok motorbotlar (palamar, servis, bakım) hep Alaybey Tersanesi'nde inşa edilmiştir.

Tersanede onarım işlerinin yanı sıra, seri halinde römorkör, ve 3.500 dw. ton kadar gemilerin inşası yapılıyordu. Genişletme çalışmaları sona erdirildiği zaman 53.000 metrekarelik bir alan kazanılacak, rıhtım uzunluğu 800 metreye çıkacak, tersaneye 4 yeni kızak eklenecek. Ayrıca, 5.000 ton kaldırma kapasiteli gemi asansörü kullanılarak 12.500 dw. tona kadar olan gemilerin onarımı ve bakımı sağlanacak.

Tersanedeki 1 numaralı kızak sabit olup 600 tonluk, 2 numaralı kızak sabit olup 300 tonluk, 3 numaralı kızak seyyar olup 150 tonluk, 4 ve 5 numaralı kızaklar da seyyar olup 100 tonluk, 6, 7 ve 8 numaralı kızaklar da seyyar olup 8-40 tonluk tekneleri kızaklayabilmektedir.

Ne var ki, 1994 yılı Nisan ayında Alaybey Tersanesi'nin de Haliç ve Camialtı Tersaneleriyle birlikte satılacağı ilân edilmiştir. Tersane'nin 1993'teki zararının 61 milyar lira olduğu açıklanmıştır.

TATVAN TERSANESİ

Bitlis'e bağlı Tatvan'da, Denizcilik Bankası'nın tersanesi de, yine önemli bir gemi inşa, bakım ve onarım merkezidir. Gölde çalışacak gemilerin bakımı, hizmet gören teknelerin onarımını ve havuzlanmasını sağlamak için kurulan atölyenin genişletilmesiyle meydana gelmiştir. 100 metre boyunda, 20 metre genişliğinde bir kuru havuz inşa edilmiştir. Atölyenin toplam 325 metre uzunluğunda 6 adet rıhtımı vardır.

İnşa atölyesi, 4.000 dw tona kadar tanker, 3.000 dw tona kadar kuru yük gemisi ve 85 metre boya kadar yolcu gemisi inşa edebilecek kapasitededir. Ayrıca atölyede, 85 metre boya kadar gemilerin su altı onarımları, makine, ahşabiye ve elektrik donanımlarının tamiri yapılabilmektedir.

Erek (feribot), *Rafet Ünal* (tren ferisi), *Tatvan* (yolcu ve tren ferisi), *Van* (yolcu ve tren ferisi), *Süphan* römorkörü, *Aktamar I* ve *Aktamar II* anroşman dubaları, *Ağrı I, Ağrı II, Ağrı III* ve *Ağrı IV* pontonları hep bu tersanede inşa edilmiştir. Ayrıca, Haliç Tersanesi'nde inşa edildikten sonra parçalara ayrılıp Tatvan'a nakledilen *Orhan Atlıman* tren ferisi de bu tersanede monte edilmiştir. Tersane son yıllarda Devlet Demiryolları'na bağlanmıştır.

Bunlar da askerî tersaneler

* Haliç'teki askerî Taşkızak Tersanesi de aslında İstanbul'un fethinden hemen sonra kurulan büyük tersanenin bir bölümüdür. İlk Türk buharlı gemisi olan *Eser-i Hayr,* Tersane-i Âmire'nin Aynalıkavak tezgâhlarında inşa edilmişti ki, bugün burası Taşkızak ile Camialtı tersanelerinin kapladığı yerdir. Ayrıca *Abdülmecid* ile *Abdülhamid* adı verilen ilk denizaltılarımız da 1886'da yine buradaki tezgâhlarda monte edilerek meydana çıkartılmıştır.

Taşkızak Tersanesi, Birinci Dünya Savaşı'ndan sonra kapatılmış, tezgâhları Gölcük'e nakledilmişti. Tersane, Boğazlar hakkındaki anlaşmaların karşılıklı kabul edilmesinden sonra 1941 yılında yeniden kurulmuş, yeni atölyeler yapılmış, eski binalar restore edilerek tekrar hizmete sokulmuştu. 1960'tan sonra tersanenin geliştirilip büyütülmesine hız verilmiştir.

Bugün 130.000 metrekarelik bir alanda yeralan tersanenin yıllık gemi inşa kapasitesi 6.000 dw. tondur. 10.000 dw. tonluk bir gemi inşa kızağı, bir adet 3.550, bir adet de 3.000 ton kapasiteli iki yüzer havuzu, bir adet de 450 ton kapasiteli bir taş havuzu vardır. 2.000'e yakın personelin çalışmakta olduğu tesislerde 1941'den bugüne kadar, değişik tonajlarda tank çıkarma gemileri, sahil güvenlik botları, güdümlü mermi taşıyan hücumbotlar olmak üzere 176 adet gemi ve deniz aracı inşa edilmiştir.

* Bugünkü askerî Gölcük Tersanesi'nin çekirdeğini, 1925 yılında muharebe kruvazörümüz 23.000 tonluk *Yavuz*'un havuzlanabilmesi için bir Alman firmasına inşa ettirilmesine girişilen yüzer havuz oluşturur. Tersanenin kuruluş tarihi olarak havuzun ve kıyıdaki tesislerin tamamlandığı 1926 yılı kabul edilir.

Bir yandan Taşkızak Tersanesi'nin Gölcük'e taşınırken, öte yandan

Haliç Tersanesi'nden de bazı tezgâhlar buraya devredilmiştir. T.C. Bahriye Fabrikaları Müdüriyeti, Tersane, Havuz ve İmalâthaneleri adlı kuruluş 1928 yılından itibaren burada faaliyete geçmiştir; 1934'te kuruluşun modern bir tersane haline getirilmesi için bir Hollanda firmasına projeler hazırlattırılmış, İkinci Dünya Savaşı'nın başlamasıyla çalışmalara kısa bir süre ara verildiyse de, uygulamalara 1942'de yeniden devam edilmiştir. Burada bakım, havuzlama ve onarım çalışmalarından başka refakat muhripleri, denizaltı ve fırkateyn tipi askerî amaçlı gemiler inşa edilmektedir.

184.000 metrekaresi kapalı olmak üzere yaklaşık 377.000 metrekarelik bir alan üzerinde yeralan Gölcük Tersanesi'nde biri 30.000 dw. ton kapasiteli iki gemi inşa kızağı, dört de yüzer havuz vardır. Bu yüzer havuzların biri 20.000, biri 12.000, öteki ikisi de 4.500 ton kapasitelidir. 3.700'e yakın personelin çalıştığı tersanede kuruluşundan günümüze kadar 434 adet gemi ve deniz aracı inşa edilmiştir. Bunlardan biri 14.000 tonluk muharebe destek gemisi, üçü 1.000'er tonluk "Ay" sınıfı, ikisi 1.400 tonluk *"Preveze"* sınıfı denizaltı, ikisi *Yavuz* ve bir adet *Barbaros* tipi fırkateyn inşa edilmiş olup 7.500 tonluk yüzer havuzun inşasına devam edilmektedir.

* İzmir, Alaybey'deki askerî tersanenin çekirdeğini 1955'te kurulan bakım ve onarım tesisleri oluşturmaktadır. Kuruluş, 1989'da büyütülerek tersaneye dönüştürülmüştür. Kızak ve tesisler 65.000 metrekarelik bir alanda yeralmaktadır. İki adet 2.500 ton kaldırma kapasiteli yüzer havuzu olan bu tesis, askerî gemilerin bakım ve onarımları için kullanılmaktadır.

ÜÇÜNCÜ BÖLÜM

Haliç Sularında
İlk Yandan Çarklılar

- Halic-i Dersaadet Şirket-i Hayriyesi
- Haliç Şirketi

Haliç Şirketi'nin en son vapuru: 17 numara

Halic-i Dersaadet Şirket-i Hayriyesi

Haliç'in karşılıklı iki yakası, eski İstanbul'un yüzyıllar boyunca en hareketli kesimlerinin arasında yer almıştır. Eyüp, daha çok sadrazamların, şeyhülislâmların ve önemli mevkileri işgal eden devlet adamlarının yaşadığı mutena bir semtti. Mistik karakteriyle köklü bir geçmişi yaşatıyordu.

Kasımpaşa, Camialtı, Taşkızak, Aynalıkavak önleri tâ Sütlüce'ye kadar tersaneleri, humbarahaneleri, lengerhaneleri, havuzları, kızakları, fabrikaları, kaptan-ı deryalık sarayı, hatta zindanlarıyla Osmanlı donanmasının kalbinin attığı çok önemli bir denizcilik merkeziydi.

Hasköy'de, Balat'ta Museviler, Fener'de de çoğunlukla Rumlar oturur-du. Her boydan, her türden en kaliteli ahşap tekneler hep Ayvansaray'daki tezgâhlarda inşa edilirdi.

Galata, dünyanın yedi ikliminden Osmanlı payitahtına yelken açan gemilerin, güvenli sularına demirlediği bir liman şehriydi. Türlü dinden, çeşitli milletlerden gemiciler buradan karaya çıkarlar; meyhanelere, batakhanelere, her türden hanelere hep buradan dağılırlardı. İçkinin, eğlencenin en âlâsı sanki Galata'ya mahsustu. Galata demek, balozlar, sözde tiyatrolar, kiralık dilberler, malûm evler demekti.

Günümüzden üç yüz yıl önce Evliya Çelebi, Galata'yı anlatırken boşuna şu satırları yazmamıştı:

"Deniz kenarında, orta hisarda, iki yüz dükkânda, nice harâbethâneler ve meyhaneler bulunur. Her birinde beşer, altışar yüz dinsiz, içki içip hâ-

...de ve sâzendelerle öyle bir hay huy ederler ki, dille tarif etmek imkânsızdır."

Havası mis gibiydi, suları da tertemiz!

Yüzyılımızın başlarına kadar pırıl pırıl, şıkır şıkır, içilecek kadar berrak ve tertemiz bir suyu vardı Haliç'in... Öyle ki, Hasköy önlerinden çıkartılan istiridyeler, Fatih zamanından beri saray sofralarına lâyıktı. Galata Köprüsü'nün üzerinden oltayla tutulanları saymayın, alamanaların çevirdiği volilerden ne lüferler, ne levrekler çıkardı. O kadar eski değil, 40'lı yılların ortalarında bile iki köprü arasında çevrilen ağlardan kayıklar dolusu uskumru, istavrit yakalandığını hâlâ hatırlayanlar var.

Ya havası? Evliya boşuna dememiş Kasımpaşa'da oturanlar için, "Bu şehrin güzelleri hesapsızdır. Çünkü ab ü hevası çok latiftir!" diye...

Dedelerimizin katıldığı o renkli Kâğıthane âlemlerini burada uzun uzun anlatmadan, ucundan kenarından hatırlatmak yeterlidir sanırım.

Haliç'te ilk köprü, -Bizans dönemindeki ve Fatih'in fetih sırasında yaptırdığını saymazsak- II. Mahmud zamanında, 1836'da Azapkapı-Unkapanı arasında inşa edildi. Hayratiye Köprüsü'ydü bu. İkincisi ise 1845'te, Karaköy ile Eminönü arasında Tersane-i Âmire tarafından yaptırılan, yine ahşap Galata Köprüsü oldu. Daha sonraki yıllarda, daha büyükleri, daha sağlamları eskilerinin yerlerini aldı.

Haliç'te yaşayan halk, bu köprüler yaptırılıncaya kadar, iki kıyı arasında karşıdan karşıya hep kayıklarla geçti. Zaten iki kıyı arası ne kadar mesafe ki... Yükü ve eşyası olanlar da küçük pazar kayıklarından yararlanırdı.

Boğaz'da, hatta Adalar'da olduğu gibi, Haliç'te de şunun bunun, gelişigüzel kimselerin kayıkçılık yapmasına müsaade edilmezdi. Köprüler yapıldıktan sonra da iki kıyı arasındaki kayıkçılık, yakın zamanlara kadar sürdü. Galata'da, Perşembepazarı'ndaki, Eminönü'nde de Köprü'nün yanıbaşındaki iskeleden sıranın en başındaki kayığa binerek kolayca karşıya geçebilirdiniz. 1950'lerde karşıya geçiş kişi başına 5 kuruştu. Kayık, dört kişi alınca iskeleden ayrılırdı. Sonra bu fiyat 7,5, derken 10, sonra 15, 25 kuruşa çıktı ve zaman içinde bir lirayı buldu. Yeni köprünün inşaat çalışmaları sırasında bu iskeleler de, kayıklar da, kayıkçılar da hep birlikte tarihe karıştı. Eminönü-Kasımpaşa arasında sürdürülen dolmuş motorlarıyla yolcu taşımacılığı, o tarihlerde de vardı.

1940'lı yıllardan bir Haliç görüntüsü. Galata ile Unkapanı Köprüsü'nün arasında kalan sahada balıkçılar attıkları ağları topluyor. Arkada da bir Haliç vapuru Yemiş iskelesine doğru ilerliyor. O yıllarda Haliç için, İstanbul'un taze balık deposuydu denildiğini duyarsak şaşmayalım. Tevekkeli, Bizanslılar, paralarının arka yüzüne kentin simgesi olarak balık resmi koymamışlar!
(Fotoğraf: Selâhattin Giz)

Altınboynuz dedikleri şu İstanbul Halici

Kâğıthane ve Alibey derelerinin birleşen ağız kısmına denizin istilâsıyla oluşan İstanbul Halici, Sarayburnu-Tophane arasına kadar 8 km. uzunluğundadır. En geniş yeri Kasımpaşa-Cibali arasında 700 metreye yaklaşır. İstanbul Boğazı'na açılan ağız bölgesinde ise genişlik 1.010 metreyi bulur.

Haliç'in Kâğıthane ile Alibey, Kasımpaşa derelerinin sürükleyip getirdiği kum ve topraklarla zamanla dolmaması için daha Fatih Sultan Mehmet zamanında, ciddi önlemler alındığı biliniyor. Bu derelerin ıslahı için daha sonraki yıllarda da çareler düşünülmüş ve olumlu sonuçlar alınmıştı. Bu kadarla da kalınmamış, Haliç'in çevresindeki tepe ve yarlara maki ve çalı süpürgesi türünden bitkiler dikilmiş, kıyı çimlendirilmiş, böylece yağmur sularının erozyona yol açması bir yere kadar önlenmişti. Ama son yüzyıldaki ihmal ve imkânsızlıklar nedeniyle bu önlemler yetersiz kalınca Haliç'in hızla dolması önlenememişti.

Haliç'in yukarı kısımlarında derinliğin 3 -4 metreye kadar azaldığı görülür. Halıcıoğlu'ndan sonra 5 metreden derin yer yok gibidir. Bu kesim

İlk Haliç vapurlarından yandan çarklı 4 numara bacasını kırmış,
Unkapanı Köprüsü'nün altından geçmeye hazırlanıyor. Arka planda solda
Sinan'ın Sokullu Camii, ortada Galata Kulesi ve de sağda sivri minareli
Arap Camii ile Osmanlı Bankası'nın binası seçiliyor.

çok sığ olduğundan vapurların çalışmasına elverişli değilse de derinliği Atatürk Köprüsü altında 40, Karaköy Köprüsü'nün altında da 60 metreye kadar çıkar. İki köprü arası 42 metre kadar derinliktedir. Ne var ki derelerin getirdiği alüvyonların birikmesi ve temizlik çalışmalarının ihmal edilmesi nedeniyle Haliç hızla dolarak derinliği azalmakta, yer yer bataklık halini almaktadır.

Sütlüce'deki mezbaha 90'lı yılların başında kaldırılarak atıkların Haliç'i kirletmesi önlenmiş, bu arada Haliç'te gemi sökülmesi kesin bir şekilde yasaklanmış, denizi kirleten işyerleri kaldırılıp başka yerlere taşınmışsa da Haliç hiçbir zaman, iddia sahibi İstanbul Büyükşehir Belediyesi eski başkanlarından Dalan'ın gözlerinin mavisi gibi olamamıştır. Olacağa da hiç benzemiyor.

1950'li yıllara gelinceye kadar Silahtar'da, Eyüp'te denize girilir, yüzülürdü. Suları pırıl pırıldı. Sandalla her türden balık avlanırdı. Kış aylarında Haliç'e giren balık sürüleri büyük ağlarla çevrilerek toplanırdı. Ama şimdi Haliç ölü bir deniz olmaya mahkûm gözüküyor.

Eskiden Haliç'te, biri Kasımpaşa-Cibali; öteki Hasköy-Balat arasında sık sık yer değiştirerek dipteki çamuru, döner kovalarla temizleyen iki tarak gemisi vardı. Toplanan çamurlar mavnalara doldurularak Marmara açıklarında denize dökülürdü.

Bazı kimseler çamurların arasında eski, hayli değerli parçalar bulduklarını söylerlerdi. Dipte, çamura gömülü defineler, hazineler yattığı rivayetleri dolaşırdı, Haliç'in o boz bulanık sularında pek çok batık bulunduğu da gerçekti. *Samsun* adlı gemi, bir gece durduğu yerde, üstelik de kıyıya dik bir şekilde batıp gözden kaybolmuştu ki, bu batık çıkartılmadan Haliç'te akıntının sağlanmasının imkânsız olduğu ileri sürülürdü.

1930 yılının 3 Mayıs tarihli *Cumhuriyet* gazetesinde çıkan bir haber, Haliç'in bugünlere nasıl geldiğini göstermesi bakımından ilgi çekicidir: "Haliç temizleniyor!

"Üç, dört günden beri Kasımpaşa deresinin ağzını Şehremaneti temizliyor: Fakat Emanet, kaşığı ile yedirip sapıyla çıkartıyor, kabilinden Kasımpaşa deresinin ağzından çıkarttığı pisliği Haliç'in ortasına döküyor! Dün, bir kaptan, "Yahu, bu ne biçim iş!" dedi. "Biz Haliç'e bir kova kömür külü döksek, bir sürü ceza verirler. Halbuki Şehremaneti, Haliç'in kenarından çıkarttıklarını, ortasına döküyor!"

Bu haber de, 1932 yılının 5 Mart tarihli *Akşam* gazetesinden: "Haliç ne zaman ameliyat olacak?

"Haliç'in bazı yerleri vapurların işlemesine meydan vermeyecek derecede dolmuştur. Şimdiye kadar buranın temizleme işi, Belediye, Deniz Ticareti Müdürlüğü gibi bazı makamlar arasında bir mesele halini aldığından dolayı ameliyata başlanamamıştı. Fakat ortada göze batacak bir hal alan dolma tehlikesinin önüne geçmek için Belediye'ce Haliç'in temizlenmesine karar verilmiştir. Yakında ameliyata başlanacaktır."

Bir de bakardınız ki, vapur oturuvermiş!

Daha 1930'lu yıllarda tehlike çanlarının çalmaya başladığı anlaşılıyor. Haliç vapurları zaman zaman rotalarından çıkarlarsa çamura otururlar, çoğu zaman da kendi imkânlarıyla kurtulurlardı. Suyun yüzü dipteki çamurun kabarmasıyla sapsarı kesilir, yolcular telaş ederlerdi. Vapurdakilerin kıyıdan görüp gelen sandalcıların yardımıyla boşaltıldığı da olurdu.

Tabanda biriken çamur yıllar boyunca Silahtarağa elektrik santralına kömür taşınmasını da sık sık etkilemişti. Karadeniz'deki fırtınalar yüzünden vapurlar zaman zaman gecikir, o zaman da gazetelerde "Silâhtarağa'ya kömür getirilemezse İstanbul karanlığa gömülecek! İki günlük kömür kaldı!" gibilerden halkı telâşa düşüren haberler yayınlanırdı.

Zonguldak'tan fırtına yüzünden gecikerek limana gelen gemideki kömürler mavnalara yüklenerek Silahtarağa'ya gönderilirdi. Tabii eğer mavnalar çamura oturmazlarsa, kömür santrala boşaltılır, İstanbul halkı da karanlıkta kalmaktan hep son anda kurtulurdu.

Haliç'in çamuru son olarak Bayındırlık Bakanlığı tarafından taranarak çıkartılmıştır. 1957-74 arasındaki 17 yılda çıkartılan taban çamuru 1.094.000 metreküpü bulmuştur. Dolmanın önlenebilmesi için her yıl 250.000 metreküpten fazla çamurun taranması gerekmektedir.

Haliç sularında ilk buharlı vapurlar

İstanbul'a ilk buharlı gemi, II. Mahmud zamanında, 20 Mayıs 1829 günü geldi. Daha sonraki yıllarda daha başka gemiler de getirtildi. Birkaç tane de Tersane-i Âmire'nin Aynalıkavak'taki tezgâhlarında inşa ettirildi. Tersane-i Âmire'nin bünyesinde kurulan Vapurculuk Nezareti'nin yandan çarklı buharlı vapurlarıyla ilk düzenli yolcu taşımacılığına yakın iskele ve limanlar arasında başlandı.

1843'te, bugünkü Denizcilik İşletmeleri'nin çekirdeği sayılan Fevaid-i

Osmaniye İdaresi kuruldu. 1851'de de Boğaziçi'nde yolcu taşımacılığı yapmak amacıyla ilk anonim şirketimiz olan Şirket-i Hayriye...

İşte, o yıllarda, Haliç'te de yandan çarklı küçük vapurlarla yolcu ve yük taşımacılığı yapılması için harekete geçildi. Bu alanda ilk adımı atan kişi de Rodosîzade Ahmed Fethi Paşa (1801-1857) oldu.

Aslında ilgi çekici bir kişiydi bu Rodoslu Ahmed Fethi Paşa. Enderun'da yetişmiş, er olarak girdiği yeni orduda kısa zamanda sivrilerek yüksek rütbelere erişmişti. II. Mahmud ile Abdülmecid'in saltanat döneminde Avusturya'ya daimî elçi olarak gönderilmiş, ayrıca Londra ve Paris'te de elçilikler yapmıştı. Osmanlı Devleti'ni temsilen İngiltere Kraliçesi Victoria'nın taç giyme töreninde hazır bulunmuş, Meclis-i Vâlâ azası, sonra da Ticaret Nazırı olmuştu. 1840'da II. Mahmud'un kızlarından Atiye Sultan'la evlenmiş, böylece paşamız genç padişah Abdülmecid'in yakınları arasına girmeyi başarmıştı. Son olarak da Mühimmat-ı Harbiye Nazırı ve Tophane Müşiri olmuştu.

Demek istenen, dönemin önemli devlet adamlarının arasında yeralmıştı Ahmed Fethi Paşa. Bu arada Aya İrini Kilisesi'nde ilk arkeoloji müzesini o açmış, Beykoz'daki namlı çeşmibülbülleri üreten cam fabrikasını yine o kurmuştu. Ama nedense adı, biraz "Bezirgân Paşa"ya çıkmıştı. Kimbilir, belki de Saray için Avrupa'dan özel olarak getirtilen nadide eşyalardan, çok sayıda sanat eserlerinden -günahı boynuna- bir miktar komisyon aldığı rivayetlerinin dolaşması yüzünden...

Yandan çarklı küçücük tekneler

Öyle, ya da böyle, Rodoslu Ahmed Fethi Paşa'nın önayak olmasıyla, 1855'te Halic-i Dersaadet Şirket-i Hayriyesi adıyla bir denizcilik şirketi kuruldu. Üç yıl sonra da getirtilen yandan çarklı üç küçük vapurla Haliç'te yolcu taşımacılığına başlandı.

Bu vapurcuklar başlangıçta Eyüp ile hemen karşısındaki Hasköy arasında çalıştırıldı. Daha sonra ise yaptırılan öteki iskelelere uğrayarak yolcuları Galata Köprüsü'ne kadar götürmeye başladılar.

Rodoslu Ahmed Fethi Paşa'nın 1857'de, 56 yaşında ölmesinden sonra Halic-i Dersaadet Şirket-i Hayriyesi, oğlu Mahmud Celaleddin Paşa'nın (Ölümü: 1885) idaresine verildi: Genç paşa da, II. Abdülhamid'in öz kızkardeşi Cemile Sultan'la evlenerek sırtını Saray'a dayamayı başarmıştı.

Başarmıştı ama, Haliç şirketi kurulduğu günden beri bir türlü düzenli bir şekilde çalıştırılamamıştı. Bunda, halkın kolay kolay kayıklardan vazgeçememesinin de payı olduğu düşünülebilir. İlginç olanı, şirketin kârının, Abdülmecid'in kızlarına cep harçlığı olarak verilmesiydi.

Öte yanda, kayıkçılar da bu yeni icat vapurlardan hiç mi hiç hoşlanmamışlardı. Ekmek teknelerinin ellerinden gideceği endişesiyle seferleri baltalamak için ellerinden geleni yapıyorlardı. Şirket-i Hayriye, Boğaz'da ilk kez vapur çalıştırmaya başladığı zaman da öyle yapmamışlar mıydı! Kayıkçı esnafı, vapurları taşlamış, iskelelere yanaştırmamak için önüne çıkarak çapariz vermiş, halatlarını kesmeye kalkmış, camlarını taşlamıştı. Ama karşılarında devlet gücünü gördüğü zaman da hemen yelkenleri suya indirmişlerdi. İşte, Boğaz'da yaşanan olaylar, aynen Haliç'te de yaşanmaktaydı.

Çok geçmeden şirketin idaresinin bir ara Tersane'de Demirci Artin Usta adlı birine devredildiğini görüyoruz. Ama işler yine iyi gitmemiş, herkes düzensizlikten şikâyet etmeye başlamıştı. İdarenin başına daha başka kimseler de geçirilmiş, ama onlar da başarılı olamamışlardı. Bu yıllar içinde yine küçük, yandan çarklı birkaç vapurun daha getirilerek hizmete sokulduğu anlaşılıyor.

Haliç vapurları idaresinin Misak Narlıyan Efendi'ye verilmesi, İstanbul'da atlı tramvayların çalışmaya ve yeni yeni hatların açılmaya başladığı günlere rastlıyor. Prens Sabahattin Bey'le ortaklığından söz edilen Misak Narlıyan adlı bu Ermeni işletmecinin, 1881'de, Dersaadet Tramvay Şirke-

İlk Haliç vapurlarından, boru gibi bacalı, baştan sona açık güverteli yandan çarklı 10 numara.

ti'nin kendisine rakip olacağı düşüncesiyle, o sıralarda üzerinde çalışılan Eminönü-Eyüp atlı tramvay hattının açılmasını engellediğini görüyoruz. Hem de Eyüp'te tramvaylar için bir depo, atlar için de ahır yaptırılmış olmasına rağmen!

Eğer bu girişim engellenmeseydi, atlı tramvaylar, Eminönü'nden aldıkları yolcuları, Balıkpazarı, Odunkapısı, Cibali, Fener, Balat yoluyla Eyüb'e kadar götürecekti. Günümüzde Şehir Hatları giderek müşteri kaybederken, yüz yıl önce ise tersine, kara taşımacılığı baltalanmış oluyordu!

Binbaşı Nail Bey'in Haliç vapuru anıları

Halic-i Dersaadet Şirket-i Hayriyesi'nden günümüze kalan belgeler de, fotoğraflar da yok denecek kadar azdır. II. Abdülhamid döneminde, Osmanlı donanmasında görev yapan denizcilerimizden Binbaşı Nail Bey, anılarında Haliç vapurlarını şöyle anlatıyor:

"Büyükannem, annem, ablam ve ben, Kasımpaşa iskelesinden Haliç şirketinin 6 numaralı vapuruna biner, Yemiş iskelesine çıkıp Tahtakale hamamına giderdik. Bütün arkadaşları gibi yandan çarklı olan 6 numaralı

Haliç Hattı'nda yıllarca çalışan vapurlardan emektar 4 numara

Haliç vapuru, ötekiler gibi iki tarafına da seyredebilen takımından değildi. Bunun kıç tarafı yuvarlaktı.

"Kasımpaşa iskelesinden kalktığı zaman geri geri giderek kıçını Divanhane'ye çevirir (bugünkü Kuzey Saha Deniz Komutanlığı), buradan ileriye doğru giderken soluna kıvrılarak Unkapanı Köprüsü'nün altından geçer, sonra da Yemiş'e yanaşırdı.

"Ben, vapurun kıç tarafında bir perde ile ayrılmış kadınlar mevkiinden sağımı, solumu seyrederken, Kasımpaşa ile Yemiş iskelesi arasındaki bir karışlık mesafe, bana o kadar uzun gelirdi ki, kendimi engin bir deniz yolculuğuna çıkmış zanneder ve nihayetsiz bir haz duyardım. Bu haz beni denize ısındırdı.

"Daha sonraları, Vezneciler'deki Şems-ül Maarif'e (okulun adı) yine

Kasımpaşa vapuruyla Yemiş iskelesi tarikiyle gidip gelirken bile kaptan köprüsünün altındaki makina kaportasının başından bir an bile ayrılmazdım. Kumanda borusundan kaptanın kumandalarını dinler ve makinist emri tatbik edince, makinenin ileri, geri devirlerini hayret ve dikkatle takip eder, içimi çekerek,

"-'Ah, ben de bir kaptan olabilseydim!' derdim."

Anlaşıldığı gibi, bu vapurlarda kaptanla makine dairesi arasında bağlantı telgraf âletiyle değil, ses borusu aracılığıyla sağlanabiliyordu.

Şirketin son mültezimi Cevdet Paşa idi. Şirketi çalıştırmak görevi, kendine Bahriye Nazırı Bozcaadalı Hasan Hüsnü Paşa tarafından 1881'de verilmişti. İkinci Meşrutiyet'in ilânıyla Cevdet Paşa'nın yönetimine son verilmesine rağmen işletme, yine düzenli bir şekilde çalıştırılamadı. Bu hattın ciddi bir düzene konabilmesi, ancak İtalyan girişimciler tarafından kurulan Haliç Şirketi'nin faaliyete geçmesiyle mümkün oldu. Yönetim binası Ayvansaray'daydı. Yeni kurulan bu şirketin 150.000 liralık sermayesi vardı; imtiyazı 40 yıl olup 1949'da sona erecekti. Şirket, yalnız Galata Köprüsü ile Kâğıthane Köprüsü arasında yolcu taşımacılığı yapma hakkına sahipti.

Yeni yöneticiler, Hollanda'daki tezgâhlara Haliç gibi bir yerde sefer yapabilecek nitelikleri haiz yeni vapurlar ısmarlamakla işe başladılar. Vapurların hepsi de, çağın gereği, buhar makineliydi; ama yandan

6 numaralı Haliç *vapuru. Satıldıktan sonra yük gemisi haline getirilmiş. Kimbilir belki hâlâ da çalışmakta devam ediyordur.*

çarklı olmayıp tek uskurluydu. Derinlikleri az, altları da düzce olduğu için Haliç'in sığ sularına rahatça girebilecekler, direkleri olmadığı için de Ünkapanı Köprüsü'nün altından pek âlâ geçebileceklerdi. Bacaları da köprüye çarpmaması için gerektiği zaman kolayca içeriye çekilebilecek şekildeydi.

Haliç sularında isimsiz 17 vapur

Yeni şirket, faaliyetini sürdürdüğü yıllar boyunca inşa ettirip çalıştırdığı 17 vapurun 17'sine de isim vermedi. Daha önceki şirketin yaptığı gibi,

1910, Hollanda yapımı 6 ve 7 numaralar, Ayvansaray iskelesinde "jilet" olmak üzere sökülecekleri günlerin öncesinde... Ama sökülmeyip, satıldılar, yeni sahiplerine hizmet ettiler.

birer, ikişer Hollanda'dan gelerek sefere başlayan bu vapurlara isim yerine numara verdi. Vapurların burun taraflarına ve kıçlarına yazılan bu numaralar, yeterince büyük olduğu için uzaktan rahatça okunabiliyordu.

Ama Haliç halkı, 11 numaralı, estetikten biraz yoksun vapura güzel bir ad yakıştırmakta gecikmedi: "Ütü" dedi. "Ütü" aşağı, "Ütü" yukarı... Gerçekten de bu 11 numaralı vapurun o yılların ateş ütülerini andıran bir görünüşü vardı.

Halic-i Dersaadet Şirket-i Hayriyesi'nin vapurları da 1 numaradan başlıyordu, yeni Haliç Şirketi'ninkiler de... Bu nedenle, Binbaşı Nail Bey'in çocukluğunda bindiği Halic-i Dersaadet Vapur Şirket-i Hayriyesi'nin 6 numaralı yandan çarklı küçücük vapur yavrusunu, Haliç Şirketi'nin 6 numaralı uskurlu vapuruyla karıştırmamak gerekir.

Haliç Şirketi, Birinci Dünya Savaşı'nın karanlık günlerinde elindeki vapurların birkaçını askeriyenin emrine vermek zorunda kaldı. Savaşın en çetin günlerinde, bu küçücük vapurlar boylarına bakmadan, ateş altında cepheye asker ve savaş malzemesi taşıyarak yurt savunmasına destek verdiler. Hem de, kâh Marmara'da, kah Karadeniz'in fırtınalı sularında dalgalarla boğuşa boğuşa...

180

Bu vapurların *1, 2, 3, 5* ve *14* numaralı olanları, savaş yıllarında, Şirket-i Hayriye vapurlarının bazıları gibi* düşman tarafından pusuya düşürülerek haince batırıldı.

Bu yokluk günlerinde, Boğaz hattında olduğu gibi, Haliç hattında da seferler elden geldiğince azaltıldı. Kömür sıkıntısı had safhaya vardığı için vapurların ocaklarında kömür yerine odun, hatta çuval çuval zeytin çekirdeğinin bile yakıldığı dönemler oldu.

Haliç şirketi İtalyanlar'ın imtiyazında olduğu için, Mondros ateşkesinden sonra 10 vapuru ile İtilâf Devletleri'nin kontrolüne geçti.

Hollanda yapısı 17 Haliç vapuru

Çoğu birbirinin eşi ya da benzeri olan bu vapurların bir özelliği de kaptan köşklerinin burunda, üst güvertenin ön bölümünde, projektörün hemen gerisinde yeralmasıydı. Teknenin saç kısmı siyahtı. Ahşap kısmı önceleri beyazdı, daha sonraları temiz tutulamadığı için kahverengiye boyandı.

Bu vapurların teknik özellikleri şöyleydi:

* **1 NUMARA:** 1910'da, Hollanda, Papendrecht'te, J. & A. van der Schuyt tezgâhlarında buharlı yolcu vapuru olarak yapıldı. 141 gros, 127 net, 79 dw tonluktu. Uzunluğu: 33,5 metre, genişliği: 6 metre, su kesimi: 2,3 metre idi. Hollanda yapımı 150 beygir gücünde 2 silindirli, iki genişlemeli buhar makinası vardı. Tek uskurluydu. 7 mil hız yapıyordu. 25 Haziran 1915 günü, Mudanya önlerinde, *E-12* borda numaralı İngiliz denizaltısı tarafından batırıldı.

* **2 NUMARA:** 1910'da, Hollanda Boele & Pot Bolnes tezgâhlarında buharlı yolcu vapuru olarak yapıldı. 141 gros, 127 net, 79 dw tonluktu. Uzunluğu: 33,5 metre, genişliği: 6 metre, su kesimi: 2,3 metre idi. Hollanda yapımı, 150 beygir gücünde 2 silindirli, iki genişlemeli buhar makinası vardı. Tek uskurluydu. 7 mil hız yapıyordu. 27 Mayıs 1917 günü, Karadeniz'de seyir halindeyken bir Rus denizaltısı tarafından batırıldı.

* **3 NUMARA:** 1910'da, Hollanda, Papendrecht'te, J. & A. van der Schuyt tezgâhlarında buharlı yolcu vapuru olarak yapıldı. 141 gros, 127 net, 79 dw tonluktu. Uzunluğu: 33,5 metre, genişliği: 6 metre, su kesimi: 2,3 metre idi. Hollanda yapımı 150 beygir gücünde 2 silindirli, iki genişlemeli buhar makinası vardı. Tek uskurluydu. 7 mil hız yapıyordu. 25 Mayıs 1915 günü, *E-12* borda numaralı İngiliz denizaltısı tarafından torpillendiyse de kurtarılarak İstanbul'a getirildi. Onarılarak ertesi yıl yeniden hizmete sokuldu.

(*) Eser Tutel, *Şirket-i Hayriye* (İletişim Yayınları, 1994 ve 1997) Sayfa: 159-186.

* **4 NUMARA:** 1910'da, Hollanda Rotterdam'da, Slikkerveer'de P. Boele tezgâhlarında buharlı yolcu vapuru olarak yapıldı. 141 gros, 127 net, 79 dw tonluktu. Uzunluğu: 30,2 metre, genişliği: 5,6 metre, su kesimi: 2,3 metre idi. Hollanda yapımı, 150 beygir gücünde, 2 silindirli, iki genişlemeli buhar makinası vardı. Tek uskurluydu. 7 mil hız yapıyordu. Yıllarca hizmet ettikten sonra 5 Temmuz 1967 günü hizmet dışı bırakıldığı zaman 56 yıllık bir tekneydi. 1960'ların sonunda hurda olarak satıldıysa da yeni sahibi tarafından tadil edilip *Naipoğlu I* adıyla küçük bir koster haline sokuldu.

* **5 NUMARA:** 1910'da, Hollanda, Papendrecht'te, J. & A. van der Schuyt tezgâhlarında buharlı yolcu vapuru olarak yapıldı. 141 gros, 127 net, 80 dw tonluktu. Uzunluğu: 29,6 metre, genişliği: 5,6 metre, su kesimi: 2,3 metre idi. Hollanda yapımı, 150 beygir gücünde 2 silindirli, iki genişlemeli buhar makinası vardı. Tek uskurluydu. 7 mil hız yapıyordu. 15 Mayıs 1915 günü, Karadeniz Ereğlisi önlerinde kayboldu.

* **6 NUMARA:** 1910'da, Hollanda, Regensburg'da, C. Ruthof Mayence tezgâhlarında buharlı yolcu vapuru olarak yapıldı. 138 gros, 74 net tonluktu. Uzunluğu: 29,1 metre, genişliği: 5,6 metre, su kesimi: 2,3 metre idi. Hollanda yapımı 150 beygir gücünde 2 silindirli, iki genişlemeli buhar makinesi vardı. Tek uskurluydu. 7 mil hız yapıyordu. Yıllarca hizmet ettikten sonra, 20 Ağustos 1966 günü hizmet dışı bırakıldı ve sonra satıldı. 1984-88 yılları arasında tadil edilerek kuru yük gemisi haline getirildi, adı da *Hacı Cemal Aydın* olarak değiştirildi. Sahipleri olarak da Cemal, Halil, Hamdi Aydın adlı kişiler gözüküyordu. 1996 Loydu'nda sahibi: Aydınlar İnşaat San. Tic. Ltd. Şti.

* **7 NUMARA:** 1910'da, Hollanda, Regensburg'da, C. Ruthof Mayence tezgâhlarında buharlı yolcu vapuru olarak yapıldı. 138 gros, 74 net tonluktu. Uzunluğu: 30,2 metre, genişliği: 5,6 metre, su kesimi: 2,3 metre idi. Hollanda yapımı 150 beygir gücünde iki silindirli, iki genişlemeli buhar makinesi vardı. Tek uskurluydu. 7 mil hız yapıyordu. 19 Kasım 1966 günü kadro dışı bırakıldıktan sonra satıldı.

8 numaralı Haliç vapuru Balat önlerinde... Kaptan köşkleri ön kısmında yer alan bu tipik nehir vapurlarına numara yerine o güzelim Haliç iskelelerinin adları verilseydi, fena mı olurdu?

* 8 NUMARA: 1910'-da, Hollanda, Regensburg'da, C. Ruthof Mayence tezgâhlarında buharlı yolcu vapuru olarak yapıldı. 138 gros, 74 net tonluktu. Uzunluğu: 30,3 metre, genişliği: 5,6 metre, su kesimi: 2,3 metre idi. Hollanda yapımı 150 beygir gücünde 2 silindirli, iki za-

1910 yapımı, 9 numaralı Haliç vapuru, aralıksız 62 yıl çalıştıktan sonra, 1974 yılında hurdaya satılmak üzere Ayvansaray'da.

manlı buhar makinası vardı. Tek uskurluydu. 7 mil hız yapıyordu. 8 Şubat 1966'da kadro dışı bırakılarak Camialtı'na bağlandı, sonra satıldı.

* 9 NUMARA: 1910'da, Hollanda, Regensburg'da, C. Ruthof Mayence tezgâhlarında buharlı yolcu vapuru olarak yapıldı. 138 gros, 74 net tonluktu. Uzunluğu: 30,3 metre, genişliği: 5,6 metre, su kesimi: 2,3 metre idi. Hollanda yapımı 150 beygir gücünde 2 silindirli, iki genişlemeli buhar makinası vardı. Tek uskurluydu. 7 mil hız yapıyordu. Aralıksız 63 yıl çalıştıktan sonra 30 Ekim 1973 günü kadro dışı bırakıldı, ertesi yıl 1 Ekim günü hurda olarak satıldı. Yeni sahibi tarafından tadil ettirilen gemi bir süre daha çalıştırıldı.

Yıl, 1961... 1911 yapımı 10 numara, Köprü'deki Haliç iskelesinde sefer saatini bekliyor... Arka plânda Beyazıt Kulesi ile Sinan'ın ünlü Süleymaniye Camii...

* 10 NUMARA: 1910'da, Hollanda, Regensburg'da, C. Ruthof Mayence tezgâhlarında buharlı yolcu vapuru olarak yapıldı. 138 gros, 74 net tonluktu. Uzunluğu: 30,2 metre, genişliği: 5,6 metre, su kesimi: 2,3 metre idi. Hollanda yapımı 150 beygir gücünde 2 silindirli, iki genişlemeli buhar makinası vardı. Tek uskurluydu. 7 mil hız yapıyordu. 16 Aralık 1967'de satıldığında 57 yıllık bir tekneydi.

* 11 NUMARA: 1910'da, Hollanda'da, C. Wollheim Werft & Breslau tezgâhlarında buharlı yolcu vapuru olarak yapıldı. 82 gros, 35 net tonluktu. Uzunluğu: 23,6 metre, genişliği: 4,5 metre, su kesimi: 2,3 metre idi. Hollanda, Gaesar Wollker yapımı 61 beygir gücünde 2 silindirli, iki genişlemeli buhar makinesi vardı. Tek uskurluydu. 5 mil hız yapıyordu. Eyüp'ten

1911'de Hollanda'da yapılmış olan 11 numaralı Haliç vapuru. Biraz şekilsiz olmasından ötürü halk ona "Ütü" adını takmıştı.

daha da içeriye, sığ sulara girerek Kâğıthane iskelesine kadar gidebiliyordu. 1945'te Haliç Fabrikası havuzunda tadil edildi. Haliç halkı, pek şekilsiz olan bu vapura "Ütü" adını takmıştı.

* 12 NUMARA: 1910'da, Hollanda'da, C. Wollheim Werft & Breslau tezgâhlarında buharlı yolcu vapuru olarak yapıldı. 82 gros, 35 net tonluktu. Uzunluğu 23,6 metre, genişliği: 4,5 metre, su kesimi: 2,3 metre idi. Hollanda, Gaesar Wollker yapımı 61 beygir gücünde 2 silindirli, iki genişmeli buhar makinası vardı. Tek uskurluydu. 5 mil hız yapıyordu. Eyüp'ten daha da içeriye, sığ sulara girerek Kâğıthane iskelesine kadar gidebiliyordu.

* 13 NUMARA: 1910'da, Hollanda'da, C. Wollheim Werft & Breslau tezgâhlarında buharlı yolcu vapuru olarak yapıldı. 82 gros, 35 net tonluktu. Uzunluğu: 23,6 metre, genişliği: 4,5 metre, su kesimi: 2,3 metre idi. Hollanda, Gaesar Wollker yapımı 61 beygir gücünde 2 silindirli, iki genişlemeli buhar makinası vardı. Tek uskurluydu. 5 mil hız yapıyordu. Eyüp'ten daha da içeriye, sığ sulara girebiliyor, Kâğıthane iskelesine kadar gidebiliyordu. 16 Mayıs 1915 günü Marmara'da battıysa

Altı düz olduğu için sığ sulara rahatça girebilen 13 numaralı Haliç vapurunun başı ve kıçı sivri olmayıp, yuvarlaktı. Daha çok Eyüp'le, derenin ağzındaki Kâğıthane iskeleleri arasında çalışır, her baharda, Hıdrellez günü, halk bu vapura binerek Kâğıthane'ye giderdi. Sonradan Şirket-i Hayriye'ye devredilen ve küçük bir araba vapuru haline getirilen Kabataş adlı vapur, işte bu vapurdur. (Fotoğraf: Faik Şenol)

1912, Hollanda yapımı 15 numaralı Haliç vapuru.

da bir süre sonra çıkartılarak onarıldı. Çok sonraları, İdare'nin bir borcuna karşılık Şirket-i Hayriye'ye devredildi. 1938'de, Şirket'in Hasköy'deki atölyesinde kısmen tadil edilerek altı ya da yedi otomobil taşıyabilecek küçük bir araba vapuru haline getirildi. 77 baca numarası ve *Kabataş* adı verildi. Kazanı, makinesi çıkartılarak yerine 120 beygir gücünde küçük bir dizel motor yerleştirilmişti. Üsküdar-Kabataş arasında çalıştırılmasına başlandıysa da, denge sorunları nedeniyle bir yıl sonra kadro dışı bırakılarak satıldı.

* **14 NUMARA:** 1913'te, Hollanda'da, Papendecht'te J. & A. van der Schuyt tezgâhlarında buharlı yolcu vapuru olarak yapıldı. 238 gros, 178 net tonluktu. Uzunluğu: 31,2 metre, genişliği: 6 metre, su kesimi: 2,6 metre idi. Hollanda yapımı 180 beygir gücünde 2 silindirli, iki genişlemeli buhar makinesi vardı. Tek uskurluydu. 7 mil hız yapıyordu. 27 Haziran 1915 günü, Marmara Ereğlisi önlerinde *E-12* borda numaralı İngiliz denizaltısı tarafından batırıldı.

* **15 NUMARA:** 1912'de Hollanda'da, Papendecht'te, J. & A. van der Schuyt tezgâhlarında buharlı yolcu vapuru olarak yapıldı. 238 gros, 178 net tonluktu. Uzunluğu: 31,2 metre, genişliği: 6 metre, su kesimi: 2,6 metre idi. Hollanda yapımı 180 beygir gücünde 2 silindirli, iki genişlemeli buhar makinası vardı. Tek uskurluydu. 7 mil hız yapıyordu. 1946'da Camialtı Tersanesi'nde tadil edildi. Türkiye Denizcilik İşletmeleri T.A.Ş. Genel Müdürlüğü'ne bağlı Liman İşletmesi'nde römorkör olarak kullanılıyor.

* **16 NUMARA:** 1920'de, Hollanda'da buharlı yolcu vapuru olarak yapıldı. 250 gros, 167 net tonluktu. Uzunluğu: 29,9 metre, genişliği: 6,1 metre, su kesimi: 2,6

1920 yapımı 16 numaralı vapur Azapkapı önlerinde...
(Fotoğraf: Faik Şenol)

metre idi. Hollanda yapımı 222 beygir gücünde 3 silindirli, üç genişlemeli buhar makinesi vardı. 7 mil hız yapıyordu. 1960'lı yılların başında kadro dışı bırakılarak satıldı. 1965'te, sonra 1973'te tadil edilerek dizel motor takıldı, kuru yük gemisi haline getirildi. *Aksoy Ufuk*, sonra 1992'de *Tüzün Emekçioğlu*, adlarını aldı. 1996 Loydu'nda *Şahin Üzmez I* adıyla ve sahipleri olarak da Mehmet Yumak-Keziban Güldoğan gözüküyor.

* **17 NUMARA:** 1920'de, Hollanda'da buharlı yolcu vapuru olarak yapıldı. 260 gros, 166 net tonluktu. Uzunluğu: 29,9 metre, genişliği: 6,1 metre, su kesimi: 2,4 metre idi. Hollanda yapımı 222 beygir gücünde, 3 silindirli, üç genişlemeli buhar makinesi vardı. Tek uskurluydu. 7 mil hız yapıyordu. Yıllarca kullanıldıktan sonra, 24 Nisan 1967 günü kadro dışı bırakılarak satıldı.

Cumhuriyet yıllarında Haliç vapurları

Şirket, Birinci Dünya Savaşı'nın sonuna elinde kalan 10 vapurla ulaştı. Üstelik yolcu sayısı da giderek azalıyordu. Tabii, buna bağlı olarak, şirketin kârı da... Bu zor durum, 1930'lu yılların başına kadar sürdü.

Yıl	Yolcu sayısı	Kâr (Lira)
1927	7.464.385	430.698
1931	4.944.101	292.923

1935 yılında, Şirket'le İstanbul Belediyesi arasında çıkan anlaşmazlık, 23 Kasım 1936 günü, Belediye'nin şirketin vapurlarına, taşınır taşınmaz mallarına el koymasıyla sonuçlandı. Şirketin, Ayvansaray'da bir tamir fabrikası ve kızağı vardı. 53 işçinin çalıştığı fabrikada özellikle kendi vapurları tamir edilirdi. Faaliyeti sona eren Haliç Şirketi'nin yapmakta olduğu yolcu taşımacılığı böylece Belediye'ye devredilmiş oldu. Belediye, bunca derdinin arasında, bir de Haliç'te vapur çalıştırmak zorunda kaldı. Hem de, tam altı yıl!

Bu altı yıl boyunca, Belediye'nin bünyesinde kurulan geçici bir idarenin yeterince ilgilenememesi yüzünden vapurlar da, iskeleler de bakımsız kaldı. Haliç halkından duyulmaya başlayan şikâyetler azalmadı, giderek arttı. Sonunda, Belediye için yük olmaya başlayan bu geçici idare, 16 Temmuz 1941 günü Devlet Denizyolları Umum Müdürlüğüne devredildi de Belediye bu işten yakasını sıyırabildi. Vapurların bacalarına idarenin ay-yıldızlı, çift çapalı forsu yerleştirildi. Personel de umum müdürlüğün kadrosuna kaydırıldı. O tarihten itibaren Haliç hattı, Şehir Hatları İşletmesi'ne bağlanmış oldu.

Camialtı II ile, Şirket-i Hayriye'den kalan, direği kesilip bacası budanarak Haliç'te çalışabilir hale sokulmuş Sarıyer yolcu vapuru Köprü iskelesinde hareket saatini beklerken.

Aradan yıllar, yıllar geçti. Bu vapurlar Haliç iskeleleri arasında durmamacasına yolcu taşımakta devam etti. Şehir Hatları İşletmesi, yıllarca çalışarak ekonomik ömürlerini tamamlamış olan, sık sık tamir masrafları çıkartan, hızı neredeyse 3-4 mile düşen bu emektar vapurları 1966'dan itibaren birer, ikişer hizmet dışı bırakmak zorunda kaldı. Aralarından birkaçı zaman içinde büyük tamirler görmüştü, ama ne de olsa bunlar, yarım yüzyıldan fazla bir zaman Haliç'in boz bulanık sularında aralıksız hizmet görmüş yaşlı teknelerdi. Yine de bu emektar teknelerden biri, 50'li yılların başlarında Büyükada-Yürükali iskelesi arasında çalıştırıldı.

Haliç'in simgesi haline gelmiş eski vapurlardan en sona kalanı 9 Numara oldu. 1976'da kadro dışı bırakılıncaya kadar 15 yıl daha çalıştırıldı. Keşke satılmayıp muhafaza edilse, ya da özellikleri pek fazla değiştirilmeden turistik seferler yapabilecek bir tekne haline getirilebilseydi.

Bu arada, Camialtı Tersanesi'nde birbirinin eşi iki küçük vapurun yapılmasına başlandı. 1961'de hizmete konan bu iki küçük vapura, *Camialtı I* ve *Camialtı II* adları verildi.

* **CAMİALTI I:** 1961'de Camialtı Tersanesi'nde buharlı yolcu vapuru olarak yapıldı. 162 gros, 79 net tonluktu. Uzunluğu: 22,7 metre, genişliği: 6,6 metre, su kesimi: 1,8 metre idi. Şirket-i Hayriye'nin 1905 yapımı, 56 baca numaralı *Göksu* adlı

küçük yolcu vapurundan çıkartılan 1934 yapımı 150 beygir gücündeki iki silindirli, iki genişlemeli makinesi yerleştirildi. Tek uskurluydu. 1982'de kadro dışı bırakılıncaya kadar 21 yıl çalıştırıldı.

* CAMİALTI II: 1961'de Camialtı Tersanesi'nde buharlı yolcu vapuru olarak yapıldı. 162 gros, 79 net tonluktu. Uzunluğu: 32,7 metre, genişliği: 6,6 metre, su kesimi: 1,8 metre idi. Şirket-i Hayriye'nin 1905 yapımı, 55 baca numaralı *Bebek* adlı küçük yolcu vapurundan çıkartılan 1934 yapımı, 150 beygir gücündeki iki silindirli, iki genişlemeli buhar makinesi yerleştirildi. Tek uskurluydu. 1982'de kadro dışı bırakıldıktan sonra Türkiye Gemi Sanayii A.Ş.'nin emrine verildi. Römorkör olarak kullanılıyor.

Eski Şirket-i Hayriye vapurları şimdi de Eyüp hattında

Hemen her hatta olduğu gibi Haliç'te de kara trafiğinin deniz trafiğine galebe çalması sonunda gündüzleri yolcu sayısının giderek azaldığı görülüyordu. Ama yine de bu hatta, özellikle sabah ve akşamları, işine, gücüne gidip gelecek, işinden evine dönecek bu yolculara hizmet vermek gerekiyordu. İşçi kesiminin büyük bir bölümü, Eyüp, Kasımpaşa gibi büyük yerleşim merkezlerinin insanları hâlâ vapura binmek zorundalardı.

Şirket-i Hayriye'den kalma, Hasköy Tersanesi, 1937 yapımı 75 baca numaralı emektar Kocataş *direği, bacası kesildikten sonra Haliç'in boz bulanık sularında Eyüp'e çalıştığı günlerde.*

İdare, Şirket-i Hayriye'den kalan 73 baca numaralı *Rumelikavağı, 75* baca numaralı *Kocataş ve 76* baca numaralı *Sarıyer'i* Haliç hattına verme gereğini duydu. Unkapanı Köprüsü'nün altından geçebilmeleri için bu vapurların direkleri kesildi, bacaları güdükleştirildi. Bu arada, liman içinde hizmet teknesi olarak kullanılmak amacıyla yapılmış olan *56, 59* numaralı motorlarla benzeri *Cibali* adlı motor da gündüzleri tenha saatlerde hizmet vermeleri için biraz düzene konularak bu hatta verildi.

* **RUMELİKAVAĞI:** Şirket-i Hayriye tarafından, 1927'de Almanya, Elbing'de, F. Sichiau GmbH. tezgâhlarında buharlı yolcu vapuru olarak yapıldı. 148 gros, 64 net tonluktu. Uzunluğu: 33,1 metre, genişliği: 6,6 metre, su kesimi: 2,1 metre idi. Aynı tersanede yapılmış, 350 beygir gücünde, üç silindirli, üç genişlemeli buhar makinası vardı. Tek uskurlu olup 8 mil hız yapıyordu. Yaz/Kış 344 yolcu alabiliyordu. 1945'te Devlet Denizyolları'na devredilmişti. Son olarak Haliç'te çalıştırıldıktan sonra hizmet dışı bırakıldı. 1984'te Hilton Oteli tarafından satın alınıp tadil edildi, dizel motor takıldı. *Şehrazad* adıyla seyyar restoran ve gezinti teknesi haline getirildi.

* **KOCATAŞ:** 1937'de, Şirket-i Hayriye tarafından, Hasköy'deki fabrikada inşa edildi. 157 gros, 65 net tonluktu. Uzunluğu: 33 metre, genişliği: 6,6 metre, su kesimi: 2 metre idi. Hıdiv Abbas Paşa'nın *Nimetullah I* adlı özel yatından çıkartılan 1913 yapımı, 330 beygir gücündeki iki buhar makinasından biri yerleştirildi. Tek uskurluydu. 10 mil hız yapıyordu. Yaz/Kış 334 yolcu taşıyordu. 1945'te Devlet Denizyolları'na devredildi. 1984'te kadro dışı bırakıldığında 47 yıllık bir tekneydi.

* **SARIYER:** 1938'de, Şirket-i Hayriye tarafından, Hasköy'deki fabrikada inşa edildi. 157 gros, 65 net tonluktu. Uzunluğu: 33 metre, genişliği: 6,6 metre, su kesimi: 2 metre idi. Hıdiv Abbas Paşa'nın *Nimetullah I* adlı özel yatından çıkartılan 1913 yapımı, 330 beygir gücündeki iki buhar makinasından biri yerleştirildi. Tek uskurluydu. 10 mil hız yapıyordu. Yaz/Kış 334 yolcu taşıyordu. 1945'te Devlet Denizyolları'na devredildi. 1983'te kadro dışı bırakılarak satıldı. Yeni sahibi tarafından tadil edildi, seyyar restoran ve gezinti teknesi haline getirilerek *Paradiso* adı verildi.

* **56** ve **59** NUMARALAR: 1963'te Haliç Tersanesi'nde servis motoru olarak yapıldılar. 38 tonluktular. Uzunlukları: 19,5 metre, genişlikleri: 4 ,5 metre, su kesimleri: 2 metre idi. 185 beygir gücünde Volvo dizel motorları vardı. Tek uskurlu olup 11 mil hız yapıyorlar, 80 yolcu alabiliyorlardı.

* **CİBALİ:** 1979'da Haliç Tersanesi'nde servis motoru olarak yapıldı. 38 gros tonluktu. Uzunluğu: 19,5 metre, genişliği: 4,5 metre, su kesimi: 2 metre idi. 185 beygir gücünde Volvo dizel motoru vardı. Tek uskurlu olup 11 mil hız yapıyor, 80 yolcu taşıyordu.

Haliç'te yeni motorbotlar dönemi

Çilekeş Haliç yolcusu, bu penceresiz, içi karanlık, sevimsiz motorlara ne kadar ısınamadıysa, Şirket-i Hayriye'den kalan üç vapurun üçünden de çok memnun kaldı. Çünkü bunların içi rahat, oturacak yeri ötekilere kıyasla hayli çoktu. Kaloriferli oldukları için kış günlerinde sıcak oluyor, akşamları da ışıkları yanıyordu.

Ama gün geldi, bu üç küçük Şirket vapuru da ekonomik ömürlerini doldurdu. İdare, yeni bir atılımla, Haliç hattını ıslah etmeye karar vererek hem iskeleleri önemli ölçüde onardı, hem de Haliç'te çalıştırmak üzere modern, rahat, yeterince hızlı iki motorbotun inşasına girişti. Bunlara *Sütlüce* ve *Halıcıoğlu* adları verildi. Dört yıl sonra iki motorbot daha yapıldı; bunlara da *Defterdar* ve *Kâğıthane* dendi.

* **SÜTLÜCE** ile **HALICIOĞLU:** Bu iki birbirinin eşi motorbot da 1981'de Haliç Tersanesi'nde, dizel motorlu yolcu teknesi olarak yapıldı. 86 gros tonluktular. Uzunlukları: 26,4 metre, genişlikleri: 5,3 metre, su kesimleri: 1,8 metre idi. İki adet, her biri 171 beygir gücünde Scania dizel motorları vardı. Çift uskurluydular, saatte 10 mil hız yapıyorlardı. Yukarda açık güvertesi, aşağıda da iki kapalı küçük salonu vardı. Yazın 219, kışları da 261 yolcu alabiliyorlardı.

Özellikle Haliç iskeleleri arasında yolcu taşımak üzere yapılmış birbirinin eşi motorbotlardan Halıcıoğlu.

* **DEFTERDAR** ile **KÂĞITHANE:** Bu iki eş motorbot da 1985'te Haliç Tersanesi'nde dizel motorlu yolcu teknesi olarak yapıldı. 58,5 gros tonluktular. Uzunlukları: 25,8 metre, genişlikleri: 4,2 metre, su kesimleri: 1,7 metre idi. İki adet, her biri 171 beygir gücünde Scania dizel motorları vardı. Çift uskurluydular. 10 mil hız yapıyorlardı. Yaz/kış 199 yolcu taşıyorlardı.

Bu dört motorbotun hizmete girmesiyle işletmenin Haliç'te yolcu taşımacılığı düzene girdi, taşınan yolcu sayısında artma görüldü. Daha sonraki yıllarda bunların benzerlerinden 10 tane daha yapıldı. Bunlara *Arnavutköy, Asmalı, Aynalıkavak, Ayvansaray, Büyükçekmece, Göksu II,*

Kumla, Küçükçekmece, Küçüksu, Selimpaşa adları verildi. Bunların birkaçı Haliç hattında çalışırken, birkaçı da Boğaz'da karşılıklı iskeleler arasında ring seferlerinde kullanıldı. Hatta, ikisi de İzmir'e yollanarak Körfez hattında hizmete sokuldu.

* **ARNAVUTKÖY, ASMALI, AYNALIKAVAK, AYVANSARAY, BÜYÜKÇEKMECE, GÖKSU II, KUMLA, KÜÇÜKÇEKMECE, KÜÇÜKSU, SELİMPAŞA:** 1989'da Haliç Tersanesi'nde motorlu yolcu teknesi olarak yapıldılar. 77 gros tonluktular. Uzunlukları: 26,8 metre, genişlikleri: 5,2 metre, su kesimleri: 2,05 metre idi. İki adet, her biri 250 beygir gücünde Caterpillard dizel motorları vardı. Çift uskurlu olup 11 mil hız yapıyorlardı. Yaz/kış 290 yolcu taşıyorlardı.

Zaman içinde Haliç'teki vapur iskeleleri

Haliç vapurları, Galata Köprüsü'nün, Haliç'e bakan tarafındaki iskeleden kalkardı. Bu iskeleye, Haliç Şirketi'nin, siyaha boyalı, kaptan köşkü ön

tarafında, direksiz, küçük vapurları bağlardı. Köprü'den kalkan bu vapurlar Eyüb'e gidinceye kadar şu iskelelere uğrardı:

• İstanbul yakasında: Hal (Yemiş), Cibali, Fener, -iş saatlerinde- Yeni atölye, Balat, Ayvansaray, Defterdar, Eyüp.

1930'lu yıllarda, ahşap Kâğıthane iskelesi. Hemen arkasında bugün de yerli yerinde duran Silâhtarağa Köprüsü görülüyor.

• Beyoğlu yakasında: Azapkapı, Kasımpaşa, -iş saatlerinde- Camialtı, Hasköy, Halıcıoğlu, Sütlüce, Karaağaç. Daha içerde, sabah-akşam işçileri bırakıp almak için vapurların uğradığı Fişek fabrikasının iskelesi vardı ki, buraya Saçma iskelesi de denirdi; en içerde de Kâğıthane... Bu son iki iskeleye ancak, su burada çok sığlaştığı için Haliç vapurlarının 11, 12, 13 numara gibi küçük ve altı düz olanları girip yanaşabilirdi.

Ne var ki, bu karşılıklı iskelelerin birkaçı zaman içinde görülen lüzum üzerine kapatıldı. Bir ikisi yeniden açıldıysa da sonra kapılarına tekrar kilit vuruldu. Bu arada 15 Şubat 1986 gününden itibaren Haliç hattı, Üsküdar'a kadar uzatıldı. Yâni eskiden Eminönü'nden kalkarak Eyüb'e giden vapurlar, o günden itibaren Üsküdar'dan hareket eder oldular. Böylece başlangıç iskelesi olan Eminönü, Haliç vapurları için artık ara iskelelerinden biri haline geldi.

Bugün ise, Üsküdar'dan hareket edip Galata Köprüsü'nün altından geçerek Haliç'e giren motorbotlar Eminönü'ne, Kasımpaşa'ya, Fener'e uğradıktan sonra çamura saplanıp kalmamak için daha sonraki iskelelere gidemeyip son iskele olarak Balat'a bağlıyorlar. Kısacası, adı üstünde Eyüp vapurları artık Eyüp'e gidemiyorlar. Çok değil, kısa bir süre sonra, koca Haliç'in iç kesimi büsbütün çamur kesileceği için- ilgili bilgililer (!) tarafından büsbütün doldurulacak mıdır, nedir?

DÖRDÜNCÜ BÖLÜM
İzmir Körfezi'nde
Yolcu Vapurları

- ## Hamidiye Şirketi'nden günümüze

1908 yapımı Göztepe *Konak yolunda (Fotoğraf: Selâhattin Giz)*

Körfez sularında ilk buharlı vapurlar

İzmir Körfezi'nde vapurculuk çalışmaları, Sultan Abdülmecid'in saltanat yıllarında (1839-1861) başlar. İzmir'in geçen yüzyılın ortalarına doğru bir ticaret ve liman şehri olarak hızla önem kazanması, hem körfez sularında, hem de daha uzakça liman ve iskeleler arasında buharlı vapurlar çalıştırılmasını kaçınılmaz hâle getirmişti. Daha sonraki yıllarda Konak ile Alsancak arasında düzgün bir rıhtımın inşa edilmesi de, bu gelişmeyi hızlandırdı.

Önceleri İzmir ve çevresindeki köyler ile kasabalar arasında ulaşım daha çok araba ve eşeklerle sağlanır, ticaret malları da develer ve katırlarla taşınırdı. İstanbul'da Şirket-i Hayriye adlı vapurculuk şirketinin kurulduğu yıl olan 1851'de, İzmir'de de Bornova yolcuları için buharlı iki küçük vapurun çalıştırıldığı biliniyor.

İstanbul'da olduğu gibi, İzmir'de de vapurla yolcu ve yük taşımacılığına ilk girişenler, yine yabancılar olmuştu; devlet de bu duruma göz yummak zorunda kalmıştı. Günde karşılıklı ikişer sefer yapan *Bornova* ile *Apsis* adlarındaki bu vapurlarla bağlantılı olarak, yolculara kolaylık sağlamak üzere Bornova iskelesinden Bornova kasabasına kadar bir de araba servisi kurulmuştu.

Ne var ki, vapur seferleri, -aynen İstanbul'da olduğu gibi- başlangıçta kayıkçıların karşı koyma girişimleriyle baltalanmak istendi; bu direnişe, sonra eşekçiler de katıldı. Ancak İzmir'le Bornova arasına demiryolu döşendikten sonra eşekçiler de, arabacılar da zamanla ortadan kalktı.

Yaklaşık 100 yıl öncesinin İzmir'inden bir görünüş: Pasaport'ta Kantar Karakolu civarı.

Banker Baltazzi imtiyaz peşinde

İzmir sularında vapur işletme imtiyazı almak için resmî makamlara yapılan başvuruların 1880, 81, 82, 83 yıllarında yoğunlaştığı görülüyor. Yürürlükteki ticaret anlaşmalarından yararlanmak isteyen yabancıların başında, İzmir'de oturmakta olan, Manisalı Rum asıllı, ama İngiliz uyruklu D. Baltazzi (Baltacıoğlu) adlı banker ve zengin iş adamı geliyordu.*

Daha önceleri İstanbul'da Şirket-i Hayriye'nin vapurlarını İngiltere'ye ısmarlayarak Şirket ile Tersane arasında arabuluculuk yapan banker Baltazzi, daha 1875'te, İzmir'den, Körfez içinde Kordelya (bugünkü Karşıyaka), Karataş ile Göztepe'ye; Körfez dışında da Menemen, Urla, Foça, Çandarlı, Dikili, hatta Ayvalık'a kadar buharlı vapur çalıştırmak için 25 yıllık bir imtiyaz istemiş bulunuyordu. Vapurlarının Osmanlı bayrağı taşıyacağını, ayrıca, her an sefere çıkmaya hazır durumda üç vapur bekleteceğini de taahhüt ediyordu.

Baltazzi'nin bu imtiyaz talebi Bahriye Nezareti tarafından geri çevril-

---

(*) Eser Tutel, *Şirket-i Hayriye* (İletişim Yayınları, 1994 ve 1997), Sayfa: 23-24.

mişti. Nedeni de, o günlerde Bahriye Nezareti'nin bünyesinde yeralan ve geliştirilmesine çalışılan İdare-i Aziziye Kumpanyası'nın da bu sularda vapur çalıştırmak için hazırlıklara girişmiş olmasıydı. Nezaret yine de Baltazzi'ye, İdare-i Aziziye vapur çalıştırmaya başlayıncaya kadar, geçici bir ruhsat verilebileceğini bildirmişti.

Bu arada, İstanbul'da Sultan Aziz tahttan indirilmiş, V. Sultan Murad'ın kısa süren padişahlığını saymazsak, tahta II. Abdülhamid çıkmıştı. Osmanlı sularında devlet adına vapurculuk işlerini yürüten İdare-i Aziziye Şirketi'nin yerine de İdare-i Mahsusa kurulmuştu. O yıllarda İzmir'de, Körfez'de düzensiz de olsa yabancıların eski, küçük, çürük-çarık vapurlarıyla yolcu ve yük taşımacılığı iyi-kötü hâlâ sürdürülüyordu.

Jolly Carmoly'nin cazip önerisi

1880 yılında, bu vapurcukların birkaçını çalıştıran Jolly Carmoly adlı kumpanya da 25 yıllık bir imtiyaz almak amacıyla resmî makamlara başvurdu. Böylece şirket, rakiplerini bertaraf ederek Körfez'deki durumunu sağlamlaştırmak istiyordu. Bu amaçla, birkaç yıl önce Baltazzi'nin önerdiği tekliflerden daha caziplerini ileriye sürdü; bu kadarla da kalmadı, her yıl, kârının % 5'ini İzmir'deki Mekteb-i İptidaiye-i Umumiye adlı eğitim kuruluşuna vereceğini vaadetti.

Şirket, çok geçmeden bu cazip tekliflerinin semeresini almakta gecikmedi! Şûra-yı Devlet Tanzimat Dairesi, adı geçen kumpanyanın zaten Körfez sularında bir süreden beri vapur çalıştırmakta olduğunu da gözönüne alarak teklifi olumlu karşıladı. İmtiyaz vermeye de gerek görmeden, şirketin vapur çalıştırmasına müsaade etti.

Körfez halkı, her şeye rağmen işlerine güçlerine vapurla gidip gelmeye alışmıştı. Hepsi iyi, hoştu da, bu Jolly Carmoly kumpanyasının "mavna bozuntusu köhne vapurları"ndan hiç mi hiç memnun kalmıyordu. Bu yabancı şirket kendilerini apaçık istismar ediyor, üstelik de haksız kazanç sağlıyordu. Vapurlarda kadın yolcular için özel bir yer ayrılmamıştı. Seferlerin sık sık aksaması, kumpanya görevlilerinin zaman zaman yolculara kötü davranması da cabasıydı.

Karşıyaka sakinlerinden birkaç müteşebbis, bu sıkıntılara kesin bir son vermek amacıyla bir araya gelerek 23 Ocak 1881 günü İzmir Vilayet makamına başvuruda bulundu; Körfez'de vapur çalıştırma hakkının yabancılara verilecek yerde kendilerine tanınmasını istedi. Bununla da kalmayıp iki de küçük vapur ısmarladığını, bunların yanaşacağı iskeleleri de yine kendileri yapacaklarını bildirdi.

O günlerde, İzmir'de daha başka kişi ve kuruluşlar da vapur çalıştırmak için ortaya çıktı:

* 1881: Kadri ve Arif Beyler'le Halim Ağa adlı üç girişimcinin istekleri, resmî makamlarca şüpheyle karşılandı: Bu üç kişinin imtiyaz alıp, sonra vapurları da, imtiyazı da kısa yoldan Jolly Carmoly Kumpanyası'na devretmeleri de pek âlâ mümkündü.

Ama bu üç kişi, böyle bir ihtimali şiddetle reddetti. İleri sürdüklerine göre, yalnız Jolly Carmoly kumpanyasının değil, Rus ve yeni kurulan bir Yunan kumpanyasının vapurlarının da İzmir'e gelip gitmeye başladığına dikkati çekerek devletin kendi hakkı olan kara sularında vapur çalıştırma hakkını yabancı kişilere ve şirketlere kaptırmakta olduğunu bildirdiler. İstanbul'da, Boğaz sularına vapur çalıştırmak hakkı nasıl Şirket-i Hayriye'ye verilmişse, İzmir Körfezi sularında da bu hakkın kendilerine verilmesini istediler.

Bildirdiklerine göre kuracakları şirketin adı Şirket-i Hamidiye ya da "Mebadi-i Servet" olacaktı. Sermaye olarak da, 5.000 lira değerinde, beş adet yolcu vapurunu gösterdiler. İtibarî sermayesi, her biri 6 liralık 1.000 hisseden oluşacaktı. Dikili ile Karaburun arasında çekilecek muhayyel bir çizginin içinde kalan Körfez bölgesinin kuzey ve güneyindeki iskeleler arasında faaliyet göstereceklerdi. Onlar da Maarif'e yardımdan geri kalmayacaklardı; kârdan % 10'unu vermeyi taahhüt ediyorlardı.

* 1882: İzmir'in tanınmış zengin ailelerinden Uşşakizadeler de Ocak ayında Körfez'de vapur çalıştırmak için başvuruda bulundu: Uşşakizade Sadık Bey ile ortağı Boğos Bergamalıyan, başlangıçta Karşıyaka ile Göztepe arasında karşılıklı iki vapur çalıştıracaklarını bildirerek imtiyaz telep ettiler.

* Bu arada, İzmir Belediyesi de (I. ve II. Şube Daireleri) Körfez sularında vapur taşımacılığına girişmek istedi. Yapılacak en kolay şey, Jolly Carmoly kumpanyasının vapurlarını satın almaktı, fakat bu iş için Belediye'nin gerekli parası yoktu. Sermayeyi sağlamak için hisse senetleri çıkartsa, bu sefer de bunların büyük bir kısmının zengin yabancıların elinde toplanması tehlikesi vardı.

Ancak, Osmanlı bayraklı vapurlar çalışabilecek!

O yıl, yâni 1882'de, resmî makamlardan körfez ve liman gibi kapalı sularda ancak Osmanlı bayrağı taşıyan vapurların çalışabileceğine dair bir emirnâme çıktı. Buna göre, yabancı bayraklı vapurların seferden men edilmesi sağlanmış oluyordu ki, bu çok önemliydi. Şu da var ki, hâlen çalışmakta olan vapurlar seferden men edilince, İzmirliler, hele hele Karşıyakalılar gerçekten çok zor durumda kalacaklardı.

Bu sırada vapur çalıştırmak için başvuruda bulunanların sayısı giderek artıyordu:

* 1882: Mahmud Celâleddin Paşa, yıl sonuna doğru da Arnavudzade Haçiko Efendi, on yıldan beri zaten Körfez' de vapur çalıştırmakta olan Zare Tartakyan adlı kişiler kendi adlarına imtiyaz talebinde bulundular.

* 1883: Ocak ayında İzmirli tüccarlardan Menekşelizâde Mehmed Emin Bey; Mart'ta da Şehremaneti'nin eski üyelerinden Mehmed Ragıp Bey imtiyaz için başvurdular. Ayrıca, Şarl Luzyanyan, Helvacızade Mehmet Emin, Mehmet Arif adlı şahıslar da Körfez'de vapur çalıştırmak için başvuranların arasındaydı.

O yıl, Umûr-ı Nafıa Komisyonu, nihayet bir karara vardı: Bütün bu başvurulardan hiçbirine imtiyaz verilmeyecekti. Fakat, nasıl Jolly Carmoly kumpanyasının Körfez sularında vapur çalıştırmasına ses çıkartılmıyorsa, bu kişilerin de vapur çalıştırmasına engel olunmayacaktı.

Aslında, o tarihlerde İzmir Körfezi'nde İdare-i Mahsusa idaresinin vapur çalıştırması düşünülüyordu. İdare'nin, bu iş için ayırdığı iki küçük vapurun elden geçirilerek esaslı bir şekilde onarımı sona erinceye kadar, bu meselenin fazla üzerine gitmek istemediği anlaşılıyordu.

O sıralarda daha başka kişiler de vapur çalıştırmak için girişimlerde bulunmaktaydılar. Bunların biri de, İzmir'in tanınmış tüccarlarından Yahya Hayati Efendi'ydi.

Yahya Hayati Efendi, 1883 yılının Temmuz ayındaki başvurusunda bir Osmanlı Anonim şirketi kuracağını, vapurlar satın alıp Körfez'de yine iskeleler inşa edeceğini, yolcu bilet ücretlerinin saptanmasını resmî makamlara bırakacağını, ama verilecek imtiyazın da 30 yıl olması gerektiğini bildiriyordu. O da gelirinin bir kısmını, hem de % 15'ini, İzmir'de yeni kurulmakta olan Mekteb-i Sultanî'ye verecekti.

Nihayet İzmir Hamidiye Vapur Şirketi kuruluyor

Bütün bu teklifler Nafıa Nezareti'nde incelenmek üzere İstanbul'a gönderileceği sırada, dönemin pâdişahı II. Abdülhamid'in imtiyazın bu Yahya Hayati Efendi'ye verilmesinden yana olduğu görülüyordu. Olaylar

*1940'lı yılların ikinci yarısında çekilmiş bir İzmir fotoğrafı: En solda eski Konak iskelesi.
Hemen arkasında minaresi gözüken 1754 yapımı Çinili, Şadırvan ya da Yalı Camii... Karşıda
1901'de Sait Paşa tarafından yaptırılan saat kulesi, hemen arkasında da Hükûmet Konağı.
Meydanda ise tramvaylar, troleybüsler ve de otobüsler yolcu beklemekte... Karşı tepede ise
İzmir'in en güzel seyredildiği yerlerden ünlü Kadifekale. Çevresinin evlerle dolması için daha
30 senesi var. 1934 yapımı Bayraklı vapuru ise iskeleden kalkmış, Karşıyaka'ya gitmek üzere
dümen kırıyor...*   *(Prof. Şükrü Postacıoğlu'nun koleksiyonundan)*

bu şekilde gelişmekteyken, Yahya Hayati Efendi, Jolly Carmoly kumpanyasının isteyeceği tazminatı da kendisinin ödeyeceğine dair söz verince son engel de ortadan kalktı ve 13 Temmuz 1883 günü İzmir Hamidiye Vapur Şirketi resmen kurulmuş oldu. Şu şartla ki, hisse senetleri Osmanlı uyruğunda olmayan kimse ve kuruluşlara satılmayacaktı! Şirketin kurucuları, Yahya Hayati, Balyoszade Matyos, İsayi İsayan, Arnavutoğlu Dimitri, Urlalı tüccarlardan Eskenazi Erdid ile Kazancızade Hafız Mehmet Efendiler'di. Aslında, şirketin Türk, Ermeni ve Rum işadamlarından meydana gelen bir ortak olduğu görülüyordu.

Hazırlanan mukaveleye göre Şirket, Körfez'de şu iskelelere vapur çalıştıracaktı: Eski Foça, Yeni Foça, Alaybeyi, Osmanzâde, Donanmacı, Karşıyaka, İzmir, Karataş, Islahane, Göztepe, Abdullah Ağa Çiftliği, Kilizman, Urla, Karaburun. Körfez dışında da Çeşme Ilıcası... Seferler belli bir tarifeye göre düzenlenecek, iskeleler ile dubalar Şirket tarafından yapılacaktı. İmtiyaz müddeti 30 yıldı.

Bilet ücretleri de şu şekilde saptanmıştı: Birinci mevki: 27, ikinci mevki: 20 para. Yolcuların beraberlerindeki 30 kiloya kadar yükten para alınmayacaktı. Ayrıca devlet memurları da parasız yolculuk yapacaklardı. Hazırlıklar bir yılda tamamlanacak, vapurlar çalışmaya başladıktan sonra da net gelirin % 15'i Mekteb-i Sultanî'ye verilecekti. Buna karşılık, devlet, Körfez'de öteki vapurların çalışmasına göz yummayacaktı.

İzmir Hamidiye Vapur Şirketi ilk seferlerine 1884 yılının Şubat ayında sekiz vapurla başladı. Şirketin elinde hepsi küçük ve hayli eski şu vapurlar vardı. *Dikili, Terakki, Islahhane, Karataş, Adliye, Hamidiye, Urla, İzmir, Karşıyaka, İstanbul.* Ama Körfez'de yolcu ve yük taşımakta olan İngiliz ve Yunan kumpanyaları, bütün uyarılara rağmen yine de eskisi gibi vapur çalıştırmakta devam ettiler.

Yahya Hayati Paşa -artık Paşa olmuştu- bu duruma kesin bir son verilmesi için Vilâyet kanalıyla girişimlerde bulunuyorduysa da, Valiliğin Bâb-ı Âli'ye danışmadan bu nazik konu üzerinde harekete geçmekten çekinmesi yüzünden bir sonuç alamıyordu.

Bu sefer Hariciye'nin araya girmesiyle durum İngiliz elçisine resmen bildirildi. Bu arada, Jolly Carmoly Kumpanyası'nın vapurlarının İzmir Hamidiye Vapur Şirketi tarafından satın alınacağı tebliğ edildi. Bütün bu yazışmalar, görüşmeler sürüp giderken, yabancı vapurlar yine yolcu taşımakta devam ettiler. İzmir Hamidiye Vapur Şirketi, bu durumda gerçekten zor dönemler geçirdi. Hatta, rekabeti sürdüremediğinden seferlerini neredeyse büsbütün tatil etmek tehlikesiyle karşı karşıya kaldı.

Yabancı şirketlerin vapurlarını seferden almaları, ancak 1886 yılının 29 Mayıs günü sağlanabildi de İzmir Hamidiye Vapur Şirketi bu tatsız rekabetten kendini kurtarabildi.

Hisse senetleri yine yabancı ellerde

Jolloy Carmoly kumpanyasının beş vapuru İzmir Hamidiye Vapur Şirketi tarafından satın alındıysa da bu satış maalesef para karşılığı değil de, hisse senedi karşılığında yapılabildi. Böyle olunca da hisselerin büyük bir bölümü -toplam 9.000 liralık- arzu edilmemesine rağmen yine yabancıların eline geçmiş oldu. O yıllar, işte böylesine dertli, böylesine sıkıntılı yıllardı.

Yahya Hayati Paşa, başlangıçta karşılıklı görüşmelerle geçen bu otuzüç ayın sayılmayıp, imtiyaz süresinin sonuna eklenmesini talep ettiği zaman yine karşılıklı masaya oturuldu. Mesele birkaç yıl sürüncemede kaldı. Uzun süren görüşmeler sonunda Paşa'nın isteği kabul edilerek imtiyaz süresi 11 Şevval 1300'den itibaren (16 Ağustos 1883) otuz yıl + 33 ay olarak kabul edildi. Yâni, imtiyaz süresi 1916'da sona erecekti. Mekteb-i Sultanî'nin inşaatı bitmişse de henüz öğretime açılamadığı için verilmesi kararlaştırılan paranın İzmir Sanayi Mektebi diye anılan Islahhane'ye verilmesi uygun görüldü.

Jolly Carmoly kumpanyasının vapurlarını satın almasıyla İzmir Hamidiye Vapur Şirketi'nin 1890 yılında filosundaki vapur sayısı 13'e çıkmış oluyordu. Şirketin *Dikili, Terakki, Islahane, Karataş, Adliye, Kilizman, Hamidiye, Urla, İzmir, Karşıyaka, İstanbul* adlı yandan çarklı vapurları vardı. Dokuz yıl sonra, 1899'da, *Adliye* ile *Kilizman* seferden alındı, buna karşılık *Gülbahçe* adında bir başka vapur sefere kondu. 1904'e gelindiği zaman şirketin vapur sayısı 12 idi. Aslında bu vapurların bir kısmı yelkenli, pazar kayığı ve yat olarak yapılmış teknelerdi, sonra sözde yolcu vapuru haline dönüştürülmüştü. *Terakki, Urla, Gülbahçe* yandan çarklıydı; *Hürriyet* ile *Müsavat* uskurluydu. Hepsi de az-çok bir istimbotu andırıyordu.

* **GÜLBAHÇE:** 1876'da, İngiltere, Kinghorn'da, J. Key & Sons tezgâhlarında yandan çarklı yolcu vapuru olarak inşa edildi. 165 gros, 36 net tonluktu. Teknesi sactı. Uzunluğu: 41,5 metre, genişliği: 8 metre, su kesimi: 2,4 metre idi. 2 silindirli buhar makinesi vardı. Önce *John Beaumont* adıyla çalıştı. İzmir Hamidiye Vapur Şirketi tarafından alınınca adı *Gülbahçe* olarak değiştirildi. Şirketin en yaşlı, en köhne vapuruydu.

* **İSTANBUL:** Ahşap bir tekneydi. Uzunluğu: 34 metre, genişliği: 5,1 metre idi. 45 beygir gücünde buhar makinesi vardı. 1908'de liman içinde bir kazaya uğrayarak battı.

* **DİKİLİ:** Şirketin en büyük ve en sağlam vapuruydu.

* **OSMANİYE:** Şirketin Bayraklı'daki tezgâhında inşa edildi. Uzunluğu: 34 metre, genişliği: 5,1 metre idi. 11-12 mil hız yapabiliyordu.

* **HÜRRİYET:** Uzunluğu: 50,3 metre, genişliği: 7,1 metre idi. Saatte 11-12 mil hız yapabiliyordu. Guiffray Şirketi tarafından satın alındı. Sonra adı *Cumhuriyet* olarak değiştirildi. 60 bin lira sarfedilerek kazanı, makinesi yenilendi. 1936'da çürüğe çıkarıldı.

* **MÜSAVAT:** Uzunluğu: 50,3 metre, genişliği: 7,1 metre idi. Saatte 11-12 mil hız yapabiliyordu.

(*Hürriyet* ile *Müsavat* birbirinin eşi vapurlardı).

* **DUATEPE:** 1893'te İngiltere'de yapıldı. Teknesi demirdendi. 169 gros, 105 net tonluk. Uzunluğu: 40,5 metre, genişliği: 7 su kesimi: 3,3 metre.

* **KOCATEPE:** İngiltere'de yapıldı. 158 gros, 86 net tonluktu. Uzunluğu: 55 metre, genişliği: 6 metre, su kesimi: 3,6 metre idi. Kamarasız, eski, hele uzun seferler için elverişli olmayan yandan çarklı bir tekne idi. 1932'de çürüğe çıkartıldı.

* **KARŞIYAKA:** Körfezin iyice vapurlarından bir sayılıyordu. 1926'dan sonra düzenli bir şekilde çalıştırıldı. 1936'da büyük bir onarım gördü. *Suvak* adını aldı.

* **GÖZTEPE:** Körfezin rağbet gören vapurlarındandı. Yıllarca çalıştırıldıktan sonra 1936'da çürüğe çıkartıldı.

* **DUMLUPINAR:** Römorkörden bozularak sözde yolcu vapuru haline getirilmişti. Uzun yıllar çalıştırıldı. 1938'de zaman zaman aile tenezzüh seferleri için kiraya veriliyordu.

Körfez dışına da seferler yapılıyor

Şirketin vapurları artık Körfez içinde Karşıyaka, Bayraklı, Gümrük, Karataş, Karantina, Ispartalı, Göztepe, Kokaryalı, Ma'muretü'l-Hamidiye iskelelerine sabahtan akşama kadar seferler yapıyordu. Liman dışındaki seferlere gelince, 1890'da her sabah Urla iskelesine düzenli seferler vardı. Ama bu hat, 1899'da haftada beşe indirildi. Urla'ya giden vapurlar aynı günün akşamı İzmir'e geri dönüyordu.

Foça'ya 1890'da, salı ve cumaları olmak üzere haftada iki sefer vardı.

Sonra, çarşamba günleri de sefer konarak sefer sayısı haftada üçe çıkartıldı. 1892'den itibaren müstakil olan Foça hattı kaldırıldı, yerine Kalonya'ya giden (Midilli) vapurlar Foça'ya da uğramaya başladı.

Karaburun'a haftada iki kez sefer vardı. Salı ve cuma günleri giden vapurlar, İzmir'e ancak ertesi günü dönüyordu.

Körfez dışı seferler kapsamında yapılan Ayvalık postası, önceleri 15 günde iki kere idi. Bu vapurlar yalnız Ayvalık, Kemer, Edremit ve Midilli'ye uğrarken, sonraları Foça ve Kalonya (Midilli) hattıyla birleştirildi, salı ve cumaları olmak üzere haftada ikiye çıkartıldı. Kalonya seferleri önceleri 15 günde bir yapılmaktaydı. Vapurlar önce Foça'ya, sonra Midilli'nin doğusundaki Midilli limanına uğradıktan sonra batıya doğru Plomarion, Aposika, Kalonya, Herisa ve Sığrı'ya uğrayarak Midilli'nin bütün iskelelerini İzmir'e bağlıyorlardı. Sonra, 1899 yılında, bu hat da Ayvalık hattıyla birleştirildi.

Başlangıçta haftada bir vapur kaldırılan Sakız hattında Karaburun, Ilıca ve Çeşme iskeleleri yer alıyordu. Sonra, büyük bir olasılıkla, Rodos'a giden gemilerin de Sakız'a uğraması nedeniyle bu hat kaldırıldı.

Kuşadası seferleri de önceleri haftada iki kere olarak düzenlenmişti. Ama sonraları, Sisam ve Rodos'a giden vapurlar Kuşadası'na da uğradıkları için bu hat da kaldırıldı. İzmir Hamidiye Vapur Şirketi'nin vapurları bu iskeleye haftada bir kere uğrar oldular. Vapur, dönüşte Sakız, Çeşme, Sisam, Karlovasi (Karovası, Sisam'ın kuzeyinde) ile Arki iskelelerine uğruyordu.

Rodos hattına gelince: Aslında Oniki Adalar'ı İzmir'e bağlayan bu hatta yalnız perşembe günleri sefer yapılıyordu. Vapurlar önce Çeşme ve Sakız iskelelerine uğradıktan sonra Karlovasi (Sisam'ın kuzeyinde), Vathi (Vati), Kuşadası, Pitagorion (Sisam'ın güneyinde), Patmos, Kalimnos ve İstanköy (Kos) adalarına, sonra Bodrum'a, daha sonra da Leros, Sömbeki, Rodos, Khalki (Halki), Karpatos (Kerpe) ve Kasos (Kaşot) adalarına uğruyorlardı.

Seferlerin birçoğuna son verilince...

1900'lü yılların başlarında bu seferlerin büyük bir kısmının kaldırıldığını görüyoruz. Eldeki küçük birkaç vapurla böylesine uzun seferleri düzenli olarak sürdürmek elbette ki kolay değildi. Bir dönem geldi ki, Körfez dışındaki hatların, Ayvalık hattı dışında, hepsinin kaldırılması zorunlu oldu. Şirket artık Ayvalık'a haftada yalnız iki kez vapur kaldırabiliyordu.

Buna karşılık, o yıllarda bir başka kumpanya İzmir'den İskenderiye ile İstanbul'a düzenli seferler yapmaya başlamıştı. Hacı Davud Ferkûh kumpanyası vapurlarının, İzmir-İskenderiye, İzmir-Antalya, İzmir-Halki, İzmir-İstanbul-Karadeniz iskeleleri, İzmir-Selânik, İzmir-Kavala arasında düzenli seferleri vardı.

1900'lerin başlarında İzmir Hamidiye Vapur Şirketi'nin sermayesi 53.000 lira idi ve bir yılda taşıdığı yolcu sayısı yaklaşık olarak aşağıda görüldüğü gibiydi:

* İzmir'den Karşıyaka'ya: 1.100.000 (Günde yaklaşık 3.000 yolcu)
* İzmir'den Göztepe'ye: 900.000 (Günde yaklaşık 2.500 yolcu)
* İzmir'den Karaburun'a: 51.000 (Günde yaklaşık 140 yolcu)
* İzmir'den Urla'ya: 10.000 (Günde yaklaşık 28 yolcu)
* İzmir'den Ayvalık'a: 5.000 (Günde yaklaşık 16 yolcu)
* İzmir'den Foça'ya: 2.000 (Günde yaklaşık 5-6 yolcu).

Kazaların ardı arkası kesilmiyor!

Şirketin vapurları, bu zaman içinde seyrek de olsa, ya kendi aralarında ya da başka gemilerle çarpışarak büyüklü küçüklü kazalara yolaçtılar. Vapurlar zaten eski ve bakımsız oldukları için, kaza sonunda meydana gelen hasar da büyük oluyordu.

Bu çürük-çarık teknelerin ne kadar eski ve dayanıksız olduklarını saptamak için ciddî ve fennî kontrollar yapılmasına hiç ihtiyaç yoktu. Hepsinin de ne kadar bakımsız oldukları daha ilk bakışta görülür haldeydi: Vapurların üçü çok köhnemişti, ikisi de yolcu taşımaya elverişli olmaktan çıkmıştı. Vilâyet, Şirket'e bu eski vapurların bakımlarını yapması için uyarı üzerine uyarıda bulunuyorsa da, değişen pek bir şey olmuyordu.

1894 yılının yazında yapılan bir kontrolda, Şirket'e taahhütlerini yerine getirmesini sağlamak amacıyla dört vapur birden alması gerektiği bildirildi. Ama yine değişen pek bir şey olmadı. İzmir Hamidiye Vapur Şirketi, hiçbir zaman yeni, seyir güvenliği olan, rahat ve konforlu vapurlar çalıştıramadı.

Kaldı ki, Şirket'in personeli de yetersizdi; kaptanları kaza yapıyorlardı.

* 1 Ağustos 1887 günü *Göztepe* ile *Kilizman* vapurları,
* 13 Temmuz 1895 günü Göztepe ve Karşıyaka seferlerini yapan iki vapur,
* 4 Şubat 1899 günü Göztepe hattında çalışan *Adliye* ve *Girid* vapurları,

* 24 Nisan 1908 günü *Terakki* ve *Göztepe* vapurları iskeleden hareket ettikleri zaman çarpışmışlar, her seferinde de hayli hasara yolaçmışlardı.

* Ama en büyük facia 30 Eylül 1908 günü yaşandı. Yağışlı bir gündü ve hava kararmak üzereydi. Merkezi Selânik'te olan Şirket-i Hayriye-i Hamidiye'nin Selânik'ten gelen *Kesendire* vapuru ile *İstanbul* vapurunun çarpışmasıyla meydana gelen kaza, çok sayıda yolcunun denize dökülüp boğulmasıyla sonuçlandı. Ramazan olduğundan, ve Karşıyaka'da oturan Türk Müslümanlar daha önceden iftara yetişmek için erkenden evlerine gittikleri için boğulanların çoğu Rum vatandaşlar oldu. Bu büyük kazada asıl suçun, İzmir Hamidiye Vapur Şirketi'nin *İstanbul* vapurunun kaptanı izinli olduğu, bu nedenle vapuru tek başına kullanan Rauf Efendi adlı serdümende olduğu anlaşıldı. Kazada, *Kesendire* vapuru hemen tornistan etmiş, *İstanbul* vapuru da açılan rahneden dolan sularla yan yatarak batmıştı. *Kesendire*'nin kaptanı tutuklanmış, ağır ceza mahkemesinde yargılanmıştı. Ama davanın selametle görülebilmesi için dosya Rodos'a gönderilmiş, davaya orada devam edilmişti.

Olaylar, galeyana gelen bazı kimselerin Şirket'in Konak'ta bulunan merkez iskelesine saldırıp binayı yakıp yıkmasıyla devam etti. İşin garip tarafı, vapurları bir kez daha kontroldan geçiren uzmanlar (!) ekonomik ömürlerini çoktan tamamlamış olan bu vapurlarda tehlikeli bir durum görememeleri oldu. Verdikleri raporda, yalnız can yeleklerini sayıca az bulmuşlardı, hepsi o kadar!

Şimdi de "Vapursuz kaldık!" yakınmaları

Konak, hatta karşıyaka iskelesinin yakılıp yıkılmasıyla, Şirket mecburen seferlere bir süre için ara vermek zorunda kaldı. Ama bu sefer de yolcular "Vapursuz kaldık!" diyerek şikâyetlerde bulundular. Bunda haksız da değillerdi. O tarihlerde Karaburun ile Foça'ya karadan düzenli bir yol olmadığı için bu kasabaların halkı çok zor durumda kalmışlardı. Hatta, Kokaryalı'ya (bugünkü Güzelyalı) atlı tramvay çalışmasına rağmen vapur seferlerine ara verildiği için bu semtin halkı da vasıtasızlıktan yollarda kalmıştı.

İzmir Hamidiye Vapur Şirketi'nin seferlerini kaldırması karşısında, bu durumdan yararlanmak isteyen Whittall ve Guiffray şirketi, İzmir ile Karşıyaka arasında vapur çalıştırmak için, fırsat bu fırsat düşüncesiyle hemen başvuruda bulundu. Ne var ki girişimleri resmi makamlar tarafından reddedildi. Guiffray'ın çalıştırdığı Kordon Tramvay Şirketi, İzmir'deki yabancı şirketlerin en zengini, en güçlüsü ve en çok nüfuz sahibi olanlarındandı.

İzmir Hamidiye Vapur Şirketi, ancak aynı yılın Ekim ayında, Gümrük'te yeni bir iskele yaptırdıktan sonra Göztepe-Karaburun-Foça seferlerine başlayabildi. Alaybeyi, Osmanzâde üzerinden yapılan Karşıyaka iskelelerine ancak Kasım sonunda vapur konabildi.

Rumlar ve yabancılar taşkınlıklar yapıyor

Vapurun Karşıyaka'ya sefer yaptığı ilk gün, Karşıyaka'nın Rum ve yabancılardan oluşan halkı taşkınlıklar yaparak vapurun iskeleye yanaşmasını engellemeye kalktı. Ancak asker çağırıldı da, toplanan kalabalık dağıtılabildi, böylece arkadan gelen ikinci vapurun iskeleye olaysız yanaşması sağlandı.

Halk bu şirkete artık güvenini kaybetmişti; eski, bakımsız, üstelik tehlike arzeden bu çürük teknelere bir daha binmek istemiyordu, bunda da haklıydı. Nitekim, yolcu sayısının çok geçmeden hızla azalmaya başladığı da gözle görülür hâle geldi. Aslında, Şirket'i daha da zor günler bekliyordu.

Ne gariptir ki, İzmir Hamidiye Vapur Şirketi'nin devre dışı kalmasından sonra İzmir sularında faaliyete geçen Hacı Davud Ferkûhî şirketi, bu köhne vapurlardan birkaçını satın almış, bu teknelerle rekabet edercesine seferlerini sürdürmüştür.

Bu arada, zaman içinde İzmir Hamidiye Vapur Şirketi'nin hisse senetlerinin büyük bir kısmı, büsbütün yabancıların eline değilse de, Osmanlı uyruklu azınlıkların eline geçiyordu. İzmir Liman Reisleri aynı zamanda Şirket'in denetleyicisi olarak görevlendirilmişlerdi.

1890 yılına gelindiğinde, Şirket'in yönetiminde Yahya Hayati Paşa'dan başka Türk idareci kalmamıştı; ancak memur olarak çalışanlar arasında Türklere rastlanıyordu. Yöneticilerin kişisel çıkarlarını, Şirket'inkine tercih etmeleriyle zarar hızla büyüyor, bu da Yahya Hayati Paşa'yı giderek daha zor durumda bırakıyordu.

İzmir'de içme suyu imtiyazı alarak işe koyulan, sonra Göztepe tramvaylarını çalıştıran Belçika şirketinin, 1908'deki büyük deniz kazasından sonra durumdan yararlanmak isteyerek İzmir Hamidiye Vapur Şirketi'ni ele geçirmek üzere girişimlerde bulunduğunu belirtmiştik. Nitekim, hisse senetlerini birer, ikişer topluyor, 25 liralık pay senetlerini bir kat fazlasıyla

50 liradan satın alıyordu. Ayrıca Şirket'e de 10.000 lira borç vermekten geri kalmamıştı. Bu durumda Yahya Hayati Paşa, 26 yıl önce aldığı Körfez'de vapur çalıştırma imtiyazını Belçikalılar'a devretmekten başka ne yapabilirdi ki...

Böylece İzmir Hamidiye Vapur Şirketi, 1909 yılının başında artık Belçika Şirketi'nin eline geçmiş oluyordu.

Şirket daha da kötüye gidiyor

El değiştirmiş olmasına rağmen Şirket'in durumu yine de pek değişmemişti: Vapurlar yine eskiydi, seferler yine düzensizdi, yolsuzlukların yine ardı, arkası kesilmiyordu. Vapurların çoğunun can yelekleri bile yoktu. Ne yeni şirkete açılan dava yarar sağladı, ne de kurulan komisyonların verdiği raporlar... 1911 yılı geldiğinde eldeki 11 vapurdan ancak ikisi çalışabilir haldeydi. 1912 yılında, Balkan Savaşı'nın patlak vermesi üzerine İzmir limanının girişine bir sıra mayın yerleştirildi. O günlerde Hacı Davud Ferkuhî kumpanyasının bir vapuru bu mayınlardan birine çarparak batmıştı. 1913-14 yılı İngiliz Lloyd gemi sicilinde ise kuruluşun elinde tek bir vapuru olduğu görülüyor: O da *Gülbahçe* idi. Şirketin Belçikalılar'ın eline geçmesinden sonra satın alınan *Hürriyet* ile *Müsavat* vapurları nisbeten büyükçe ve sağlam vapurlardı. Bunların gelmesiyle geceleri Karşıyaka ile Göztepe'ye yapılan seferler düzene girdi.

1916'da Şirketin imtiyaz süresinin sona ermesi üzerine vapurların çalıştırılması valilikle geçici bir heyete verildi. İzmir Körfezi Vapur Şirketi İdare-i Muvakkatası adındaki bu kuruluşa Celal Bey (Bayar), Fikri Bey, Alaeddin Bey başkanlık yaptılar. Sonra bir tasfiye heyetine devredilen kuruluş 1918'de eldeki *Müsavat* vapurunun dışındaki on vapuru % 5 komisyon karşılığında elden çıkarttı. Nasıl mı? Tabii, bir sürü dolaplar çevrilerek...

İzmir'in işgal günlerinde yabancılar Türk hissedarları zarara uğratarak bu işten vazgeçirmek için her fırsattan yararlanmaya baktılar. Bu arada, Mondros mütarekesi'nin imzalanmasınıdan kısa bir süre sonra, Guiffray, Rees ve Patterson adlı zengin iş adamları körfezde vapur çalıştırmak amacıyla bir şirket kurup İstanbul hükûmet onlara yalnız geçici bir müsaade vermekle yetindi. Bu üç iş adamından Patterson hisselerini Forbes Şirketi'ne devredince Whittall şirkete vekil olarak girdi. 1921 yılının eylül ayında, -ki o sıralarda Sakarya'da kurtuluş mücadelemizin en kanlı savaşı sürmekteydi- Sisam adalı bir Rum Yunanlılar'ın himayesinde Körfez'de vapur çalıştırmaya başladı. Kuruluşun vapurlarına Yunan bayrağı çekilmişti. *Müsavat* vapuru, *İyonya* adı verilerek Midilli'ye götürüldü. *Akroyi, Merkür* ve *Elyan* vapurları da İngiliz bayrağı çekilerek İzmir'den kaçırıldı. *Gülbahçe* ile *Hürriyet*'e de Fransız bayrağı çekildiyse de bunlar İzmir'de bırakıldı.

Bu yeni şirket, filodaki çok yaşlı vapurları kadro dışı bıraktı, bu arada geri kalanlarının adlarını da *Ecginios, Foskolos, Kordelyos* gibi Rumca isimlerle değiştirdi. Bu arada birkaç yeni vapur alındı. Urla, Foça, Dikili'ye yeniden seferler başlatıldı. Bu vapurlarla Kurtuluş Savaşı yıllarında Ege adalarından İzmir'e Yunan göçmeni, Yunan askeri ve Yunan harp malzemesi taşındı.

Türk askeri İzmir'de

9 Eylül 1922, güzel İzmir'in Türk askeri tarafından Yunan işgalinden kurtarıldığı gündür. Ay-yıldızlı bayrak Kadifekale'ye çekilmiştir, Yunan askeri ise canını kurtarma peşindedir. O kargaşalıkta Şirket'in vapurlarıyla dört yıl içinde Anadolu topraklarına yığılan Yunanlılar ve Yunan askerleri panik içinde gerisin geriye Midilli ve Sakız'a taşınır.

Bu günlerde Guiffray şirketinin bütün haklarının ve vapurlarının millîleştirildiğini görüyoruz: Kuruluş, bu dönemde İzmir'in tanınmış iş adamlarından Uşşakîzade Muammer Bey'e devredilmiştir. Muammer Bey, Mustafa Kemal Paşa'nın bir yıl sonra evleneceği Lâtife Hanım'ın babası oluyordu. İşgal yılları sırasında vapur çalıştıran Rees, Whittall ve Ortakları, imtiyazın kendilerinde olduğunu iddia ederek tazminat davası açtılarsa da bir sonuç alamadılar.

Cumhuriyetin ilân edildiği günlerde şirketin filosunda şu vapurlar yeralıyordu:

Hürriyet (sonra *Cumhuriyet*), *Çankaya, Duatepe, Göztepe, Karşıyaka, Güzel İzmir, Kocatepe. Göztepe* o günlerin en sevilen, en rahat vapurlarındandı.

* **ÇANKAYA:** 1879'-da, İngiltere, Glasgow'da, Ramage Ferguson Leith A & CP tezgâhlarında buharlı yat olarak inşa edildi. 205 gros, 115 net tonluktu. Uzunluğu: 47,07 metre, genişliği: 6,43 metre; su kesimi: 3,23 metre idi. 256 beygir gücünde compound 2 silindirli buhar makinesi vardı. Önce *Titania*, 1890'da da *Colhida* adlarını aldı. 1911'de stasyoner gemi olarak İstanbul'da Tophane rıhtımı-

na bağlandı. Sonra Uşşakîzade Muammer Bey tarafından satın alınarak İzmir'e götürüldü. *Çankaya* adı verildi. 1924'te İzmir Liman İşletmesi'nin yolcu vapuru olarak Körfez'de çalışmaya başladı. Bir ara dümeninin bozuk olması nedeniyle kimse binmek istemedi. 1930'lu yıllarda AKAY İşletmesi'nin oldu. 1942 yılının 27 Şubat günü İstanbul Boğazı'nın açıklarında Sovyet denizaltısı SC-213 tarafından batırıldı.

Muammer Bey'e 30 yıllık bir imtiyaz süresi tanınmıştı. Şirket, Eski ve Yeni Foça, Papas (Bostanlı), Osmanzade, Karşıyaka (Donanma), Alaybeyi, Naldöken, Turan, Bayraklı, Mersinli, Punta (Alsancak), Pasaport, Konak, Karataş, Salhane, Sanayi Mektebi, Karantina, Köprü, Ispartalı, Göztepe, Reşadiye (Güzelyalı), Üçkuyular, Kale, Abdullah Ağa Çiftliği, kilizman, Urla, Karaburun'a yolcu ve yük taşıyabilecekti. Dikili, Çeşme Ilıcası iskelelerine de, gereken durumlarda -verilen imtiyazın dışında kalmasına rağmen- seferler yapabilecekti.

5 Ağustos 1925 günü İzmir Liman ve Körfez İşleri İnhisarı T.A.Ş. adlı yeni bir şirket kurularak Uşşakîzade Muammer Bey'in ve daha önceki Guiffray şirketinin bütün hakları bu yeni kuruluşa devredildi.

1879'da özel yat olarak inşa edilen bu zarif tekne, İstanbul'da Rusya sefaretinin özel gezinti teknesiydi. Sonraları Çankaya adıyla Körfez'de yıllarca yolcu taşıdı durdu.

İşletmenin başına Hulusi Bey (Alataş) getirildi. O yıllarda İdare Güzelyalı tarafında Karataş, Karantina, Göztepe ve Güzelyalı'ya düzenli vapur seferleri yaptırıyordu. Karşıyaka'da, emektar iskeleden başka Alaybey'de de bir iskele vardı, ama son zamanlarda terkedilmişti, vapur uğramıyordu. Karşıyaka'da, bugünkü Girne Bulvarı'nın karşısında kârgir ayaklar üzerinde kurulmuş ve raylar döşenmiş bir iskele vardı. 1924-26 yıllarında iskele harap olmuştu, yalnız kârgir ayakları su üstünde kalmıştı. Alaybey, Dikili ve Osmanzade iskelelerinin hizmetten kaldırılması o günlere rastlar. Bu üç iskelenin yerine Uzunada, Mordoğan ve Karaburun iskelelerine seferler başlatıldı. Muammer Bey, 16 Eylül 1925 günü vapurlarını 360.000 Türk lirasına, İzmir İnhisarı Liman İşleri İnhisarı TAŞ'ye devretti.

1926 yılına gelindiği zaman kuruluşun, çoğu küçük ve hayli eski, ama hâlâ faal halde bulunan şu vapurları vardı:

Dikili, Terakki, Salhane, Karataş, Adliye, Hamidiye, Urla, Güzel İzmir Karşıyaka sonra *Suvak, İstanbul* ve son olarak satın alınan *Uşak. Kocatepe* Karaburun ile Foça'ya, şat çekmek üzere inşa edilmiş bir tekne iken tadil edilerek sözde yolcu vapuru haline getirilen derme-çatma *Duatepe* de Karşıyaka'ya çalışıyordu. *Dumlupınar* ise Bayraklı hattına verilmişti ve ancak sabahları ve akşamları birer sefer yapıyordu. Ne var ki bu çürük-çarık vapurlarla İzmir'den Foça'ya ancak sekiz saatte güç-bela gidilebilmesine karşılık, aynı yere karadan otomobille iki saatte gitmek mümkündü.

İzmir Körfez hattı'nda çalıştırılan eski vapurlardan Kocatepe.

İzmir Şirket-i Hayriyesi'nin 1906 yapımı, 141 gros tonluk Karşıyaka *yolcu vapuru.*

Görüldüğü kadarıyla, o yıllarda, İstanbul'da Haliç sularında çalıştırılan vapurlar kadar küçük teknelerdi bunlar. Bunlarla Körfez dışına, adalara ve uzak iskelelere posta seferleri yapmak kolay olmasa gerekti.

1926'da, Karşıyaka-Alsancak birinci mevki bilet ücreti 10; Karşıyaka-Pasaport 12,5; Karşıyaka-Konak 12,5; Karşıyaka-Karantina 17,5; Karşıyaka-Reşadiye 20; alsancak-Pasaport-Konak 5; İzmir-Bayraklı 12,5; Pasaport-Konak 2,5; Konak-Karantina 7,5 kuruştu. Daha uzak hatlarda ise bilet fiyatları şöyleydi: İzmir-Urla hattında birinci mevki 50; İzmir-Mordoğan 150; İzmir-Kösedere, Ahurlu, Şaip ve Foça hattında 200 kuruştu. İkinci mevki bilet fiyatları elbette, birinci mevkie göre daha ucuzdu.

Yeni bir umum müdürlük kuruluyor

Şirket 9 yıl hizmet verdikten sonra, 1934 yılının 8 Ağustos günü, İzmir Liman İşletmeleri Umum Müdürlüğü adı altında yeni bir düzenlemeye gidildi. İki yıl sonra da bu umum müdürlük İktisat Vekâleti'ne bağlı olmak kaydıyla İzmir Liman İşletmesi adı altında yeni bir şekle sokuldu. 1938 Ocak ayında Denizbank Umum Müdürlüğü'nün bir şubesi haline getirildi. 1939'da Devlet Limanları Umum Müdürlüğü'ne bağlandı.

1943'te Devlet Denizyolları Umum Müdürlüğü'ne, ertesi yıl da Devlet Denizyolları ve Limanları İşletmesi Umum Müdürlüğü'ne devrolunan kuruluş, 1952 yılında Denizcilik Bankası T.A.Ş.'nin kurulmasıyla İzmir İşletmesi Müdürlüğü adıyla Denizcilik Bankası T.A.Ş.'nin bünyesine alındı. Günümüzde İzmir İşletmesi Müdürlüğü, Türkiye Denizcilik İşletmeleri'nin bünyesinde yer almaktadır.

1952 yılında kuruluşun Denizcilik Bankası T.A.Ş.'ne bağlandığı zaman filosunda eskilik sırasıyla şu vapurlar yer alıyordu:

Adı	İnşa yılı	Gros tonu	Adı	İnşa yılı	Gros tonu
Güzel İzmir	1904	132	Bayraklı	1934	473
Karşıyaka	1906	141	Efes	1938	518
Göztepe	1908	139	Sur	1938	518
Dokuz Eylül	1910	155	Bergama	1951	519
Uşak	1925	174	Selçuk	1951	519

Bu vapurlardan *Bayraklı* 1944-45 yıllarında İstanbul'a gönderilmiş, yemekli, içkili gezinti seferlerinde kullanılmıştı ama, Boğaz sularındaki misafirliği nedense fazla uzun sürmemişti.

Bunlardan *Efes* ile *Sur* eş, *Bergama* ile *Selçuk* da kendi aralarında eş vapurlardı. *Efes* ile *Sur, Kadeş, Tırhan, Etrüsk, Sus, Marakaz, Trak, Suvat, Ülev* gibi gemi ve vapurlarla birlikte Almanya'ya ısmarlayıp yeni olarak satın alınmıştı. Ayrıca idarenin elinde *L.T. 1* (1944 yapısı, 555 gros ton), *L.T. 11* (1942 yapımı, 530 gros ton), ve *L.T. 12* (1942 yapımı, 530 gros ton) borda numaralı üç layter bulunuyordu. Aslında çıkarma gemisi olarak donanma için yapılan bu layterler 1944 yılında Normandiya Çıkarması'na katılmışlar, sonra da Marshall yardımı faslından bize verilmişlerdi.

* GÜZEL İZMİR: 1904'te, Hollanda, Kinderdijk'te, J. & K. Smith tezgâhlarında buharlı yolcu vapuru olarak yapıldı. 132 gros, 64 net tonluktu. Uzunluğu: 35,9 metre, genişliği: 5,8 metre, su kesimi: 3 metre idi. J. & K. Smith yapımı tripil buhar makinesi vardı. 8 mil kadar hız yapıyordu. Yazın 1.095, kışın 960 yolcu alabiliyordu. Önce *Mercurius* adıyla çalıştı. 1924'te D .A. Dimitriyadis ve Hantalzade Tayyar Bey tarafından alınınca adı *Güzel İzmir* olarak değiştirildi. Ertesi yıl İzmir Körfez İşletmesi'ne satıldı. 1936'da büyük bir onarım gördü. 1965'te hizmet dışı bırakıldı. Ertesi yıl İzmir'de Ali Yılmaz ve Ortakları'na satılarak *Cunda* adı verildi ve motorlu şilep haline getirildi.

* SUVAK: 1906'da İtalya, Lussinpiccolo'da, M.U. Martinolich tezgâhlarında buharlı yolcu vapuru olarak yapıldı. 142 gros, 75 net tonluktu. Uzunluğu: 36,5 metre, genişliği: 5,8 metre idi. İngiltere, Newbury, Plenty & Son Ltd. yapımı 300 beygir gücünde tripil buhar makinesi vardı. Saatte 10 mil

Önce İzmir'in körfez sularında, sonraları da İzmit Körfezi'nde çalıştırılan 1906 yapımı 142 tonluk küçücük Suvak *vapuru.*

hız yapıyordu. Önceleri *Karşıyaka* sonra *Suvak* adıyla İzmir Körfez ve İstanbul şehir hatlarında daha sonrada İzmit Körfezi'nde çalıştı. 1962'de hizmet dışı bırakıldı, ertesi yıl satıldı.

* DOKUZ EYLÜL: 1910'da, İngiltere'de buharlı yolcu vapuru olarak yapıldı. Eski adı *Musavat* idi. 155 gros, 90 net tonluktu. Uzunluğu: 36, metre, genişliği: 6,4 metre idi. 280 beygir gücünde tripil buhar makinesi vardı. Tek uskurluydu. 9 mil hız yapıyordu. Yaz/kış 500 yolcu alabiliyordu.

* UŞAK: 1925'te, İtalya, Monfalcone'de Cant. Nav. Triestino tezgâhlarında buharlı yolcu vapuru olarak yapıldı. 147 gros, 70 net tonluktu. Uzunluğu: 36,7 metre, genişliği: 6,7 metre, su kesimi: 3,1 metre idi. Stabilimento Tecnico, Trieste yapımı tripil buhar makinesi vardı. Tek uskurluydu. 8 mil hız yapıyordu. Ama fırtınalı günlerde Karaburun ya da Foça'ya giderken hayli zorlanıyordu. Yazın 395, kışın 283 yolcu alabiliyordu. O günlerin en rahat vapurlarındandı. 1965'te satılarak ta-

Yıllarca Körfez'de yolcu taşımış olan 1904 yapımı, Güzel İzmir vapuru.

dil edildi. 1994 Lloyd'unda Zeki Kalkavan'ın *Kaptan İbrahim* adıyla kuru yük gemisi olarak gözüküyor.

* **BAYRAKLI:** 1934-'te, Hollanda, Alblasserdam'da N.V. Industriele Maats. De Noord tezgâhlarında motorlu yolcu gemisi olarak yapıldı. 255 gros, 167 net tonluktu. Uzunluğu: 39,6 metre, genişliği: 7 metre, su kesimi: 2,7 metre idi. Hollanda, Gebr. Stork & Co. N.V. yapımı, her biri 245 beygir gücünde 2 adet dizel motoru vardı. Çift uskurluydu. 9 mil hız yapıyordu. 1938'e kadar adı *New Degenham* idi. Satın alınınca adı *Bayraklı* olarak değiştirildi. Sonra Muzaffer Taviloğlu tarafından alındı ve dizel motor takılıp yük gemisi haline getirildi.

* **EFES:** 1938'de, Almanya, Bremen'de, Atlas Werke Akt. Ges. tezgâhlarında motorlu yolcu gemisi olarak yapıldı. 518 gros, 331 net tonluktu. Uzunluğu: 44,3 metre, genişliği: 8,1 metre idi. Kiel, Fried Krupp Germania Werft A.G. yapımı, her biri 235 beygir gücünde iki adet dizel motoru vardı. Çift uskurluydu. 1993'te satıldı. Seyyar lokanta gemisi olarak tadil edilecekti. *Sur*'un eşiydi.

* **SUR:** 1938'de, Almanya, Bremen'de, Atlas-Werke A.G. tezgâhlarında motorlu yolcu vapuru olarak yapıldı. 518 gros, 331 net tonluktu. Uzunluğu: 44,3 metre,

1938'de Almanya'ya ısmarlanıp yeni olarak alınan Sur, sert bir havada Karşıyaka yolunda...

1938'de sipariş üzerine inşa ettirilen Efes, *Körfez'in en büyük vapurlarındandı.*

genişliği: 8,08 metre idi. Kiel, Frd. Krupp Germaniawerft A.G. Kiel yapımı, her biri 235 beygir gücünde 2 adet dizel motoru vardı. Çift uskurluydu. 12 mil hız yapıyordu. Yazın 1.095, kışın da 960 yolcu alabiliyordu. 1986'da kadro dışı bırakıldıktan sonra satıldı. Gelibolu-Eceabat arasında, Burhanlı mevkiindeki tersanede kısmen sökülmüş durumda yıllarca kaldı. Sonra söküldü *Efes*'in eşiydi.

* **BERGAMA:** 1951'de, Almanya, Bremen'de, Atlas-Werke tezgâhlarında motorlu yolcu gemisi olarak yapıldı. 519 gros, 322 net tonluktu. Uzunluğu: 44,4 metre, genişliği: 8, 08 metre, su kesimi: 1,9 metre idi. Almanya, Ludwigshafen, Masch. & Giesserei yapımı, her biri 385 beygir gücünde 2 adet dizel motoru vardı. Çift uskurluydu. 11 mil hız yapıyordu. Yazın 1.010, kışın 902 yolcu alabiliyordu.

* **SELÇUK:** 1951'de, Almanya, Bremen'de, Atlas Werke A.G. tezgâhlarında motorlu yolcu vapuru olarak yapıldı. 519 gros, 322 net tonluktu. Uzunluğu: 44,3 metre, genişliği: 88 metre idi. Almanya, Ludwigshafen Masch. & Giesserei yapımı, her biri 385 beygir gücünde 2 adet dizel motoru vardı. Çift uskurluydu. 11 mil hızı vardı. Yazın 1.010, kışın da 902 yolcu alabiliyordu. 1986'da yenilendi. 1995'te de Konak yakınlarında rıhtıma bağlandı. Üst güvertede kitap fuarı düzenleniyor, alt salonda el işleri sergileniyordu.

* **FOÇA:** 1907'de Yunanistan, Pire'de römorkör olarak inşa edildi. 48 gros tonluk olup teknesi ahşaptı. Uzunluğu: 20,3 metre, genişliği: 4,4 metre, su kesimi: 1,8 metre idi. Bir adet 120 beygir gücünde iki silindirli dikey buhar makinası vardı; 10 mil hız yapıyordu. İzmir'de Guiffray Şirketi'nin kadrosunda yeralmışken 1914 yılının Ağustos ayında Osmanlı hükumeti tarafından römorkör ve hizmet teknesi olarak çalıştırılmak üzere el kondu. 1918 yılının Aralık ayında eski sahibine iade edildi. Cumhuriyet'in ilân edilmesiyle 1924'te İzmir Liman İşletmesi'ne devredildi. 1938'de Deniz Bank İzmir İşletmesi'ne geçti. 1953'te 160 beygir gücünde motor takılarak yenilendi. 1962'de de hizmet dışı bırakıldı.

Alsancak limanı hizmete giriyor

Çok önceleri İzmir limanına giren gemiler, sahil sığ olduği için açıkta demirlerler; yolcular, yükler karaya ahşap teknelerle çıkartılırdı. Sultaniye Caddesinin önüne ancak küçük yelkenliler yanaşırdı. Yolcuları taşıyan kayıkların iki başı sivri ve yukarı kalkıktı. 10-15 yolcu alırdı. Pasaport adı verilen mevkide, uç uca bitiştirilerek dibe ve karaya bağlanmış büyük şatlara yanaşmak zorundalardı. Yer yetersizliğinden hizmetler aksar, yolcuların, yüklerin alınması düzen içinde yapılamazdı.

Sözleşmeye göre iskelelerin betonarme olarak inşa edilmiş olmaları gerekirken, hemen hepsi ahşap olarak yapılmış ve öylece bırakılmıştı. 1934'te, 30 bin lira sarfedilerek Karşıyaka iskelesinin betonarme olarak yeniden inşasına girişildi. 1927'de Alsancak iskelesi açılarak hizmete girdi. Konak'taki eski ahşap iskelenin yerine yapılan yeni iskele de 1938'de açılabildi. Pasaport'ta ise vapurlar iskele vazifesi gören dubaya yanaşıyordu.

1932 yılının Ocak ayında Körfez Vapurları İdaresi iskeleleri dört bölgede topladı: 1-Karşıyaka-Konak; 2-Karşıyaka-Reşadiye; 3-İzmir-Turan; 4-İzmir-Karaburun. 6 Haziran 1930 günü İnciraltı iskelesi hizmete açıldıysa da dört yıl kadar sonra kapatıldı.

1954 yılında Bayındırlık Bakanlığı Alsancak'ta modern liman tesislerinin inşasına başladı. Beş yıl sonra 1959'da Devlet Demiryolları tarafından faaliyete geçirilen tesisler o yıl içinde Denizcilik Bankası T.A.Ş.'ne devredilecekken ancak 1960'ta devredilebildi. Böylece, kapalı ambar alanına 7.094 metrekare, açık alana da 48.685 metrekare ilâve edilmiş oldu.

Alsancak'taki tesislerin faaliyete geçmesiyle eski liman olan Pasaport giderek devreden çıkarken, yeni liman tesislerinde de yükleme ve boşaltma hizmetlerinde büyük gelişmeler kaydedildi. 1967'de Alsancak yolcu salonunun inşasına başlandı. Liman trafiği bütünüyle buraya kaydırılarak Pa-

Yıllarca İzmir Körfezi'nde hizmet gören Foça römorkörü.

saport rıhtımı, daha çok körfez vapurları ile özel deniz araçlarıyla yatlara ayrıldı. Bu gelişmelere paralel olarak, işletmenin bünyesinde yer alan Alaybey Tersanesi de 1968'den itibaren bağımsız bir ünite olarak büyük gemilerin inşa edilebileceği bir tersane haline getirildi.

1979'da Körfez'de hangi vapurlar çalışıyordu

Genel Müdür Nezih Neyzi'nin çalışma süresinin sonuna gelindiği zaman Körfez'de şu vapurlar faal durumdaydı:

Adı	İnşa yılı	İnşa yeri	Gros ton	Yolcu yaz	Yolcu kış
Efes	1938	Almanya	518	1.095	960
Sur	1938	Almanya	518	1.095	960
Selçuk	1951	Almanya	519	1.010	902
Bergama	1951	Almanya	519	1.010	902
Göztepe	1951	Hollanda	283	300	300
Emirgân	1951	Hollanda	283	300	300
Hasköy	1960	Hasköy	511	750	750
Alaybey	1977	Alaybey	499	600	600
9 Eylül	1977	Alaybey	499	600	600

Bunlardan *Göztepe,* İstanbul Şehir Hatları İşletmesi'nin çalıştırdığı eski *Beşiktaş, Emirgân* da yine aynı adla İstanbul sularında çalıştırılmış motorlu vapurlardı. Yolcu sayısının artması üzerine ortaya çıkan ihtiyacı karşılamak üzere İstanbul'dan İzmir'e gönderilmişlerdi. Sonra, tekrar İstanbul'a geri alındılar.

O yıllarda Güzelyalı semtine yeni bir iskele kuruldu, vapurlar buraya da uğramaya başladı. Eskiden yazları yapıldığı gibi Urla'ya yeni bir hat açıldı; özellikle yaz aylarında Çeşme'ye gidecek yolculara kolaylıklar sağlandı. İnşasına 1983'te başlanan yeni Konak iskelesi de tamamlanarak 5 Temmuz 1988 günü törenle hizmete açıldı. Denizden dolgu suretiyle kazanılmış 2.400 metrekarelik bir alana yapılan, 2.500 metrekarelik kullanma alanı bulunan iskele binası klimalı olup 2.500 kişiyi alabiliyor. Enspektörlük dairesini de barındırdıktan başka, kafeteryası, bir de restoranı var.

Konak-Karşıyaka arasında otomatik turnike sistemine geçildi. Vapurlar, Konak-Pasaport-Alsancak ile Karşıyaka, yazları da Urla'ya çalışıyordu.

Filosunda 8 vapuru var. Daha önceleri yazları, pazar günleri İnciraltı'na da vapur çalıştırılırdı.

Son dönemde T.D.İ. İzmir İşletmesi Müdürlüğü'nün filosunda şu vapurlar çalışıyordu:

* **VANİKÖY:** 1958'de, Hasköy Tersanesi'nde motorlu yolcu vapuru olarak yapıldı. 511 gros, 289 net tonluk. Uzunluğu: 47,1 metre, genişliği: 8,3 metre, su kesimi: 2,4 metre. İtalya, S.A. Fiat S.G.M. yapımı her biri 520 beygirlik 2 dizel motoru var. 13 mil hız yapıyor. *Hasköy*'ün eşi.

* **HASKÖY:** 1960'da, Hasköy Tersanesi'nde motorlu yolcu vapuru olarak yapıldı, 1962'de hizmete kondu. 511 gros, 285 net tonluk. Uzunluğu: 47,1 metre, genişliği: 8,5 metre, su kesimi: 2,4 metre. İtalya yapımı 2 adet toplam 520 beygir gücünde Fiat dizel motoru var. Çift uskurlu. 14 mil hız yapıyor. *Vaniköy*'ün eşi.

* **9 EYLÜL:** 1977'-de, İzmir, Alaybey Tersanesi'nde motorlu yolcu vapuru olarak yapıldı. 260 gros, 124 net tonluk. Uzunluğu: 46,6 metre, genişliği: 7,9 metre, su kesimi: 2 metre. Hollanda, Stork Werkspoor yapımı, her biri 600 beygirlik 2 adet dizel motoru var. Çift uskurlu. 12 mil hız yapıyor. *Alaybey*'in eşi.

* **ALAYBEY:** 1977'de, İzmir, Alaybey Tersanesi'nde motorlu yolcu vapuru olarak yapıldı. 260 gros, 124 net tonluk. Uzunluğu: 46,6 metre, genişliği: 7,9 metre, su kesimi: 2 metre. Hollanda, Stork Werkspoor yapımı, her biri 600 beygirlik dizel motoru var. Çift uskurlu, 12 mil hız yapıyor. *9 Eylül*'ün eşi.

* **KUMBURGAZ:** 1988'de, İzmir, Alaybey Tersanesi'nde motorlu yolcu vapuru olarak yapıldı. 307 gros, 76,8 net tonluk. Uzunluğu: 43,7 metre, genişliği: 8,9 metre. Türkiye, Pendik-Sulzer yapımı, 2 adet her biri 636 beygir gücünde dizel

Eski İzmirliler'in sevgilisi, 1910 yapımı 9 Eylül *Körfez sularında.*

motoru var. Çift,
uskurlu. 14 mil hız
yapıyor. *Ambar-
lı*'nın eşi.

* AMBARLI: 1988'-
de, İzmir, Alaybey
Tersanesi'nde mo-
torlu yolcu vapuru
olarak yapıldı. 307
gros, 79,8 net ton-
luk. Uzunluğu:
47,3 metre, geniş-
liği: 8,9 metre.

İzmir'de uzun süre çalışan 5 baca numaralı cer motoru.

Türkiye, Pendik-Sulzer yapımı 2 adet her biri 636 beygir gücünde dizel motoru
var. Çift uskurlu. 14 mil hız yapıyor. *Kumburgaz*'ın eşi.

Ve, İzmir körfezinde İdare'nin iki de motorbotu çalışıyor: *Göksu II* ile
Ayvansaray. Bu motorbotlar, İstanbul'da Haliç-Üsküdar arasında çalışan
motorbotların eşidir.

Şehir Hattı vapurlarının yenilenmesi faaliyeti sırasında İzmir için de iki
vapur birden inşa edilmişti. Bunlar *Şehit* tipi vapurların eşiydi. *Bayraklı*
ve *Karşıyaka* adlı bu vapurlar bir süre İzmir Körfez Hattı'nda çalıştırıldık-
tan sonra 1988 yılı baharında İstanbul'a yollanarak Şehir Hatları'nda sefe-
re kondu.

İzmir'de artık araba vapuru da çalışıyor. Çanakkale yönünden gelen
araçlar, İzmir'in kent trafiğine girmeden, yeni yapılan Bostanlı iskelesinden
araba vapuruna binerek kısa zamanda Üç Kuyular'daki Çeşme otoyoluna
.çıkabiliyorlar. Son
olarak (1998) Kör-
fez Hattı'nda şu va-
purlar çalışmaktay-
dı: *Kumburgaz,
Ambarlı, 9 Eylül,
Alaybey, Bergama*.
Ayrıca *Göksu II* ve
Ayvansaray motor-
botları ile *Esenköy,
İntepe* ve *Salacak*
araba vapurları var.

İzmir'de çalışan römorkörlerden 6 no'lu cer motoru.

İzmir'deki hizmet teknelerinden Yıldırım *römorkörü.*

Günümüzde İzmir Körfez Hattı'nda şu iskeleler var: Üç Kuyular (yalnız araba vapuru iskelesi), Konak (Merkez iskele durumunda), Güzelbahçe, Pasaport, Alsancak, Karşıyaka ve Bostanlı (hem yolcu, hem araba vapuru iskelesi). Ama vapurlar yoğun olarak Konak-Karşıyaka arasında çalışıyor, arada bir Pasaport, daha seyrek olarak Alsancak iskelesine uğruyor, yine seyrek olarak Bostanlı'ya gidiyor. Bir süre öncesine kadar yalnız Cumartesi, Pazar günleri vapur çalışan Urla ve Güzelbahçe iskeleleri artık faal değil.

İzmir limanı, İstanbul'unkinden önce yapılmış

İzmir'de XIX. Yüzyıl'ın ortalarına kadar biri Osmanlı, öteki Fransız olmak üzere iki ayrı gümrük, ayrıca büyüklü, küçüklü pek çok da iskele vardı. En çok kullanılanı Saman iskelesiydi. Gelen ve sevkedilecek mallar kıyıdaki kırma çatılı ardiyelerde depolanıyordu.

Rıhtım, deniz kenarına çakılan büyük kazıkların arası taşlarla doldurularak ve kenarına kesme taşlar yerleştirilerek ortaya çıkartılmış, ahşap iskeleleri olan basit bir rıhtımdı. İngiliz Rıhtımı denen yer ise nisbeten daha düzgündü.

Sultan Aziz döneminde, İzmir'de ihtiyacı karşılayacak modern bir liman inşası için, bu gibi inşaatlarda tecrübe kazanmış

İzmirliler'in göz âşinası Kısmet *römorkörü.*

Karşıyaka *römorkörü Karşıyaka önlerinde.*

Dussaud Kardeşler firması tarafından bir liman inşaat projesi hazırlandı. Buna göre kıyı 50, bazı yerlerde 100 metre kadar doldurulacak, rıhtım yapılacak, mendirekler inşa edilecekti. Böyle olunca da tesislerin bir bölümü denizin gerisinde kalacaktı. Anlaşma gereği doldurulan alanların büyük bir kısmı, inşaatı yapacak firmanın olacaktı. Anlaşmaya göre tesisler, 30 yıl sonra devlete devredilecekti.

İzmir limanı inşaatı için sözleşme 1867'de hazırlanıp imzalandı. 1868 yılı ilkbaharında İzmir limanının yapımına başlandı, 1875 yılı Ağustos'unda rıhtımın ilk inşaatı tamamlandı ve kullanıma açıldı. Mendireklerle çevrili 14 hektarlık bir alan elde edilmişti. Su derinliği 6-8 metre arasındaydı. Çalışmalar ve yeni gümrük binalarının inşası 1880'de bitirildi. Bu arada Dussaud Kardeşler, imtiyazı 1912'ye kadar uzatmayı başarmışlardı.

Limanın girişini gösteren fenerler 1902'ye kadar fitilli gaz lambalarıyla ışık veriyordu. Sonradan bunların yerine havagazı lâmbaları yerleştirildi. 1905'te de şehir elektrikle aydınlatılmaya başlandı.

Liman yapılınca Marmaris, Fethiye, Ayvalık'a çalışan, hattâ İtalya ve Fransa'ya yük götüren küçük Yunan tekneleri türedi. "İzbandurt" adı verilen bu teknelerin, küçük teknelere saldırarak korsanlık yaptıkları da olmuyor değildi. Kılavuzluk ve sağlık kurumları kuruldu. Pasaport işlemleri için bir büro ve de telgrafhane açıldı. Develer hâlâ vardı ve yük taşıyordu. Kordon boyunca tramvay ve tren de çalışıyordu. 3.245 metre uzunluğunda rıhtım vardı, bunun 1.250 metresi ticaret limanına aitti.

İzmir Körfezi ölmek üzere

Ne var ki, 1960'lı yıllardan beri hiçbir önlem alınmadığı için zamanla biriken atıklar nedeniyle İzmir Körfezi de tıpkı Haliç ya da İzmit Körfezi gibi hızla kirlenmektedir. Sudaki oksijen azalmakta devam ettiği için canlılar hemen hemen tükenmiş durumdadır.

Dip çamuru giderek yığıldığından Körfezin en sığ yeri 13 metre, Kordon'un önü ise ancak 4-5 metre, Bayraklı'nın önleri ise 5- 6 metre arasındadır. Konak'tan kalkıp Karşıyaka'ya giden vapurlar ancak 10-12 metre derinliğindeki bir suda yol almaktadır. Büyük gemiler de körfeze, 400-500 metre genişliğindeki nisbeten derince Yenikale geçidinden seyrederek zorlukla girebilmektedirler.*

İzmir'deki hizmet tekneleri

* **3 No. GÜVEN:** TDİ Genel Md .'nün hizmetinde yüzer vinç: 1965'te yapıldı. 633 gros tonluk. Uzunluğu: 29,2 metre, genişliği: 18,36 metre.

* **YAŞAR DOĞU:** TCDD İzmir Liman İşletmesi'nin hizmetinde yüzer vinç. 1981'de Haliç Tersanesi'nde yapıldı. 1.231 gros, 1.003 net tonluk. Uzunluğu: 50,7 metre, genişliği: 20,5 metre.

* **SÖNDÜREN 2:** Ulaştırma Bakanlığı'nın hizmetinde römorkör. 1981'de Alaybey Tersanesi'nde yapıldı. 295,1 gros, 166 net tonluk. Uzunluğu: 36,2 metre, genişliği: 9,3 metre, su kesimi: 3,8 metre. Danimarka, B & W Alpha yapımı, 2.490 beygir gücünde dizel motoru var. 13 mil hız yapıyor.

* **SÖNDÜREN 3:** Ulaştırma Bakanlığı'nın hizmetinde römorkör. 1982'de Alaybey Tersanesi'nde yapıldı. 295,1 gros, 166 net tonluk. Uzunluğu: 36,2 metre, genişliği: 9,3 metre, su kesimi: 3,8 metre. Danimarka, B & W Alpha yapımı, 1.490 beygir gücünde dizel motoru var. 13 mil hız yapıyor.

* **SÖNDÜREN 5:** Ulaştırma Bakanlığı Aliağa Petrokimya San. ve Tic. A.Ş.'nin hizmetinde römorkör. 1982'de Aliağa Tersanesi'nde yapıldı. 295 gros, 166 net tonluk. Uzunluğu: 36,2 metre, genişliği: 9,3 metre, su kesimi: 3,8 metre. Danimarka, B & W Alpha yapımı, 2.480 beygir gücünde dizel motoru var. 13 mil hız yapıyor.

* **SÖNDÜREN 7:** Ulaştırma Bakanlığı hizmetinde römorkör. 1983'te Aliağa Tersanesi'nde yapıldı. 295 gros, 166 net tonluk. Uzunluğu: 36,2 metre, genişliği: 9,3

(*) Verdiği bilgilerden ötürü sayın Prof. Şükrü Postacıoğlu'na şükranlarımla. E.T.

metre, su kesimi: 3,8 metre. Danimarka, B & W Alpha yapımı, 2.490 beygir gücünde dizel motoru var. 13 mil hız yapıyor.

* No. 705 LAYTER: Türkiye Denizcilik İşletmesi'nin hizmetinde İzmir limanına kayıtlı kuru yük gemisi. 1978 yapımı. 152 gros, 142 net tonluk. Uzunluğu: 26 metre, genişliği: 7,2 metre.

1 Nisan 1996 tarihinden itibaren İzmir Körfezi'nde "Ziya Göksel Denizcilik Şirketi" adlı kuruluş, iskeleler arasında tarifeli yolcu taşımacılığına başlamış bulunuyor. İstanbul'daki Motorcular Derneği ile varılan anlaşma gereğince, şirket *Mefkûre, Büyük Çağlayan, Çağlayan, Mete II, Karadeniz A, Adatepe 2, Aynacıoğlu 2* adlı teknelerle düzenli seferler yapmaktadır.

Denizyolları Artık Şilep de Çalıştırıyor

- T.C. Deniz Nakliyatı T.A.Ş.

1955 yapımı Kayseri *yük gemisi İstanbul limanında.*

Deniz Nakliyatı T.A.Ş. Genel Müdürlüğü

Önceleri kamu sektöründe yolcu ve eşya nakliyatı hep "mix", yâni karma tip gemilerle yapılagelmişti. Ancak, 1 Ocak 1938 günü kurulan Denizbank'ın faaliyeti sırasında satın alınan 3 şilep ile dış hatlarda ilk kez modern şileplerle seferlere başlanmış oluyordu.

1943 yılında, Kiralama ve İrae Kanunu uyarınca İngiltere'den geçici olarak beş şilep kiralamış, bunlara *Adana, Aydın, Maraş, Ödemiş* ve *Trabzon* adlarını vermişti. Bunlar yaklaşık 4.000-5.000 tonluk gemilerdi. Bu şilepler savaş yılları boyunca İskenderun ile Mısır'ın İsmailiye limanları arasında yardım malzemesi taşıdılar. Bunların üçü 1947-48 yıllarında iade edildi. *Trabzon* adlı olanı armatör Faik Zeren tarafından satın alınmış, adı da *Ereğli* olarak değiştirilmişti. *Ödemiş* adlı olanını da armatör Hüseyin Avni Sohtorik aldı, adını da *Semih* olarak değiştirdi.

Birleşik Amerika, İkinci Dünya Savaşı sırasında "Liberty" adını verdiği tipteki şileplerden çok sayıda yapmış, ama savaş sona erince elinde kalan bu gemileri hayli ucuza, üstelik de krediyle satışa çıkartmıştı. Elektrik kaynağı sayesinde inşaat sırasında büyük bir hız kazanıldığından, bu çok kullanışlı şileplerden 1941 yılı Kasım ayından 1945 Ekim ayına kadar, 2.710 adet inşa edilmişti. Bunlardan bir kısmı savaşta elden çıkmışsa da, yine de ellerinde ihtiyacın çok üstünde gemi kalmıştı. 133 metre uzunluğundaki bu şilepler 2.500 beygirlik makineyle 10 mil hız yapabiliyor ve 10.500 ton yük taşıyabiliyorlardı.

1943'te Kiralama ve İrae Kanunu uyarınca kiralanan 5 gemiden Ödemiş *kuru yük gemisi...
Sonra Sohtorik firması tarafından satın alınarak adı* Semih *olarak değiştirildi.*

Marshall Yardımı faslından gemi satın almaya giden heyet nedense hiç gemi almadan yurda dönmüştü. Kerhen alınan iki gemiyi de Amerikalılar neredeyse bize zorla vermişlerdi. Heyet, "Bize şu tip gemi verecekler" diye Ankara'ya sorduğu zaman "Almayın, o gemiler bizim Zonguldak limanına giremez!" uyarısıyla karşılaşıyordu. Amaç, alınan gemilerle İstanbul-Zonguldak arasında sadece kömür taşımacılığı yapmaktı. Amerikalılar bu durum karşısında şaşırıyor, kızıyor, gemi almaktan kaçındığımızı görerek buna bir anlam veremiyorlardı.

Zorla verilircesine alınan iki gemi, gerçekten de Zonguldak limanına girecek boyutlarda değildi, ama bu iki gemi de sonradan yıllarca Amerika'ya pek çok sefer yaptı, büyük hizmetler gördü. Halbuki, o sıralarda Yunan Deniz Ticaret Bakanı Amerika'ya gidip bir kalemde 60 gemi birden satın alıp dönmüştü. Bu olay, o günlerde deniz ticareti alanında ne kadar kısır görüşlü olduğumuzu ortaya koyması bakımından ilgi çekicidir.

1950'li yıllara gelindiği zaman Türk sivil denizciliği ciddi sorunlarla karşı karşıya gelmiş bulunuyordu. İkinci Dünya Savaşı'nın sonlarında, eldeki gemilerin büyük bir kısmı hayli yaşlanmış olduğundan, bunların elden çıkartılarak yerlerine yenilerinin satın alınması, bu arada tersanelerin de modernleştirilmesi gerekiyordu.

Başta İstanbul olmak üzere limanların çoğu, artık ihtiyaçları karşılamayacak duruma düşmüştü. Yabancı armatörler İstanbul limanındaki sıkışıklık nedeniyle navlunları arttırmak istiyor, Türk denizcilik şirketleri de dış navlunların çekiciliğine kapılarak -tankerlerle yapılan taşımacılık dışında- ülke taşımacılığına pek eğilmiyorlardı.

Denizyolları İşletmesi Umum Müdürlüğü karasularımızda yolcu ve yük taşımacılığını kendi başına sürdürmek durumundaydı. Bu nedenle de filosundaki birkaç eski şileple yeterince ilgilenemiyordu.

Halbuki katıldığımız uluslararası navlun saptama toplantılarında alınan kararlar, düzenli seferler yapılmasını gerektiriyordu. Bu da filodaki gemi sayısının arttırılmasını, daha da önemlisi, yeni bir düzenlemeye gidilmesini gerektiriyordu.

Şilepçilik İşletmesi kuruluyor

Denizcilik Bankası 1 Mart 1952 günü fiilen çalışmaya başladığı zaman, elinde dwt toplamı 70.033'ü bulan 11 şileple, yine dwt toplamı 20.664'ü bulan 2 tanker vardı. İhtiyacı karşılamak amacıyla 1953'ün ikinci yarısında, Japonya'dan 7 hazır geminin alınması kararlaştırıldıktan başka, yine Japon tersanelerine 5 şilep ile bir de tanker inşa ettirilmesi için harekete geçildi.

Bu gemiler için Birleşik Amerika'dan 14 milyon dolarlık (o tarihlerde 1 dolar = 2,80 lira idi) bir kredi sağlanmış bulunuyordu. Bu gemilerin yurda getirilerek hizmete konmasıyla filoda sayı bakımından da, yük kapasitesi bakımından da % 100'lük bir artış sağlanacaktı.

Tophane'de, 4 no.'lu antreponun yeraldığı Malzeme Müdürlüğü binasının zemin katında Şilepçilik İşletmesi adıyla yeni bir kuruluş meydana getirildi. Denizyolları'nın bünyesinden 672 kişilik bir kadro hazırlanarak bu yeni kuruluşa verildi. Bunun 641'i denizde, 31'i karada yönetim kadrosunda görev yapacaktı. Kuruluş 1 Ocak 1954 günü resmen faaliyete geçti. İdare'nin elinde bulunan şilepler bu yeni kuruluşa aktarıldı.

İşletme Müdürlüğü'ne, o sıralarda Denizyolları İşletme Müdür muavinliği makamında görev yapmakta olan eski kaptanlardan Asım Alnıak, muavinliğine de Fadıl Sarmısakçı getirildi. Bu arada, 1953'ün sonlarına doğru *Eskişehir* ile *Kırşehir* adlı şileplerin gelerek filoya katılmasıyla işletmenin elindeki şilep sayısı 11'den 13'e yükseldi.

İşletme ilk olarak iki yıldan beri yapılamayan Amerika seferlerini yeniden başlatmak¹a kalmadı, Kuzeybatı Avrupa hattını da açtı, ayrıca kontinant hattını da güçlendirdi. Bütün bu hamleler sayesinde, ilk yılın sonunda % 20'lik bir gelir artışı sağlandı. Bu arada sağlanan krediyle 1954'te *Aydın, Manisa, Kütahya, Seyhan* şilepleri de yurda getirildi. Ertesi yıl da *Nevşehir* şilebi filoya katıldı.

Şilepçilik İşletmesi'nin 1 Ocak 1954 tarihinde devraldığı gemiler şunlardı:

1945, ABD yapımı Ardahan *kuru yük gemisi.*

1921, İngiltere yapımı Bakır *şilebi yeni geldiği günlerde.*

* ARDAHAN: 1945'te, ABD, Tampa'da Mc Closkey tezgâhlarında buharlı yük gemisi olarak inşa edildi. 1.871 gros, 2.771 net, 2.855 dw tonluktu. Uzunluğu: 79 metre, genişliği 12,8 metre, su kesimi: 6,2 metre idi. Ajax Iron Work yapımı, 1.300 beygir gücünde iki

1945, ABD yapımı Çoruh *kuru yük gemisi.*

genişlemeli buhar makinesi vardı. Tek uskurluydu. Önce *Nothern Archer, Rowland, T. Delano* adlarıyla çalıştı. 1947'de satın alınmıştı. 1968'de satıldı.

* BAKIR: 1921'de, İngiltere, Greenock'ta, Greenock Dkyd. Co. tezgâhlarında buharlı yük gemisi olarak inşa edildi. 4.902 gros, 7.366 dw tonluktu. Uzunluğu: 114,8 metre, genişliği: 15,6 metre, su kesimi: 7,9 metre idi. Rankin & Blackmore

1925, İngiltere yapımı 3.700 gros tonluk Demir şilebi.

1953, Norveç yapımı Eskişehir şilebi Malta limanına giriyor.

1945, ABD yapımı Hopa (önceki adıyla Samsun) şilebi.

Ltd. yapımı, 2.160 beygir gücünde tripil buhar makinesi vardı. Tek uskurluydu. Önceleri *Nordkyn II,* 1938'e kadar da *Glenardle* adıyla çalıştı. Satın alınınca adı *Bakır* olarak değiştirildi. Uzun yıllar Denizcilik Bankası ve Deniz Nakliyatı TAŞ filosunda yer aldı. 1962'de kadro dışı bırakılarak satıldı. Ertesi yıl Haliç'te söküldü.

* **ÇORUH:** 1945'te, ABD, Baltimore'da, Bethlehem-Fairfield tezgâhlarında buharlı yük gemisi olarak inşa edildi. 7.605 gros, 4.559 net, 10.951 dw tonluktu. Uzunluğu: 138,7 metre, genişliği: 19 metre, su kesimi: 11,5 metre idi. ABD, Pittsburg, Westinghouse Elec. yapımı, 6.600 beygir gücünde buhar türbini vardı. Tek uskurluydu. 1947'ye kadar *Hampden Sydney Victory* adıyla çalıştı. Satın alınınca adı *Çoruh* olarak değiştirildi. 1977'de satıldı.

* **DEMİR:** 1925'te, İngiltere, S. Shields'de J. Readhead & Sons tezgâhlarında buharlı yük gemisi olarak inşa edildi. 3.709 gros, 2.278 net, 6.490 dw tonluktu. Uzunluğu: 110,7 metre, genişliği: 15 metre, su kesimi: 8,1 metre idi. S. Shields, J. Readhead & Sons yapımı, 1.600 beygir gücünde tripil buhar makinesi vardı. Tek uskurluydu. 9 mil hız yapıyordu. 1937'ye kadar *Eastville,* 1938'e kadar da *Eastpool* adıyla çalıştı. Satın alınınca adı *Demir* olarak değiştirildi. 1963'te satıldı.

* **ESKİŞEHİR:** 1953'-te, Norveç, Moss'da Moss Vaerft & Dokk A/S tezgâhlarında buharlı yük gemisi olarak inşa edildi. 2.456 gros, 1.274 net, 4.115 dw tonluktu. Uzunluğu: 102,8 metre, genişliği: 14,8 metre, su kesimi: 6,5 metre idi. Moss Vaerft yapımı, 1.900 beygir gücünde iki genişlemeli buhar makinesi vardı. Tek uskurluydu. 10 mil kadar hız yapıyordu. Önce, 1953'e kadar *Bjorgsund* adıyla çalıştı.Türkiye'ye gelince *Eskişehir* adını aldı.

1944, ABD yapımı Kars *şilebi açık denizde.*

1945, ABD yapımı Kastamonu *İstanbul limanında.*

* **HOPA:** 1945'te, ABD, Tampa'da Mc Closkey & Co. tezgâhlarında buharlı yük gemisi olarak inşa edildi. 1.871 gros, 2.855 dw tonluktu. Uzunluğu: 79 metre, genişliği: 12,8 metre, su kesimi: 6,2 metre idi. Ajax Uniflow Co. Corry yapımı, 1.300 beygir gücünde iki genişlemeli buhar makinesi vardı. Tek uskurluydu. 1947'ye kadar *John J. Jackson,* 1949'a kadar da *Samsun* adıyla çalıştı. Sonra adı *Hopa* oldu. 1968'de satıldı.

* **KARS:** 1944'te, ABD, Richmond'da Kaiser Cargo Inc. tezgâhlarında motorlu dökme yük gemisi olarak yapıldı. 3.805 gros, 2.123 net, 5.950 dw tonluktu. Uzunluğu: 103,2 metre, genişliği: 15,3 metre, su kesimi: 8,8 metre idi. Nordberg Mfg. Co. yapımı, 2.700 beygir gücünde dizel motoru vardı. Tek uskurluydu. 10 mil hız yapıyordu. İlk adı *Antrim* idi. 1947'de *Kars* adını aldı.

* **KASTAMONU:** 1945'-te, ABD, Milwaukee'de Froemming, Bros. tezgâhlarında motorlu dökme yük gemisi olarak inşa edildi. 3.805 gros, 2.123 net, 6.021 dw tonluktu. Uzunluğu: 103,2 metre, genişliği: 15,2 metre, su kesimi: 8,8 metre idi. Nordberg Mfg. Co. Milwaukee yapımı, 1.700 beygir gücünde dizel motoru vardı. Tek uskurluydu. 10 mil hız yapıyordu. İlk adı *Craighead* idi. 1947'de *Kastamonu* oldu.

* **KIRŞEHİR:** 1951'de, Norveç, Moss'da Moss Vaerft & Dokk A/S tezgâhlarında

1944, ABD yapımı Malatya *şilebi Boğaz sularında.*

1946, İsveç yapımı Ödemiş *şilebi Boğaz'dan geçiyor.*

buharlı yük gemisi olarak yapıldı. 2.413 gros, 1.259 net, 4.050 dw tonluktu. Uzunluğu: 102,8 metre, genişliği: 14,8 metre, su kesimi: 6,5 metre idi. Moss Vaerft & Dokk A/S yapımı, 1.900 beygirlik iki genişlemeli buhar makinesi vardı. Tek uskurluydu. 11 mil hız yapıyordu. İlk adı *Bonita* idi. 1953'te *Kırşehir* adını aldı. 1977'de satıldı.

* **MALATYA:** 1944'te, ABD, Richmond'da California S.B. Corp. tezgâhlarında buharlı dökme yük gemisi olarak inşa edildi. 3.805 gros, 2.123 net, 5.792 dw tonluktu. Uzunluğu: 103, metre, genişliği: 15,3 metre, su kesimi: 8,8 metre idi. Nordberg Mfg. Co. Milwaukee yapımı 1.700 beygir gücünde dizel motoru vardı. Tek uskurluydu. 10 mil hız yapıyordu. Önceleri *Bullock* adıyla çalıştı. 1947'de önce *Edirne,* 1948'de *Adana,* sonra yine aynı yıl *Malatya* adı verildi.

* **ÖDEMİŞ:** 1946'da, İsveç, Oskarshamus Varv tezgâhlarında buharlı yük gemisi olarak inşa edildi. 3.652 gros, 1.980 net, 4.460 dw tonluktu. Uzunluğu: 104,4 metre, genişliği: 14,9 metre, su kesimi: 7,2 metre idi. Rheinmetall-Borsig, Berlin yapımı iki genişlemeli buhar makinesi ve egzos türbini vardı. Tek uskurluydu. 12 mil hız yapıyordu. 1946'ya kadar *Heimdal* adıyla çalıştı. Satın alınınca adı *Ödemiş* olarak değiştirildi. 1975'te Fikri Sözer ve Ortakları'na satıldı. 1976'da *Sözer Kardeşler* adını aldı.

* **RİZE:** 1945'te, ABD, Superior'da W. Butler S. Bs. Inc. tezgâhlarında motorlu dökme yük gemisi olarak inşa edildi. 3.085 gros, 2.123 net, 6.116 dw tonluktu. Uzunluğu: 103 metre, genişliği: 15 metre, su kesimi: 8,8 metre idi. Nordberg Mfg. Co., Milwaukee yapımı, 1.700 beygir gücünde dizel motoru vardı. Tek uskurluydu. 10 mil hız yapıyordu. 1947'e kadar *Hidalgo* adıyla çalıştı. Satın alınınca adı *Rize* olarak değiştirildi.

* YOZGAT: 1945'te, ABD, Baltimore'da Bethlehem-Fairfield tezgâhlarında buharlı yük gemisi olarak inşa edildi. 7.605 gros, 4.450 net, 10.779 dw tonluktu. Uzunluğu: 138,7 metre, genişliği: 18,9 metre, su kesimi: 11,5 metre idi. Westinghouse Elec. & Mfg. Co., Pittsburg yapı-

1951, Norveç yapımı Kırşehir Tophane önlerinde demirlemiş.

mı, 6 .000 beygir gücünde iki genişlemeli buhar türbini vardı. Tek uskurluydu. 2 yıl *Fayatteville Victory* adıyla çalıştı, satın alınınca *Yozgat* adını aldı.

Ayrıca iki de tanker vardı:

* KOCAELİ tankeri: 1943'te, ABD, Portland'da Kaiser Co. Inc. tezgâhlarında buharlı tanker olarak yapıldı. 10.449 gros, 6.302 net, 16.813 dw tonluktu. Uzunluğu: 159,5 metre, genişliği: 20,8 metre, su kesimi: 11,9 metre idi. General Electric Co. Lynn yapımı, 7.200 beygir gücünde türbo jeneratör ve elektrik motoru vardı. Tek uskurluydu. 1948'e kadar *Fort Mc Henry* adıyla çalıştı. Satın alınınca adı *Kocaeli* olarak değiştirildi. 1960'lı yılların başında hurda olarak satıldı.

* SIVAS tankeri: 1943'te, ABD, Panama City'de J.A. Jones Const. Co. Inc. tezgâhlarında buharlı tanker olarak yapıldı. 3.260 gros, 1.680 net, 3.933 .dw tonluktu. Uzunluğu: 99,1 metre, genişliği: 14,6 metre, su kesimi: 6,6 metre idi. Nordberg Mfg. Co. Milwaukee

1945, ABD yapımı Rize İstanbul limanında.

yapımı, 1.400 beygir gücünde dizel motoru vardı. Tek uskurluydu. 1947'ye kadar *Placido* adıyla çalıştı. Satın alınınca adı *Sıvas* olarak değiştirildi. 1976'da satıldı.

Filo, toplam olarak hepsi 15 gemiden oluşuyordu. Bu gemilerin toplam gros tonajı 65.130'du; dwt olarak da 98.927'yi buluyordu. Çoğu yeni inşa edilmiş gemiler olduğundan filonun yaş ortalaması da neredeyse 11'e düşmüştü. Filoya beş şilebin daha katılmasıyla, gemi sayısı 20'ye, gros tonaj toplamı 89.220'ye, dwt.'si de 135.137'ye yükseldi:

* **AYDIN:** 1945'te, ABD'de yapıldı. 7.714 gros, 10.881 dw tonluktu. Tek uskurluydu. 11 Şubat 1958'de Manş Denizi'nde bir kaza sonucu battı.

1945, ABD yapımı Manisa şilebi İstanbul limanında.

* **MANİSA:** 1945'te ABD, Los Angeles'te California S.B. Corp. tezgâhlarında buharlı yük gemisi olarak yapıldı. 7.748 gros, 4.666 net, 10.710 dw tonluktu. Uzunluğu: 138,7 metre, genişliği: 118,9 metre, su kesimi: 11,5 metre idi. General Electric Co. Lynn yapımı, 5.000 beygir gücünde iki genişlemeli buhar türbini vardı. Tek uskurluydu. Önce 1946'ya kadar *Amherst Victory,* 1954'e kadar *Serampore* adlarıyla çalıştı. Sonra 1954'te *Manisa* adını aldı. 1977'de satıldı.

1960'ta batan, 1949 Norveç yapımı Kütahya şilebi.

* **KÜTAHYA:** 1949'da, Norveç, Fredrikstad'da, A/S Fredrikstad M/V tezgâhlarında buharlı yük gemisi olarak yapıldı. 3.113 gros, 1.709 net, 5.130 dw tonluktu. Uzunluğu: 113,4 metre, genişliği: 15,9 metre, su kesimi: 6,3 metre idi. A/S Fredrikstad M/V yapımı, 3.000 beygir gücünde iki genişlemeli buhar makinesi vardı. Tek uskurluydu. 13 Kasım 1960 günü bir kaza sonunda battı.

* **SEYHAN:** 1950'de, Norveç, Fredrikstad'da, A/S Fredrikstad M/V tezgâhlarında buharlı yük gemisi olarak yapıldı. 3.097 gros, 1.700 net, 5.130 dw tonluktu. Uzunluğu: 108,2 metre, genişliği: 15,9 metre, su kesimi: 6,3 metre idi. A/S Fredrikstad M/V yapımı, iki genişlemeli buhar makinesi vardı. Tek uskurluydu. 10 mil hız yapıyordu. İlk adı *Norviken* idi. 1955'te satın alınınca *Seyhan* olarak değiştirildi. 1979'da satıldı.

* NEVŞEHİR: 1952'-de, Norveç, Moss'da buharlı yük gemisi olarak yapıldı. 2.418 gros, 1.262 net, 4.050 dw tonluktu. Uzunluğu: 103 metre, genişliği: 14,8 metre, su kesimi: 6,5 metre idi. A/S Moss Vaerf & Dokk yapımı, 1.900 beygir gücünde iki genişlemeli buhar makinesi vardı. Tek uskurluydu. 11 mil hızı vardı. 1979'da satıldı.

1950, Norveç yapımı Seyhan şilebi İstanbul limanında...

1952, Norveç yapımı Nevşehir şilebi Malta'dan ayrılıyor.

Deniz Nakliyatı T.A.Ş. kuruluyor

O tarihlerde T.C. Emekli Sandığı bazı yatırımlar yapma hazırlıkları içindeydi. Denizcilik Bankası T.A.Ş.'nin verdiği belirli bir kâr garantisiyle bu yeni şilepçilik şirketine bu kuruluşun katılması sağlandı. Emekli Sandığı'nın hisse oranı % 48 olacaktı. Geriye kalan hisselerin % 51'i Denizcilik Bankası'nın, % 1'i de Petrol Ofisi'nin, Etibank'ın, Türkiye İş Bankası'nın, Türkiye Emlâk Bankası'nın, Türk Ticaret Bankası'nın arasında paylaşılacaktı.

Böylece 1955 yılının 22 Haziran günü, 5.842 sayılı kanunla D.B. Deniz Nakliyatı Türk Anonim Ortaklığı, 110 milyon lira sermaye ile 50 yıl süreli olarak resmen kuruldu. 15 Nisan 1955 tarihli ve 4/5.095 sayılı kararname suretinde belirtildiği üzere amacı, iç ve dış sularda önce her türlü yük ve hayvan nakli, ikinci derecede olarak da yolcu taşımacılığı yapmaktı.

İdare Meclisi Reisliği'ne, Atatürk'lü yılların ünlü Hariciye Vekili Tevfik Rüştü Aras getirildi. Şilepçilik İşletmesi Müdürü Kaptan Asım Alnıak ortaklık müdürü, Fadıl Sarmısakçı da ticarî müdür muavini, Y. Müh. Şekip Özgüner de teknik müdür muavini oldu.

O tarihte kuruluşun filosunda 114.473 dwt tutarında 18'i şilep, 22.664 dwt tutarında da iki tanker olmak üzere, toplam 20 gemi yeralıyordu. Bu gemilerin yaş ortalaması 11,6 yıldı. Toplam dwt de 135.137'yi buluyordu. Kadrosundaki personel sayısı da, 848'i denizde, 56'ı da yönetici ve memur olarak karada çalışan, toplam 904 kişiydi.

1955 yılında yeni şilepler

Ortaklığın kurulduğu yıl olan 1955'in ikinci yarısında filoya 6 şilep birden katıldı. Bunların hepsi de Japonya'da inşa edilmişti.

1970'te Biscay körfezinde batan Amasya şilebi.

1955, Japonya yapımı Denizli şilebi İstanbul sularında.

* AMASYA: 1955'te, Japonya, Osaka'da Sanoyasu tezgâhlarında motorlu yük gemisi olarak inşa edildi. 3.013 gros, 2.902 dw tonluktu. Uzunluğu: 136 metre, genişliği: 17,1 metre, su kesimi: 11,5 metre idi. Uraga Diesel Kogyo yapımı, 3.500 beygirlik dizel motoru vardı. Tek uskurluydu. 1970 Şubat'ında Biscay körfezinde seyrederken şiddetli fırtına nedeniyle battı. 9 denizci dalgalar arasında kayboldu.

* DENİZLİ: 1955'te, Japonya, Osaka'da, Sanoyasu Dkyd. Co. tezgâhlarında motorlu karışık yük gemisi olarak yapıldı. 3.020 gros, 1.535 net, 2.893 dw tonluktu.

Uzunluğu: 102,4 metre, genişliği: 14,2 metre, su kesimi: 7,8 metre idi. Tamashima, Uraga Diesel Kogyo yapımı, 3.500 beygir gücünde dizel motoru vardı. Tek uskurluydu. 14,5 mil kadar hız yapıyordu. Sonra satıldı.

* KAYSERİ: 1955'te, Japonya, Yokosuka'da, Uraga Dock Co. Ltd. tezgâhlarında buharlı yük gemisi olarak inşa edildi. 4.238 gros, 2.291 net, 5.774 dw tonluktu. Uzunluğu: 119,9 metre, genişliği: 16,6 metre, su kesimi: 8,3 metre idi. Kawasaki Dockyard Co. Ltd. yapımı 4.500 beygir gücünde iki genişlemeli buhar türbini vardı. Tek uskurluydu. 1963'te kadro dışı bırakıldı.

* SAKARYA: 1955'te, Japonya, Yokosuka'da Uraga Dock Co. Ltd. tezgâhlarında buharlı yük gemisi olarak inşa edildi. 4.249 gros, 2.308 net, 5.774 dw tonluktu. Uzunluğu: 119,9 metre, genişliği: 16,2 metre, su kesimi: 8,3 metre idi. Kobe, Ka-

1955, Japonya yapımı, Bolu şilebi şamandırada...

wasaki Dkyd. Co. Ltd. yapımı 4.500 beygir gücünde buhar türbini vardı. Tek uskurluydu. 1963'te kadro dışı bırakıldı.

Ertesi yıl, yâni 1956'da yine Japonya'daki tezgâhlarda yapılmış olan bir yük gemisiyle (*Bolu*) bir tanker daha filoda yer aldı. Böylece hamule tonu 26 gemiyle 178.769'a ulaştı. Bunlardan *Batman* adı verilen tanker, o güne kadar sahip olduğumuz en büyük gemi olarak dikkatleri üzerine çekiyordu:

* BOLU: 1955'te, Japonya, Yokosuka'da, Uraga Dock Co. tezgâhlarında buharlı yük gemisi olarak inşa edildi. 4.235 gros, 2.285 net, 5.779 dw tonluktu. Uzunluğu: 120 metre, genişliği: 15,2 metre, su kesimi: 8,3 metre idi. Kobe, Kawasaki Dockyard Co. yapımı, 4.500 beygir gücünde buhar türbini vardı. Tek uskurluydu. 1963'te kadro dışı bırakıldı.

* BATMAN tankeri: 1956'da, Japonya, Yokosuka'da, Uraga Dock Co. Ltd. tezgâhlarında buharlı tanker olarak inşa edildi. 13.340 gros, 21.364 dw tonluktu. Uzunluğu: 169 metre, genişliği: 22 metre, su kesimi: 12,3 metre idi. Uraga Dock yapımı, 8.000 beygir gücünde 2 adet buhar türbini vardı. Tek uskurluydu. 1976'da kadro dışı bırakılarak satıldı.

1956, Japonya yapımı Batman şilebi İstanbul Boğazında.

1956'da, Mısır'ın Süveyş Kanalı'nı deniz trafiğine kapatması sonunda bütün Akdeniz'de navlunlar âni bir şekilde yükseldi. Ama 1957 yılının Nisan'ında kanalın yeniden açılmasıyla navlunlarda ciddi düşüşler görüldü.

1942, İngiltere yapımı Aydın *şilebi Dolmabahçe önlerinde.*

1957 yılına gelindiğinde Kuzey Avrupa limanlarına yapılan seferlerde önemli artışlar kaydedildi. Şileplerimize dönüş yükü sağlama yetkisini haiz bulunan Londra acentesi Walford'un yerine Hamburg'da yeni bir acentelik açıldı. Yılın birinci günü açılıp faaliyete geçen acente şirkete gerçekten büyük yararlar sağladı.

30 Ocak 1958 günü *Kayseri* şilebi Biscay Körfezi'nde bir İspanyol balıkçı gemisiyle çarpıştı; kazada 12 balıkçı öldü. 11 Şubat 1958'de de Ziya Kaptan'ın idaresindeki *Aydın* şilebinin Anvers yakınlarında, Scheld nehri girişinde, *Charles Tallier* adlı bir Fransız gemisiyle çatışarak önce karaya oturması, sonra da batması gerçekten büyük bir talihsizlik oldu; ama insan kaybı olmadı.

Ertesi yıl, yâni 1959'da kaybedilen bu geminin sigorta bedeliyle "Empire" sınıfından üç şilep birden alındı. Gemi adedi 28, toplam dwt 197.144 idi. Bu yeni gemilerden birine yine *Aydın* adı verildi.

1942, İngiltere yapımı Sinop şilebi İstanbul limanında.

* **AYDIN:** 1942'de, İngiltere, Glasgow'da Lithgows Ltd. tezgâhlarında buharlı yük gemisi olarak inşa edildi. 6.946 gros, 9.960 dw tonluktu. Uzunluğu: 132 metre, genişliği: 17 metre, su kesimi: 11,2 metre idi. Rankin & Blackmore Ltd. yapımı, üç genişlemeli buhar

makinesi vardı. Tek uskurluydu. 1958'e kadar *Junecrest* adıyla çalıştı. Sonra Deniz Nakliyatı TAŞ'nin filosunda yer aldı. 1966'da kadro dışı bırakılarak satıldı.

* SİNOP: 1944'te, İngiltere, Glasgow'da Lithgows Ltd. tezgâhlarında buharlı yük gemisi olarak inşa edildi. 7.020 gros, 4.911 net, 9.925 dw tonluktu. Uzunluğu: 136,4 metre, genişliği: 17,1 metre, su kesimi: 11,2 metre idi. Rankin & Blackmore Ltd. Greenock yapımı, 2.500 beygirlik tripil buhar makinesi vardı. Tek uskurluydu. 1958'e kadar *Lloydcrest* adıyla çalıştı. Satın alınınca adı *Sinop* olarak değiştirildi.

* ZONGULDAK: 1941'de, İngilere Glasgow'da Lithgows Ltd. tezgâhlarında buharlı yük gemisi olarak inşa edildi. 5.194 gros, 3.113 net, 9.200 dw tonluktu. Uzunluğu: 136,4 metre, genişliği: 17,1 metre, su kesimi: 8,4

1941, İngiltere yapımı Zonguldak *şilebi Kızkulesi açıklarında.*

metre idi. Rankin & Blackmore Ltd. Greenock yapımı, 2.500 beygir gücünde tripil buhar makinesi vardı. Tek uskurluydu. Önce, 1952'ye kadar *Helencrest* adıyla çalıştı. Satın alınınca *Zonguldak* adı verildi.

1958'in Aralık ayında da New York'ta Amerika mümessilliği faaliyete geçti. 1960 yılının Nisan ayında Napoli'de Akdeniz temsilciliği açıldıysa da, 27 Mayıs Devrimi'nden hemen sonra alınan bir kararla New York'taki ve Napoli'deki bu iki temsilcilik âni bir kararla kapatıldı. O yılın içinde, Fındıklı'da tütün deposu olarak kullanılmakta olan büyük bina satın alındı, işletme binası olarak kullanılmak üzere onarımına başlandı.

Camialtı Tersanesi'nde bir şilep yapılıyor

1954 yılında, *Abidin Daver* adlı Türk yapısı ilk şilep Camialtı Tersanesi'nde yapılarak denize indirilmişti. Konuşmacıların sözü uzun tutmaları yüzünden yağların donması üzerine gemi o gün denize indirilememiş, ancak birkaç gün sonra yapılan basit bir törenle indirilebilmişti. Ama donatılarak filoya katılması ancak 1960 yılını buldu.

* ABİDİN DAVER: 1960'ta, Camialtı Tersanesi'nde karışık yük gemisi olarak yapıldı. 4.399 gros, 3.004 net, 6.490 dw tonluktu. Uzunluğu: 108,7 metre, genişliği:

Camialtı Tersanesi'nde Türk mühendisleri tarafından inşa edilip 1960 yılında filoya katılan Abidin Daver şilebi aralıksız 31 yıl hizmet gördükten sonra kadro dışı bırakılıp Aliağa'da söküldü.

15,7 metre, su kesimi: 7,1 metre idi. Torino, S.A. Fiat S.G.M. yapımı, 2.850 beygir gücünde dizel motoru vardı. Tek uskurluydu. 13,5 mil kadar hız yapıyordu. Aralıksız 31 yıl kullanıldıktan sonra kadrodan çıkartıldı. 1991'de sökülmek üzere Aliağa'ya gönderildi.

Abidin Daver, 1930'lu ve 40'lı yıllarda yazdığı denizcilikle ilgili yazılarıyla "Sivil Amiral" olarak tanınmış, yazıları severek okunan ünlü bir gazeteciydi.

Yine 1960 yılında Norveç'ten *Elazığ* şilebiyle Danimarka'dan *Garzan* tankeri satın alındı. Filodaki ilk gemiler buhar makineli iken, daha sonraki yıllarda kadroya hep dizel motorlu gemiler alınmaya başlanmıştı. O yıl içinde gemi adedi 30, toplam dwt 224.033 oldu.

* ELAZIĞ: 1960'ta, Norveç'te Dremmen Glip and Verk tezgâhlarında motorlu yük gemisi olarak yapıldı. 4.836 gros, 2.476 net, 7.244 dw tonluktu. Uzunluğu: 116,3 metre, genişliği: 16,3 metre, su

1960, Norveç yapımı motorlu yük gemisi Elâzığ.

1959, Danimarka yapısı Garzan *tankeri Rumeli Hisarı önlerinde seyir halinde.*

kesimi: 7,9 metre idi. İsviçre, Winterhur, Sulzer Bros. Ltd. yapımı dizel motoru vardı. Tek uskurluydu. 13 mil kadar hız yapıyordu. Önce *Marosa* adıyla çalıştı. 1960'ta *Elazığ* adını aldı. Sonra satıldı.

* **GARZAN** tankeri: 1959'da Danimarka, Nakskov'da A/S Nakskov Skibsv. tersanesinde motorlu tanker olarak yapıldı. 12.502 gros, 18.694 dw tonluktu. Uzunluğu: 170,6 metre, genişliği: 22 metre, su kesimi: 11,9 metre idi. Danimarka, Burmeister-Wain yapımı 10.000 beygir gücünde dizel motoru vardı. Önce *Asia* adıyla çalıştı. Satın alınınca *Garzan* adını aldı. 16 mil hız yapıyordu.

Yine o yıl, 13 Kasım 1960 günü *Kütahya* şilebinin Kuzey Denizi'nde bir çatışma sonunda batması denizcilik çevrelerinde üzüntüyle karşılandı.

1961 yılında 7 şilep birden filoya katıldı. Bunların ilk 4'ü Japonya'da yaptırılmış, öteki üçü ise hazır olarak satın alınmıştı. Böylece gemi adedi 37'ye, toplam dwt 262.348'e çıktı.

* **27 MAYIS:** 1961'de, Japonya, Tokyo'da, Nipponkai Heavy Ind. Co. Ltd. tezgâhlarında karışık yük gemisi olarak inşa edildi. 3.652 gros, 1.995 net, 5.340 dw tonluktu. Uzunluğu: 106,6 metre, genişliği: 15 metre, su kesimi: 6,7 metre idi. Japonya, Uraga-Sulzer yapımı 3.200 beygir gücünde dizel motoru vardı. Tek uskurluydu. 13 mil hız yapıyordu. Adı sonraları politik nedenlerle *Kaptan Teknekuran* olarak değiştirildi. 1992 Nisan'ında hurda olarak Makina ve Kimya Endüstrisi Kurumu'na satıldı.

* GAZİ OSMAN PA-ŞA: 1961'de, Japonya, Tokyo'da Mitsubishi Shipbuilding & Eng. Co. Ltd. tezgâhlarında kuru yük gemisi olarak yapıldı. 3.652 gros, 1.994 net, 5.305 dw tonluktu. Uzunluğu: 106,6 metre, genişliği: 15 metre, su kesimi: 6,7 metre idi.

Sonradan adı Kaptan Teknekuran olarak değiştirilen 27 Mayıs.

Japonya, Uraga-Sulzer yapımı, 3.200 beygir gücünde dizel motoru vardı. Tek uskurluydu. 13 mil hız yapıyordu. Nisan 1992'de satışa çıkartıldı. Hurda olarak Makina ve Kimya Endüstrisi Kurumu'na satıldı.

Gazi Osman Paşa 1961, Japonya yapımı olup kuru yük gemisiydi.

* MİTHAT PAŞA: 1961'de, Japonya, Tokyo'da Shipbuilding & Eng. Co. Ltd. tezgâhlarında kuru yük gemisi olarak yapıldı. 3.652 gros, 1.994 net, 5.299 dw tonluktu. Uzunluğu: 106,6 metre, genişliği: 15 metre, su kesimi: 6,7 metre idi. Japonya, Uraga-Sulzer ya-

27 Mayıs ile Gazi Osman Paşa'nın eşi Mithat Paşa kuru yük gemisi.

pımı 3.200 beygirlik dizel motoru vardı. Tek uskurluydu. 13 mil hız yapıyordu. Nisan 1992'de satışa çıkartıldı. Adı *Ünlü* olarak değiştirildi. Son sahibi olarak Emsan İnş. Malz. San. ve Tic. A.Ş. gözüküyor.

* MİMAR SİNAN: 1961'de, Japonya, Nipponkai Heavy Ind. Co. Ltd. tezgâhlarında kuru yük gemisi olarak yapıldı. 5.426 gros, 3.013 net, 8.174 dw tonluktu. Uzunluğu: 124,4 metre, genişliği: 16,6 metre, su kesimi: 7,8 metre idi. Japonya,

Tamashima Uraga-Sulzer yapımı, 4.400 beygirlik dizel motoru vardı. Tek uskurluydu. 14 mil hız yapıyordu. Şubat 1993'te satışa çıkartıldı. Bora Denizcilik firması satın aldı. Son sahibi olarak Alesta Deniz ve Tic. A.Ş. gözüküyor.

1961'de Japonya'da inşa edilen Mimar Sinan *kuru yük gemisi.*

* **GENÇLİK:** 1961'de, İtalya, Taranto'da Navali di Taranto tezgâhlarında kuru yük gemisi olarak yapıldı. 8.984 gros, 5.423 net, 12.883 dw tonluktu. Uzunluğu: 150,8 metre, genişliği: 11,8 metre, su kesimi: 8,9 metre idi. İtalya, Fiat S.G.M. yapımı, 8.400 beygir gücünde dizel motoru vardı. Tek uskurluydu. 13 mil hız yapıyordu. Eylül 1992'de 750.000 dolardan satışa çıkartıldı. Bir Singapur firmasına satıldı. Hindistan'a götürülen gemi orada yeni sahibine teslim edildi.

1961, İtalya, Taranto yapımı kuru yük gemisi: Gençlik

Aralıksız 28 yıl hizmet eden İtalya yapımı Kosova *kuru yük gemisi.*

* **KOSOVA:** 1958'de, İtalya'da, kuru yük gemisi olarak yapıldı. 499 gros, 247 net, 952 dw tonluktu. Uzunluğu: 66,5 metre, genişliği: 9,9 metre, su kesimi 3,7 metre idi. 1.000 beygirlik Deutz dizel motoru vardı. Tek uskurluydu. 11 mil hız yapıyordu. Önce *Chantepie* adıyla çalıştı. Satın alınınca adı *Kosova* olarak değiştirildi. 1986'da hizmet dışı bırakıldı. Akar Yapı Malzemeleri San. ve Tic. A. İstanbul, firması tarafından alındı.

* **MALAZGİRT:** 1958'de, İtalya'da inşa edildi. 494 gros, 247 net, 946 dw tonluktu. Uzunluğu: 66,5 metre, genişliği: 9,9 metre, su kesimi: 3,7 metre idi. 1.000 beygirlik Deutz dizel motoru vardı. Tek uskurluydu. 11 mil hız yapıyordu. Önce *Chanteclair* adıyla çalıştı. Satın alınınca adı *Malazgirt* olarak değiştirildi.

1961 yılının Eylül ayı içinde Amerika mümessilliği bu sefer Washington'da açıldı. Yine aynı ay, Hollanda, Rotterdam' da İkmal ve Tâmir mümessilliği faaliyete başladı. Yıl sonunda da Şirket, Galata'daki yerinden Fındıklı'da onarımı ve tadilâtı sona eren kendi binasına taşındı. 1962'nin 25 Ocak günü de şirketin haberleşmesinde büyük kolaylıklar sağlayacak olan ilk teleks makinesi çalışmaya başladı.

Şirket'te yeni gelişmeler

1962 yılında 3 gemi birden filoya katıldı. Bunların ilk 2'si kuru yük gemisi, üçüncüsü tankerdi. Buna karşılık bir gemi filodan ayrıldı. Gemi adedi 36, toplam dwt 255.098 oldu.

* **BÜYÜK REŞİT PAŞA:** 1962'de, Japonya, Toyoma'da, Nipponkai Heavy Ind. Co. Ltd. tezgâhlarında kuru yük gemisi olarak yapıldı. 3.655 gros, 1.994 net, 5.336 dw tonluktu. Uzunluğu: 106,6 metre, genişliği: 15 metre, su kesimi: 6,7 metre idi. 2.384 kW. gücünde Uraga-Sulzer dizel motoru vardı. Tek uskurluydu. 13 mil hız yapıyordu. Şubat 1993'te Bora Denizcilik Şti.'ne satıldı. 1994'te sahibi olarak Alesta

31 yıl aralıksız filoda hizmet eden B.Reşit Paşa kuru yük gemisi İstanbul limanında.

31 yıl sürekli çalıştırılan 1962 Japonya yapımı Namık Kemal.

Deniz Tic. A.Ş. gözükü-
yordu. 1996'da Aganta
Dnz. ve Tic. A.Ş.'nin ge-
misi olarak gözüküyor.

* NAMIK KEMAL:
1962'de, Japonya, Nip-
ponkai Heavy Ind. Co.
Ltd. tezgâhlarında kuru
yük gemisi olarak yapıl-
dı. 5.615 gros, 3.024
net, 8.000 dw tonluktu.
4.480 beygirlik Uraga-
Sulzer dizel motoru vardı. Tek uskurluydu. 14 mil hız yapıyordu. Şubat 1993'te
satışa çıkartıldı. Bora Denizcilik Şti.'ne satıldı. Son sahibi olarak Alesta Deniz ve
Tic. A.Ş. gözüküyordu.

* KAPTAN ASIM ALNIAK: 1961'de, Japonya'da Uraga Dock Co. Ltd. tezgâhların-
da tanker olarak inşa edildi. 13.592 gros, 8.479 net, 22.426 dw tonluktu. Uzunlu-

1961, Japonya yapımı Kaptan Asım Alnıak *tankeri.*

ğu: 177,5 metre, genişli-
ği: 22 metre, su kesimi:
9,9 metre idi. Japonya,
Uraga Diesel Kogyo ya-
pımı, 9.000 beygir gü-
cünde dizel motoru var-
dı. Tek uskurluydu.
13,5 mil hız yapıyordu.
1989'da hizmetten alın-
dı, sonra satıldı.

Ayrıca *Sivas* tankeri
de Trieste'de asit gemisi olarak tadil ettirildi. Bunlara karşılık emektar *Ba-
kır* şilebi kadro dışı bırakılarak satıldı.

1963 yılına gelindiği zaman, Ocak ayında Rotterdam'daki İkmal ve
Tâmir Mümessilliği'nin kapatıldığını görüyoruz. Bu arada, yine eski şilep-
lerden *Demir* ve *Sinop* şilebi ile *Kocaeli* tankeri de kadro dışı bırakılarak
satıldı. Bu arada sık sık onarılması gereken ve giderek büyük masraflara
yolaçan türbinli gemilerden *Bolu, Kayseri, Sakarya* adlı birbirinin eşi üç
şilep de kadro dışı bırakıldı. 23 sayılı kanunla 11 Aralık 1963 günü şirket,
Genel Müdürlük durumuna getirildi. O yıl şirketin filosu 192.046 dwt tu-
tarında kuru yük ve 64.525 dwt tutarında dört tankerden oluşuyordu ki,
toplam olarak şirketin 36 gemisi vardı. dwt de 256.571 tonudu.

Bu yılın sonunda, Ereğli'de inşa edilmekte olan Ereğli-Demir-Çelik Fabrikaları A.Ş.'nin ihtiyacı olan kömürün ve demir cevherinin Deniz Nakliyatı'nın gemileriyle taşınması için anlaşmaya varıldı. Bu nedenle de Ereğli'de bir irtibat bürosu açıldı.

Kuruluş, bir iktisadî devlet teşekkülü oluyor

Deniz Nakliyatı Genel Müdürlüğü, 16 Mayıs 1964 günü ve 6/3.093 sayılı kararname ve 440 sayılı kanun uyarınca bir iktisadî devlet teşekkülü haline getirildi. 1964'ün Temmuz'unda Ankara'da bir irtibat müdürlüğü kuruldu. Amerika'daki mümessillik de Washington'dan, yine New York'a nakledildi.

Kars, *Kastamonu*, *Malatya* ve *Rize* şilepleri kömür ve demir cevheri taşıyabilecek şekilde tadil edildikten sonra Haziran'dan itibaren taşımalara başlandı. O sıralarda Kıbrıs'taki tatsız olaylar üzerine Genel Müdürlük'ün bazı gemilerine özel ve gizli askerî görevler verildi.

1966'da *Aydın* şilebinin kadro dışı bırakılarak satılmasına karşılık Amerika hattını takviye etmek amacıyla Gölcük ve Camialtı Tersaneleri'ne 12.000 dw tonluk, 18 mil süratinde iki şilep siparişi birden verildi. Bu yıl içinde şirket 35 gemiyle çalıştı ve dwt tutarı 246.611 ton oldu.

Ertesi yıl da (1967) Danimarka'dan *Germik* tankeri satın alındı. Bu tanker, o güne kadar ülkemizin en büyük gemisi olarak dikkatleri üzerine çekiyordu. Bu yıl içinde gemi adedi 5'i tanker olarak 35 idi, dwt tutarı da 298.471 oldu.

1968'de, *Ardahan* ve *Hopa* şilepleri kadro dışı bırakılarak satıldı. Buna karşılık Et ve Balık Kurumu'ndan *Kar* adlı frigorifik gemi devralındı. Bu yıl içinde gemi adedi 34, toplam dwt 293.736 oldu.

* **GERMİK** tankeri: 1964'te, Danimarka'da inşa edildi. 37.926 gros, 64.902 dw tonluktu. Uzunluğu: 243 metre, genişliği: 35,4 metre, su kesimi: 12,8 metre idi. 18.480 beygir gücünde dizel motoru vardı. Tek uskurluydu. Saatte 15 mil hız yapıyordu.

* **KAR** frigorifik gemisi: 1951'de, Norveç, Kristiansand'da Kristian Sands M/V-A/S tezgâhlarında soğuk ambarlı yük gemisi olarak yapıldı. 767 gros, 831 net tonluktu. Uzunluğu: 65,5 metre, genişliği: 9,7 metre, su kesimi: 7 metre idi. Manchester Crosselly Brothers Ltd. yapımı, 1.350 beygir gücünde dizel motoru vardı. Tek uskurluydu. 1954'e kadar *Annavore*, 1957'ye kadar da *King Reefer* adıyla çalıştı. Et ve Balık Kurumu Umum Müdürlüğü tarafından alındı. Sonra Deniz Nakliyatı'na devredildi. 1973'te satıldı.

Filo gençleştiriliyor

Genel Müdürlüğün filosundaki gemi sayısının yeni gemilerle takviye edilmesi ve gençleştirilmesi gerekiyordu. İlk olarak Amerika hattının desteklenmesi amacıyla 1969'da Polonya'ya 4 adet şilep siparişi birden verildi. Bunların bedelinin % 40'ı peşin olarak, kalanı da krediyle ödenecekti. Bu gemiler "General sınıfı" gemilerdi Ayrıca 6 gemi de Yugoslav tezgâhlarına ısmarlandı; bunlar da "Nehir sınıfı"nı oluşturacaklardı. Bu arada *Kayseri* şilebi satıldı, *Amasya* şilebi de 1970 yılı Şubat'ında Biscay Körfezi'nde yük kayması sonucu su alarak battı. Süvarisi Burhanettin Işım bulunamadı.

* **GENERAL A. FUAT CEBESOY:** 1969'da, Polonya, Stocznia Gdanska im. Lenina tezgâhlarında kuru yük gemisi olarak yapıldı. 10.062 gros, 5.598 net, 12.280 dw tonluktu. Uzunluğu: 154,6 metre, genişliği: 20,6 metre, su kesimi: 9 metre idi. Polonya, Cegielski, Sulzer yapımı, 9.800 beygirlik dizel motoru vardı. Tek uskurluydu. 17,6 mil hız yapıyordu.

* **GENERAL R. GÜMÜŞPALA:** 1969'da, Polonya, Stocznia Gdanska im. Lenina tezgâhlarında kuru yük gemisi olarak yapıldı. 10.217 gros, 5.681 net, 12.280 dw tonluktu. Uzunluğu: 154,6 metre, genişliği: 20,6 metre, su kesim: 9 metre idi. Polonya yapımı, 9.600 beygir gücünde Sulzer dizel motoru vardı. Tek uskurluydu. 17,6 mil hız yapıyordu.

* **GENERAL K. ORBAY:** 1970'te, Polonya, Stocznia Gdanska im. Lenina tazgâhlarında kuru yük gemisi olarak yapıldı. 10.217 gros, 5.581 net, 12.681 dw tonluktu. Uzunluğu: 154,6 metre, genişliği: 30,6 metre, su kesimi: 9 metre idi. Polonya yapımı, 9.600 beygir gücünde Sulzer dizel motoru vardı. Tek uskurluydu. 17,6 mil hız yapıyordu.

1969, Polonya yapımı kuru yük gemilerimizden General A. Fuat Cebesoy'*un üç de eşi vardı.*

* **GENERAL Z. DOĞAN:** 1970'te, Polonya, Stocznia Gdanska im. Lenina tezgâhlarında kuru yük gemisi olarak yapıldı. 10.402 gros, 5.219 net, 12.280 dw tonluktu. Uzunluğu: 154,6 metre, genişliği: 20,6 metre, su kesimi: 9 metre idi. Polonya, H. Cegielski yapımı, 9.600 beygir gücünde Sulzer dizel motoru vardı. Tek uskurluydu. 17,6 mil hız yapıyordu.

O günlerde Gölcük Tersanesi'ne ısmarlanan *S. Altıncan* ile Camialtı Tersanesi'ne ısmarlanan *Amiral Ş. Okan* adlı gemilerin inşası sona ererek filoya katılırken, Yugoslavya'da yaptırılan şileplerden *Fırat* ile *Meriç* de teslim alındı. Alınan bir kararla da *Germik* tankeri buğday taşımacılığına

General sınıfı kuru yük gemilerinden General Z. Doğan.

tahsis edildi. 1970'te gemi adedinin 38'e, dwt'nin de 376.751 tona yükseldiğini görüyoruz.

* **AMİRAL S. ALTINCAN:** 1970'te, Gölcük Tersanesi'nde kuru yük gemisi olarak yapıldı. 8.779 gros, 5.257 net, 12.427 dw tonluktu. Uzunluğu: 155,5 metre, genişliği: 19,5 metre, su kesimi: 9 metre idi. Danimarka yapımı, 12.000 beygir gücünde A/S Burmeister & Wein dizel motoru vardı. Tek uskurluydu. 18 mil hız yapıyordu. 1994 yılının Nisan ayında kadro dışı bırakılarak satışa çıkartıldı.

* **AMİRAL Ş. OKAN:** 1970'te, Camialtı Tersanesi'nde kuru yük gemisi olarak yapıydı. 8.779 gros, 5.257 net, 12.426 dw tonluktu. Uzunluğu: 155,5 metre, genişliği: 19,5 metre, su kesimi: 9 metre idi. Danimarka yapımı, 12.000 beygir gücünde A/S Burmeister & Weins dizel motoru vardı. Tek uskurluydu. 18 mil hız yapıyordu. 1994 Nisan'ında kadro dışı bırakılarak satışa çıkartıldı.

* **FIRAT:** 1970'te, Yugoslavya, Trogir'de Bradogradiliste Jozo Lozovina Mosor tezgâhlarında kuru yük gemisi olarak yapıldı. 8.750 gros, 5.213 net, 13.035 dw tonluktu. Uzunluğu: 154.2 metre, genişliği: 19,8 metre, su kesimi: 9,3 metre idi. Polonya, H. Cegielski yapımı, 9.600 beygirlik Sulzer dizel motoru vardı. Tek uskurluydu. 18 mil hız yapıyordu. 1994 yılı Kasım ayının ortalarında, Florida açıklarında Gordon kasırgası nedeniyle mercan resiflerini sıyırarak karaya oturdu. 30.000 ton yükü olan *Fırat* 26 yıllık bir tekneydi. 8 Şubat 1995 günü satıldı.

* **MERİÇ:** 1970'te, Yugoslavya, Trogir'de Bradogradiliste Jozo Lozovina Mosor

tezgâhlarında kuru yük gemisi olarak inşa edildi. 8.750 gros, 5.213 net, 13.110 dw tonluktu. Uzunluğu: 154,2 metre, genişliği: 19,8 metre, su kesimi: 9,3 metre idi. Polonya yapımı, 9.600 beygir gücünde Sulzer dizel motoru vardı. Tek uskurluydu. 18 mil hız yapıyordu. 9 Şubat 1995 günü satıldı.

Yine o sıralarda Sovyet Rusya'nın İlyişevsk limanı ile Zonguldak-İstanbul-Mersin arasında Seydişehir'deki alüminyum işletmesinin tesis malzemelerinin taşınmasına başlandı. Genel Müdürlükte düzenli bir şekilde bilgisayar kullanılmaya başlaması da yine o günlere rastlar.

1971 yılına gelindiği zaman, şirketin sermayesinin 110.000.000 liradan 500.000.000 liraya çıkartıldığını görüyoruz. Bu arada Yugoslavya'ya siparişi verilen öteki şilepler de yapımları sona ererek filoya katıldılar. Filodaki gemi adedi 42'ye, dwt tonaj da 428.298 tona çıktı:

* **ARAS:** 1971'de, Yugoslavya, Trogir'de Bradogradiliste Jozo Lozovina Mosor tezgâhlarında kuru yük gemisi olarak yapıldı. 8.750 gros, 5.213 net, 13.101 dw tonluktu. Uzunluğu: 154,2 metre, genişliği: 19,8 metre, su kesimi: 9,3 metre idi. Batı Almanya, Augsburg, Masch. Augsburg-Nuernberg yapımı, 9.800 beygir gücünde dizel motoru vardı. Tek uskurluydu. 18 mil hız yapıyordu. 18 Şubat 1995 günü satıldı.

* **DİCLE:** 1971'de, Yugoslavya'da, Trogir'de Bradogradiliste Jozo Lozovina Mosor tezgâhlarında kuru yük gemisi olarak yapıldı. 8.750 gros, 5.213 net, 13.120 dw tonluktu. Uzunluğu: 154,2 metre, genişliği: 19,9 metre, su kesimi: 9,3 metre idi. Batı Almanya, Masch. Augsburg-Nuernberg yapımı, 9.800 beygir gücünde dizel motoru vardı. Tek uskurluydu. 18 mil hız yapıyordu. 1994 Nisan'ında kadro dışı bırakılarak satışa çıkartıldı.

* **GEDİZ:** 1971'de, Yugoslavya, Trogir'de Bradogradiste Jozo Lazovina Mosor tezgâhlarında kuru yük gemisi olarak yapıldı. 8.750 gros, 5.213 net, 13.116 dw tonluktu. Uzunluğu: 154,3 metre, genişliği: 19,8 metre, su kesimi: 9,3 metre idi. Batı Almanya, Masch. Augsburg- Nuernberg yapımı, 7.301 kW. gücünde dizel motoru vardı. Tek uskurluydu. 18 mil hız yapıyordu. 1994 Nisan'ında kadro dışı bırakılarak satışa çıkartıldı. Akar Deniz Taşımacılık tarafından alınıp adı Baki-1 olarak değiştirildi.

* **KEBAN:** 1971'de, Yugoslavya, Trogir'de, Bradogradiliste Jozo Lazovina Mosor tezgâhlarında kuru yük gemisi olarak yapıldı. 8.750 gros, 5.213 net, 13.035 dw tonluktu. Uzunluğu: 154,2 metre, genişliği: 19,8 metre, su kesim: 9,5 metre idi. Batı Almanya yapımı, 9.800 beygir gücünde dizel motoru vardı. Tek uskurluydu. 18 mil hız yapıyordu. 6 Ocak 1995 günü satıldı.

O günlerde Birleşik Amerika limanlarında grevlerin başlaması, Orta-Doğu'da yeni bir krizin başgöstermesi, doların hızla değer kaybetmesi, navlun piyasasının düşmesine yolaçıyordu.

Yeni siparişler... Yeni gemiler...

1972 yılı Genel Müdürlük için yeni gemilerin filoya katıldığı yıl oldu. İspanya'daki tezgâhlara siparişi verilen birbirinin eşi iki dökme yük gemisinin inşası sona erdi. Bunlara *Erdemir* ile *Erzurum* adı verildi. Bu yıl içinde gemi adedi 45'e, dwt de 487.819 tona yükseldi.

* **ERDEMİR:** 1972'de, İspanya, Bilbao'da, Astelleros Espanoles A.S. tezgâhlarında dökme yük gemisi olarak yapıldı. 15.699 gros, 10.203 net, 26.838 dw tonluktu. Uzunluğu: 182,9 metre, genişliği: 22,4 metre, su kesimi: 10,6 metre idi. İspanya Ast. Espanoles A.Ş. yapımı, 9.800 beygirlik Man dizel motoru vardı. Tek uskurluydu. 15 mil hız yapıyordu. Şubat 1993'te satışa çıkartıldı. Türmar firmasına satıldı. Adı *Atanur* olarak değiştirildi. Sahibi olarak 1996 Lloyd'unda Tur. Kok. Pres Katı Yak. San. Ti. Ltd. Şirketi gözüküyor.

* **ERZURUM:** 1972'de, İspanya, Bilbao'da Astelleros Espanoles A.S. tezgâhlarında dökme yük gemisi olarak yapıldı. 15.699 gros, 10,203 net, 26.838 dw tonluktu. Uzunluğu: 182,9 metre, genişliği: 22,4 metre, su kesimi: 10,6 metre idi. İspanya yapımı, 9.800 beygirlik Man dizel motoru vardı. Tek uskurluydu. 15 mil hız yapıyordu. Şubat 1993'te satışa çıkartıldı. Türmar A.Ş. firmasına satıldı. Adı *Ecem* olarak değiştirildi.

Bu iki geminin bedelinin % 40'ı peşin ödenmişti, geriye kalanı da krediyle ödenecekti. Buna karşılık Japon tezgâhlarında inşa ettirilen *Raman* tankerinin ise tümü peşin olarak ödendi. O günlerde kuruluşun sermayesi de 500 milyon liradan 750 milyon liraya çıkartıldı.

* **RAMAN** tankeri: 1972'de, Japonya'da, K.K. Taihei Kogyo tezgâhlarında yapıldı. 3.651 gros, 2.097 net, 5.935 dw tonluktu. Uzunluğu: 101,5 metre, genişliği: 15 metre, su kesimi: 6,9 metre idi. Japonya, Mitsubishi yapımı, 3.800 beygir gücünde dizel motoru vardı. Tek uskurluydu. 13 mil hız yapıyordu. 13 Mart 1995 günü satıldı. Ertaşlar İnş. Tur. Tic. End. A.Ş.'nin gözüküyor.

1973 yılına gelindiğinde *Kar* adlı frigorifik geminin satıldığını görüyoruz. O yıl çok sayıda yük ve dökme yük gemisi ve tanker Genel Müdürlük'ün filosuna katıldı. Bunların ilk dördü, Camialtı Tersanesi'nde inşa edilmiş olan birbirinin eşi, 4 kosterdi. Onu izleyen 4 gemi ise dökme yük gemisiydi. *Rauf Bey* ile bedelinin tümü peşin ödenen *Adıyaman* ise tankerdi. Böylece toplam gemi sayısı 54'e, dwt de 695.506 tona yükseldi.

* **ÇALDIRAN:** 1973'te, Camialtı Tersanesi'nde kuru yük gemisi olarak inşa edildi. 1.431 gros, 1.017 net, 2.658 dw tonluktu. Uzunluğu: 80 metre, genişliği: 11,7 metre, su kesimi: 6,6 metre idi. Batı Almanya, Atlas-MAK Maschinenbau yapımı,

1973'te Japonya'da inşa edilen Kahramanmaraş *dökme yük gemisi İstanbul'a geldiği gün.*

1.650 beygir gücünde dizel motoru vardı. Tek uskurluydu. 11,5 mil hız yapıyordu. Sonradan Kuzey Kıbrıs Türk Cumhuriyeti'ne kiralandı.

* **MOHAÇ:** 1973'te, Camialtı Tersanesi'nde kuru yük gemisi olarak inşa edildi. 1.597 gros, 1.085 net, 2.658 dw tonluktu. Uzunluğu: 80,6 metre, genişliği: 11,7 metre, su kesimi: 6,6 metre idi. Batı Almanya, VEB Schwermaschinenbau SKL yapımı, 1.650 beygir gücünde dizel motoru vardı. Tek uskurluydu. 11,5 mil hız yapıyordu. Satıldıktan sonra 1990'da tadil edildi. 1996 Lloyd kayıtlarında sahibi olarak Akar Yapı Malzemeleri San. ve Tic. A. firması gözüküyor.

* **NİĞBOLU:** 1973'te, Camialtı Tersanesi'nde kuru yük gemisi olarak inşa edildi. 1.374 gros, 1.017 net, 2.658 dw tonluktu. Uzunluğu: 80 metre, genişliği: 11,7 metre, su kesimi: 5,6 metre idi. Batı Almanya, Atlas-MAK Maschinenbau yapımı, 1.650 beygir gücünde dizel motoru vardı. Tek uskurluydu. 11,5 mil hız yapıyordu. Ağustos 1991'de satışa çıkartıldı. 1996 Lloyd'unda sahibi olarak Akat Den. ve Tic. Ltd. Şti. görülüyor. Adı *Figen Akat* olarak değiştirildi.

* **PREVEZE:** 1973'te, Camialtı Tersanesi'nde kuru yük gemisi olarak inşa edildi. 1.431 gros, 1.017 net, 2.658 dw tonluktu. Uzunluğu: 80 metre, genişliği: 11,7 metre, su kesimi: 5,6 metre idi. Batı Almanya, Kiel, Atlas-MAK Maschinenbau yapımı, 1.650 beygir gücünde dizel motoru vardı. Tek uskurluydu. 11,5 mil hız yapıyordu. Ağustos 1991'de satışa çıkartıldıysa da sonra Kuzey Kıbrıs Türk Cumhuriyeti'ne kiralandı.

* **ISPARTA:** 1973'te, Japonya'da, Namura Shipyard Co. Ltd. tezgâhlarında dökme yük gemisi olarak yapıldı. 15.978 gros, 9.101 net, 27.003 dw tonluktu. Uzunluğu: 177 metre, genişliği: 22,9 metre, su kesimi: 10,4 metre idi. Japonya, Kobe yapımı,

11.550 beygir gücünde Sulzer dizel motoru vardı. Ambar kapasitesi 34.204 metreküptü. Tek uskurluydu. 16 mil hız yapıyordu.

* **KAHRAMANMARAŞ:** 1973'te, Japonya, Saiki'de Usuki Iron Works Ltd. tezgâhlarında dökme yük gemisi olarak yapıldı. 19.918 gros, 10.561 net, 30.791 dw tonluktu. Uzunluğu: 170 metre, genişliği: 15,7 metre, su kesimi: 10,4 metre idi. Japonya, Ishikawajima Harima Heavy Ind. yapımı, 8.605 kW. gücünde IHI Sulzer dizel motoru vardı. Ambar kapasitesi 34.719 metreküptü. Tek uskurluydu. 16 mil hız yapıyordu.

* **KOCAELİ I:** 1973'te, Japonya, Tokyo'da Ishikawajima Harima Heavy Ind. Co. Ltd. tezgâhlarında dökme yük gemisi olarak yapıldı. 13.595 gros, 8.5123 net, 22.605 dw tonluktu. Uzunluğu: 164,3 metre, genişliği: 22,8 metre, su kesimi: 9,8 metre idi. Japonya, Aioi yapımı, 8.000 beygir gücünde Gielstik dizel motoru vardı. Ambar kapasitesi 30.801 metreküptü. Tek uskurluydu. 15 mil hız yapıyordu. 1991'de tadil edildi.

* **URFA:** 1973'te, Japonya'da Namura Zosen tezgâhlarında dökme yük gemisi olarak yapıldı. 15.968 gros, 9.101 net, 27.003 dw tonluktu. Uzunluğu: 167 metre, genişliği: 22,9 metre, su kesimi: 10,4 metre idi. Japonya, Mitsubishi Heavy Ind. Ltd. yapımı, 11.550 beygir gücünde dizel motoru vardı. Ambar kapasitesi 34.204 metreküptü. Tek uskurluydu. 15 mil hız yapıyordu.

* **RAUF BEY** tankeri: 1973'te, Japonya, Kobe'de Kawasaki Heavy Ind. Ltd. tezgâhlarında inşa edildi. 50.583 gros, 35.736 net, 87.864 dw tonluktu. Yük kapasitesi 107.667 metreküp kadardı. Uzunluğu: 240 metre, genişliği: 38 metre, su kesimi:

1973'te inşa ettirilen 50.583 gros tonluk Rauf Bey tankeri, Türkiye'nin en büyük tankeriydi.

13,8 metre idi. Japonya, Kawasaki Heavy Ind. yapımı, 20.300 beygir gücünde dizel motoru vardı. Tek uskurluydu. 15,4 mil hız yapıyordu. Ekim 1993'te satışa çıkartıldı.

* ADIYAMAN tankeri: 1973'te, Japonya'da K.K. Taihei Kogyo tezgâhlarında yapıldı. 3.653 gros, 2.198 net, 5.971 dw tonluktu. Uzunluğu: 101 metre, genişliği: 15 metre, su kesimi: 6,9 metre idi. Japonya yapımı, 2.831 kW. gücünde Mitsubishi dizel motoru vardı. Tek uskurluydu. 13 mil hız yapıyordu. 18 Mart 1995 günü satıldı. Halen Akar Deniz Taş. Tic. Ltd. Şirketi'nin gözüküyor.

1973'te Petrol üreten ülkelerin Eylül ayında petrol fiyatına hiç beklenmedik şekilde % 325 oranında zam yapması, dünya ekonomisinin büyük ölçüde sarsılmasına neden oldu.

287 metrelik dev bir gemi

1974 yılının en önemli olaylarından biri, Japonya yapısı 286,5 metre boyundaki *Gaziantep* tankerinin bedelinin tümü peşin ödenerek filoya katılması oldu. Bu, İdare'nin o güne kadar sahip olduğu en büyük gemi idi.

* GAZİANTEP tankeri: 1974'te, Japonya, Yokohama'da Ishikawajima Harima Heavy Ind. Co. Ltd. tezgâhlarında inşa edildi. 73.665 gros, 54.429 net, 146.232 dw tonluktu. Uzunluğu: 286,5 metre, genişliği: 44,5 metre, su kesimi: 16,9 metre idi. Japonya, Aioi, Ishikawajima Heavy Ind. yapımı, 29.000 beygir gücünde dizel motoru vardı. Tek uskurluydu. 15,5 mil hız yapıyordu. 18 Ağustos 1995 günü satıldı.

Aynı yıl *Yozgat* şilebinin kadro dışı bırakılarak satılmasına karşılık Camialtı Tersanesi'nde inşa edilen *Ağrı* ile *Antalya* kosterleri filoya katıldı:

* AĞRI: 1974'te, Camialtı Tersanesi'nde kuru yük gemisi olarak inşa edildi. 1.597 gros, 1.113 net, 2.658 dw tonluktu. Uzunluğu: 80 metre, genişliği: 11,7 metre, su kesimi: 5,6 metre idi. Batı Almanya, Atlas-MAK Maschinenbau yapımı, 1.229 kw. gücünde dizel motoru vardı. Tek uskurluydu. 11,5 mil hız yapıyordu. 1991'de satılıp tadil edildi. 1996 Lloyd kaydında sahibi olarak Emsan İnşaat Malz. San. ve Tic. A.Ş. gözüküyor.

* ANTALYA: 1974'te, Camialtı Tersanesi'nde kuru yük gemisi olarak inşa edildi. 1.597 gros, 1.113 net, 2.658 dw tonluktu. Uzunluğu: 80 metre, genişliği: 11,7 metre, su kesimi: 5,6 metre idi. Batı Almanya, Kiel, Atlas-MAK Maschinenbau yapımı, 1.600 beygir gücünde dizel motoru vardı. Tek uskurluydu. 11,5 mil hız yapıyordu. Ağustos 1991'de satışa çıkartıldı.

Rekabetin azlığı nedeniyle navlun fiyatlarının artması sonucu kuruluşun 1974 yılı kârı 237.760.000 lira oldu. Bu, gerçekten sevinilecek bir durumdu. Bu arada, Ereğli Demir-Çelik'le olan anlaşma da 10 yıl daha uzatıldı. Camialtı Tersanesi'nde yapılan *Antakya* ile *Artvin* kosterleri de yıl içinde hizmete girdi.

* **ANTAKYA:** 1974'te, Camialtı Tersanesi'nde kuru yük gemisi olarak inşa edildi. 1.274 gros, 1.017 net, 2.658 dw tonluktu. Uzunluğu: 80 metre, genişliği: 11,7 metre, su kesimi: 5,6 metre idi. Batı Almanya, Kiel, Atlas-MAK Maschinenbau yapımı, 1.600 beygir gücünde dizel motoru vardı. Tek uskurluydu. 11,5 mil hız yapıyordu. Aralık 1992'de satışa çıkartıldı. Temel firması tarafından alındı. Kum ve çakıl çıkartma gemisi olarak kullanılıyor.

* **ARTVİN:** 1975'te, Camialtı Tersanesi'nde kuru yük gemisi olarak inşa edildi. 1.374 gros, 1.017 net, 2.658 dw tonluktu. Uzunluğu: 80 metre, genişliği: 11,7 metre, su kesimi: 5,6 metre idi. Batı Almanya, Kiel, Atlas-MAK Maschinenbau yapımı, 1.600 beygir gücünde dizel motoru vardı. Tek uskurluydu. 11,5 mil hız yapıyordu. Eylül 1992'de satışa çıkartıldı. Sağbaş firması tarafından satın alındı. Kum ve çakıl çıkartma gemisi olarak çalıştırılıyor.

Aynı yıl içinde, 12 Mart 1975 günü Kıbrıs Türk Denizcilik Ltd. Şirketi kuruldu ve Deniz Nakliyatı T.A.O. % 33 oranında bir sermaye ile bu kuruluşun bünyesinde yeraldı. Ayrıca kuruluşun sermayesi 750.000.000 liradan 1.300.000.000 liraya yükseltildi. *Ödemiş* satışa çıkartıldı.

6 Haziran 1967 gününden beri kapalı olan Süveyş Kanalı'nın 5 Haziran 1975 günü açılarak yeniden hizmete girmesi büyük tonajlı birçok geminin işsiz kalmasına yol açtı. Bu büyük gemiler ve tankerler, kanaldan geçemedikleri için uzun mesafeler katetmek zorundalardı. Bütün dünyada etkisi duyulan bu krizden Deniz Nakliyatı T.A.O. da etkilendi.

1976 yılında Ortaklığın 1.300.000.000 liralık sermayesi, görülen ihtiyaç üzerine 1.800.000.000 liraya yükseltildi. Japonya tezgâhlarına % 40'ı peşin, kalanı proje kredisiyle inşa ettirilen *29 Ekim* adlı kuru yük gemisi ile, yine aynı tezgâhlara % 70'i peşin, kalanı krediyle *İsdemir* ve *Menteşe* adlı dökme yük gemileri ve yine % 40'ı peşin, kalanı krediyle *Amiral Fahri Engin* ve *Amiral M. Ali Ülgen* tankerleri filoya katıldılar. Bu yıl içinde Bursa-Gemlik acentesi kuruldu. (1979'da kapatılacaktır.)

* **29 EKİM:** 1976'da, Nipponhai Heavy Ind. tezgâhlarında dökme yük gemisi olarak inşa edildi. 32.324 gros, 19.808 net, 60.554 dw tonluktu. Uzunluğu: 207 metre, genişliği: 32,2 metre, su kesimi: 13,9 metre idi. Japonya yapımı, 14.000 beygirlik IHI Sulzer dizel motoru vardı. Tek uskurluydu. Ambar kapasitesi 66.806 metreküptü. 15 mil hız yapıyordu.

* **İSDEMİR:** 1976'da, Japonya'da Tsumeishi Zosen tezgâhlarında dökme yük ge-

misi olarak yapıldı. 26.304 gros, 13.981 net, 45.472 dw tonluktu. Uzunluğu: 190 metre, genişliği: 29,5 metre, su kesimi: 12 metre idi. Danimarka Burmeister & Weins yapımı 8.866 kW. gücünde dizel motoru vardı. Ambar kapasitesi 53.188 metreküptü. Tek uskurluydu. 15 mil hız yapıyordu.

* **MENTEŞE:** 1976'da, Japonya'da Nipponkai Heavy Ind. tezgâhlarında dökme yük gemisi olarak inşa edildi. 30.447 gros, 16.134 net, 53.342 dw tonluktu. Uzunluğu: 194,2 metre, genişliği: 32,2 metre, su kesimi: 12,8 metre idi. Japonya, Tamano Mitsui SB & Eng. Co. Ltd. yapımı, 15.000 beygirlik dizel motoru vardı. Ambar kapasitesi: 62.629 metreküptü. Tek uskurluydu. 15,5 mil hız yapıyordu.

* **AMİRAL FAHRİ ENGİN** tankeri: 1976'da, Japonya'da Namura Shipyard Co. Ltd. tezgâhlarında yapıldı. 16.728 gros, 10.024 net, 30.285 dw tonluktu. Uzunluğu: 171 metre, genişliği: 25,4 metre, su kesimi: 10,7 metre idi. Japonya, Mitsubishi Heavy Ind. Ltd. yapımı, 11.550 beygir gücünde dizel motoru vardı. Tek uskurluydu. 15 mil hız yapıyordu. 20 Ağustos 1995 günü satıldı.

* **AMİRAL MEHMET ALİ ÜLGEN** tankeri: 1976'da Japonya'da Namura Shipyard Co. Ltd. tezgâhlarında inşa edildi. 18.037 gros, 10.643 net, 30.290 dw tonluktu. Uzunluğu: 171 metre, genişliği: 25,4 metre, su kesimi: 10,7 metre idi. Japonya yapımı 11.550 Sulzer dizel motoru vardı. Tek uskurluydu. 15 mil hız yapıyordu. 22 Ağustos 1995 günü satıldı.

İlk ro-ro'lar filoda yerini alıyor

1977 yılının en önemli olaylarından biri, Mersin-İtalya limanları arasında taze meyve ve sebze nakletmek amacıyla Alman tezgâhlarına inşa ettirilen ilk ro-ro gemilerinin filoya katılması oldu. Bu gemilerin 17 mil hızı vardı. 30'ar tonluk 50 adet tır, ya da 130 adet 20'lik konteyner, veya 65 adet 40'lık konteyner alabiliyordu. Gemilerin bedelinin tamamı Dünya Bankası tarafından finanse edildi.

* **KAPTAN NECDET OR** ro-ro gemisi: 1977'de, Batı Almanya'da, Elsflether Werft A.G. tezgâhlarında yapıldı. 2.212 gros, 763 net, 2.742 dw tonluktu. Uzunluğu: 109,9 metre, genişliği: 16,8 metre, su kesimi: 4,9 metre idi. 50 tır, ya da 20'lik 130, 40'lık 65 konteyner alıyordu. Batı Almanya, Masch. Augsburg-Nuernberg yapımı, her biri 3.520 beygir gücünde 2 adet dizel motoru vardı. Çift uskurluydu. 17 mil hız yapıyordu. Son olarak İstanbul-Varna arasında çalıştı. Temmuz 1992'de satışa çıktı.

* **KAPTAN SAİT ÖZEGE** ro-ro gemisi: 1972'de, Batı Almanya'da Schichau Unterweser A.G. tezgâhlarında yapıldı. 2.212 gros, 763 net, 2.742 dw tonluktu. Uzunluğu: 109,9 metre, genişliği: 16,8 metre, su kesimi: 4,9 metre idi. 50 tır, ya da

20'lik 130, 40'lık 65 konteyner alıyordu. Batı Almanya, Masch. Augsburg Nuernberg yapımı, her biri 3.520 beygir gücünde 2 adet dizel motoru vardı. Çift uskurluydu. 17 mil hız yapıyordu. 2 Aralık 1988 günü Yunan sularında yandı. 1989'da hizmet dışı bırakıldı.

1972'de inşa ettirilen Kaptan Sait Özege *ro-ro gemisi talihsiz bir gemi olarak 1988'de Yunan sularında yanarak elden çıktı.*

Daha sonra, 1984'te, öncekilerin benzeri, iki ro-ro daha filoya katıldı. Bunların servis hızları 14,5 mil kadardı:

* **İBRAHİM BAYBORA** ro-ro gemisi: 1979'da, Norveç'te Ankerlokken Verf. Forde A.S. tezgâhlarında yapıldı. Tanınmış süvarilerden İbrahim Baybora Kaptan'ın adı verildi. 2.395 gros, 1.017 net, 3.295 dw tonluktu. Uzunluğu: 113,4 metre, genişliği: 19,2 metre, su kesimi: 5,5 metre idi. Norveç, Bergen A/S Bergens M/W yapımı, her biri 2.000 beygirlik 2 adet dizel motoru vardı. Çift uskurluydu. 15 mil hız yapıyordu. 52 tır, ya da 20'lik 148, 40'lık 74 konteyner alıyordu. Mersin'de rıhtımda bağlı iken ters dönmesi sonucu meydana gelen kazada ikinci kaptanı içerde kalarak hayatını kaybetti. Gemi sonra İstinye Tersanesi'ne çekilerek onarıldı. Uzun yıllar İstanbul ile Romanya ve Bulgaristan'ın Karadeniz limanları arasında çalıştı. Temmuz 1992'de satışa çıktı. Bir İspanyol firmasına satıldı.

* **YUSUF ZİYA ÖNİŞ** ro-ro gemisi: 1979'da, Norveç'te Ankerlokken Marine A.S. tezgâhlarında yapıldı. Kuruluşun eski idarecilerinden, bir zamanların Galatasaray'da futbol oynayan Yusuf Ziya Öniş'in adı verildi. 2.395 gros, 1.017 net, 3.295 dw tonluktu. Uzunluğu: 113,4 metre, genişliği: 19,2 metre, su kesimi: 5,5 metre idi. Norveç yapımı 2 adet 2.000 beygirlik Norme dizel motoru vardı. Çift uskurluydu. 15 mil hız yapıyordu. Uzunca bir süre istanbul ile Romanya ve Bulgaristan'ın Karadeniz limanları arasında çalıştı. Temmuz 1992'de satışa çıkartıldıysa da hâlâ Deniz Nakliyatı TAŞ filosunda çalışmaktaydı.

1979 Norveç yapımı Yusuf Ziya Öniş *ro-ro gemisi Haydarpaşa'da.*

Manisa, Çoruh ve *Kırşehir* şilepleri hayli çaptan düşmüş olduklarından 1977 yılı içinde satıldılar. Buna karşılık % 40'ı peşin, kalanı krediyle Japon tezgâhlarında inşa ettirilen *30 Ağustos* dökme yük gemisi yurda gelerek hizmete girdi.

> *** 30 AĞUSTOS:** 1977'de, Japonya'da Ishikawajima-Harima Heavy Ind. Co. Ltd. tezgâhlarında dökme yük gemisi olarak inşa edildi. 32,324 gros, 19.808 net, 60.589 dw tonluktu. Uzunluğu: 206,9 metre, genişliği: 32,2 metre, su kesimi: 13,3 metre idi. Japonya yapımı, 14.000 beygir gücünde Sulzer dizel motoru vardı. Tek uskurluydu. 15 mil hız yapıyordu. Ambar kapasitesi 66.806 metreküp kadardı.

1970'li yılların sonlarında petrolün sürekli zam görmesi ve giderek şiddetlenen kriz nedeniyle ülkede pek çok armatör zor duruma düştü. Dahası, bunların birkaçı iş sahasından silindi; birçoğu da iflâsın eşiğine geldi. 1978'de navlunlar, kriz nedeniyle düşmekte devam etti. 1980'de kuruluşun sermayesi, 1.800.000.000 liradan birden 6 milyar liraya yükseltildi. Bu arada hayli eskiyen *Nevşehir* ile *Seyhan* şilepleri satılarak elden çıkartıldı. 1981'de sermayesinin yarısı şirkete ait olmak üzere, Türk-Libya Deniz Nakliyat Ortak A.Ş. kuruldu.

1982'de, şirket sermayesini 20 milyar liraya çıkarttı. Bu arada Trieste'de İtalya ve Akdeniz Bölge temsilciliği kuruldu.

Bu yıl içinde, hepsi de az çok birbirinin eşi, hepsinin de adı B harfiyle başlayan illerimizin adını taşıyan 5 kuru yük gemisi tamamlanarak filoya katıldı:

> *** BALIKESİR:** 1982'de, Dz. K.K. Gölcük Tersanesi'nde dökme yük gemisi olarak inşa edildi. 11.965 gros, 6.315 net, 18.272 dw tonluktu. 23.742 metreküp ambar kapasitesi vardı. Uzunluğu: 154 metre, genişliği: 22,4 metre, su kesimi: 9,1 metre idi. Polonya, Sulzer MAJ yapımı, 6.705 kW. gücünde dizel motoru vardı. Tek uskurluydu. 15,5 mil hız yapıyordu.

> *** BİTLİS:** 1981'de, Camialtı Tersanesi'nde dökme yük gemisi olarak inşa edildi. 12.095 gros, 7.692 net, 18.567 dw tonluktu. 23.742 metreküp ambar kapasitesi vardı. Uzunluğu: 154 metre, genişliği: 22,4 metre, su kesimi: 9,1 metre idi. Yugoslavya, Sulzer MAJ yapımı, 9.000 beygir gücünde dizel motoru vardı. Tek uskurluydu. 15,5 mil hız yapıyordu.

> *** BOLU:** 1983'te, Camialtı Tersanesi'nde dökme yük gemisi olarak inşa edildi. 12.095 gros, 7.692 net, 18.567 dw tonluktu. 23.742 metreküp ambar kapasitesi vardı. Uzunluğu: 136,8 metre, genişliği: 22,4 metre, su kesimi: 9,1 metre idi. Yugoslavya yapımı, 9.000 beygirlik Sulzer dizel motoru vardı. Tek uskurluydu. 15,5 mil hız yapıyordu.

* **BURDUR:** 1982'de, Camialtı Tersanesi'nde dökme yük gemisi olarak inşa edildi. 12.095 gros, 7.692 net, 18.660 dw tonluktu. 23.742 metreküp ambar kapasitesi vardı. Uzunluğu: 154 metre, genişliği: 22,4 metre, su kesimi: 9,1 metre idi. Yugoslavya yapımı, 9.000 beygirlik Sulzer dizel motoru vardı. Tek uskurluydu. 15,5 mil hız yapıyordu.

* **BURSA:** 1981'de, Dz. K.K. Gölcük Tersanesi'nde kuru yük gemisi olarak inşa edildi. 12.095 gros, 6.315 net, 18.200 dw tonluktu. 23.742 metreküp ambar kapasitesi vardı. Uzunluğu: 154 metre, genişliği: 22,4 metre, su kesimi: 9,1 metre idi. Yugoslavya, Sulzer MAJ yapımı 9.000 beygir gücünde dizel motoru vardı. Tek uskurluydu. 15,5 mil hız yapıyordu. 1990'da tadil edildi.

Bu arada isimleri K harfi ile başlayan il, ilçe ve limanlarımızın adlarını taşıyan yeni gemiler hizmete girdi.

* **KAŞ:** 1984'te, Camialtı Tersanesi'nde kuru yük gemisi olarak inşa edildi. 4.524 gros, 2.450 net, 6.322 dw tonluktu. Uzunluğu: 108,7 metre, genişliği: 17 metre, su kesimi: 7,5 metre idi. Hollanda, Stork Werkspoor yapımı, 6.000 beygir gücünde dizel motoru vardı. Tek uskurluydu. 15,5 mil hız yapıyordu. Başlangıçta *Karaman* adı verildiyse de, aynı adda bir başka gemi olduğu için, adı az bir süre sonra *Kaş* olarak değiştirildi.

1985, Camialtı Tersanesi'nde inşa edilen K serisi sekiz kuru yük gemisinden Kayseri Haydarpaşa rıhtımında yük alıyor.

* **KAYSERİ:** 1985'te, Camialtı Tersanesi'nde kuru yük gemisi olarak yapıldı. 4.524 gros, 2.450 net, 6.468 dw tonluktu. Uzunluğu: 108,9 metre, genişliği: 17 metre, su kesimi: 7,5 metre idi. Hollanda, Stork Werkspoor yapımı, 6.000 beygir gücünde dizel motoru vardı. Tek uskurluydu. 15,5 mil hız yapıyordu.

* **KEMAH:** 1985'te, Camialtı Tersanesi'nde kuru yük gemisi olarak yapıldı. 4.524 gros, 2.450 net, 6.260 dw tonluktu. Uzunluğu: 108,7 metre, genişliği: 17 metre, su kesimi: 7,5 metre idi. Hollanda Stork Werkspoor yapımı, 4.483 kW. gücünde dizel motoru vardı. Tek uskurluydu. 15,5 mil hız yapıyordu.

* **KIRKLARELİ:** 1983'te, Dn. K.K. Taşkızak Tersanesi'nde kuru yük gemisi olarak yapıldı. 4.524 gros, 2.450 net, 6.140 dw tonluktu. Uzunluğu: 108,7 metre, genişliği: 17 metre, su kesimi: 7,5 metre idi. Batı Almanya, Atlas-MAK Maschinenbau

Birbirinin eşi sekiz kuru yük gemisinden Kemah *Haydarpaşa limanında yükleme sırasında.*

yapımı, 6.000 beygir gücünde dizel motoru vardı. Tek uskurluydu. 15,5 mil hız yapıyordu.

* **KİLİS:** 1985'te, Pendik Tersanesi'nde kuru yük gemisi olarak yapıldı. 4.446 gros, 2.450 net, 6.250 dw tonluktu. Uzunluğu: 108,7 metre, genişliği: 17 metre, su kesimi: 7,5 metre idi. Hollanda, Stork Werkspoor yapımı, 6.000 beygir gücünde dizel motoru vardı. Tek uskurluydu. 15,5 mil hız yapıyordu.

* **KİLİTBAHİR:** 1987'de, Camialtı Tersanesi'nde kuru yük gemisi olarak yapıldı. 4.446 gros, 2.450 net, 6.260 dw tonluktu. Uzunluğu: 108,7 metre, genişliği: 17 metre, su kesimi: 7,5 metre idi. Hollanda Stork Werkspoor yapımı, 6.000 beygirlik dizel motoru vardı. Tek uskurluydu. 15,5 mil hız yapıyordu.

* **KONYA:** 1983'te, Dz. K.K. Gölcük Tersanesi'nde kuru yük gemisi olarak yapıldı. 4.524 gros, 2.450 net, 6.140 dw tonluktu. Uzunluğu: 108 metre, genişliği: 17 metre, su kesimi: 7,5 metre idi. Batı Almanya, Masch. Augsburg Nuernberg yapımı, 6.000 beygir gücünde dizel motoru vardı . Tek uskurluydu. 15,5 mil hız yapıyordu.

* **KULA:** 1984'te, Dn. K.K. Gölcük Tersanesi'nde kuru yük gemisi olarak inşa edildi. 4.524 gros, 2.450 net, 6.140 dw tonluktu. Uzunluğu: 108,7 metre, genişliği: 17 metre, su kesimi: 7,5 metre idi. Hollanda, Stork Werkspoor yapımı 6.000 beygir gücünde dizel motoru vardı. 15,5 mil hız yapıyordu.

1983'te Şirket, o yıl kurulan Türkiye Denizcilik Kurumu'na anonim şirket olarak bağlandı. 1984'te Şirket, Türkiye Denizcilik İşletmeleri'ne bağlı ortaklı bir anonim şirket oldu ve sermayesi 40 milyar liraya yükseltildi. 1985'te İstanbul-Köstence (Romanya) ro-ro hattı açıldı.

1986'da Mesbaş'a % 32 oranında ortak olundu, sermaye 60 milyar liraya çıkartıldı. Camialtı Tersanesi'nde birbirinin eşi 4 koster yapıldı:

* **ÇEŞME I** kosteri: 1986'da, Camialtı Tersanesi'nde inşa edildi. 1.594 gros, 1.053 net, 2.690 dw tonluktu. Uzunluğu: 80 metre, genişliği: 12,9 metre, su kesimi: 5,6 metre idi. Batı Almanya, Atlas-MAK Maschinenbau yapımı, 2.400 beygir gücünde dizel motoru vardı. Tek uskurluydu. 14 mil hız yapıyordu. Aralık 1992'de satışa çıkartıldı.

* **ÇİNE** kosteri: 1986'da, Camialtı Tersanesi'nde inşa edildi. 1.593 gros, 1.053 net, 2.690 dw tonluktu. Uzunluğu: 80 metre, genişliği: 12,9 metre, su kesimi: 5,6 metre idi. Batı Almanya, Atlas-MAK Maschinenbau yapımı, 2.400 beygir gücünde dizel motoru vardı. Tek uskurluydu. 14 mil hız yapıyordu. Aralık 1992'de satışa çıkartıldı. Kıbrıs Türk Denizcilik Ltd. Şirketi'ne satıldı. Sonra Duman Gemicilik aldı.

* **SÖKE** kosteri: 1986'da, Camialtı Tersanesi'nde yapıldı. 1.593 gros, 1.053 net, 2.680 dw tonluktu. Uzunluğu: 80 metre, genişliği: 12,9 metre, su kesimi: 5,6 metre idi. Batı Almanya, Atlas-MAK Maschinenbau yapımı, 2.400 beygir gücünde dizel motoru vardı. Tek uskurluydu. 14 mil hız yapıyordu. Aralık 1992'de satışa çıkartıldı. *Orat* adıyla Orat Petrol S. Tic. Ltd. Ş.'nin gözüküyor.

* **SÖĞÜT I** kosteri: 1987'de, Camialtı Tersanesi'nde yapıldı. 1.593 gros, 1.053 net, 2.637 dw tonluktu. Uzunluğu: 80 metre, genişliği: 12,9 metre, su kesimi: 5,6 metre idi. Batı Almanya, Krupp MAK Maschinenbau yapımı, 1.788 kw. gücünde dizel motoru vardı. Tek uskurluydu. 14 mil hız yapıyordu. Aralık 1992'de satışa çıkartıldı. *Hacı Rüştü* adıyla Vakıf Deniz Finansal Kir. A.Ş.'nin gözüküyor.

1987 yılının sonuna gelindiğinde Deniz Nakliyatı T.A.O., kadrosundaki 66 gemiyle yalnız Türkiye'nin değil, dünyaca tanınmış bir şilepçilik kuruluşu olarak faaliyetini sürdürmekteydi. Filosundaki gemilerin toplam dw tonajı 1.107.573'ü, sermayesi de sürekli arttırımlarla 60 milyar lirayı bulmuştu. 1988'de şirket sermayesini 120 milyar liraya yükseltti.

Daha sonraları, 1990'da iki büyük ro-ro daha filoya katıldı:

* **KAPTAN BURHANETTİN IŞIM** ro-ro gemisi: 1990'da, Norveç'te Fosen, Bruces Verkstads tezgâhlarında inşa edildi. Gemiye 1970 yılında Biskay Körfezi'nde batan *Amasya* şilebinin dalgaları arasında kaybolan süvarisi Burhanettin Işım'ın adı verildi. 18.653 gros, 11.978 net tonluktu. Uzunluğu: 158 metre, genişliği: 24 metre, su kesimi: 5,9 metre idi. Wartsila/Sulzer yapımı, toplam 10.766 beygir gücünde 2 adet dizel motoru vardı. Çift uskurluydu. 17,7 mil hız yapıyordu. Çift kişilik 60 kamarasına 120 yolcu alabiliyordu. 120 adet treyler ya da 313 adet 20'lik konteyner taşıyabiliyordu.

* **KAPTAN ABİDİN DORAN** ro-ro gemisi: 1990'da, Norveç'te Fosen, Bruces Verkstads tezgâhlarında inşa edildi. Gemiye, *Denizli* şilebinde, görevi başında

ölen Kaptan Abidin Doran'ın adı verildi. 18.653 gros, 11.978 net tonluktu. Uzunluğu: 158 metre, genişliği: 24 metre, su kesimi: 5,9 metre idi. Warsila/Sulzer yapımı, toplam 10.766 beygir gücünde 2 adet dizel motoru vardı. Çift uskurluydu. 17,7 mil hız yapıyordu. 50 mürettebatı vardı. Çift kişilik 60 kamarasına 120 yolcu alabiliyordu, 120 adet treyler ya da 313 adet 20'lik konteyner taşıyabiliyordu.

D.B. Denizcilik Nakliyatı T.A.Ş.'nin filosu 1996 yılı sonu itibariyle şu gemilerden oluşuyordu:

* Kuru yük gemileri:

Balıkesir, Bolu, Burdur, Bursa, General A.F. Cebesoy, General R. Gümüşpala, General K. Orbay, General Z. Doğan, Kaş, Kayseri, Kemah, Kilis, Kilitbahir, Kırklareli, Konya, Kula.

* Ro-ro tipi gemiler:

Kaptan Necdet Or, Yusuf Ziya Öniş, Kaptan Burhanettin Işım, Kaptan Abidin Doran.

* Dökme yük gemileri:

Bitlis, Isparta, İsdemir, Kahramanmaraş, Kocaeli I, Menteşe, 30 Ağustos, Urfa, 29 Ekim.

Yani, hepsi 16 kuru yük gemisi, 9 dökme yük gemisi ve 4 Ro-Ro gemisi olmak üzere toplam 29 gemi.

İki yeni dökme yük, iki de konteyner gemisi

Deniz Nakliyatı T.A.Ş. görüldüğü gibi, eski gemilerini ve tüm tankerlerini satarak filosunu küçültmüş, faaliyetini elinde kalan 29 gemiyle sürdürmekteydi. Şirketin 1997 yılının başlarında taşıma hizmeti verdiği alanlar şöyle sıralanıyordu:

1- Liner taşımaları: Akdeniz-Adriyatik Hattı, Karadeniz Hattı, Amerika Hattı, Amerika Ekpres Konteyner Hattı, Hindistan-Bengaldeş Hattı, Uzakdoğu Hattı, Akdeniz Tam Konteyner Hattı, Türkiye Kontinant ve İngiltere Hattı.

2- Ro-Ro taşımaları: Derince-Köstence Hattı, Haydarpaşa-Trieste Hattı (Genellikle TIR ve kamyon taşımacılığı).

3- Tramp taşımaları: (Kuru dökme / çuvallı / genel yük taşımacılığı).

Tankerlerin satılmasıyla ham ya da işlenmiş akaryakıt taşımacılığına son verilmiş oluyordu.

Şirketin özelleştirilmesi sözkonusu edildiği zaman bünyesinde 530 işçi çalışmaktaydı. Kurumun 29 gemisinden ve merkez binasından başka Üsküdar'da yaklaşık 8.000.0000 $ değer biçilen bir de gayrımenkulü bulunuyordu. Ayrıca ikisi Pendik, öteki ikisi Camialtı Tersanesi'nde dört de büyük gemisi inşa halindeydi. Dördüne de, Türkî devletlerden dört önemli kentin adının verilmesi uygun görülmüştü.

Pendik Tersanesi'nde inşa edilmekte olan iki dökme yük gemisinin teknik özellikleri şöyledir:

* **ALMA ATA:** 76.000 dw tonluk. Uzunluğu 250 metre, genişliği: 32,2 metre, su kesimi: 14 metre. Saatte 14 mil hız yapacağı tahmin ediliyor. İki parça halinde inşa edilen bu geminin 170 metrelik bölümü 16 Ekim 1992, baş kısmı da 13 Ekim 1993 günü denize indirildi. Sonra bu iki parça kuru havuzda birleştirilerek 23 Şubat 1994 günü yüzdürüldü.

* **BAKU:** 76.000 dw tonluk. Uzunluğu: 250 metre, genişliği: 32,2 metre, su kesimi: 14 metre. Saatte 14 mil hız yapacağı tahmin ediliyor.

(Alma Ata ile *Baku,* eş gemilerdir).

Camialtı Tersanesi'nde inşa edilmekte olan iki konteyner gemisi de şu özellikleri taşımaktaydı:

* **AŞKABAT:** 13.650 gros, 18.000 dw tonluk. Uzunluğu: 165,5 metre, genişliği: 25,5 metre, su kesimi: 10,7 metre. Saatte 15 mil hız yapacağı tahmin ediliyor. 5 Haziran 1996 günü denize indirildi.

* **TAŞKENT:** 13.650 gros, 18.000 dw tonluk. Uzunluğu: 165,5 metre, genişliği: 25,5 metre, su kesimi: 10,7 metre. Saatte 18 mil hız yapacağı tahmin ediliyor.

(Aşkabat ile *Taşkent* eş gemilerdir).

Kuruluşun özelleştirilmesi çalışmaları

Şirketin 1995 yılı Eylül ayında ödenmiş sermayesinin 200 milyar lira olduğu ilân ediliyor ve % 99,91 oranındaki hisselerinin satılacağı bildiriliyordu. Satış ilânının gazetelerde yayınlanmasından iki ay kadar sonra, Türkiye Denizciler Sendikası'nın İstanbul Deniz Nakliyatı ve Armatörler Şubesi yöneticileri, özelleştirme aşamasındaki kuruluşu satın almak üzere bir şirket kurduklarını açıkladılar. O günlerde armatörler de 1992'den beri kâr etmekte olan bu kuruluşu satın almak üzere harekete geçtiler. Öte yanda, tersane işçileri de yıllardır çalışmakta oldukları tersaneleri satın almak için girişimlerde bulunmuşlardı. Uzun süren müzakereler, pazarlıklar başlangıçta pek bir sonuç vermedi.

1995 yılının Ekim ayında teklifleri alınan Deniz Nakliyatı T.A.Ş. ihalesinde, işçilerin kurduğu Ortak Girişim Grubu, rakip büyük denizcilik firmalarının aralarından sıyrılarak 129.000.000 $ ile en yüksek teklifi vermiş oldular. Ortak Girişim Grubu'nda, eski İstanbul Belediye Başkanı ve iş adamı Bedrettin Dalan'ın kurucusu olduğu İstek Vakfı'nın da % 49'luk payı bulunuyordu.

8 Ocak 1997 günü beş firmanın katıldığı ve 107.000.000 $'la başlayan pazarlık görüşmelerinin ilk turunda armatör Şadan Kalkavan'ın aralarında bulunduğu Türk Deniz Sektörü Ortak Girişim Grubu elendi. İhalenin ikinci turunda rakamın 114.000.000 $'a çıkmasının ardından, 120 milyon $ taban fiyat olmak üzere, açık arttırma görüşmelerine geçildi.

Açık arttırmanın üçüncü turunda 127.000.000 $'lık teklifiyle Furtrans A.Ş. ihaleden çekilmek zorunda kaldı. Bu turdan sonra Deniz Nakliyatı Ortak Girişim Grubu teklifini 128.000.000 $'a, Deniz Nakliyatı Tüm Çalışanlar Ortak Girişim Grubu ise 129.000.000 $'a yükseltti. Bir sonraki turda Deniz Nakliyatı Ortak Girişim Grubu, 128.000.000 $'lık teklifini yükseltmeyince, Deniz Nakliyatı Tüm Çalışanlar Ortak Girişim Grubu 129.000.000 $'la en yüksek teklifin sahibi oldu. Bu meblâğın % 35'i sözleşme imzalanması sırasında peşin olarak ödenecek, geri kalan tutara, dolar bazında yıllık % 10 faiz uygulanacaktı. Böylece, toplam ödenecek rakam 141.200.000 $'a ulaşacaktı. Ama iş bu kadarla sona ermedi. Bir hafta kadar sonra eski Genel Müdür Yardımcısı Mehmet Çinçik, satış pazarlığında çalışanlar adına görev alan Genel Müdür İlker Gülfidan'ın başkanlığındaki üç kişilik grubun yetkisiz olduğu iddiasıyla Özelleştirme Yüksek Kurulu'na itirazda bulundu ve ihalenin yenilenmesini istedi.

Ne var ki, 20 Mart 1997 günü, kuruluşun Deniz Nakliyat Tüm Çalışanlar Grubu'na satışı, Başbakan Yardımcısı Tansu Çiller tarafından 20 Mart 1997 günü imzalandı. Satış rakamı ise 141.200.000 $ idi. Yâni o günkü resmi kura göre, yaklaşık 17 trilyon, 650 milyar lirayı buluyordu ($=125.000). Bu arada, gazetelerde Denizbank'ın da Zorlu Holding'e 68.600.000.000 $'a satıldığına dair haberler çıktı.

Çalışanların da belirttiği gibi, Deniz Nakliyatı T.A.Ş. her bakımdan gerçek bir okuldan farksızdı. Eskiler, haraç-mezat satılan bu kuruluşa gerçekten çok yazık olduğunu ifade etmekten kendilerini alamadılar.

Van-Tatvan Arasında Feribot Seferleri

- ## T.C.D.D. Van Gölü İşletmesi

Orhan Atlıman *tren ferisi Tatvan iskelesinde.*

Van Gölü İşletmesi Müdürlüğü

Denizden 1.750 metre yüksekliğindeki Van gölü, üzerinde gemi çalıştırılan en yüksek göldür. Demiryolunu Van gölünün güneyinden dolaştırmamak için katarlar Tatvan'daki Tuğ iskelesinden feribotlarla Van'a naklelilerek oradan Kapıköy üzerinden İran'a geçer. Tatvan ile Van arasında Van gölü üzerinden taşıt, yük ve yolcu taşımacılığı yakın zamanlara kadar Türkiye Denizcilik İşletmeleri'nin feribotları, kuru yük gemileri ve küçük tankerleriyle sağlanıyordu. Kuruluş son zamanlarda Türkiye Cumhuriyeti Devlet Demiryolları Limanlar Dairesi Başkanlığı'na bağlanmıştır.

Van gölünde vapur çalıştırmak için ilk girişimin, Sultan II. Abdülhamid'in saltanat döneminde, 1879'da, Artin Sarrafyan ile Abraham Kavafyan adlı iki Ermeni vatandaş tarafından yapıldığı biliniyor. 12 Kasım 1879 günü hazırlanan mukavele ile şartnameye göre imtiyaz müddeti 40 yıl olacak, iki yıl içinde iskelelerin inşasına, bir buçuk yıl sonra vapur çalıştırılmasına başlanacaktı. Ayrıca, imtiyaz tarihinden beş yıl sonra devletin ihtiyaç gördüğü yerlerde bir yıl içinde yeniden iskele inşa edilecekti. Bir yıl içinde vapur çalıştırılmaya başlanmadığı takdirde verilen mukavele iptal edilecekti. Ne var ki, Van Gölü'nde vapur çalıştırılmasını İdare-i Mahsusa'nın üstlenmesi daha uygun görüldüğü için nizamname onaylanmamış, iki girişimciye yaptıkları giderler geri ödenmişti.

Sadrazam ve Harbiye Nazırı Mahmud Şevket Paşa'nın günlüğünde, 26 Nisan 1913 günü, makamında Van Valisi Tahsin Bey'e, "Van gölünde vapur işletmek ve Van-Diyarbekir-Harput yolunu iyi bir şekilde inşa etmek istiyoruz" dediğini yazar.

Vapurlar Trabzon'dan Van'a gidemiyor!

Aynı anlarda, 1 Mayıs 1913 Perşembe günü Paşa'nın Van Gölü'nde işletmek üzere, 15.000 altın tutarında iki vapur satın almaya karar verdiği yazılıdır. 8 Mayıs Perşembe günü de Binbaşı Sadeddin Bey'i çağırttığından ve Van Gölü'nde işleyecek vapur meselesini sorduğundan söz eder. Binbaşı da, "Vapurlar geliyor, efendim" cevabını verir. "Trabzon'a gelecek, oradan kara yoluyla Van Gölü'ne nakledeceğiz."

1913 yılında, hangi yoldan, nasıl nakledileceğine dair ise bir bilgimiz yoktur. Yine Paşa'nın anılarında Dicle ve Fırat üzerinde, Şattülarab ve Basra Körfezi'nden Anadolu'ya kadar vapur işletilmesi için yarı yarıya Türk ve İngiliz sermayesinden kurulu bir şirkete imtiyaz verilmesinin kararlaştırıldığından da söz edilir. Ama bu proje o günlerin çalkantısı içinde bir türlü gerçekleştirilememiştir.

Ruslar, 1915'te bölgeyi işgalleri altına aldıkları dönemde iskeleler ve deniz taşımacılığı için birtakım girişimlerde bulundular; hatta bir ara vapur da çalıştırdılar. Onların 1917'de çekilmesinden sonra, kalan tesisler ve işletmeden bir süre daha yararlanılmıştır.

1928'de, Van Gölü'nde düzenli bir ulaşımın sağlanması amacıyla, Nafıa Vekâleti'ne bağlı, Van Gölü Seyr-i Sefain İdaresi adıyla bir işletme kuruldu. Bu kuruluş, 1934'te ilgili olduğu vekâletten ayrılarak Van Vilâyeti İdare-i Hususiyesi'ne, yâni Van ili Özel İdaresi'ne devredildi. Daha sonra da Dahiliye Vekâleti'ne bağlı olmak üzere Van Gölü Gemi İşletme İdaresi adında yeni bir idare kuruldu.

1936 yılına gelindiği zaman, göldeki taşımacılık işleri 3.025 sayılı kanunla İktisat Vekâleti'ne bağlı hükmî şahsiyeti haiz Van Gölü İşletmesi'ne bağlandıysa da, iki yıl sonra, 1938'de kuruluş Denizbank'ın himayesine alındı.

Gölde işletmenin ilk gemisi 30 Ağustos 1937 günü çalışmaya başladı. Bu, 2 Nisan gününün Van'ın kurtuluş günü olduğu için özellikle bu ad verilen *2 Nisan* adlı küçük bir tekneydi.

Denizbank'ın kaldırılmasından sonra değişik unvanlar altında faaliyetini sürdüren kurumlara bağlı olarak çalışan Van Gölü İşletmesi, 1952'de Denizcilik Bankası T.A.O.'ya bağlandı ve iç işlerinde bağımsız bir ünite olarak çalışmalarını sürdürdü. Bu işletme, gölde yolcu ve yük taşımacılığı ile antrepoculuk işlerini tekel şeklinde, gemi tamir ve inşa atölyesi ile otelcilik ve lokantacılık işlerini de ihtiyârî olarak yürüttü.

İlk işletme merkezi, 1936'ya kadar Erciş'teydi; daha sonra Tuğ'a nakledildi. Tanınan özel bir yetki ile Van Gölü İşletmesi Etibank'la işbirliği yapmak suretiyle göldeki madenleri işletmek, göl ürünlerinden yararlanmak, gölde tren ferisi işletmek haklarını kazandı.

İşletmenin, bunların dışında, kuruluşların onarım ve bakım işlerini yapan bir atölyesi ile hem işletmenin, hem de Tatvan'ın elektriğini üreten bir de elektrik santralı vardı. Tatvan'ın elektriğini sağlamak için Ruslar'ın zamanından kalma, 60 yıllık eski bir jeneratörden yararlanılıyordu. Sık sık bozulan, cansız, titrek bir ışık verebilen bu jeneratör, 1974 yılında devre dışı bırakıldı; gerekli akım TEK'ten alınmaya başlandı. Tatvan'ın en iyi otelini yıllarca hep Denizcilik Bankası işletti.

Van Gölü'nde İdare'nin başlıca şu gemileri çalıştı:

1953, Camialtı Tersanesi yapımı 2 Nisan ferisi Gevaş iskelesinde.

* 2 NİSAN: 1953'te Camialtı Tersanesi'nde yapıldı. Yolcu ve tren ferisi idi. Yazın 520, kışın 466 yolcu taşıyordu. 531 gros, 218 net tonluktu. Uzunluğu: 42,8 metre, genişliği: 8,7 metre, su kesimi: 2,7 metre idi. 520 beygir gücünde Fiat yapımı dizel motoru vardı. 11 mil hız yapıyordu.

* AKDAMAR: Yük gemisiydi. 192 gros, 91 net tonluktu. Uzunluğu: 39,8 metre, genişliği: 6,1 metre, su kesimi: 2,2 metre idi. 130 beygir gücünde dizel motoru vardı. 6 mil hız yapıyordu.

* BİTLİS: 1937, Haliç yapısı yolcu-yük gemisiydi. 185 gros, 123 net tonluktu. Uzunluğu:

1937 Haliç yapımı Bitlis yolcu ve yük gemisi Erciş iskelesinde.

31,1 metre, genişliği: 6 metre, su kesimi: 2,3 metre idi. Her biri 135 beygir gücünde 2 adet dizel motoru vardı. Çift uskurluydu. 8,5 mil hız yapıyordu. Yazın 180, kışın 150 yolcu alabiliyordu.

* ERCİŞ: Erciş İlk Öğretmen Okulu'nun servis teknesiydi. 34 gros, 18 net tonluktu. Uzunluğu: 19,4 metre, genişliği: 3,4 metre, su kesimi: 1,2 metre idi. 50 beygir gücünde dizel motoru vardı. 6 mil hız yapıyordu. 15 kişi alabiliyordu.

Van Gölü'ndeki teknelerden Gevaş *motorlu römorkörü.*

* GEVAŞ: 1945'te motorlu römorkör olarak yapıldı. 53 gros, 18 net tonluktu. Uzunluğu: 20,8 metre, genişliği: 4,7 metre, su kesimi: 1,9 metre idi. 15 beygir gücünde dizel motoru vardı. 8 mil hız yapıyordu.

* VAN: 1937'de motorlu yolcu-yük gemisi olarak yapıldı. 185 gros, 123 net tonluktu. Uzunluğu: 31,1 metre, genişliği: 6 metre, su kesimi: 2,3 metre idi. Her biri 35 beygir gücünde 2 adet dizel motoru vardı. Çift uskurluydu. Yazın 180, kışın 150 yolcu alıyordu.

1937 yapımı motorlu yolcu ve yük gemisi Van, *Bitlis'in eşiydi.*

* TATVAN: 1948'de motorlu yolcu-yük gemisi olarak yapıldı.

1949'da Haliç Tersanesi yapımı Tatvan *yolcu ve yük gemisi.*

364 gros, 215 net tonluktu. Uzunluğu: 37,5 metre, genişliği: 8 metre, su kesimi: 2,7 metre idi. 315 beygir gücünde dizel motoru vardı. 8 mil hız yapıyordu. Yazın 324, kışın 309 yolcu alabiliyordu.

* **TUĞ:** Motorlu servis teknesiydi. 46 gros, 17 net tonluktu. Uzunluğu: 18,6 metre, genişliği: 5 metre, su kesimi: 1,9 metre idi. 130 beygir gücünde dizel motoru vardı. 7 mil hız yapıyordu.

* **EREK:** 1956'da, Tatvan'da yolcu-yük gemisi olarak inşa edildi. 259 gros, 145 net tonluktu. Uzunluğu: 41 metre, genişliği: 7 metre, su kesimi: 2,6 metre idi. 270 beygir gücünde dizel motoru vardı. 9 mil hız yapıyordu. Yazın 88, kışın 62 yolcu alabiliyordu.

İdare, daha sonra T.C. Devlet Demiryolları Van Gölü İşletmesi Müdürlüğü'ne devredildi. Son zamanlarda İşletme'nin Van Gölü'nde Tatvan'la Van iskeleleri arasında şu gemileri çalışıyordu:

* **ORHAN ATLIMAN:** 1971'de, Haliç Tersanesi'nde tren ferisi olarak inşa edildi. 1.918 gros, 984 net tonluk. Uzunluğu: 81,8 metre, genişliği: 14,5 metre, su kesimi: 3,3 metre. ABD Enterprise yapımı, her biri 950 beygirlik 2 adet dizel motoru var. Çift uskurlu. 1 mil hız yapıyor. *Refet Ünal'*ın eşidir.

* **REFET ÜNAL:** 1972'de, Tatvan Tersanesi'nde motorlu tren ferisi olarak inşa edildi. 1.918 gros, 984 net tonluk. Uzunluğu: 81,8 metre, genişliği: 14,5 metre, su kesimi: 3,3 metre. ABD Enterprise yapımı, 1.900 beygirlik dizel motoru var. Çift uskurlu. 10 mil hız yapıyor. *Orhan Atlıman'*ın eşidir.

* **TATVAN:** 1975'te, Haliç Tersanesi'nde hem yolcu hem de tren taşımak üzere inşa edildi. 1.766 gros, 663 net tonluk. Uzunluğu: 81,8 metre, genişliği: 14,5 metre, su kesimi: 3,3 metre. Danimarka, Burmeister & Weins yapımı, 2 adet 1.800 beygirlik dizel motoru var. Çift uskurlu, 15 mil hız yapıyor. *Van'*ın eşidir.

* **VAN:** 1976'da, Haliç Tersanesi'nde hem yolcu, hem de tren taşımak üzere inşa edildi. 1.777 gros, 663 net tonluk. Uzunluğu: 81,8 metre, genişliği: 11,5 metre, su kesimi: 3,3 metre. Batı Almanya, Mannheim, Motorenw. A.G. yapımı, her biri 1.400 beygir gücünde 2 adet dizel motoru var. Çift uskurlu. 15 mil hız yapıyor. *Tatvan'*ın eşidir.

Tatvan'da gölde çalışacak teknelerin yapımı, bakımı ve onarımı için yapılan tersane hakkında, Tersaneler bölümünde bilgi verilmiştir.

Van gölünde 11 iskele daha varsa da bunların arasında ancak motorlar çalışmaktadır. Yeni feribotlar Tatvan-Van arasını 4 saatte almaktadırlar. Göldeki gemilerin hepsi de İstanbul'da inşa edildikten sonra parçalara ayrılarak karadan trenle Tatvan'a taşınmış, oradaki tersanede, kuru havuzda monte edilerek göle indirilmiştir. Hepsinin de bağlama iskelesi Tatvan'dır.

Günümüzdeki feribotların her birinin içinde üç adet ray yer almaktadır ki, bunların toplamı 154 metreyi bulmaktadır. Feribotlarda öncelikle tren vagonu taşınmaktadır. Bu gemiler ya 9 yolcu vagonu ya da 19 yük vagonu alabilmektedir. Boş yer kalırsa, gemiye ancak o zaman kamyon ya da araba alınmaktadır.

Ne var ki, 1995'te iskele tamamen kaderine terkedilmiş durumdaydı. Gölün seviyesi bilinmeyen bir nedenle yükseldiği için iskelenin elektrikleri kesilmiş, bekleme odası iptal edilmişti. Zaten inecek-binecek yer de olmadığı için yolcu da artık çıkmıyordu. 19 yıldır Van-Tatvan arasında kaptanlık yapan Niyazi Ekser, "Eskiden en az 100-150 yolcumuz olurdu. Artık yok, buraya yolcu mu gelir? Önlem alınmazsa, kapanır bu iskele," diyordu. Şimdi feribotlarla sadece yük taşınıyor.

Rıhtımlarımız 100 Yaşında

- İstanbul Liman Şirketi'nden bugüne

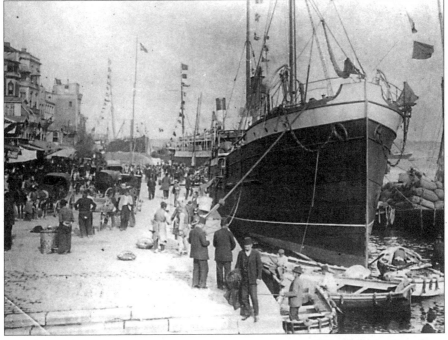

1905 yılında Karaköy rıhtımı.

İstanbul rıhtımları 100 yaşında

Tarih boyunca büyük bir deniz ticaret merkezi olagelen İstanbul, dünyanın en güvenli doğal limanları arasında yeralmıştır. Özellikle Haliç, tarihin her döneminde, sert havalarda teknelerin sığınıp barındığı emin bir liman olma özelliğini hep sürdürmüştür.

Bütün Yunan kentleriyle ticari bağları olan Bizantion'un başlıca iki limanı vardı: Batıda Neorion, ve hemen bitişiğinde doğuda Bosporion. Bizantionlu Dionisios, bu iki limanın arasında daha derin ve mendirekle korunmuş bir üçüncü limandan daha sözeder. Limanın sonunda Haliç'e doğru, kara surları ile deniz surlarının birleştiği noktada büyük bir dairesel planlı kule vardı. Limanlar, mendirekler, saldırı sırasında gerilen zincirlerle korunuyordu. Ana liman olan Neorion'un girişi dalgakıranlar ve kulelerle çevrelenmişti. Bugünkü Sirkeci bölgesinin genellikle Neorion'a denk düştüğü kabul edilir. Yeri ve alanını belirleyecek hiçbir fiziksel veri bulunmamaktadır.

Çok eskilerden beri Karadeniz'den, Rusya üzerinden, Avrupa ve Asya ülkelerinden gelen çok çeşitli ve değerli ticaret eşyaları, özellikle Hindistan baharatının büyük bir kısmı, gönderileceği yerlere hep İstanbul üzerinden sevkedilirdi. Haliç'te gelgit olmadığı için gemilerin yüklemeleri ve boşaltılmaları sırasında mavna ve şatlara ihtiyaç duyulmazdı. Teknelerin bakım ve onarımı Haliç'te yapılır, kumanyaları kolaylıkla çevreden sağlanırdı.

Ne var ki, zamanla tesislerin yetersiz kalması nedeniyle hizmetler aksamaya, gemilerin boşaltılması ve yüklenmesi gecikmeye başlamıştı. Bunun sonucu olarak da ticaret mallarının fiyatı artıyor, girilen riskler gereksiz yere büyüyordu.

Her şeyden önce kıyılarımızda modern deniz fenerleri yoktu. Sularımızda seyreden gemiler, geceleri her türlü tehlikeyi göze almak zorundaydı. Dahası, başta İstanbul olmak üzere limanlarımız gemilerin kolayca yanaşabilecekleri rıhtımlardan mahrumdu. Tesisler yetersiz kaldığından mallar zamanında yükletilemiyor, gemilerden boşaltılanların bir kısmı açıkta kalıyordu.

İstanbul Liman Dairesi önceleri Kurşunlu Mahzen'in (Yeraltı Camii) bulunduğu yerdeydi. 1864 yılında, hizmet vermekte olan tek katlı bina yanınca, görevliler *Peyk-i Şevket* gemisine yerleştirilmişler, hatta geminin kamaraları yeterli olmayınca, güverteye yapılan bir sundurmanın altında çalışmak zorunda bırakılmışlardı.

Her acentenin kendi şamandırası var

İstanbul limanına ilk şamandıra 1870 yılında yerleştirildi. O zamanlar Liman Nâzırı olan Hubert Paşa, 1869'da İngiltere'ye bir şamandıra ısmarlamış, bir yıl sonra gelen bu şamandıra limanın uygun bir yerine yerleştirilmişti. Üç yıl sonra, 25 adet şamandıranın Tersane adına sipariş ettirilmesine karar verilmiş, zinciri ve demiriyle birlikte her biri 430 İngiliz lirasına Apik Efendi adında bir tüccara ısmarlanmıştı. Şamandıraların yapımına üç ay içinde başlanacak, altıncı ayın sonunda da teslim edilecekti. Şamandıralar İngiltere Amirallik Dairesi tarafından kontrol edilecek, uygun görülürse damgaları vurularak sağlamlığı ve işe yararlılığı tasdik edilecekti. Bu şamandıralar, yapımı bitince Boğaz girişinin uygun yerlerine yerleştirilerek kullanılmaya başlandı.

Limanda, her acentenin gelen gemisini bağlamak için bir ya da birkaç şamandırası, bir de kayıkçı takımı vardı. Gemiyle gelenler bu kayıklarla karaya çıkar; keza, ticaret eşyaları da bu kayıklarla kıyıya nakledilirdi. Bu arada yaşanan düzensizlik, yolcuları da, tüccarı da canından bezdirirdi.

1853 yılının Ekim ayında Rusya ile aramızda Kırım Savaşı patlak verdiği zaman, müttefiklerimiz İngiltere ile Fransa, donanmalarını göndererek İstanbul'a asker ve savaş malzemesi yollamışlardı. Ama bunların tahliyesi sırasında büyük zorluklarla karşılaşılmıştı. Asker de, savaş malzemesi de karaya inanılmaz güçlüklerle çıkartılırken mürettebat zorlanmış, kazalar, kayıplar önlenememişti.

İstanbul'da ilk rıhtımların inşa edilmesi ve kıyılarımızda o günlere göre modern deniz fenerlerinin çalışmaya başlaması, ancak Kırım Savaşı'nı izleyen yıllarda mümkün olabildi. Kırım Savaşı sona erip de 1856 Paris Kongresi toplandığı zaman, Osmanlı Devleti'nde liman hizmetlerinin ve kıyı güvenliğinin yetersizliği de ele alınan konular arasındaydı.

Osmanlı Devleti ile daha sıkı ticarî ilşkiler içine girmeyi amaçlayan İngiltere de, Fransa da, İstanbul limanında rıhtımlar inşa edilmesi, kıyılara fenerler yerleştirilmesi gereğini görmüşler, hükûmetle temasa geçerek ısrarla böyle düzensiz, rıhtımsız, fenersiz bir durumun sakınca ve tehlikelerini belirtmişlerdi.

Nitekim, 1856'da İstanbul'da Anadolufeneri, Rumelifeneri, Fenerbahçe, Bebek, Karaburun; Çanakkale'de Sultaniye, Gelibolu, Kumkale ve Hellas mevkiinde fenerler inşa edilerek o yıl hizmete sokuldu. Bu kadarla da kalınmadı, ertesi yıl içinde de, Yeşilköy, Ahırkapı, Kızkulesi; Marmara'da Feneradası; Çanakkale'de Kilitbahir, Nağra Burnu, Karakova Burnu, Çardak gibi mevkilerde de fenerler inşa edildi ve zamanla diğer fenerlerin yapımına da devam edildi.

İstanbul Rıhtım Şirketi'nin imtiyaz sahibi eski Fransız uzak yol kaptanı Marius Michel.

Kimdi bu Mişel Paşa?

İstanbul limanında ticaret gemilerinin yanaşabileceği rıhtımların inşası ve liman hizmetlerinin düzene konması ancak 23 yıl sonra, 1879'da ele alınabildi. Liman içinde, hele Haliç gibi kıyı akıntıları olan, dibi balçıkla kaplı bir yerde sahil boyunca rıhtım inşa etmek hem zor, hem de riskli bir işti. Kimse böyle bir maceraya atılmak, parasını Haliç'in sularına gömmek istemiyordu.

Uzun görüşmelerden sonra, limanda rıhtım inşa etme ve bu rıhtımları 75 yıl boyunca işletme imtiyazı, Fenerler İdaresi Umum Müdü-

1900'lü yılların başlarında Karaköy rıhtımı. Bugünkü Denizcilik İşletmeleri'nin Genel Müdürlük binası henüz inşa edilmemiş. Yolcu Salonu'nun bulunduğu yer de hâlâ boş. Tâ gerilerde Nusretiye Camii'nin iki minaresi seçiliyor. Rıhtımın ilerisinde, direklerinde yelken donanımı bulunan bir gemi ile, orta yerde üstüste bağlanmış iki çatana var. Önde bir algarinanın kıç kısmı görülüyor. En önde de bir kira kayığı... Her taraf tenha... Her yer bomboş...

Karaköy ile Tophane arasında rıhtım inşa çalışmaları sürdürülüyor. Geride, tepede, tek minaresiyle Cihangir Camii. Nereden baksanız, 100 yıl öncesinin görüntüsü...

rü, ilerde Mişel Paşa diye tanınacak olan Marius Michel'e verildi.

Marius Michel, Fransız'dı. Kırım Savaşı sırasında İmparatorluk Taşımacılık Şirketi'nin hizmetinde uzun sefer kaptanı olarak çalışmıştı. Uyanık, işbilir, ileriyi gören ve çıkarlarını kollamasını çok iyi bilen bir kişiydi. Gemisiyle İstanbul'a geldiği zaman bu ülkede yapabileceği pek çok şey olduğunu görmüştü; çok geçmeden servet sahibi olacağını daha o zamanlar anlamıştı. Bu niyetle, Osmanlı Devleti'nde nüfuz sahibi kişilerle yakın ilişkiler kurmuş, 1857'de de Fenerler imtiyazını almayı başarmıştı.

İşte bu Mişel Paşa, şimdi de gözünü İstanbul limanına ve liman gelirlerine dikmişti. İstanbul limanında rıhtımlar inşa ederek işe başlayacak, bitirince de limanı 75 yıl boyunca çalıştıracaktı. Kısacası, limana giren gemilere yüklenen ticaret eşyalarından, yaptığı hizmetlerin karşılığı olarak belirli bir ücret alacaktı. Bu demek, devlete belli bir yüzde verecek de olsa, servetine yeni bir servet ilâve etmesi demekti. Mişel Paşa, zor bir işe girdiğini biliyor, ama sonunda kazançlı çıkacağından asla şüphe etmiyordu.

Karşılaşılan mâli ve teknik güçlükler nedeniyle rıhtım inşası 1879'dan 1890'a kadar 11 yıl sürüncemede kaldı. Kurucular, rıhtım çalışmalarını kendisiyle birlikte yapabilecek çapta bir müteahhidi ancak 11 yıl aradıktan sonra, yâni 1890 yılında bulabildi. Bu zaman içinde fennî durum uzun uzun incelenmiş, işin zorluğu karşısında mukavelenamenin yenilenmesi gerektiği ortaya çıkmıştı. 1890'da hazırlanan bu mukavelenameye göre imtiyaz süresi 85 yıla çıkartılmıştı ki, süre böylece 1975 yılına kadar uzatılmış oluyordu.

Yeni şartnameye göre 18 ay içinde şirket kurulacak, iki yıl içinde çalışmalara başlanacak, rıhtımların inşası da 14 yılda sona erdirilecekti. Şirket, ayrıca Haliç'te iki köprü arasında da rıhtımlar inşa etmek zorunda bırakılıyordu.

Palamar ve rıhtım vergileri

Şirket, bütün bunlara karşı, rıhtımlara yanaşacak gemilerden tonilato başına 1 frank palamar vergisi, gemilere yüklenecek ya da gemilerden boşaltılacak mal ve ticaret eşyasının tonilatosundan da 3 frank rıhtım vergisi, dok ve antrepolara konacak malların 100 kilosundan ayda 100 para ardiye ücreti, rıhtımlara sürekli olarak yanaşan yahut bağlayan yolcu vapurları ile römorkörler ve mavnalardan da abonman ücreti tahsil edecekti.* Bu arada, rıhtım inşası sırasında denizden kazanılacak arazi de karşılıksız olarak şirkete bırakılacaktı.

Ne var ki şirket, rıhtımların işletilmesinden elde edilecek brüt kazancın ancak pek az bir bölümünü devlete verecekti. Ayrıca imtiyazdaki şartlara göre gümrük, sıhhiye ve liman daireleri için hepsi de kârgir olmak üzere binalar, doklar ve antrepolar yapacaktı. Bu binalar da ilerde devlete bırakılacak, Eminönü'ndeki II. Mahmud döneminden kalma Hidayet Camii ile Selim Efendi Mescidi'ne zarar verilmeyecekti. Şirket, Rumeli yakasında, 100 mil içinde de herhangi bir yerde antrepo inşa edebilme hakkını da elde etmişti ki, Tekirdağ limanı bu mesafenin içinde kalıyordu. Öte yandan imtiyaz süresinin 40. yılının sona ermesinden itibaren devlet her zaman rıhtım ve dok ve antrepo ve saireyi doğrudan doğruya işletmek üzere satın alma hakkını da haizdi.

İşte, Mişel Paşa'ya verilen yeni imtiyazın ana hatları bunlardı.

Böylece İstanbul Rıhtım, Dok ve Antrepo Türk Anonim Şirketi, 1891

(*) Ambar ile antrepo arasında şu fark vardır: Gümrük ambarları malın gemiden alınır alınmaz konacağı ilk yerlerdir. Sahipleri, eşyalarını kısa zamanda buradan çekerler; çünkü burada ardiye fiyatları yüksektir. Antrepolarda ise, aksine, mal uzun süre muhafaza edilebilir. Burada ardiye fiyatları düşüktür. (Zihni Bilge, *İstanbul Rıhtımları Tarihçesi*, 1955).

yılında her biri 500 franklık 46.000 hisseye bölünmüş 23 milyon frank sermaye ile kurulmuş oluyordu. İmtiyaz sahibi Mişel Paşa, konan hükümler gereğince, 3 milyon franklık hisse senedi karşılığında imtiyazı şirkete devretmiş oluyordu. Dönem, Sultan II. Abdülhamid'in saltanat dönemiydi. Şirket, Crédit Lyonnais Bankası'ndan alınan mâli destekle kurulmuş oluyordu.

Şirketin ilk İdare Meclisi Reisi, imtiyazı alan Marius Michel'di ki, o tarihten itibaren kendisi Mişel Paşa unvanını almış bulunuyordu. Murahhas aza da eski nâzırlardan M. Granet idi.

Rıhtımların inşasına 1892 yılının Nisan ayında Tophane önlerinde başlandı. Çalışmaların başında, daha önceleri keşifler yapan M. Duparchy ile M. Dirick adlı kişiler bulunuyordu. Çalışmaların yapılacağı yerde kıyının önündeki derinlik yer yer 35 metreyi geçiyordu ve zemin yoğun bir yumuşak çamur tabakasıyla örtülüydü. Hele bazı yerlerde kıyı dimdik uçurum halinde derinleşiveriyordu. Teknik olsun, bilimsel olsun, inşaat boyunca birçok ciddî zorluklarla karşılaşılacağı daha ilk günlerden anlaşılmıştı.

Rıhtımın ilk taşları yerine konuyor

Çalışmalara, uzun incelemelerden sonra, denizin içine dev kaya parçaları ile büyük beton bloklar gibi değişik dolgu maddelerinden oluşan bir seddin inşa edilerek başlanmasına karar verildi. Anroşman çalışmaları sırasında karşılaşılacak çöküntülerin arkası alındıktan sonra, yapay bloklardan oluşacak dikey rıhtım taşları bu seddin üzerine oturtulacaktı. Taş ocaklarında karşılaşılan zorluklara rağmen anroşman çalışmaları aksamadan sürdürülüyordu.

1893'te ilk yapay blokların yerleştirilmesine geçildi. Güçlü bir römorkör satın alınmış, inşaat için her türlü malzeme sağlanmıştı. İnşaat müteahhitleri o yılın sonlarında 232.000 metreküp anroşman ve 157.000 metreküp dolma meydana getirerek seddin inşaasına ait programlarını tamamladılar. O yıl ve ertesi yıl boyunca, karşılaşılan güçlüklere rağmen çalışmalar Tophane tarafından Karaköy'e doğru sürdürülüyordu.

Karşılaşılan güçlükler neydi? Şiddetli havalar ile zaman zaman kuvvetlenen akıntılar bir yana, çıkan kolera salgını da çalışmaları önemli ölçüde aksatmıştı. Ayrıca, gelip geçen vapurların dalgaları, arada bir meydana gelen çöküntüler de çalışmaların hızını kesiyordu.

1894 yılıydı. Galata tarafında 340 metre boyunca blok taşlar konmuş,

Gemi rıhtıma yanaşmış, ama yüklerin tahliyesi yine de eskisi gibi mavnalarla yapılıyor!

karşı kıyıda, Sirkeci tarafında da henüz sondajlara başlanmıştı ki, hiç hesapta olmayan bir âfet çalışmalara büyük bir darbe vurdu: 10 Temmuz günü meydana gelen ve bütün İstanbul'u temelinden sarsan şiddetli bir depremdi bu!

Faciada, İstanbul'da ilk üç günde 138 kişi öldü, 156 kişi yaralandı. Bu arada önemli maddi zararlar da meydana geldi: Kapalıçarşı yer yer yıkıldı, Edirnekapı'daki Mihrimah Camii büyük zarar gördü, bazı hamamlar, camiler, kiliseler, istasyon binaları kullanılmaz hâle geldi. Yeni inşa edilen Sirkeci garı, Beyazıt'taki Harbiye Nezareti binası, Gazanferağa medresesi hasara uğradı. Bereket, deprem sırasında o zamana kadar yapılmış olan rıhtımın birden çökerek Haliç'in karanlık sularında kaybolması gibi kötü bir durum meydana gelmedi.

Galata rıhtımına ilk gemi yanaşıyor

İnşaatın hayli ilerlediği bir safhada, ilk gemiyi yanaştırarak rıhtımın iyi-kötü çalıştırılmaya başlanması düşünüldüyse de bu girişim gerçekleştirilemedi. O zamana kadar gemilere yolcu taşıyarak, yükleri naklederek

1930'lu yıllarda Sirkeci ile Eminönü arasındaki kıyıda uzanan Gümrük binaları. Önünde de kıçtan bağlamış büyüklü küçüklü yolcu ve yük gemileri var. Sağda, üstte: Yenicami.

(Fotoğraf: Selâhattin Giz)

geçimlerini sağlayan kayıkçı ve mavnacılar adeta kazan kaldırarak ekmek paralarının ellerinden alınmak istendiğini resmî makamlara duyurmak istediler. Duyurdular da! Girişimlerinin sonunda, Saray'dan bir irade-i seniyye almayı başararak, gelen gemilerin rıhtıma yanaşmalarını belli bir süre için de olsa engellemeyi başardılar. Şirketin başına, bir de bu gibi işlerle uğraşmak derdi çıkmış oluyordu.

1895 yılının başında, Galata tarafında rıhtımın 285 metresi tamamlanmış, 670 metrelik bir alan üzerinde blok taşları yerleştirilmiş, 500 metrelik bir alan da doldurulmuş bulunuyordu.

İlk gemi, o yılın Eylül ayında Galata rıhtımına yanaştırıldı; bu, Méssageries Maritime kumpanyasının *Memphis* adlı gemisiydi. Böylece, üç yıl süren çalışmaların ilk meyvesi alınmış oluyordu.

Bu arada anlaşmaya varılmış olmasına rağmen, kayıkçılar ve mavnacılar, geminin getirdiği ticaret eşyalarını boşaltmasına engel olmak istediler.

Birtakım tatsızlıklar ve karışıklıklar çıkmasına ramak kalmışken, acele olarak getirtilen askerin önlemesiyle bu adamların kazan kaldırmalarına fırsat verilmedi; gemideki yükler olay çıkmadan boşaltılabildi.

Böyle bir kargaşalık çıkar da, Avrupa devletleri sorunlarını, hem de kapitülasyonlara dayanarak halletmek istemeden durabilirler mi! Hemen hükûmet nezdinde girişimlerde bulunarak isteklerini bir oldu-bittiye getirdiler ve nasıl yaptılarsa yaptılar, vergilerini önemli ölçüde indirmeyi başardılar.

O sıralarda liman girişine birkaç da şamandıra yerleştirildi. Başlangıçta uygun yerlere konmadığı için, bunların zaman zaman demir tarayarak birbirine karıştıkları oldu. Bu gibi durumlarda bir algarina* getirtiliyor, böylece şamandıralar daha uygun yerlere demirleniyordu.

1895 yılının Ekim ayında bilim adamlarından oluşan bir komisyon toplandı ve hükûmet adına Galata rıhtımlarının birinci bölümünün kabulünü imzaladı. Müteahhitler, Galata yakasındaki çalışmalarını beş yılda tamamlamışlar, 15.273.497 frank sarfetmek suretiyle 758 metre uzunluğunda bir rıhtım inşa etmeyi başarmışlardı.

Şimdi de sıra Sirkeci rıhtımında

Bu arada şirket, karşı kıyıda da anroşman çalışmalarına girişmiş; büyük kaya parçalarını, blokları kıyı boyunca denize dökmeye başlamıştı.

Galata kıyısındaki rıhtım inşaatının nisbeten kolay yapılmasına karşılık, İstanbul yakasındaki çalışmalarda büyük zorluklarla karşılaşıldı. İşe, 1894 yılında başlanmış, ertesi yıl içinde de anroşmanların dökülmesi çalışmalarında hayli yol katedilmişti.

İşte, o sıralarda ilk çöküntüler meydana geldi. Öyle ki, giderek artan çöküntüler yüzünden durum gerçekten tehlikeli bir hal aldı. Zamanla çökme ve kaymalar daha da arttı: Eminönü'nde, Köprü'nün yanıbaşında, bugün şehir hattı vapur iskelelerinin bulunduğu yerdeki Gümrük Emaneti'nin önünde yer yer iki metreyi buldu. Öyle ki, karşılaşılan tehlikeler gözönüne alınarak gümrük binalarının en kısa zamada tahliye edilmesi gerekti.

1896 yılının 10 Temmuz günü ise bütün rıhtım taş ve blokları çökerek denizin derinliklerinde gözden siliniverdi! Yapay bloklardan oluşan rıh-

_____

(*) Dolap sandalı

Yaklaşık 100 yıl kadar önce İstanbul limanı. Karşıda Saray-
burnu rıhtımı, önde Tophane'ye yanaşmış ticaret gemileri.

tım duvarı ortalama olarak 8-12 metre denize gömülmekle kalmamış, açığa doğru da kaymış, 55.000 metreküp anroşman, ile 214 adet yapay blok bir anda denizin karanlık sularında yok olup gitmişti.

İşe yeniden başlamaktan başka yapacak bir şey yoktu. Şirket yeniden kolları sıvadı, işe tâ başından başladı. Ekipler aralıksız çalışıyordu. Ekim ayına gelindiğinde zararlar giderilmiş, rıhtım duvarı 200 metrelik bir saha üzerinde yeniden inşa edilmişti.

Ama Ekim ayı içinde yeni bir çöküntünün daha meydana gelmesi, bu işe para yatıranları kara kara düşünmeye sevketti. Derinliği bazı yerlerde 40 metreyi bulan sulu bir çamur tabakası üzerinde inşaat yapmanın, tahmin edildiğinden daha zor olacağı ve çok masrafa yolaçacağı artık iyice belli olmuştu.

Hayırsız Adalar'da yeni taş ocakları

İşe bir kere daha yeni baştan başlandı. Uzmanlara başvuruldu, yeni sondajlar yapıldı, çamur tabakasına yuvarlanan anroşman malzemesinin yerine yenileri getirildi; bütün bu çalışmalar, fazladan olarak yaklaşık 5 milyon franklık bir fedakârlığı daha gerektirmişti. Anroşmanların hacmini çoğaltmak için Marmara'da, Hayırsız Adalar'da, Boğaz'ın Karadeniz girişinde yeni taş ocaklarının açılması gerekti.

1898 yılının Mayıs ayı gelmiş, bu zaman içinde de önemli ölçüde yol kaydedilmişti ki, akla gelmeyen şey yeniden başa geldi: O zamana kadar yapılan rıhtım ve anroşmanlar âni olarak bir kere daha çökerek denizin altında büsbütün gözden kaybolmasın mı! Dikey çöküntü 8-12 metre, denize doğru akış ise 5-12 metre arasındaydı!

Çaresiz, işe bir kere daha yeniden başlanarak, şans eseri profili pek değişmemiş olan seddin önünü 60.000 metreküpe varan kum tabakasıyla doldurmak gerekti. Ancak ondan sonradır ki inşaatın devamı sağlanabildi. Bu suretle, 25 Haziran 1899 günü İstanbul tarafındaki rıhtımın birinci kısmının geçici olarak kabulü imzalanabildi.

Karşılaşılan zorluklar, rıhtımın inşa edildiği yerde deniz dibinin 65 metreyi bulan derinliğindeki kayaların üzerinde yeralan ve kalınlığı 50 metreyi bulan yoğun bir kil tabakası ile, onun üstünde 20 metre kalınlığında bir çamur tabakası ile örtülü olmasından kaynaklanıyordu.

Rıhtımın geriye kalan kısmındaki çalışmalar, daha önce edinilen tecrübelerin ışığında nisbeten daha kolay ve tehlikesiz sürdürüldü. 1900 yılının Şubat ayında Sirkeci rıhtımının toplam uzunluğu 370 metreyi buldu. Ne var ki, aralıksız beş yıl süren inşaatın bedeli, başlangıçtaki tahminlerin kat kat üzerindeydi. Şöyle ki: İstanbul tarafındaki rıhtımın her bir metresinin 32.000 altın franga maolduğunu, yâni öngörülen miktarın sekiz, dokuz katına çıktığını söylemek, maliyetin ne kadar yükseldiğini belirtmek için yeterli olur sanırız.

Başlangıçta imzalanan anlaşma gereğince şirket, iki köprü arasında kalan kıyıya da rıhtım inşa etmek zorundaydı. İlgililer, yapılacak rıhtımların plân ve resimlerini hazırlarken, bir yandan da hükûmetten çalışmaların yapılacağı yerlerin şirkete teslim edilmesini istediler. Bu arada Unkapanı Köprüsü'nün kaldırılmasına ve Galata Köprüsü'nün de yerinin değiştirilmesine dair görüşmelere girişildi. Ama uzun tartışmalardan sonra, Unkapanı Köprüsü'nün kaldırılmasından da, Galata Köprüsü'nün içeriye kaydırılmasından da vazgeçildi.

İki köprü arasında rıhtımdan vazgeçiliyor

Şirket yetkilileri iki köprü arasında karşılıklı iki rıhtım inşa edildiği takdirde, bundan şirkete önemli bir çıkar sağlanamayacağını gördükleri için hemen anlaşmanın bu hükümlerini değiştirmek için bir formül aramaya koyuldular. Öte yandan da, Nafıa Nezareti'ne (Bayındırlık Bakanlığı) başvurarak Haliç'te bulunan Lloyd kumpanyasına ait yüzer deponun, Şirket-i Hayriye'nin tamirat fabrikasının, Şarap iskelesinin, kalafat yerinin ve gemilerin kışlamasına tahsis edilmiş bazı yerlerin kendilerine teslim edilmesini istediler. Görüşmeler uzadı, bir sonuç alınamayacağı anlaşılınca bu sefer de durum Saray'a iletildi. Sonunda, hükûmet oy birliğiyle iki köprü arasında yapılacak rıhtımların inşaasının ileriye bırakılmasına karar verdi.

Anlaşma gereğince başlangıçta kabul edilen tarifeler uygulanma safhasına gelince, İstanbul'daki yabancı devletlerin ticaret odalarını bir telâştır aldı. Çıkarlarının zarara uğrayacağını ileri sürerek tarifelerin yeniden gözden geçirilmesini istediler. 1896 yılının 20 Mart - 1 Nisan tarihleri arasında Babıâli hukuk müşaviri Ermeni asıllı Noradunkian Efendi'nin başkanlığında, Avrupa devletlerinin temsilcileri arasında toplantılar düzenlendi ve yeni tarifeler hazırlandı. Bu tarifeler ilk olarak 2 Kasım 1899 gününden itibaren uygulanmaya başlanabildi.

Bu sıralarda, şirketin verilen imtiyazda yeralan antrepolar işletmesi ile

Haliç'in karşılıklı iki kıyı arasında "bak" denen küçük teknelerin çalıştırılması hakkı da birçok itirazlara uğradı. Ayrıca, denizden kazanılmış arazinin tapu senetleri de şirkete bir türlü verilemiyordu.

Dönemin pâdişahı II. Abdülhamid'in 1901'de şirketi toptan satın almak için girişimlerde bulunması, Bâbıâli ile Paris'in arasının iyice açılmasına neden oldu. Kaldı ki, devletin elinde bu iş için yeterli para da yoktu. Sonunda hükûmet bu işten vazgeçmek zorunda kaldı.

Şimdi de Fransız-Alman rekabeti

O günlerde hükûmetin Bağdat ve Anadolu Demiryolları'nı inşa etmesi için Almanya'ya imtiyaz vermiş olması, şirketin keyfini kaçırmaya başlamıştı. Çünkü, Haydarpaşa'da yapılacak yeni liman tesislerinin çalıştırılmasıyla, Fransız Rıhtım Şirketi'nin geliri önemli ölçüde baltalanmış olacaktı. Ama hükûmetin bazı vaatlerde bulunması, Fransız yöneticileri biraz olsun rahatlattı. O günlerde Mişel Paşa'nın ortadan kaybolması, Osmanlı Bankası'nın devreye girmesine zemin hazırladı. Banka, Londra'dan ünlü iş adamı Rothschild'in de yardımıyla, Rıhtım Şirketi'nin denetimini üstlendi.

Çalışmalarını yeni statüye göre sürdüren şirket, Galata ve Sirkeci rıhtımlarından başka, 1910 yılında, Eminönü ile Karaköy'de iki, daha sonraları 1928 yılında da Kuruçeşme ile Camialtı'nda üç antrepo daha inşa etti.

Şirketin 1912-14 yılları arasında Karaköy'de, Rıhtım üzerinde iki büyük bina birden inşa ettiğini görüyoruz. Bunlardan büyük olanı, bugünkü Yolcu Salonu'nun yanıbaşındaki "Merkez Rıhtım Han" diye anılan, bugün Türkiye Denizcilik İşletmeleri A.Ş.'nin Genel Müdürlük binası, öteki de yine Yolcu Salonu'nun sağ yanındaki Çinili Rıhtım Han'dır.

Birinci Dünya Savaşı'nın başlamasıyla Fransa ile hasım durumuna düştüğümüz için şirketin başına bir Türk müdür getirildi. Fransız müdür M. Charrier de bir süre sonra, 1915 yılının 1 Kasım günü ailesiyle birlikte Anadolu'da ikamete mecbur edildi.

Harbin başlamasıyla gelirinin hemen hemen tükenmesi karşısında şirket varlığını zor sürdürür duruma düştü. Ayrıca, anlaşma gereğince şirketin bütün varlığı da askeriyenin eline geçti. Galata rıhtımına karargâh olarak kullanılmak amacıyla müttefikimiz Almanya'nın iki gemisi bağlandı. Vinçler de, 50 tonluk büyük maçuna da, askeriye tarafından kullanılmaya başlandı.

Eski müdür M. Charrier'nin görevinin başına dönmesine ancak sava-

1930'lu yıllarda Eminönü-Sirkeci arasında sahil boyunca uzanan antrepolar.

şın son aylarında müsaade edildi. 1918 yılının Haziran ayında İstanbul'a dönen Fransız müdür, Eylül ayında tekrar işe başladı. Savaş nedeniyle, limana gelen ticaret gemilerinin sayısının çok azalması yüzünden şirketin zararı 2,5 milyon franga yaklaşmıştı. Hayat pahalılığının günden güne hızla artması da tarifelerin yenilenmesini gerektiriyordu. İşgal yıllarında Karaköy'deki büyük bina, Fransız işgal kuvvetleri tarafından kulllanıldı.

Cumhuriyet yıllarında İstanbul rıhtımları

Savaşın sona ermesiyle İstanbul limanı birden o kadar çok erzak ve eşya ile doldu ki, şirket bunları muhafaza altına almakta gerçekten zor duruma düştü. 1914 yılından önce piyasanın verimli ve düzenli olması nedeniyle antrepolara konacak eşya stoku asgari hadde inmiş olduğundan, liman büyük stokları alacak şekilde düzenlenmiş değildi. Dahası, uygun bir yer gösterilmediği için de antrepoların inşasına başlanamamıştı.

Daha başlangıçta kapitülasyon benzeri imtiyazların devamına artık müsaade etmeyeceğini açıklayan Cumhuriyet hükümeti, şirkete kabul etmesi için hayli ağır şartlar ileri sürdü. Bu şartların kabul edilmediği takdirde kısa zamanda iflâsa sürükleneceklerini gören şirket yöneticileri, sonunda tesisleri 24 milyon liraya satarak rıhtımları ve tesisleri terketmeye razı oldular.

Galata rıhtımının 1920'lerdeki görünüşü... Öndeki binanın duvarında "Gülnihal" yazıyor.

29 Temmuz 1925 gün ve 2256 sayılı kararnameyle İstanbul Liman İnhisarı T.A.Ş. adında bir anonim şirket kuruldu. Bu kuruluşta Sanayi ve Maadin Bankası (sonraki günlerin Etibank'ı), Türkiye İş Bankası, Türkiye Seyr-i Sefain İdaresi, Bahrî Muamelat T.A.Ş., İstanbul Mavna ve Salapuryacılar Tahmil ve Tahliye Cemiyeti (yükleme ve boşaltma) yeralıyordu. Bu yeni Şirket, İstanbul limanına giren gemilere tatlı su verilmesi, yakıtının sağlanması, ticaret eşyasının yükletilmesi ve boşaltılması, kılavuzluk, dalgıçlık ve tahlisiye (kurtarma) işlerini yapmakla da görevlendirilmişti. Müdüriyet, Bahçekapı'da dönemin ünlü mimarlarından Vedat Bey (Tek) tarafından 1912'de inşa edilmiş olan Liman Han'daydı (Mesadet Han).

İstanbul Liman Şirketi Umum Müdürü Ahmet Hamdi Bey (Başar), 1929'da yazıp bastırdığı *İstanbul Limanı* adlı kitabında, bakın kuruluşu ve İstanbul Limanı'nı nasıl anlatıyor:

"Açık konuşalım! İstanbul'da liman yoktur!

"Liman İnhisarı ismi, yanlış konmuş bir isimdir. Bu idare, limanın yalnız denize ait kısmıyla meşguldür. Yâni, mavna ve römorkör işleri yapar. Halbuki liman demek, yalnızca deniz demek değildir. Bilâkis liman, 'kara'dır ve karalardaki tesisattır. İstanbul limanı bu hususta o kadar geri ve ilkeldir ki, liman olmaktan bile uzaktır. Son otuz sene içinde limanımıza bir tek vinç bile girmemiş, bir metre rıhtım bile yapılmamıştır. Bugün liman demek, vapurların barınabilecekleri sakin sular değil, fakat eşyanın barınabileceği ve çok çabuk ve ucuz bir şekilde yüklerini boşaltıp alabilecekleri yerler demektir. Eskiden liman, denizdi; bugün ise liman kara olmuştur. Limanlar bir bakıma adeta fabrika gibidir.

"İstanbul'da asıl liman sahası, Köprü'den itibaren Sarayburnu ve Tophane'ye kadar uzayan Haliç'in girişidir. Bu saha, İstanbul ve Galata kısımlarına ayrılmıştır. Gümrük ve Rıhtım Şirketi'nin ambar ve antrepoları ile rıhtımları bu kısımdadır. Haliç'te, iki köprü arasıyla Unkapanı Köprüsü'nden içeride olan Haliç kısmında limana ait hiçbir tesisat yoktur.

"Limanımızda vapurların durabileceği yerlerin toplamı 32 adetten ibarettir. Transit gelip geçen vapurlar ne rıhtımlara ve ne de şamandıralara bağlarlar; bunlar Kızkulesi, Haydarpaşa ve Kabataş önlerinde demir atarak dururlar. Bunlardan başka kömür yüklü vapurlar Kuruçeşme'de ya depoya yanaşmış veya açıkta demir atmış bulunurlar. Haliç'te yüklerini boşaltan kömür vapurları da Unkapanı Köprüsü'nden ileride bulunan

Haliç'teki iskelelerden mavnalara yüklenen tüccar malı, römorkörün peşinde açıkta bekleyen gemilere çekilerek götürülüyor. Bir römorkörün, sekiz, on mavnayı çektiği sık görülürdü.

1930'lu yıllarda İstanbul Limanı ve Galata Köprüsü.

dört adet şamandıraya bağlayarak tahliyelerini yaparlar. Haydarpaşa limanı ise 595 metrelik bir dalgakıran arkasında mahfuz ve nisbeten modern bir limandır.

"Galata cihetinde hiçbir liman tesisatı yoktur. Derme-çatma birkaç antrepo varsa da yetersizdir. Tophane ve daha ilerisinde de birkaç eski vinçten ve ihtiyacı karşılayamayan antrepolardan başka işe yarar bir şey yoktur. İstanbul tarafında ise boylu boyunca gümrük binaları sıralanmaktadır. 8.000 metrekarelik gümrük ambarları ile Eminönü'nde Rıhtım Şirketi'nin 4.000 metrekarelik bir antreposu varsa da ihtiyacı karşılayamamaktadır. Haliç'te denize yakın yerde çok sayıda küçük iskeleler vardır, buralara yükler ancak yanaştırılan mavnalardan hammal sırtında boşaltılmaktadır. Tıpkı gemilere yüklenecek yüklerin de yine hammalların sırtında mavnalarla gemilere taşınabildiği gibi... Sırasında, gemi, rıhtıma yanaşmış olsa bile, yükü bir mavnaya boşaltılmakta ve mavnalara büyük iş düşmektedir. Bugün limanımızda 800 kadar mavna ve duba, 35 kadar da römorkör vardır, bunun 25 tanesi hususi ellerdedir."

Şirket, umum müdürlük haline getiriliyor

Hükûmet, İstanbul Rıhtım, Dok ve Antrepo Şirketi'ni satın alarak 23 Aralık 1934 tarih ve 2665 sayılı kanunla Maliye Vekâleti'ne bağlı, tüzel kişiliğe sahip, İstanbul Liman İşleri Umum Müdürlüğü haline getirdi. Böylece, Fransızlar'ın kurup çalıştırdığı İstanbul Rıhtım, Dok ve Anrepo Şirketi kesin olarak tarihe karışmış oldu.

Daha sonra da 10 Haziran 1936 gün ve 3923 sayılı kanunla Liman İnhisarı Anonim Şirketi de satın alındı ve daha önce kurulan İstanbul Liman İşleri Müdürlüğü ile birleştirilerek İktisat Vekâleti'ne bağlı İstanbul Liman İşleri Umum Müdürlüğü kuruldu. Böylece, limandaki kara ve deniz hizmetleri aynı kuruluş içinde birleştirilmiş oldu.

Daha verimli sonuçlar almak amacıyla deniz ulaştırmacılığı ile liman işlerinin tek bir bünye içinde birleştirilmesinin gerekli olduğu görüldü. 1 Ocak 1938 tarih ve 3295 sayılı kanunla İstanbul Liman İşleri Umum Müdürlüğü, Denizbank'a devredildi. 1 Temmuz 1939 günü de 3633 sayılı kanunla Denizbank'ın da kaldırılması üzerine bu hizmetler yeni kurulan Deniz Limanları Umum Müdürlüğü'ne verilerek Münakalât Vekâleti'ne (Ulaştırma Bakanlığı) bağlandı.

Bu kuruluş daha sonra Devlet Denizyolları ile birleştirildi; 30 Nisan

30'lu yıllarda hizmet gören Liman Şirketi'nin su vapuru: Saka

1944 gününden itibaren Devlet Denizyolları ve Limanları Umum Müdürlüğü olarak yeni bir statüye bağlandı. Kuruluş, 10 Ağustos 1951 tarihinde 5842 sayılı kanunla Umum Müdürlük'ün kaldırılması üzerine 1 Mart 1952 günü kurulan Denizcilik Bankası T.A.Ş bünyesi içinde İstanbul Liman İşletmesi olarak yer aldı ve aynı zamanda Türkiye limanlarında kılavuzluk hizmetini yürütme hakkı da Denizcilik Bankası T.A.Ş.'ne verildi.

1957'de inşası sona erdirilen 600 metre uzunluğundaki Salıpazarı rıhtımı ve antrepoları ile 1977'de tamamlanan 240 metrelik Sirkeci rıhtımı Bayındırlık Bakanlığı tarafından Denizcilik Bankası T.A.Ş.'ye devredildi. 1983'te Türkiye Denizcilik Kurumu'na, ertesi yıl da Türkiye Denizcilik İşletmeleri Genel Müdürlüğü'ne bağlandı.

Aralıksız 91 yıl hizmet veren Galata rıhtımı 1986 yılının 30 Nisan günü önce şileplere, 19 Eylül 1988 günü de kamyon trafiğine kapatıldı. Galata rıhtımına günümüzde ancak yolcu ve turist gemileri yanaşmaktadır. Yük trafiği Haydarpaşa, Tekirdağ ve Derince limanlarına kaydırılmıştır.

Kuruluş, kaldırma aracı olarak maçunaları, römorkörleri, kılavuz tekneleri, palamar motorları, servis ve işçi motorları, su gemileri, liman taşıtları, saç mavnaları, çamur dubaları olan klepeler ve çok sayıdaki şatları ile limanda hizmet vermekte devam etmektedir. 2.000 metreyi bulan rıhtımın önü yaklaşık 10 metre derinliğindedir; yedi gemi ya da çok sayıda küçük teknenin yanaşabilmesine elverişlidir.

İstanbul limanının doğal sınırları

İstanbul limanı, kuzeyde Anadolu ve Rumeli Fenerleri arasını birleştiren çizgi ile, güneyde Büyükçekmece'nin Bababurnu mevkiinin 2 mil kadar güneyinden, Anadolu kıyısında da Yelkenkaya Feneri arasına çekilecek çizgilerin arasında kalan deniz alanıdır. Haliç de doğal olarak bu alanın içinde kalmaktadır. Limanın koordinatları aşağıda gösterilmiştir:

* Rumeli Feneri: 41 derece, 13 dakika, 50 saniye kuzey enlemi
29 derece, 06 dakika, 30 saniye doğu boylamı
* Anadolu Feneri: 41 derece, 12 dakika, 50 saniye kuzey enlemi
29 derece, 08 dakika, 50 saniye doğu boylamı
* Bababurnu: 40 derece, 54 dakika, 55 saniye kuzey enlemi
28 derece, 33 dakika, 00 saniye doğu boylamı
* Yelkenkaya Feneri: 40 derece, 25 dakika, 25 saniye kuzey enlemi
29 derece, 21 dakika, 30 saniye doğu boylamı

Avrupa ile Asya kıtalarının birleştiği yerde, büyük stratejik önemi olan İstanbul Limanı, İç, Orta ve Dış Liman olmak üzere üç bölümden oluşur.

İç Liman: Karaköy Köprüsü'nden itibaren Kâğıthane Deresi'ni de içine alan, kısacası Haliç adı verilen bölümdür.

Orta Liman: Karaköy Köprüsü, Dolmabahçe Saat Kulesi, Kızkulesi ve Ahırkapı Feneri'ni birleştiren dört çizginin içinde kalan bölgedir.

Dış Liman: Orta Liman sınırları dışında kalan bölgedir. Boğaziçi ile kısmen Marmara suları Dış Liman'ı oluşturur.

Çanakkale Boğazı'ndan Marmara'ya giren gemiler, eğer İstanbul'a gidiyorlarsa, önce Adalar'ın en batısındaki Hayırsızada ile onun kuzeybatısındaki ve adanın 8 mil açığındaki Yeşilköy Burnu Feneri arasında bulunan rota hattı yönüne girerler. Bu açıklık, Asya kıyısındaki Fenerbahçe Burnu Feneri ile, onun kuzeybatısındaki Ahırkapı Feneri arasında 4 mile kadar iner.

Kuruluşun hizmet tekneleri

Kuruluşun elinde 150 gros tondan büyük başlıca şu hizmet tekneleri vardır:

* **AKBAŞ:** Römorkör. 1985'te İzmir, Alaybey Tersanesi'nde yapıldı. 304 gros, 156 net tonluk. Uzunluğu: 26,1 metre, genişliği: 6,7 metre, su kesimi: 3,6 metre. İsveç yapımı 1.000 beygir gücünde Volvo dizel motoru var.

* **BOZKIR:** Römorkör. 1962'de Haliç Tersanesi'nde yapıldı. 174 gros, 41,9 net tonluk. Uzunluğu: 27,8 metre, genişliği: 7,9 metre, su kesimi: 3,6 metre. İsviçre yapımı 1.000 beygir gücünde dizel motoru var. 12 mil hız yapıyor.

* **DİLBURNU:** Römorkör. 1985'te İzmir, Alaybey Tersanesi'nde yapıldı. 304 gros, 156 net tonluk. Uzunluğu: 26,1 metre, genişliği: 6,7 metre, su kesimi: 3,6 metre. İsveç yapımı 1.000 beygir gücünde dizel motoru var.

* **KILAVUZ 4:** Römorkör. 1963'te Camialtı Tersanesi'nde yapıldı. 190 gros, 75 net tonluk. Uzunluğu: 31,5 metre, genişliği: 8,1 metre, su kesimi: 3,6 metre. İtalya, S.A. Fiat yapımı 1.050 beygir gücünde dizel motoru var.

* **KILAVUZ 5:** Römorkör. 1961'de Haliç Tersanesi'nde yapıldı. 190 gros, 75 net tonluk. Uzunluğu: 31,8 metre, genişliği: 8,5 metre. İtalya S.A. Fiat yapımı 1.225 beygir gücünde dizel motoru var.

* **KİREÇBURNU:** Römorkör. 1985'te İzmir, Alaybey Tersanesi'nde yapıldı. 304 gros, 156 net tonluk. Uzunluğu: 26,1 metre, genişliği: 6,7 metre, su kesimi: 3,6 metre. 1.000 beygir gücünde Bergen Normo yapımı dizel motoru var.

* **LİMAN 4:** Su tankeri. 1938'de Batı Almanya, Ernst Menzer Schiffswerft Tersanesi yapımı. 236 gros, 113 net tonluk. Uzunluğu: 33,4 metre, genişliği: 7 metre, su kesimi: 3 metre. Batı Almanya Deutz yapımı 248 beygir gücünde Humboldt Deutz dizel motoru var. Tek uskurlu. 1996 Mayıs ayında satışa çıkartıldı.

* **LİMAN 5:** Su tankeri. 1938'de Batı Almanya, Ernst Menzer Schiffswerft Tersanesi yapımı. 236 gros, 113 net tonluk. Uzunluğu: 33,4 metre, genişliği: 7 metre, su kesimi: 3 metre. Batı Almanya Deutz yapımı 240 beygir gücünde Humboldt Deutz dizel motoru var. Tek uskurlu. 1996 Mayıs ayında satışa çıkartıldı.

* **LİMAN 6:** Su tankeri. 1951'de Batı Almanya, J.G. Hitzler Shiffswerft Tersanesi yapımı. 231 gros, 94 net tonluk. Uzunluğu: 37,9 metre, genişliği: 7 metre, su kesimi: 2,7 metre. Batı Almanya Waggon & Masch yapımı 250 beygir gücünde A.G. Wumag dizel motoru var. Tek uskurlu.

* **ÖMERLİ:** Su tankeri. 1987'de İzmir, Alaybey Tersanesi'nde yapıldı. 374 gros, 235 net tonluk. Uzunluğu: 44,5 metre, genişliği: 7,70 metre. Türkiye Pendik-Sulzer yapımı , 635 beygir gücünde dizel motoru var. İlk adı *Çekmece* idi.

* **PİLOT C. ÇUBUKÇU:** Römorkör. 1979'da İzmir, Alaybey Tersanesi'nde yapıldı.

Limandaki gemilere su ikmali yapan, Ömerli *su gemisi bir yolcu gemisine su veriyor.*

290 gros, 87 net tonluk. Uzunluğu: 36,2 metre, genişliği: 8,9 metre. İsveç, A/B Bofors Nohap yapımı 2.640 beygir gücünde dizel motoru var.

* PİLOT V. İĞNECİ: Römorkör. 1979'da, İzmir Alaybey Tersanesi'nde yapıldı. 290 gros, 87 net tonluk. Uzunluğu: 36,2 metre, genişliği: 8,9 metre. İsveç, A/B Bofors Nohap yapımı 2.460 beygir gücünde dizel motoru var.

* YAMANLAR: Römorkör. 1985'te, İzmir Alaybey Tersanesi'nde yapıldı. 304 gros, 156 net tonluk. Uzunluğu: 26,1 metre, genişliği: 6,7 metre. 1.000 beygir gücünde Norveç, Bergen Normo dizel motoru var.

* TDİ KIZKULESİ: Römorkör. 1995'te Singapur, Tai Kong T. Co.'da yapıldı. 299 gros, 89 net tonluk. Uzunluğu: 28,6 metre, genişliği: 9,6 metre. 2.100 beygir gücünde ABD Caterpillar dizel motoru var.

Haydarpaşa Limanı ve liman tesisleri

Haydarpaşa'da büyük bir liman yapılması düşüncesi, 1871'de Haydarpaşa-İzmit demiryolu inşaasına başlandığı günlerde ortaya atıldı. İki yıl sonra hat işletmeye açılınca liman tesisleri kurmanın ne kadar gerekli olduğu bir kere daha anlaşıldı. Ülkemizin en büyük ve hareketli limanlarının arasında yeralan Haydarpaşa Limanı'nın hinterlandı Kocaeli, Sakarya, Bursa, Bilecik, Bolu, Eskişehir ve Ankara illeriyle çevrelenebilirse de aslında kara ve demiryollarıyla Anadolu'nun tüm illeriyle bağlantılıdır.

Haydarpaşa limanı ve tesisleri, 20 Nisan 1899 günü II. Abdülhamid tarafından Almanlar'a verilen bir imtiyazla Anadolu-Bağdat Demiryolu Kumpanyası tarafından inşa edilmeye başlandı. 1903'te 1 ve 2 numaralı rıhtımlar tamamlandı. Yapılmasına 1906'da başlanan Haydarpaşa Garı'nın önce büyük yolcu salonu bitirilip 1908 yılı Ağustos ayında hizmete açıldı. O tarihte rıhtım uzunluğu 300 metreydi. Limanın güney ucunda, 150 metrelik bir çıkıntı oluşturan bir rıhtım kolu bulunurdu. Rıhtımın kuzey-batı ucunda günde 2.400 ton buğday kaldırabilecek güçte bir maçuna, yâni buharlı vinç vardı.

1905'te, Haydarpaşa tesislerinde 5.000 tonluk bir buğday silosu daha hizmete girdi. 10.000 tonluk ikinci silo da 1907'de kullanılmaya başlandı. Bir buçuk yıl sonra da binanın bütünü tamamlandı. 1908 yılı Ağustos ayında, eski küçük garın yerine, bugünkü büyük gar binası hizmete girdi. Rıhtımlar, 1924 yılına kadar Anadolu-Bağdat Demiryolu Kumpanyası tarafından işletildi. 24 Mayıs 1924 günü, 506 sayılı kanunla Haydarpaşa Limanı hükûmet tarafından satın alındı.

Haydarpaşa Liman işletmesi, 31 Mayıs 1927 tarihine kadar özel bir yönetmelikle idare edildi. Aynı yıl, 1.042 sayılı kanunla Nafıa Vekâleti'ne bağlı bulunan Demiryolları İdaresi'ne devredildi. Liman, Türkiye Limanları Koordinasyon Kurulu'na bağlı olarak işletilmekteydi. 5 Şubat 1953 günü limanın büyütme çalışmalarına başlanmıştı.

Liman tesisleri dolma arazi üzerinde inşa edilmiştir. Denizin derinliği o bölgede 10 metreden de azdır. Limanı lodos dalgalarından koruyan 595 metre uzunluğundaki ilk dalgakıran, gar binasıyla birlikte yapılmıştır. Sonradan, 1953'te 150 metre açıkta, 760 metre boyunda ikinci bir dalgakıran yapılmış, sonra bu ikinci dalgakırana 140 metrelik bir kısım daha ilâve edilmiştir. Rıhtımlarının toplam uzunluğu 1.669 metre iken son çalışmalarla daha da uzatılmıştır.

Limanın büyütme çalışmalarıyla kazanılan yerler, 1954'ten itibaren peyderpey Devlet Demiryolları İşletmesi'ne devredilmiştir. Haydarpaşa Limanı silosu, geniş açık depolama alanı, çok sayıdaki yükleme boşaltma araçları ile en modern limanımızdır. Son yıllarda konteyner boşaltma vinci de hizmete girmiş bulunmaktadır.

İstanbul limanındaki diğer rıhtımları şöyle sıralayabiliriz:

* **Camialtı Tersanesi rıhtımı:** 18 metre uzunluğundadır. Haliç'in hızla dolmasıyla işlevini kaybetmektedir.

* **Hasköy rıhtımı:** 50 metre uzunluğundadır. 63 numaralı ambar rıhtımı olarak anılırdı. Haliç'in dolmasıyla derinliği hızla azalmaktadır.

* **Karaköy rıhtımı:** 600 metre uzunluğundadır. Su derinliği 7-10 metre arasındadır. Yolcu gemilerinin yanaşması için kullanılmaktadır. Hemen arkasında Yolcu Gümrüğü, Yolcu Salonu, Liman Lokantası yer almaktadır. Rıhtıma aynı anda 6 gemi bağlayabilmektedir.

* **Kuruçeşme rıhtımı:** 670 metre uzunluğundadır, fore kazık üzerine inşa edilmiştir. Su derinliği 5 metre kadardır. Uzun zaman kömür deposu olarak kullanılan rıhtımdaki vinçler 1988'de sökülmüş, kömür deposunun boşaltılması üzerine, rıhtımın gerisine Cemil Topuzlu Parkı adıyla bir park düzenlenmiştir.

* **Salıpazarı rıhtımı:** Kuzey ucundaki mendirek dahil, 627 metre uzunluğundadır. Su derinliği 10 metreyi bulmaktadır. Kargo ve yük rıhtımı olarak kullanılmaktadır. Hazırlanan yeni plânlara göre boşaltılarak elde edilen alanda turistik tesisler yapılacaktır. Son olarak, Salıpazarı liman sahası içinde transit ambarlar, antrepolar, idarî bina, tarihi saat kulesi ve sıra mağazaların yeraldığı, rıhtım haricindeki bina ve tesislerin, uluslararası standartlarda, kruvaziyer gemileri yolcu terminali ve liman

ticaret kompleksi haline getirilmesi planlanmış bulunmaktadır.

* **Sirkeci rıhtımı:** 237 metre uzunluğundadır. Su derinliği 6,4 metre kadardır. Şehir Hatları vapurları ile İstanbul Deniz Otobüsleri'nin yanaştığı dört adet portafo iskele vardır. Yeni Karaköy Köprüsü'nün yapılmasına bağlı olarak Eminönü ve Karaköy Meydanları'nın düzenlenmesi çerçevesinde bu iskeleler yeniden elden geçirilecektir.

İşletme, uzun zaman liman girişinde demirli bulunan şamandıralardan da yararlanmıştır. Sonra bu şamandıralar kaldırılarak, limanın girişi genişletilmiştir.

Kıyılarımız boyunca büyük limanlarımız

Cumhuriyet'in ilk 15 yılında, daha çok demiryolu inşaat çalışmalarına kolaylık sağlamak ve malzemelerini taşımak için Samsun, Mersin, Filyos, Bandırma I ve Derince'de küçük iskeleler yapıldı. 1939'dan sonra da askerî gerekçelerle İstanbul Maltepe, Zeytinburnu, Mudanya, Gemlik, Trakya'nın kapısı sayılan Tekirdağ, Bandırma II, Marmara Ereğlisi, Silivri, Şarköy, Lapseki, Erdek, Çanakkale, Mersin II, İskenderun iskelelerinin yapımına ağırlık ve hız verildi.

Ne yazık ki, İkinci Dünya Savaşı'nın sonrasında deniz taşımacılığımız yeterince gelişme gösteremedi. Bunda, gemi taşımacılığının kara taşımacılığıyla rekabet edememesi etkili oldu. Buna rağmen liman yapımında önemli atılımlar yapıldı.

1948'de Ereğli I limanı yapıldı. 1949'da Trabzon limanı Türk müteahhitlerine ihale edildi. Yine o günlerde İnebolu ve Amasra barınaklarının inşasına başlandı.

1948-49 yıllarından itibaren büyük ticaret limanlarının yapılması plânlandı. Bu arada bir Hollanda firmasına Türk limanları hakkında master plân hazırlattırıldı. Bu plânda İzmir Alsancak, Samsun, Mersin, İskenderun, Giresun, Haydarpaşa, Salıpazarı-Tophane limanlarının yapılması öngörüldü.

Bu limanların inşaatlarının birinci kısmı 1952-54 yılları arasında yabancı firmalar tarafından gerçekleştirildi. Geriye kalanı da 1959-69 yılları arasında tamamlandı. Bu dönemde Bartın ve İskenderun limanlarının yapımı, İnebolu ve Amasra'nın limana dönüştürülmesi gerçekleştirildi.

1963 yılı sonrasında Hopa, Antalya, Bandırma limanları, Samsun ve

Derince'ye rıhtım eklenmesi ve Marmara Adasının mermer ihraç limanı yapımı ele alındı. Ereğli Demir-Çelik, İskenderun Demir-Çelik, Aliağa Rafinerisi, Samsun Azot Sanayii limanlarında olduğu gibi 1965-66 yıllarında da 11 adet büyük balıkçı barınağının yapımına girişildi. Bunlardan sonra Kuşadası yat limanında, Bodrum barınağı içinde yapılan yanaşma yerinde olduğu gibi yat limanları yapılmaya başlandı.

Liman, rıhtım ve iskelelerin işletilmesi, Denizcilik İşletmeleri Genel Müdürlüğü ile T.C. Devlet Demiryolları Limanlar Dairesi Başkanlığı'nın görevlerindendir.

Limanlarımızın 15'i Türkiye Denizcilik İşletmeleri Genel Müdürlüğü, 7'si T.C. Devlet Demiryolları İşletmesi Genel Müdürlüğü, 2'si Türkiye Demir Çelik İşletmeleri, 1'i Türkiye Kömür İşletmeleri, 1'i özel (Gemport), 15'i liman ve iskele mahallî belediyeler, 4'ü liman ve iskele özel idareler, 11'i yat limanı Turizm Bankası ve belediyeler, 124'ü balıkçı barınağı kooperatifler, belediyeler ve Özel İdareler tarafından işletilmekteydi. Diğer iskeleler ait oldukları kuruluşlar ve özel sektörün yönetimindeydi. Türkiye Denizcilik İşletmeleri'ne bağlı limanlardaki toplam rıhtım uzunluğu 11.103 metreyi buluyordu.

* Hopa, Trabzon, Giresun, Ordu, İstanbul (Salıpazarı, Galata, Sarayburnu, Kuruçeşme), Tekirdağ, Dikili, Kuşadası, Güllük, Antalya ve Alanya T.C. Denizcilik İşletmeleri Genel Müdürlüğü,

* Samsun, İstanbul (Haydarpaşa), Derince, Bandırma, İzmir, Mersin, İskenderun limanları ile Maltepe ve Zeytinburnu iskeleleri ile Van Gölü Feribot Müdürlüğü T.C. Devlet Demiryolları tarafından işletilmekteydi.

Ayrıca özel amaçlı limanlar da vardı:

* Zonguldak: Türkiye Kömür İşletmeleri (TKİ)

* Ereğli (Karadeniz): Ereğli Demir Çelik Fabrikası (ERDEMİR)

* Aliağa: Türkiye Petrolleri A.O. (TPAO)

* Nemrut: PETKİM

* Taşucu: SEKA

* Botaş: BOTAŞ

* İsdemir: İSDEMİR

Bunların toplam rıhtım uzunluğu 8.423 metre, gemi kabul kapasitesi yılda 700 gemidir.

Kıyılarımızdaki ayrıca 111 adet genel ve özel amaçlı liman ve iskeleyi şöyle gösterebiliriz:

Karadeniz	Marmara	Ege	Akdeniz
Pazar	Gemlik	Gökçeada	Fethiye
Vakfıkebir	Mudanya	Bozcaada	Finike
Görele	Erdek	Ayvalık	Alanya
Tirebolu	Karabiga	Çeşme	
Fatsa	Silivri	Kuşadası	
Gerze	Gelibolu	Güllük	
Sinop	Çanakkale	Bodrum	
Ayancık	Enez	Marmaris	
İnebolu			
Cide			
Amasra			
Bartın			
Kefken			
Şile			
İğneada			

Trabzon ve Giresun limanları

Trabzon'da ilk liman, bugünkü Moloz mevkiinde, Pontuslar zamanında yapılmış limandı. Asıl liman ise Roma İmparatoru Hadrianus tarafından İ.Ö. 119-117 arasında yapıldı. Günümüzdeki liman sahasının inşasına, 1902 yılında, Trabzon kumandanı Hasan Paşa tarafından başlatıldı. Çalışmalar ertesi yıl Mazhar Paşa tarafından sona erdirildi. Önceleri resmî bir kuruluşa bağlı değilken, 6 Haziran 1926 gününden itibaren Trabzon Liman İnhisarı adı altında çalıştırılmaya başlandı. 1 Ekim 1937'de, 3.023 sayılı kanunla İstanbul Liman İşletmesi Umum Müdürlüğü'nün bir şubesi haline getirildi. Günümüzde Denizcilik İşletmeleri T.A.O. Genel Müdürlüğü'ne bağlıdır.

Yeni Trabzon limanının inşasına 1949'da başlandı. 1954'te açılan liman tesisleri, doğu illerinin kalkınmasında büyük katkıda bulundu. Limanı Karadeniz'in hırçın dalgalarına 850 metre uzunluğundaki büyük bir mendirekten başka bir de 440 metrelik küçük bir mendirek korumaktadır. Ayrıca 280 metrelik bir tâli mendireği daha vardır.

Giresun Limanı'nın da geçmişi çok eskidir; liman daha Fenikeliler zamanında bir depo limanı olarak kullanılmaktaydı. Fenikeliler'in yaptığı iskele, bugün taş iskelenin bulunduğu yerdeydi. 1954 yılında Bayındırlık

İstanbul limanında hizmet gören teknelerden Yakıt I *yakıt tankeri limanda.*

Bakanlığı tarafından inşa edilen liman tesisleri sonra Denizcilik Bankası'na devredildi. Önceleri Trabzon Limanı'na bağlı bir kuruluşken 1969'da bağımsız bir işletme haline getirildi.

Başlıca limanlarımızın rıhtım uzunlukları ise: Antalya 1.900 metre, Bandırma 2.667 metre, Derince 919 metre, Giresun 1.022 metre, Hopa 815 metre, İskenderun 1.025 metre, İstanbul, Anadolu yakası, Haydarpaşa: 1.666 metre, İstanbul Avrupa yakası, Salıpazarı, Sarayburnu, Galata, Kuruçeşme 2.000 metre, İzmir 1.469 metre, Mersin 2.889 metre, Samsun 664 metredir.

Limanlarımız bugün Başbakanlık'a bağlı Denizcilik Müşteşarlığı'na bağlıdır. Yedi Bölge Müdürlüğü vardır: Trabzon, Samsun. İstanbul, Çanakkale, İzmir, Antalya, Mersin.

1996 yılında sürdürülen özelleştirme çalışmaları sonunda Türkiye Denizcilik İşletmeleri A.O.'nun çalıştırdığı limanların işletme hakkının 30 yıl süre ile aşağıdaki kuruluşlara devredildiği 1997 yılı Mayıs'ında resmen açıklanmıştır. Buna göre, limanların işletme hakkı,

* Tekirdağ Limanı 104.923.599 $ Aksu İplik Dokuma A.Ş.
* Antalya Limanı 102.520.769 $ Link İthalat, İhracat ve Gıda Sanayii A.Ş.
* Rize Limanı   5.606.605 $ Asım Çillioğlu Ortak Girişim Grubu
* Hopa Limanı   4.000.000 $ Park Holding adına Turgay Ciner
* Giresun Limanı   3.203.774 $ Çakıroğlu A.Ş.
* Ordu Limanı   1.607.887 $ Çakıroğlu A.Ş.
* Sinop Limanı   800.944 $ Çakıroğlu A.Ş.

adlı kuruluş ve şahıslara devredilmiştir.

Karara göre, bu firmalar, sözleşme tarihinde ilgili oldukları limanların, Tekirdağ için 500 bin $, Antalya için 1,5 milyon $, Rize için 100.000 $, Hopa için 400.000 $, Giresun için 400.000 $, Ordu için 100.000 $ ve Sinop için de 10.000 $, limanlarda çalışan personelin ihbar ve kıdem tazminatlarının karşılanmasında kullanılması için Türkiye Denizcilik İşletmeleri özel hesabına yatırmaları gerekiyordu.

Ne var ki, Özelleştirme Yüksek Kurulu'nun kararlarının idarî mahkemeler tarafından iptal edilmesi ya da yürütmeyi durdurma kararlarının verilmesi üzerine bu limanların özelleştirilmesi gerçekleştirilmiştir.

Kuruluşun diğer hizmet tekneleri

* **YAKIT-1:** Şehir Hatları İşletmesi'nin hizmetinde yakıt ikmal gemisi. 1965'te Camialtı Tersanesi'nde yapıldı. 891 gros, 401 net tonluk. Uzunluğu: 65,5 metre, genişliği: 10 metre, su kesimi: 4,1 metre. İtalya S.A. Fiat yapımı, her biri 520 beygirlik 2 dizel motoru var. 11 mil hız yapıyor.

* **YAKIT-2:** Şehir Hatları İşletmesi'nin hizmetinde yakıt ikmal gemisi. 1989'da Camialtı Tersanesi'nde yapıldı. 843 gros, 379 net tonluk. Uzunluğu: 58,9 metre, genişliği: 10,7 metre. Türkiye, Pendik-Sulzer yapımı, 780 beygirlik 2 adet dizel motoru var.

* **KOCA YUSUF:** Türkiye Gemi Sanayii A.Ş.'nin hizmetinde yüzer vinç. 1950'de yapıldı. 281 gros tonluk.

* **CELAL ATİK:** Türkiye Denizcilik İşletmeleri'nin hizmetinde tarak gemisi. 1988'de İstinye Tersanesi'nde yapıldı. 161 gros, 48 net tonluk. Uzunluğu: 25,5 metre, genişliği: 10,5 metre.

* **HAMİT KAPLAN:** Türkiye Denizcilik İşletmeleri'nin hizmetinde tarak gemisi. 1988'de İstinye Tersanesi'nde yapıldı. 161 gros, 48 net tonluk. Uzunluğu: 25,5 metre, genişliği: 10,5 metre.

* **SÖNDÜREN 4:** Ulaştırma Bakanlığı'nın hizmetinde römorkör. 1982'de İzmir Alaybey Tersanesi'nde yapıldı. 295 gros, 166 net tonluk. Uzunluğu: 36,2 metre, genişliği: 9,3 metre, su kesimi: 3,86 metre. Danimarka B & W Alpha yapımı, 2.490 beygirlik dizel motoru var. 13 mil hız yapıyor.

* **SÖNDÜREN 6:** Ulaştırma Bakanlığı'nın hizmetinde römorkör. 1982'de, İzmir Alaybey Tersanesi'nde yapıldı. 295 gros, 166 net tonluk. Uzunluğu: 36,2 metre, genişliği: 9,3 metre, su kesimi: 3,6 metre. Danimarka, B & W Alpha yapımı, 2.490 beygirlik dizel motoru var. 13 mil hız yapıyor. İzmir'de hizmet görmekte.

* **SÖNDÜREN 8:** Ulaştırma Bakanlığı'nın hizmetinde römorkör. 1986'da İzmir, Alaybey Tersanesi'nde yapıldı. 290 gros, 152 net tonluk. Uzunluğu: 31,7 metre, genişliği: 7,8 metre. Danimarka, B & W Alpha yapımı, 2.500 beygirlik dizel motoru var. 13 mil hız yapıyor.

* **SÖNDÜREN 9:** Ulaştırma Bakanlığı'nın hizmetinde römorkör. 1982'de Hasköy Tersanesi'nde yapıldı. 299 gros, 127 net tonluk. Uzunluğu: 36,2 metre, genişliği: 9,4 metre, su kesimi: 3,6 metre. Danimarka, B & Alpha yapımı, 2.500 beygirlik dizel motoru var. 13 mil hız yapıyor.

* **SÖNDÜREN 10:** Ulaştırma Bakanlığı'nın emrinde römorkör. 1987'de Haliç Tersanesi'nde yapıldı. 394 gros, 82 net tonluk. Uzunluğu: 36,2 metre, genişliği: 8,9 metre, su kesimi: 3,6 metre. Danimarka, B & W Alpha yapımı, her biri 1.125 beygirlik 2 adet dizel motoru var. 14 mil hız yapıyor.

* **SÖNDÜREN 11:** Ulaştırma Bakanlığı'nın hizmetinde römorkör. 1982'de Haliç Tersanesi'nde yapıldı. 394 gros, 82 net tonluk. Uzunluğu: 36,4 metre, genişliği: 8,9 metre, su kesimi: 3,6 metre. Danimarka, B & W Alpha yapımı, 2.500 beygirlik dizel motoru var. 13 mil hız yapıyor.

* **SÖNDÜREN 12:** Ulaştırma Bakanlığı'nın emrinde römorkör. 1983'te Haliç Tersanesi'nde yapıldı. 394 gros, 82 net tonluk. Uzunluğu: 36,4 metre, genişliği: 8,9 metre, su kesimi: 3,6 metre. Danimarka, B & W Alpha yapımı, 2.500 beygirlik dizel motoru var. 13 mil hız yapıyor.

Limanlarımızdaki başlıca hizmet tekneleri

Teknenin adı	Tipi	İnşa yılı ve yeri	Gros tonu	Uzunluğu (m.)	Eni (m.)	Gücü (kW)
T.D. KIYI EMNİYETİ VE GEMİ KURTARMA MÜDÜRLÜĞÜ						
Alemdar II	Röm.	1966 Almanya	951,8	60,7	11	2x1840
Tahlisiye I	Motor	1987 Belçika	67,9	18,1	5,3	500
Tahlisiye II	Motor	1991 Haliç	67,9	18,1	5,3	500
Tahlisiye III	Motor	1991 Haliç	67,9	18,1	5,3	500
* TDİ ANTALYA LİMAN İŞLETMESİ MÜDÜRLÜĞÜ						
Side	Röm.	1977 Alaybey	126	24,5	6,7	900HP
Dilburnu	Röm.	1985 Alaybey	304	26,1	6,7	2x91
* TCDD BANDIRMA LİMAN İŞLETMESİ MÜDÜRLÜĞÜ						
RM 1001	Röm.	1982 İstinye	108	26	6,7	754
RM 1002	Röm.	1982 İstinye	108	26	6,7	755
RM 1003	Röm.	1983 İstinye	108	26	6,7	755

Serviburnu, *(Motorlu-108 gros ton).*

Bakırköy, *(Motorlu-84 gros ton).*

Liman 3

Hopa I, *(Motorlu-D. Demiryolları'nın).*

* DERİNCE LİMAN İŞLETMESİ

Pilot III	Röm.	1965	İst.	108	36	8,9	713
RM.1503	Röm.	1984	Haliç	203	31,8	8,1	1104

* GİRESUN LİMAN İŞLETMESİ

Aksu	Röm.	1974	Alaybey	108	24,6	6,7	800HP

* TCDD HAYDARPAŞA LİMAN İŞLETMESİ

Pilot VII	Röm.	1966	–	108	24,5	6,7	723
Pilot IX	Röm.	1966	–	108	24,4	6,7	714
RM 1502	Röm.	1983	Haliç	203,5	31,8	8,1	1117
Barbaros III	Yü.vi.	1986	Pendik	2206	65,4	26	2x536

* TDİ HOPA LİMAN İŞLETMESİ MÜDÜRLÜĞÜ

Esenkıyı	Röm.	1979	Alaybey	126	24,5	6,7	662
Hızırbey	Röm.	1979	Alaybey	126	24,5	6,7	662

* TDİ İSTANBUL LİMAN İŞLETMESİ

Haliç 15	Röm.	1912	Hollanda	228	31,3	6	180HP
Liman 4	Su t.	1938	Almanya	235	33,4	7	176
Liman 5	Su t.	1938	Almanya	235	33,4	7	176
Liman 6	Su t.	1951	Almanya	234	33,4	7,2	162
Osman Tavil	Röm.	1952	Almanya	135,8	29,9	7,3	700HP

İçel, *(Motorlu-D. Demiryolları'nın).*

Tellitabya, *(Motorlu-108 gros ton).*

Bozkır, *(Motorlu-174 gros ton).*

İskenderun II, *(Motorlu-D. Demiryolları'nın).*

Liman 7	Su t.	1958	Haliç	119,7	26	6	200HP
Kılavuz 3	Hzm.	1958	Haliç	190	31,5	8,1	901
Kılavuz 4	Hzm.	1963	Camialtı	190,5	31,6	8,1	772
Kılavuz 5	Hzm.	1962	Camialtı	190,5	31,6	8,1	772
Paşalimanı	Röm.	1961	Almanya	108,2	26,3	6,7	800HP
Serviburnu	Röm.	1961	Almanya	108,2	26,3	6,7	800 HP
Tellitabya	Röm.	1961	Almanya	108,2	26,3	6,7	800 HP
Bozburun	Röm.	1962	Haliç	174	28,8	7,3	736
Bozkır	Röm.	1962	Haliç	174	27,8	7,3	736
P. C. Çubukçu	Röm.	1979	Alaybey	289,8	36,2	8,9	1943
P. V. İğneci	Röm.	1979	Alaybey	289,8	36,2	8,9	1943
TDİ Kızkulesi	Röm.	1995	Singapur	298	28,6	9.6	2100
Marin S-1	A.s.t.	1984	Pendik	179,6	35	6,3	Makinasız
Marin S-2	A.s.t.	1985	Pendik	179,6	35	6,3	Makinasız
Akbaş 1	Röm.	1985	Alaybey	304	26,1	6,7	736
Ömerli	Su t.	1987	Alaybey	374	44,5	7,7	467
Hamit Kaplan	Tar.g.	1988	İstinye	161	25,5	10,5	Makinasız

* TDİ İSTANBUL ŞEHİR HATLARI İŞLETMESİ

Yakıt I	Tanker	1965	Camialtı	891	65,5	10	382
Anafartalar	Hzm.	1988	İstinye	112	26,8	6,6	467
Yakıt II	Tanker	1989	Camialtı	843	65,5	10,7	2x574

* İZMİR LİMAN İŞLETMESİ

Şarköy	Röm.	1951	Almanya	82,5	22,1	4,6	800HP
Yeşilköy	Röm.	1951	Almanya	83	22,1	5,8	800HP
Kuşadası	Röm.	1965	Alaybey	129,8	24,5	6,7	800HP
Kadifekale	Röm.	1971	Alaybey	129,6	24,5	6,7	800HP
Çatalkaya	Röm.	1979	Alaybey	126,6	24,5	6,7	900HP
Söndüren 6	Röm.	1983	Alaybey	295,1	26,2	9,3	2480HP
Yamanlar	Röm.	1985	Alaybey	304,5	26	6,7	1125HP

* TCDD İZMİR LİMAN İŞLETMESİ

Yaşar Doğu	Yü.vi.	1981	Haliç T.	1231	50,7	11,7	Makinasız

* TCDD MERSİN LİMAN İŞLETMESİ MÜDÜRLÜĞÜ

RM 1501	Röm.	1983	Haliç	203,6	31,7	8,1	1140
RM 2501	Röm.	1983	Haliç	203,6	31,7	8,9	1117

* TCDD SAMSUN LİMAN İŞLETMESİ MÜDÜRLÜĞÜ

Pilot V	Röm.	1966	ABD	108	24,4	6,7	883

* TDİ TEKİRDAĞ LİMAN İŞLETMESİ MÜDÜRLÜĞÜ

Kireçburnu	Röm.	1985	Alaybey	304	26,1	6,7	180 HP
Çakal II	Röm.	1990	Çınar T.	138,3	26	8	397

* TDİ TRABZON LİMAN İŞLETMESİ MÜDÜRLÜĞÜ

Boztepe	Röm.	1971	Alaybey	129,6	24,5	6	589
Arkas	Röm.	-	-	119,2	-	-	1250HP
Esenkıyı	Röm.	1979	-	126,6	24,5	2,5	662 kw.

* BAYINDIRLIK ve İSKAN BAKANLIĞI KARAYOLLARI İKM. MÜD.

Seyhan	Tarak	1945	Almanya	512	48,8	11,3	Dizel
Akdeniz	Tarak	1954	Fransa	1139	65,7	11,7	736
Devrim	Hzm.	1961	Almanya	687	51	11	Makinasız
Asfalt 2	Asf.t.	1961	Haliç	1396	77,9	12,5	1159
Asfalt 3	Asf.t.	1973	Alaybey	886	66,2	10	2x442
Asfalt 4	Asf.t.	1974	Alaybey	886	66,2	10	2x442
Ülgen	Tar.g.	1974	Almanya	577	47,5	-	-

* BOTAŞ BORU HATTI İLE PET. TAŞ A.Ş.

Ceyhan 2	Röm.	1976	Sedef	368	37,7	9,1	1913
Yumurtalık	Röm.	1976	Sedef	368	33,7	9,1	1913
Kurtkulağı	Hzm.	1977	Sedef	178	36,8	7,8	883
Gölovası	Röm.	1986	Sedef	368	33,7	9,1	1913
Kırıkkale	Röm.	1986	Sedef	350	32,4	9,3	2x1180

İstimli Kuvvet *römorkörü*.

1906, İsveç yapımı Ankara *römorkörü*

D. Demiryolları'nın motorlu Trakya *römorkörü*

İstimli Yıldırım *römorkörü*

B.Dörtyol	Röm.	1987 Gemak	194	28	8	2x478
Silopi	Hzm.	1988 Sedef	350	32,4	9,3	2x1180
K. B. Özbilen	Röm.	1992 Gemak	331	30,5	10,7	2x1233
Malkoçlar	Hzm.	1992 Gemak	331	30,5	10,7	2x1233

* İPRAŞ İST. PETROL RAFİNERİSİ

Ahmet Abaza	Röm.	1971 Ç.trans	352,2	36,7	9,1	1810

* İSTANBUL PETROL RAFİNERİSİ A.Ş.

Vahdettin

Gudil	Röm.	1975 Sedef	355,3	36,7	9,1	2460HP

* TÜPRAŞ

İzmir Raf. I	Yng r.	1973 Ç.trans	358,2	37	9,4	1810
İzmir Raf. II	Yng r.	1973 Ç.trans	358,2	37	9,4	1860
İzmir Raf. III	Yng r.	1986 Mar.Tr	317	33	9,6	1000
İzmir Raf. IV	Yng r.	1986 Mar.Tr	317	33	9,5	1000
İzmir Raf. V	Hzm.	1986 Ç.trans	321	33	9,6	1000

* TÜPRAŞ T.P. A.Ş.

Hasan Tural	Röm.	1987 Mar.T.	321	33	9,2	2x1000
B. Günicen	Röm.	1988 Mar.T.	321	33	9,2	2001

* EREĞLİ DEMİR ÇELİK FABRİKASI

Uzunkum	Röm.	1964 Haliç	110	26	6,7	589

Gülüç	Röm.	1971	İstinye	109	26	6,7	589
Erdemir I	Röm.	1989	İstinye	325	33	9,2	2x994
Erdemir II	Röm.	1989	İstinye	325	33	9,2	2x994

* EREĞLİ KÖMÜR İŞLETMESİ

Zonguldak	Tar.g.	1926	Fransa	190,5	37,2	7,3	88
İ. Yıldız	Röm.	1958	ABD	257	30,7	8,1	883

* İSKENDERUN DEMİR ÇELİK FABRİKASI

İsdemir 1	Röm.	1973	S.Rusya	186	29,3	8,3	441

* TGS PENDİK TERSANESİ

Koca Yusuf	Yü.vi.	1950	Almanya	290	25,2	16,2	-
Pendik II	Röm.	1984	Pendik	108	24,5	-	828

* TGS A.Ş. CAMİALTI TERSANESİ

Camialtı	Röm.	1962	Camialtı	162	22,6	3.8	73

* TÜRKİYE DENİZCİLİK İŞLETMELERİ GENEL MD.

Kepez	Röm.	1945	ABD	573	43,3	10,1	-
TDİ Kurtaran	Krtrm.	1983	Finland.	1565	67,2	13,9	3560
Celâl Atik	Y.eks.	1988	İstinye	161	31,2	10,5	368

* T.C. ULAŞTIRMA BAKANLIĞI DLH GENEL MD.

Hopa I	Röm.	1963	İstinye	220	31,8	8,2	2x220
Söndüren 1	Yan.s.	1971	Camialtı	99	28	6,3	442
Başarı	Hzm.	1974	Almanya	267	31,1	8,6	122
Bayındır	Hzm.	1974	Almanya	267	31,1	8,6	122
Bahadır	Hzm.	1976	Almanya	710	50,3	14,5	367
Rıza Berke	Röm.	1982	Anad.D.	290	35,9	9,1	772
Söndüren 2	Röm.	1982	Alaybey	295	36,2	9,3	1766
Söndüren 3	Röm.	1982	Alaybey	295	36,2	8,9	1832
Söndüren 4	Röm.	1982	Alaybey	295	36,2	8,9	1182
Söndüren 5	Röm.	1982	Alaybey	295	36,2	8,9	1833
Söndüren 6	Röm.	1983	Alaybey	295	36,2	8,9	1833
Söndüren 7	Röm.	1984	Alaybey	295	36,2	9,3	1833
Söndüren 8	Röm.	1986	Alaybey	289	31,7	7,8	1840
Söndüren 9	Röm.	1982	Hasköy	299	36,2	9,4	1840
Söndüren 10	Röm.	1987	Haliç	394	36,2	8,9	2x828
Söndüren 11	Röm.	1981	Haliç	394	36,4	9,4	2x828
Söndüren 12	Röm.	1983	Haliç	394	36,4	9,4	1840
Çamur III	Hzm.	1986	Mar.T.	431	50,3	10	2x289HP
Çamur IV	Hzm.	1986	Mar.T.	431	50,3	10	2x283HP

Vatan, *(İstimli)*.

Ahırkapı, *(İstimli)*.

Saros, *(İstimli)*.

Kartal, *(İstimli)*.

Liman 2, *(İstimli)*.

Yenikapı, *(İstimli)*.

Kuvvet, *(İstimli)*.

Bozburun, *(Motorlu-174 gros ton)*.

Çamur X	Hzm.	1989	Sedef	431	50,3	10	300HP
Dökü I	Hzm.	1990	Macaris.	309	42,7	8,3	235
Dökü II	Hzm.	1990	Macaris.	309	42,7	8,3	235
Dökü III	Hzm.	1991	Macaris.	309	42,7	8,3	235
Dökü IV	Hiz.	1990	Macaris.	309	42,7	8,3	235
Dökü V	Hiz.	1991	Macaris.	309	42,7	8,3	235
Dökü VI	Hiz.	1991	Macaris.	309	42,7	8,3	235
Dökü VII	Hiz.	1991	Macaris.	309	42,7	8,3	235
Dökü VIII	Hiz.	1991	Macaris.	309	42,7	8,3	235
Dökü IX	Hiz.	1991	Macaris.	309	42,7	8,3	235
Dökü X	Hiz.	1991	Macaris.	309	42,7	8,3	235

* TCDD GENEL MD.

Demiryolu	Tr.fr.	1966	Haliç	1421,6	75,4	15	2x714
Demiryolu II	Tr.fr.	1966	Haliç	1232,8	72,4	15	2x828
Demiryolu III	Tr.fr.	1982	Haliç	1232,8	72,4	15	2x828
RM 1505	Röm.	1985	Haliç	200	31,8	8,1	1104
Haydarpaşa	Röm.	1997	Alaybey	346	28,0	11	2x1280 kw
İzmir	Röm.	1997	Alaybey	346	28,0	11	2x1280 kw
Mersin	Röm.	1997	Alaybey	346	28,0	11	2x1280 kw

* TCDD İSKENDERUN LİMAN İŞLETMESİ

Pilot II	Röm.	1952	ABD	219	30,8	8,1	883
Pilot IV	Röm.	1966	İstinye	108,2	24,5	6,7	640
Pilot VI	Röm.	1966	İstinye	108,2	24,5	6,7	640
RM 1504	Röm.	1982	Haliç	203,5	31,7	8,1	1104
Barbaros II	Yü.vi.	1982	Haliç	997	45,5	20	640

* PETKİM PETROKİMYA HOLDİNG A.Ş.

Petkim-I	Röm.	1993	Alaybey	233	26,5	9,0	2x900 kw

Kısaltmalar:

Röm.= Römorkör,
Yü.vi.= Yüzer vinç,
Su t.= Su tankeri,
A.s.t.= Atık su tankeri,
Tar.g.= Tarak gemisi,
Asf.t.= Asfalt tankeri,
Yan.r.= Yangın römorkörü,
Hzm.= Hizmet teknesi,

Y.eks.= Yüzer ekskavatör,
Yan.s.= Yangın söndürme,
Tr.Feri.= Tren ferisi,
Krtm.= Kurtarma gemisi,
Ç.trans.= Çeliktrans Den. İnş. Ltd. Şti.,
Mar.T.= Marmara Transport A.Ş.,
Anad.D.= Anadolu Deniz İnşa Kızakları

... Ve, Denizcilik Sektörünün Vazgeçilmez Kuruluşları

- Gemi Kurtarma
- Kıyı Emniyeti
- Kılavuzluk Servisi
- Cankurtarma Hizmetleri

Yüzyılımızın başlarında Ahırkapı feneri.

Gemi Kurtarma İşletmesi Müdürlüğü

Sultan Aziz döneminde, 1866 yılında, Karadeniz'de patlak veren fırtınalarda bir defada 70, bir başka seferinde de 150 yelkenli teknenin batması sonucu pek çok gemici dalgalar arasında can vermişti.

İsveç ve Norveç sefirlerinin önerileriyle Bahriye Nezareti tarafından 4 Şubat 1871 günü bir komisyonun kurulması, İstanbul Boğazı girişinde ilk gemi kurtarma çalışmalarının başlangıcı oldu. Ne var ki tahlisiye amacıyla görev yapan personel de, gemiler ve araçlar da hep yabancıların olduğu için, yapılan çalışmaların bedeli de anlaşmalar gereği yine onların oluyordu.

Karasularımızda gemi kurtarma işleri Cumhuriyet dönemine kadar hep yabancı şirketlerin, yabancı bandıralı tahlisiye gemileriyle yapılageldi. Lausanne Konferansı'nda kabotaj hakkını elde etmemize rağmen, bu şirketler faaliyetlerini bir süre daha sürdürdüler.

1926 yılına gelindiği zaman bile, o günlerin ihtiyaçlarını karşılamak amacıyla Danimarka bandıralı *Sanbel Parados* ve Yunan bandıralı *Belos* adlı tahlisiye gemileri Salıpazarı ve Kabataş önlerinde hazır durumda bekletiliyordu. Daha sonraları, Klickers Worker Company adlı şirketin bulunduğu büroda bir İngiliz kuruluşu olan Ocean Salvage and Towage (Açık Denizde Kurtarma ve Çekme) adlı şirketin gemi kurtarma hizmetini üstlendiğini görüyoruz. Bu şirketin filosunda *La Nina, La Valetta, Cleopatra, Caesar II* adlı İngiliz kurtarma gemileri yer alıyordu. Bu şirketin faaliyete geçmesiyle, daha önceki iki gemi, *Sanbel Parados* ile *Belos* adlı gemiler kendi sularına dönmüşlerdi.

Kuruluşun sorumlusu Rees adlı bir İngiliz kaptandı. Yeni filoda görev alan personelin büyük bir kısmı ise, Türkler'den

Hora (La Nina) *1884 yapımıydı. 100 yıl boyunca hizmet etti.*

oluşuyordu, aralarında İngilizler ve yerli Rumlar da vardı. Ne var ki durum, Lausanne'da elde ettiğimiz kabotaj haklarımıza çok ters düşüyordu.

Boğazlar Komisyonu Başkanı Amiral Vasıf Bey'in bir çıkar yol bulmak amacıyla bu konuda hükûmet nezdindeki girişimleri sonunda 1 Mayıs 1930 günü çıkartılan bir kanunla Türk Gemi Kurtarma Limited Şirketi adlı bir kuruluş meydana getirildi. Şirketin % 45 hissesi Türkiye Seyr-i Sefain İdaresi'nindi. Başına, bu millî davada öncülük yapmış olan Amiral Vasıf Bey'in getirildiği şirket, İn-

Bahriye Müsteşarı Amiral Vâsıf Bey.

giliz şirketinin elindeki gemileri ve malzemeyi satın almakla işe başladı. Ayrıca, her yıl yabancı şirketlere verilmekte olan müsaade de o tarihte kesin bir şekilde kaldırıldı.

Gemilere Türk bayrağı çekiliyor

Satın alınan kurtarma gemilerine Türk bayrağı çekilme törenine Amiral Vâsıf Bey'le birlikte, İstanbul meb'uslarından Ahmet Hamdi Bey de (Başer) katıldı. Müessesede aralıksız 46 yıl hizmet verecek olan Atıf Şehitoğlu tarafından dört gemiye de törenle Türk bayrağı çekildi. *La Nina*'nın adı *Hora*; *La Valetta*'nınki *Akbaş*; *Cleopatra*'ninki *Kilyos*; *Caesar II*'ninki de *Saros* olarak değiştirildi.

1930'da kurulan Türk Gemi Kurtarma Limited Şirketi bir süre sonra tasfiye edilerek yerine 1 Temmuz 1933 günü Türk Gemi Kurtarma Anonim Şirketi kuruldu. Bu kuruluşun % 70 hissesi Hazine'ye ait oluyordu.

Kuruluş, 1937'de, bazı kimselerin elindeki hisseler de satın alınarak 1 Ocak 1938 günü her türlü hukukî vecibeleriyle Denizbank'a bağlı Türk Gemi Kurtarma Müessesesi adını aldı. Daha sonra 1 Temmuz 1939'da Devlet Denizyolları İşletmesi Umum Müdürlüğü'ne bağlı olarak Gemi Kurtarma Servisi olarak yeniden düzenlendi.

1 Mayıs 1944 günü Devlet Denizyolları ve Limanları İşletmesi Umum Müdürlüğü'ne bağlı Gemi Kurtarma İşletmesi Müdürlüğü adını alan bu kuruluş, 1 Mart 1952 günü de Denizcilik Bankası T.A.Ş.'ye geçti. Bugün Türkiye Denizcilik İşletmeleri Genel Müdürlüğü'ne bağlı olarak Gemi Kurtarma İşletmesi adıyla çalışmaktadır.

Kurtarma gemilerimizin bağlama üssü hep Büyükdere olmuştur. 1930'lu yıllarda, bir ara bir kurtarma gemisi Çanakkale'de nöbet tutmuştur.

Kuruluşta hizmet yapan gemilerin başlıcaları

1898, Danimarka yapımı Alemdar, Kurtuluş Savaşı yıllarında Anadolu hükümetinin emrinde çalışarak boyundan büyük işler başardı. Aralıksız 84 yıl boyunca Türk sularında hizmet gördü.

* **ALEMDAR:** 1898'de Danimarka, Helsingörs'de Helsingörs Jernsk & Msk. tezgâhlarında buharlı kurtarma gemisi olarak inşa edilmişti. 362 gros, 92 net tonluktu. Teknesi, galvanizli sactandı. Uzunluğu: 49,5 metre, genişliği: 8 metre, su kesimi: 4 metre idi. 510 beygir gücünde tripil buhar makinesi vardı. Tek uskurluydu.

Bir Danimarka şirketi tarafından kapitülasyonların sağladığı haklarla Marmara'da kurtarma gemisi olarak çalışıyordu. Birinci Dünya Savaşı'na girildiği zaman Çanakkale Boğazı'ndan dışarı çıkamayınca 8 Kasım 1914 günü Osmanlı hükûmeti tarafından el konuldu. Sonra çarkçıbaşısı tarafından gizlice Karadeniz Ereğlisi'ne götürüldü. Artık Anadolu hükûmetinin emrindeydi. Kurtuluş Savaşı yıllarında Türk denizcileri onunla büyük işler başardılar. Daha sonra 1924'te Türkiye Seyr-i Sefain'in filosunda yer aldı. 1952'de iki kazanı birden yenilendiyse de 1954'te hizmet dışı bırakıldı. 1960'ta petrol tankeri dubası oldu. Önce Bahattin Hiçyılmazlar şirketi aldı, sonra birkaç kez el değiştirdi. Adı *Garzan* olarak değiştirildi. Sonunda 1982'de hurdaya gitti. Denizciler tarafından hep "Gazi Alemdar" olarak anıldı. Yadigâr olarak kala kala, bir tek feneri kaldı geriye...

* **HORA:** Eski adıyla *La Nina,* 1884 yılında yapılmış olup, 595 gros tonluktu. Uzunluğu: 58,1 metre, genişliği: 7,9 metre idi. 10 mil hızı vardı. Uzun yıllar hizmet gördü. 1958'de hizmet dışı bırakıldıktan sonra Liman İşletmesi'ne devredildi. Tadil edildikten sonra bir süre de deniz üzerinde büro olarak kullanılan bu emektar tekne 1984 yılında hurdaya satıldı.

* **AKBAŞ:** Eski adıyla *La Valetta* 1879 yılında yapılmış olup, 355 gros tonluktu. 1958'de hizmet dışı bırakılarak hurdaya gittiyse de 1966'da yeni sahibi tarafından onarıldıktan başka tadil de edilerek koster haline sokuldu, *Yeni Gündoğdu* adıyla 18 yıl çalıştıktan sonra, 1982'de bu sefer gerçekten hurdaya satıldı.

* **KİLYOS:** 1906'da, İngiltere, Hull'da Earle's SB & Eng. Co. Ltd. tezgâhlarında buharlı kurtarma gemisi olarak yapıldı. 318 gros, 132 net tonluktu. Uzunluğu: 47,6 metre, genişliği: 7 metre idi. İngiltere, Hull, Amos & Smith yapımı, 576 beygir gücünde tripil buhar makinesi vardı. Tek uskurluydu. 8 mil hız yapıyordu. Önce *Cleopatra,* sonra *Cleopatra III,* 1935'e kadar da *Kleopatra* adıyla çalıştı. Sonra adı *Kilyos* olarak değiştirildi. 1966'da satıldıktan sonra *Sadık Kaptan* adıyla koster haline getirildi. 1980'de hurdaya gitti. *Saros*'un eşiydi.

Kilyos *(eski adı* Cleopatra*) uzun süre tahlisiyede çalıştırıldıktan sonra satıldı ve yeni sahibi tarafından koster haline getirildi.*

Saros *(eski adı* Caesar II*) yıllarca tahlisiyede çalıştırıldıktan sonra satıldı ve* Sevilay *adlı küçük bir koster haline getirildi.*

* SAROS: 1906'da İngiltere, Hull'da Earl's SB & Eng. Co. Ltd. tezgâhlarında yapılmıştı. 302 gros tonluktu. Uzunluğu: 45 metre, genişliğ: 7 metre idi. 8 mil hızı vardı. Uzun yıllar *Caesar II* adıyla çalıştıktan sonra 1958'de hizmet dışı bırakıldı, sonra da satıldı. Önce *Başaran Saros* adını aldı. Sonra yine satıldı. Motor monte edildi. Yeni sahibi tarafından onarılıp tadil edilerek *Sevilay* adlı koster haline getirildi. 160 beygir gücünde, MVM motor takıldı. *Kilyos*'un eşiydi.

* ADALET: 1893'te İngiltere'de Leith'te Ramage & Ferguson tezgâhlarında yapıldı. *Norseman, Norse, Monteblanco, Tarapaca, Colonel, San Remo, Riad* adlarıyla İngiltere, Peru, Şili, Brezilya, İtalya, Lübnan, Mısır'da önce kablo gemisi, sonra şilep olarak çalıştı. 1 Ocak 1938 günü Türk Gemi Kurtarma Şirketi tarafından satın alındıysa da, elverişli görülmediğinden aynı yıl içinde Reşit Erkin firmasına satıldı. 1940'ta Mehmet Çelikel tarafından satın alınıp bir süre çalıştırıldıysa da 1958'de hurda olarak bir İtalyan firmasına satıldı. *Reşit, Florya* adlarını aldı.

1942'de İskenderun limanına sığınan Fransız gemilerinden olan bu tekne, Galata adıyla Tahlisiye'de 1965'e kadar çalıştırıldı.

* GALATA: Suriye sularında, Mareşal Pétain'in emrindeki Fransız deniz kuvvetlerinde yeralan bir römorkördü. 1942'de İskenderun limanına sığınan birkaç geminin arasında bu römorkör de vardı. Önce, 1943'te Devlet Denizyolları İşletmesi Umum Müdürlüğü'ne verildi. 1965'e kadar hizmet gördükten sonra hurdaya satıldı.

* BOZCAADA: Önceki gemi gibi, 1942'de İskenderun'da Türkiye'ye sığınan gemilerdendi. 1905, İngiltere, Glasgow'da, Mackie & Thompson tezgâhlarında kurtarma römorkörü olarak inşa edilmişti. Societé Générale de Remorquage et de Travaux Maritimes şirketinindi. 251 gros, 36 net tonluktu. Uzunluğu: 37,56 metre, genişliği: 6,7 metre, su kesimi: 4 metre idi. İskoçya, Glasgow, Muir & Houston yapımı, 656 beygir gücünde tripil buhar makinesi vardı. Tek uskurluydu. 1943 yılına kadar *Marius Chambon* adıyla çalıştı. O da 1943'te Devlet Denizyolları Umum Müdürlüğü'ne verildi. İstanbul Liman İşletmesi'nde römorkör olarak kullanıldı.

Bozcaada, İkinci Dünya Savaşı sırasında İskenderun'da Türkiye'ye sığınan Fransız filosundaki römorkörlerden biriydi.

1963'te hizmet dışı bırakılarak satıldı. İki yıl sonra onarılıp tadil edildikten sonra kuru yük gemisi haline getirildi. 396 gros, 293 net tonluk olmuş, Çekoslovakya yapımı 194 kW. gücünde CKD Praha-Skoda dizel motoru takılmıştı. *Kaptan Mehmet* adıyla bir süre daha çalıştı. 1992 Lloyd kaydında *Engin H* adıyla gözüküyordu. Sahibi: Engin Hamaloğlu.

* **HORA II:** Yukardaki gemilerin kadro dışı bırakılması üzerine Denizcilik Bankası T.A.Ş. tarafından 1954'te Almanya'dan satın alındı. 1942'de Almanya'da Mannheim'da Deutshe Schiff. & Maseh-A.G. tezgâhlarında motorlu kurtarma gemisi olarak yapılmıştı. 675 gros, 199 net tonluktu.

Hora II, *yıllar sonra satılmayı beklerken yeniden keşfedilip değerlendirildi ve* Sismik I *adıyla petrol arama gemisi haline getirildi.*

Uzunluğu: 56,7 metre, genişliği: 8,9 metre, su kesimi: 4,7 metre idi. Ludwigshafen, Gebr. Sulzer yapımı 1.000 beygir gücünde dizel motoru vardı. Tek uskurluydu. Gemi, daha önce İngilizler tarafından savaş tazminatı olarak Almanlar'dan alınmışsa da sonra yine Almanlar'a geçmiş, 1949'a kadar adı *Agir* iken, sonra 1954'e kadar *Hercules* olmuştu. Daha sonra da satın alınınca adı *Hora II* olarak değiştirilmişti. Önce akaryakıt, sonra da kurtarma gemisi haline getirildi. Satın alındıktan ve 14 yıl boyunca, Gemi Kurtarma İşletmesi'nde hizmet gördükten sonra 1968'de İzmir İşletmesi Müdürlüğü'ne devredilerek pilot istasyonu tarafından kullanıldı. Kadro dışı bırakıldıktan sonra İzmir limanında satılması için bekletilirken 1976'da Maden Tetkik Arama tarafından 50 milyon liraya satın alındı. Büyük bir onarım ve tadilât gördü, araştırma gemisi haline getirildi. Adı da *Sismik I* olarak değiştirildi. Norveç, A/B Bofars Nohap yapımı, 782 kw. gücünde dizel motoru var. 13 mil hız yapıyor.

* **İMROZ:** 1943 yapımı ve 1.125 tonluk bu gemi 1954 yılında İngiltere'den satın alınarak hiz-

1959'da İskenderun'da yanan bir tankeri kurtarmak isterken alevler arasında kalarak elden çıkan 1943 yapımı, kurtarma gemisi İmroz.

İmroz II *yıllarca çalıştırıldıktan, adı da* Cemil Parman *olarak değiştirildikten sonra 1990 yılında hizmet dışı bırakıldı.*

mete kondu. 1959 yılının 14 Ocak günü İskenderun limanında *Mirador* adlı tankerde çıkan yangını söndürme çalışmaları sırasında alevler arasında kalarak yandı. Süvarisi Zeki Kaptan ve mürettebatı son anda kurtarıldı. Tekne, onarılması mümkün olmadığı için hurdaya gitti.

* **İMROZ II:** 1945'te, İngiltere, Renfrew'de W. Simons & Co. Ltd. tezgâhlarında buharlı kurtarma gemisi olarak yapıldı. 1.115 gros, 388 net tonluktu. Uzunluğu: 66,2 metre, genişliği: 11,5 metre, su kesimi: 5,5 metre idi. İngiltere, W. Simons & Co. Ltd. yapımı, her biri 1.500 beygir gücünde 2 adet tripil buhar makinesi vardı. Çift uskurluydu. Satın alınınca adı *Cemil Parman* olarak değiştirildi. Yıllarca hizmet ettikten sonra 1990'lı yılların başında kadro dışı bırakılarak Büyükdere önlerine bağlandı. Sonra satıldı.

Türkiye Denizcilik İşletmeleri Genel Müdürlüğü'nün kadrosunda hizmet gören 1,565 gros tonluk, 1995, Finlandiya yapımı TDİ Kurtaran *kurtarma gemisi, Büyükdere'de kıçtan bağlı bekliyor.*

* **ALEMDAR II:** 1966'da, Almanya, A.G. Weser Werk Seebeck tezgâhlarında yapıldı. 952 gros, 140 net tonluktu. Uzunluğu: 60,7 metre, genişliği: 11,6 metre, su kesimi: 5,1 metre idi. Batı Almanya, Motorenv. Mannheim A.G. yapımı, her biri 250 beygirlik 2 adet dizel motoru vardı. Halen her an göreve gönderilmek üzere Büyükdere'de kıçtan karaya bağlı olarak bekletilmektedir. 1989'da sualtı-süüstü kaynak kesme, 4 adet elektrikli dip pompalarıyla donatılmıştır.

* **SÖNDÜREN I:** 1.200 beygir gücünde makinesi olan güçlü bir yangın söndürme römorkörüdür.

* Ayrıca bir de dalgıç takviye römorkörü bulunmaktadır.

Türkiye Denizcilik İşletmeleri'ne bağlı olarak *T.D.İ. Kurtaran* adlı kurtarma römorkörü de Büyükdere'de devamlı olarak bekletilmektedir.

* T.D.İ. KURTARAN: 1983'te, Finlandiya, Valmetin Laivateoliseuusoy tezgâhlarında kurtarma gemisi olarak inşa edildi. Önce *Intrepid-Sea* adıyla çalıştı. 1.565 gros tonluk. Uzunluğu: 62,4 metre, genişliği: 13,9 metre, su kesimi: 7,3 metre. Wartsila yapımı 3.560 kW. gücünde dizel motoru var. Saatte 15 mil hız yapıyor.

Kuruluş, aralıksız hizmet veriyor

İşletme, gemilerin kurtarılmasından çok, kazazedelerin kurtarılmasını amaçlamaktadır. Bir başka görevi ise İstanbul ve Çanakkale Boğazları ile Marmara Denizi'nin güvenliğini sağlamaya çalışmaktır. 1990 yılı sonunda bu alana İzmir limanı içi de katılmıştır. Personel, Büyükdere'deki istas-

Söndüren *adlı römorkör, battığı yerde uzun süren çalışmalar sonunda çıkartılıyor.*

yonda 12'şer saatlik 2 vardiya halinde aralıksız 24 saat görev başındadır.

Gemi Kurtarma İşletmesi, 1980-90 yılları arasında 44 adet Türk ve 45 adet yabancı bandıralı gemiye kurtarma-yardım hizmeti vermiş, 3 gemiye de refakat etmiştir. Bu gemilerin toplam gros tonu 1.000.000 tona yakındır.

KIYI EMNİYETİ İŞLETMESİ

Kıyı Emniyeti İşletmesi, deniz fenerlerini, sabit radyoseyir vericisi olan radyofarlarını, deniz işaretlerini, sis düdüklerini ve benzeri kıyı güvenlik cihaz ve tesisleriyle can kurtarma istasyonlarını tekel şeklinde işletmek amacıyla kurulmuş olup Türkiye Denizcilik İşletmeleri Genel Müdürlüğü'ne bağlıdır.

Fenikeliler, Eski Yunanlılar, Kartacalılar, Eski Romalılar ve Venedikliler gibi Akdeniz'in denizci milletleri, özellikle geceleri karşılaştıkları tehlikeleri azaltmak amacıyla önemli nehirlerin ağzına, denizlere doğru uzanan burunlara, tehlikeli geçitlerin yakınına basit, yüksek kuleler inşa etmişler, geceleri gemilere tehlikeleri haber vermek için üzerlerinde ateş yakmaya başlamışlardı. Bunlar, bugünkü gelişmiş deniz fenerlerinin en ilkel örnekleriydi.

Dünyanın Yedi Harikası'ndan biri, İskenderiye Feneri

İlk önemli deniz fenerinin, İsa'nın doğumundan yaklaşık 1.850 yıl kadar önce Eski Mısırlılar'ın bugünkü İskenderiye limanının girişindeki bir adacığın üzerinde inşa ettikleri fener olduğu sanılıyor. Dünyanın yedi harikasından biri sayılan bu fener kulesinin yüksekliğinin 180 metre kadar olduğu tahmin ediliyor. Yazık ki bu muazzam yapıdan günümüze hiçbir iz kalmamıştır.

Ayrıca, Çanakkale Boğazı'nın güney kıyısının ucunda, Kumkale mevkiinde de İsa'dan 900 yıl kadar önce denizcilere Boğaz'ın girişini göstermek için ateş yakıldığı bilinmektedir.

Bizans döneminde de Boğaz'ın Karadeniz girişinde, Adalar'ın çevresinde geceleri gemilere yol göstermek için ateş yakılmaktaydı.

İstanbul'un en eski deniz fenerlerinden biri de, Küçük Ayasofya'nın güney-doğusunda, deniz surlarındaki 32 no.'lu kulenin üstünde yeralan, "faros" denen deniz feneridir. (Grek dilinde bu sözcük, zaten fener anlamına gelmektedir).

Seyyah Freshfield'in 1574 tarihli albümünde yer alan Rumeli Feneri gravürü.

Ne zaman inşa edilip kullanılmaya başlandığı kesin olarak bilinmemesine rağmen, Iustinianus zamanında (483-565) yapıldığı sanılan bu kulenin inşası yıllarca sürmüştü. Öyle ki, Iustininus öldüğünde kule henüz tamamlanmamıştı. Hele 1390'da şehri gezen bir Rus hacısının, 1420'de gelen İtalyan gezgini Buondelmonti'nin yazdıklarına göre, fener kulesi yuvarlak olup en üst katında, dört sütunla çevrili camların arkasında ateş yakılan yer vardı. Zamanla bakımsız kalan kule, o tarihlerde harabe haline gelmişti. Faros günümüzde Osmanlı dönemine ait takviye inşaatı ile kaplıdır ve üst kısmı yok olmuştur.

Artık modern fenerler yapılıyor

İçinde ateş yakılan fenerler yüzyıllar boyunca gemicilere yol göstermekte devam etmiştir. 1800'lü yılların başında, kulelerin tepelerinde yakılan ışık verici maddelerin korunması için girişimlerde bulunulduktan başka, arkalarına da parlatılmış madenî levhalar konularak ışığın arttırılması yoluna gidilmiştir. Zamanla ışık kaynağı olarak petrol lambaları kullanılmaya başlanmış, bazılarında ise kolza yağı yakılmıştır.

1811'de Fransız bilim adamlarından Auguste Fransel fenerlerin gelişmesi için bilimsel çalışmalar yapmıştır. Bu arada, ışığın gücünü arttırmak için de önüne güçlü mercekler yerleştirmiştir. Derken, asetilen gazıyla genleşme esaslarına göre kendi kendine yanıp sönen otomatik fenerler icat edilmiştir. Bunlar, özellikle boş adalara, kum banklarına, sığlıklar ve çevresi meskûn olmayan burunlara yerleştirilmeye başlanmıştır. Zaman içinde fenerlerin ışık verme güçleri de arttırılmıştır. Zamanla fener işletmeleri kurulmuş, sayıları çok arttığı için fener katalogları düzenlenmiştir.

Osmanlı kıyılarında ilk deniz fenerleri

Geçen yüzyılın ortalarında, Osmanlı Devleti'nin sınırları Asya, Avrupa ve Afrika kıyılarını içine alarak uzayıp gidiyordu. Özellikle Ege'de pek çok irili ufaklı ada vardı. Bütün bu kıyıları, adaları, bankları, kayaları fenerlerle donatmak, bunların devamlılığını sağlamak kolay değildi. Bugünkü Anadolufeneri ile Rumelifeneri köylerinin bulunduğu yerde, geceleri büyük çıra kütüklerinin yakıldığı biliniyor.

Rumeli Karaburun'un ilerisindeki Darboğaz mevkii, uzaktan Boğaz girişini andırdığından, bazı eşkiya, Karadeniz'den gelen gemileri karaya düşürüp içindeki malı yağmalamak amacıyla geceleri kıyıda ateş yakarak kaptanları şaşırtırlarmış. Sığ sulara girerek karaya bindiren gemiler tuzağa düştüklerini neden sonra anlarlar, ama iş işten geçmiş olurmuş.

İmparatorluğun bu uçsuz bucaksız kıyılarına o günlere göre ilk modern fenerler Tersane-i Âmire tarafından 1839'dan itibaren konulmaya başlanmıştır. Ama bugünkü anlamda ilk deniz fenerleri ancak Kırım Savaşı (1853-56) yıllarında yerleştirilmiştir.

Fransız ve İngiliz donanmasının Karadeniz'den gelirken İstanbul Boğazı'nın girişini görebilmeleri için Anadolufeneri ve Rumelifeneri köylerinin bulunduğu yerlere, ayrıca Marmara'dan Boğaz'a girişi sağlamak için de Fenerbahçe burnuna birer fener yerleştirilmiştir. İlk olarak Boğaz'ın Karadeniz çıkışındaki Anadolu, Rumeli, Boğaz'da Bebek, Marmara'dan girişte de Fenerbahçe Fenerleri 1856 yılının 15 Mayıs günü çalışmaya başlamıştır. Aslında, Fransızlar mevcut fenerleri zamanın tekniğine göre modernleştirmişler, ayrıca yeni fenerler de yapmışlardır. Yoksa, ilk fenerleri yapanlar onlar değildir. Eskiden de buralarda ateş ya da yağ yakılan fenerler vardı.

Woods Paşa'nın fener çalışmaları

Bir İngiliz denizcisi olmakla birlikte meslek hayatının önemli bir bölümünü İstanbul'da Türkiye'nin hizmetinde çalışarak geçiren Henry F. Woods'un ilk fenerlerimizin yerleştirilmesinde büyük hizmeti dokunmuştur. 1869 yılının sonlarına doğru Türk Deniz Kuvvetleri'nin hizmetine giren ve paşalığa kadar yükselen Woods Paşa *Osmanlı Bahriyesi'nde Kırk Yıl* adlı Türkiye anılarında, bakın Karadeniz hakkında neler yazıyor:

"O günlerde Karadeniz, Argonotlar'ın zamanından kalma kötü şöhretini devam ettiriyordu. Kış aylarında seyrüsefer duruyordu. Gerçekten ni-

Fransız gezgini Pertusier'nin 1817 tarihinde yaptığı gravürlerden Fenerbahçe'deki deniz feneri.

Pertusier'nin 1817 yılında yaptığı bir gravürde Boğaz'ın Karadeniz girişini belirten Rumeli Feneri.

sanın ortalarından ekimin ilk haftalarına kadar olan dönem dışında hiçbir deniz aracı Karadeniz'in karanlık ve fırtınalı sularına giremez, mevsimi gelinceye kadar emniyetli limanlarda saklanırdı. Kışları, Boğaziçi ve koyları sıra sıra dizilmiş gemilerle doluyordu. Karadeniz, bütün Akdeniz gemicileri, sadece Türkler ve Yunanlılar tarafından değil, İtalyanlar'ca da âni fırtınaları, birdenbire yönleri değişen şiddetli rüzgârları ve yer değiştiren ters akıntıları ile güvenilmez olarak sayılır.

"Benim düşüncem, Boğaz'a bir işaret direği vazifesi görmesi için hemen girişin dışına bir fener dubası demirletmekti. Fakat denizi bilenler bunun bir çılgınlık olacağını söylediler.

"... Araştırmalarımızda, gemilerin Boğaz'a girişte kazaya uğramasına en tehlikeli sebep olarak girişin iki yanındaki sahil görüntüsünün girişe benzemesi olduğunu tesbit etmiştim. Gemiler hatalarını anlayıncaya kadar kıyıya çok yaklaşıyorlar ve mesafeyi ayarlayamıyorlardı. Bu şekilde, Karadeniz'den uygun bir rüzgârla gelen gemiler kendilerini rüzgâr altındaki bir kuyuya sürüklenmiş buluyorlardı. Ondan sonra kıyıya çarparak kuvvetli dalgalar tarafından parçalanıyor ve geriye kendilerinden bir hatıra olarak sadece kumdaki kereste parçaları kalıyordu. Kıyıdaki araştırmalarım sırasında böyle birçok üzücü hatıralarla karşılaştım."

İlerde Sir payesi alacak olan Henry F. Woods, 1869'da İngiltere'deki Fenerler ve Pilotaj İdaresi demek olan Trinity House'dan sağlanan bir fener gemisini büyük zorluklarla Anadolukavağı'nın açığına demirletmeyi başarmıştı. Yine aynı merkezden gönderilen cankurtaran botları ile kurtarma işlerinde gemiye halat atmaya yarayan roketleri ve malzemeyi de gerekli yerlerdeki istasyonlara teslim etmişti.

Karadeniz'den gelen gemiler, Boğaz'a 15 mil mesafedeki işaret fener dubasına bakarak rotalarını ayarlıyorlardı. Ayrıca sisli ve karlı, tipili havalarda, bu dubada siren düdüğü öttürülürdü. Bu arada, Anadolu kıyısından da beş dakikada bir top atılır, Rumelifeneri yakınından da dakikada bir 6 saniye boyunca siren öttürülürdü. Bunlar hep, gemicilere, kazaya uğramadan Boğaz'ın girişini bulmaları içindi.

O günlerde İstanbul'da çıkmakta olan bir İngiliz gazetesinde şu haber yeralıyordu:

"Karadeniz'de geceleyin fırtınaya tutulan zahire yüklü bir gemi saatlerce karaya oturmamak için mücadele verirken, birden fener gemisinin iki parlak ışığı sayesinde yönünü değiştirmeye muvaffak olarak salimen Boğaz'a girebilmiştir."

İlk deniz fenerinin çalışmaya başlamasından sonra inşasına başlanıp kısa zamanda hizmete konan deniz fenerlerimizin sayısı hızla arttı. Günümüzde birçoğu Girit ve çevresindeki irili ufaklı adalar, Makedonya kıyıları, Ege adaları, İzmir Körfezi, Ege kıyılarımız, Çanakkale Boğazı, Marmara Denizi, İzmit Körfezi, Boğaziçi, Karadeniz'de Romanya, Bulgaristan ile Anadolu'nun kuzey kıyıları, güneyde Kızıldeniz'in karşılıklı iki kıyısı boyunca yer alan 205 kadar fener, 1856 yılından 1904 yılına kadar geçen 50 yıla yakın bir süre içinde yapılıp çalıştırıldı.

Fenerler İdaresi Azapkapı'da kuruluyor

Osmanlı devleti kıyılarında fener inşası ve işletme imtiyazına dair sözleşme, Avusturya, Fransa, İran, İspanya, Rusya, Sardinya ve Yunanistan delegelerinin katıldığı bir toplantıda Kaptan-ı Derya Mehmet Ali Paşa tarafından 8 Ağustos 1860 günü imzalandı. Kendilerine fenerleri çalıştırma imtiyazı verilen kişiler, Fransız delegeleri olan Marius Michel (Mişel Paşa) ile M. Gollas idi.

Böylece İstanbul'da, Azapkapı'da Haliç Tersanesi'nin yanıbaşındaki binada Fenerler İdare-i Umumiyesi adıyla bir işletme kuruldu. Merkez şubesi müdür ve mühendisleri Fransız, teknisyenler ise yerli gayrımüslimlerdi. Fener gardiyanları, fener memurları ve hizmetliler ise Türk'tü.

En uzun ömürlü yabancı işletme, Fenerler İdaresi oldu. Başlangıçta sadece 20 yıllık bir imtiyazla işe başlayan bu idare Marius Michel tarafından yönetilmeye başlandı. İdarenin, gemilerden Fener Vergisi adı altında alacağı verginin % 78'i imtiyaz sahiplerine kalacak, geriye kalan % 22'si de devlet hazinesine girecekti.

Fenerler İdaresi'nin imtiyazını alan Marius Michel, aslında gözünü İstanbul limanına ve dolayısıyla liman gelirlerine dikmişti. İlerde, 1891'de Crédit Lyonnais adlı Fransız bankasının mâli desteğiyle İstanbul Rıhtımlar Şirketi'ni kurmayı başaracaktır. Bu kadarla da kalmayacak, çalışma alanını Kızıldeniz'e kadar genişletecektir.

1905'te, Karadeniz kıyılarımız boyunca Rumeli tarafında 6, Anadolu tarafında da 12 olmak üzere toplam 18 fener vardı. Bunlara, bugün Bulgaristan'ın olan Varna ve Burgaz fenerleri de dahildi.

Devletin, 1894'te hissesini % 50'ye çıkartmak istemesiyle meydana gelen anlaşmazlık, ancak İngiltere'nin işe karışmasıyla, İdare hissesinin % 20 indirilmesine karşılık, imtiyaz süresinin 1924'e kadar uzatılmasıyla çözümlendi.

Devletin ekonomik alanda çok zor durumda olduğu Balkan Savaşı günlerinde, Edirne'nin geri alınmasını sağlamak için gerekli olan 500.000 lirayı, Fenerler İdaresi'nden imtiyaz süresinin 1949'a kadar uzatılması karşılığında sağlamak zorunda kalındı. Böyle İdare'nin imtiyazı her seferinde değişik taktiklerle uzatılıyordu.

Fenerler İdaresi devletleştirilince...

1 Temmuz 1926 gününden itibaren resmen kabotaj hakkını elde etmiş olmamıza rağmen, yabancı bir kuruluşun idaresindeki Fenerler İdaresi etkinliğini sürdürmekte devam ediyordu. 78 yıldan beri süregelmekte olan bu imtiyaz, benzerlerinin arasında en uzun ömürlü olanıydı. 1937'de 500.000 lira tazminat verilerek fener imtiyazları iptal edildi, Cumhuriyet'in 15. yılında, 1 Ocak 1938 gününden itibaren, 3.302 sayılı kanunla Nafıa Vekâleti tarafından resmen satın alınan Fenerler İdaresi, Denizbank Umum Müdürlüğü'ne bağlandı. O tarihte vekil olarak Ali Çetinkaya bulunuyordu.

Denizbank'ın 30 Haziran 1939 tarihinde 3633 sayılı kanunla kaldırılması üzerine, işletme 1 Temmuz 1939 günü kurulan Devlet Denizyolları ve Devlet Limanları İşletme Umum Müdürlükleri'ne bağlandı. Devlet Limanları Umum Müdürlüğü'nün de 4517 sayılı kanunla kaldırılması ve gö-

Fenerler İdaresi'nin Azapkapı'daki binası.

revinin 1 Şubat 1944 gününden itibaren Devlet Denizyolları ve Limanları Umum Müdürlüğü'ne verilmesi üzerine kuruluş Kıyı Emniyeti İşletmesi olarak Fenerler ve Cankurtaran adıyla bu teşkilâta bağlandı.

Daha sonra, 1 Mart 1952 tarih ve 5842 sayılı kanunla Devlet Denizyolları İşletmesi Umum Müdürlüğü'nün de kaldırılmasıyla, kuruluş bu sefer de Denizcilik Bankası T.A.O.'na intikal etti; Fenerler ve Cankurtaran Teşkilâtı da işletme olarak adı geçen bankanın kapsamına alındı. Bakanlar Kurulu'nun 10 Kasım 1983 tarihli toplantısıyla kabul edilen ve 28 Ekim 1983 tarih ve 18205 mükerrer sayılı Resmî Gazete'de yayınlanan 117 sayılı kanun hükmünde kararname ile Türkiye Denizcilik Kurumu kuruldu ve Kıyı Emniyeti İşletmesi Müdürlüğü de bu kurumun bir ünitesi olarak Deniz sinyalleri ile Cankurtarma hizmetlerini tekel şeklinde yürütmekle görevlendirildi.

En son olarak, Türkiye Denizcilik Kurumu (TÜDEK) kaldırılıp, yerine Bakanlar Kurulu'nun 8 Haziran 1984 tarihli toplantısıyla kabul edilen 233 sayılı kanun hükmünde kararname ile Türkiye Denizcilik İşletmeleri Genel Müdürlüğü kurulunca, bu Genel Müdürlüğün 14 Kasım 1984 tarih ve 18.573 sayılı Resmî Gazete'de yayınlanan ana statüsünün 6. maddesi uyarınca, halen Türkiye kıyılarında kurulu bulunan bütün deniz sinyalleri ile cankurtaran hizmetleri bu kuruluş tarafından tekel şeklinde işletilmektedir.

İdare, Fransız şirketinden satın alındıktan sonra yeni deniz fenerlerinin inşasına da girişti. Tük mühendis ve müteahhitleri, Türk ustalarının eliyle ilk olarak Finike limanında taştan kule inşa ettirdi. Daha sonra da yeni deniz fenerleri yapıldı, zamanla eskiyenler birer ikişer yenilendi. Bu çalışmalar sırasında müteahhit olarak Orhan Kızıldemir'in büyük hizmeti geçti.

Önemli deniz fenerlerimizden birkaçı:

* Ahırkapı Feneri: Sultan III. Osman'ın tahtta olduğu 1755 yılında bir gün, Hacı Kaptan adlı bir Mısırlı gemi kaptanının kalyonu sert hava nedeniyle geceleyin karanlıkta Kumkapı önlerinde karaya oturmuştu. Sadrazam Sait Paşa hemen Kumkapı kıyısına giderek kurtarma çalışmalarına nezaret etmiş, gemicilerin çoğunun denizden toplanmasını sağlamıştı.

O gün pâdişaha, "Eğer, o mahalde ve sur üstünde bir fener yapılıp her gece kandilleri yakılsa, böyle uzaktan gelen sefineler ışığı görüp yollarını tayin ederlerdi," denmesi üzerine III. Osman da Ahırkapı'da burnun en uç noktasında surların hemen önünde bir fener kulesi inşa edilmesini emretmişti.

O sıralarda kaptan-ı derya olan Süleyman Paşa bu emir gereğince Ahırkapı'da surların bir burcu üzerinde bir fener kulesi yaptırmış, içine hademeler, bekçiler yerleştirmiş, fener için de yeterince zeytinyağı tahsis etmişti.

O günden itibaren, fenerde geceleri yağ kandilleri yakılıp gemicilere yol gösterilmeye başlanmıştı. Bugünkü Ahırkapı Feneri, o fenerin bulunduğu noktada yeralmaktadır.

Fener 1857'de yeniden inşa edilerek bugünkü şeklini almış. Eskiden kurmalı olarak çalışan fener, artık şehir cereyanı ile elektronik olarak çalışıyor. Elektrik kesilmeleri halinde bir jeneratör otomatik olarak devreye girmektedir. (Bir kuruluşta ancak 2,5 saat çalışırmış).

Ahırkapı Feneri'nin bekçiliğini 1880'den beri Lik ailesinin fertleri sürdürmektedir. 19. Yüzyıl'ın sonlarında İşkodra'dan İstanbul'a gelen Sait Lik 50 yıl burada fenercilik yaptıktan sonra görevi eşi Zülfiye Hanım'a bırakmış. Son olarak bekçilik görevini sürdüren Sevinç Lik ise ailenin beşinci gelini. 36 metre yüksekliğindeki fenere 156 basamaklık bir merdivenle çıkılıyor.

* Fenerbahçe Feneri: Fenerbahçe'de ilk deniz fenerinin Bizans döneminde yapıldığı sanılıyor. Osmanlı dönemine ait kaynaklarda Bağçe-i Fener adı ilk kez 1570'lerde kullanılmış. Kanunî zamanında 1562 yılı Mart'ında bir fermanda "Kelemiç (Kalamış) burnu nâm mevzide Müslümanlar'ın ve gayrin gemileri gece ile gelüp geçerken fânûs olmamağın, ekser zamanda taşa çalup zarar ve ziyan olmağın... mahâll-i mezkûrda bir fânûs yeri bina etmek murad edinmeğin, buyurdum ki..." denmektedir. Bu fermandan, orada bir fener bulunmadığı anlaşılıyor. Burada bir fener kulesinin o tarihten kısa bir süre sonra yapıldığı düşünülebilir. Kömürciyan'ın 1661-81 yıllarında yazdığı *İstanbul Tarihi* adlı eserinde bir fener kulesi bulunduğuna dair bilgi var. Eskiden fener sabit ışıklı imiş, yâni hiç söndürülmezmiş. Bugün denizden 25 metre yükseklikteki fenerin ışığı normal havalarda 15 mil uzaktan görülmektedir.

* **Yeşilköy Feneri:** Eski adı Ayastefanos Feneri olan Yeşilköy Feneri 1856'da, taştan inşa ettirilen ilk fenerlerdendir. 23 metre yüksekliğindedir. Elektrik-asetilenli bir fener olup 10 saniyede bir, 2 gruplu ışık yaymaktadır. 15 deniz mili mesafeden görülmektedir. Ayrıca, sisli havalarda 30 saniyede bir sis düdüğü çalmaktadır.

* **Şile Feneri:** Karadeniz'de, İstanbul'a doğru seyreden gemiler için rota feneri olarak çok kritik bir noktada yeralmaktadır; kıyılarımızın en büyük feneridir. Denizden 60 metre kadar yükseklikte olup ışığı yaklaşık 20 mil mesafeden görülmektedir. Kule 19 metre yüksekliğindedir. Işık kaynağı önceleri gaz iken, fener bugün şehir cereyanı ile çalışmaktadır.

* **Rumeli Feneri:** Karadeniz'den Boğaz'a giren gemilere yol gösteren önemli bir fenerdir. Denizden 58 metre yüksekliktedir, ışığı normal havalarda yaklaşık 18 mil mesafeden görülmektedir. Kule 30 metre yüksekliğindedir. İnşaat sırasında Fransızlar'ın kulenin birkaç kere yıkılmasına bir anlam verememeleri üzerine köy halkı orada Saltuk hazretleri adında bir yatır bulunduğunu ve önce yatır için bir türbe yapmaları gerektiğini söylemişler. Bunun üzerine Fransızlar Saltuk hazretleri için bir türbe yapmışlar, sonra da üzerine fener kulesini inşa etmişler. Fener kulesinin içinde yeralan türbe bugün bir ziyaret yeridir.

Rumelifeneri'nin 12 mil açığında, 90 metre derinliğe demirli bir fener gemisi yıllarca gemicilere Boğaz'ın girişini belli ederek büyük hizmet vermiştir. Bir ay süreyle gemide aralıksız görev yapan müettebatın karayla bağlantısı kesik olarak görev yapması, büyük fedakârlık isterdi. Bir gün şiddetli bir fırtınada gemi demir keserek karaya vurmuşsa da can kaybı olmamıştı.

* **Anadolu Feneri:** Karadeniz'den Boğaz'a giren gemilere yol gösteren önemli bir fenerdir. Yon (Hrom) burnu üzerinde, denizden 75 metre yüksekliktedir. Işığı açık havalarda yaklaşık 20 mil mesafeden görülmektedir. Şehir cereyanı ile çalışmakta olup, elektrik kesintilerinde bütan gazı ile yedeklenmektedir. Kulenin yüksekliği 20 metredir.

* **Mehmetçik Feneri:** Ege Denizi'nden Çanakkale Boğazı'na giren gemilere Gelibolu yarımadasının en uç noktasını göstermesi bakımından

çok önemli bir noktada yeralmaktadır. Fener denizden 50 metre yüksekliktedir, kulenin yüksekliği 25 metredir. Işığı yaklaşık 12 mil uzaktan görülmektedir. Sarkaç sistemi ile çalışmakta olup, iki saatte bir kurulmaktadır; dönmeli tip bir fenerdir.

* **Hoşköy (Hora) Feneri:** Marmara Denizi'nde seyreden gemilerin yararlandığı bir rota feneri olup Mürefte yakınlarındadır. Denizden 50 metre yüksekliktedir, kulenin yüksekliği 20 metredir. Fener kulesi 1861'de orijinal olarak Fransa'dan getirilen saç ve putrel demirlerinden oluşmaktadır. Önceleri gazyağı ile, günümüzde ise elektrikle çalışmaktadır. Işığı yaklaşık 19 mil mesafeden görülmektedir. Sarkaç sistemli olup iki saatte bir kurulmaktadır.

* **Bafra Feneri:** Karadeniz'de, Kızılırmak'ın denize döküldüğü deltanın meydana getirdiği burun üzerindedir. 1880'de, Fransızlar tarafından demir boru kazıklar çakılarak inşa edilmiştir. Denizden 25 metre yükseklikte olup, kulenin yüksekliği 22 metredir. Işığı yaklaşık 20 mil mesafeden görülmektedir. Önceleri gazyağı yakılmaktaydı, günümüzde ise elektrikle çalışmakta, gerektiğinde propan gazı ile yedeklenmektedir. İki saatte bir kurulmakta olan döner sistemli bir fenerdir.

* **Alanya Feneri:** Akdeniz'de seyreden gemiler için önemli bir rota feneridir. Fransızlar tarafından Alanya Kalesi'nin burçları üzerinde inşa edilmiştir. Denizden yüksekliği 209 metre olup, kulenin yüksekliği de 6 metredir. Işığı yaklaşık 20 mil uzaklıktan görülmektedir. Önceleri gazyağı ile, günümüzde elektrikle çalışmaktadır. İki saatte bir kurularak çalışan döner sistemli bir fenerdir.

* **Deveboynu Feneri:** 1931'de Datça'nın Knidos mevkiinde, Anadolu'nun Akdeniz'e uzanmış en uç noktasında inşa edilmiştir. Aynı zamanda Ege ile Akdeniz'i birbirinden ayıran nokta durumundadır. Denizden 104 metre yükseklikte olup, kulenin yüksekliği 9 metredir. Işığı yaklaşık 12 mil mesafeden görülmektedir. Eskiden gazyağı ile, günümüzde ise asetilen gazı ile çalışmaktadır. Bulunduğu yer deveyi andırdığından fenere bu ad verilmiştir.

* **Akıncı Feneri:** İskenderun'da Işıklı köyü (Arzus) yakınlarında, Suriye sınırına en yakın fenerimizdir. Denizden 109 metre yüksekliktedir. Taştan inşa edilmiş kulenin yüksekliği 5 metredir. Işığı yaklaşık 22 mil mesafeden görülmektedir. Önceleri gazyağı ile, bugün propan gazı ile çalışmaktadır. İki saatte bir kurulan, sarkaç sistemli, dönmeli bir fenerdir.

* **Hopa-Sarp İstikamet Feneri:** Türkiye-Gürcistan kara sınırının deniz-

de 12 millik devamını belirtmek amacıyla 1980'de inşa edilmiştir. O tarihlerde Türk ve Sovyet yetkililerin ortaklaşa inşa ettiği bu iki fenerden gerideki Sovyet, öndeki Türk toprakları üzerinde, demir konstrüksiyon olarak yapılmıştır. Ön kulenin önünde gemicilerin sınır çizgisini görebilmeleri için 6 x 20 metre boyutlarında, ortasında portakal renginde bant bulunan bir pano yeralmaktadır. Fener, gün ışığına ayarlanmış olup elektrik enerjisiyle çalışmakta, gerektiğinde asetilen gazıyla yedeklenebilmektedir.

Kıyılarımızda 366 deniz feneri var

Günümüzde, kıyılarımızda 1992 yılı sonu itibariyle 366 deniz feneri bulunmaktadır. Bunların 82'si Karadeniz, 38'i İstanbul Boğazı, 54'ü Marmara Denizi, 26'sı Çanakkale Boğazı, 92'si Ege Denizi ve 74'ü de Akdeniz kıyılarındadır. Deniz trafiğinin en yoğun olduğu yalnız İstanbul Boğazı'nda ise 38 fener ve çakar, geceleri denizcilere yol göstermektedir. Fenerlerimiz aşağıdaki sistemlerle çalışmaktadır: Asetilenli, elektrik asetilenli, elektrik-aküçakar, aküçakar, elektrik çakar, elektrikli sabit, devvar elektrikli (bütangaz), devvar bütangazlı, bütangaz çakar, güneş enerjili çakar, güneş enerjili sabit.

İlk modern fenerlerimiz nerede, ne zaman yapıldı
(Yalnız bugünkü kıyılarımızdakiler alınmıştır)

Anadolufeneri	15 Mayıs 1856
Rumelifeneri	15 Mayıs 1856
Fenerbahçe Feneri	15 Mayıs 1856
Bebek Feneri	15 Mayıs 1856
Sultaniye Kalesi (Çanakkale) Feneri	23 Haziran 1856
Hellas Feneri (Çanakkale Boğazı'na Ege'den girerken kuzeydeki fener)	12 Temmuz 1856
Gelibolu Feneri	20 Ağustos 1856
Kumkale Feneri (Çanakkale)	15 Eylül 1856
Karaburun Feneri (Karadeniz, Avrupa kıyısı)	5 Aralık 1856
Yeşilköy Feneri (Marmara)	5 Ocak 1857
Fener Adası Feneri (Marmara)	15 Şubat 1857
Kilitbahir Feneri (Çanakkale)	15 Mart 1857
Nağra Burnu Feneri (Çanakkale)	15 Mart 1857
Karakova Burnu Feneri (Çanakkale)	15 Mart 1857
Çardak Feneri (Çanakkale)	15 Mart 1857

Sarayburnu (Ahırkapı) Feneri	25 Mart 1857
Kızkulesi Feneri	25 Aralık 1857
Şile Feneri	8 Ağustos 1859
Kuruçeşme Feneri	15 Ağustos 1861
Kandilli Feneri	15 Ağustos 1861
Rumelihisar Feneri	15 Ağustos 1861
Kanlıca Feneri	15 Ağustos 1861
Yeniköy Feneri	15 Ağustos 1861
Kireçburnu Feneri	15 Ağustos 1861
Umuryeri Feneri (Beykoz-Sütlüce arası)	15 Ağustos 1861
Anadolukavağı Feneri	15 Ağustos 1861
Mürefte Feneri	15 Ağustos 1861
Seddülbahir Feneri (Çanakkale)	15 Ağustos 1861
Berber Burnu Feneri (Çanakkale)	15 Ağustos 1861
Herakle Feneri (İstanbul Boğazı)	15 Ağustos 1861
Ereğli Feneri (Karadeniz)	15 Ağustos 1863
Amasra Feneri	15 Ağustos 1863
İnebolu Feneri	15 Ağustos 1863
İnceburun (Karadeniz) Feneri	15 Ağustos 1863
Sinop Feneri	15 Ağustos 1863
Samsun Feneri	15 Ağustos 1863
Giresun Feneri	15 Ağustos 1863
Trabzon Feneri	15 Ağustos 1863
Dilburnu Feneri (Marmara)	15 Ağustos 1863
Merminciburnu Feneri (İzmir Körfezi girişi)	1 Ekim 1863
Pelikan Bankı Feneri (İzmir Körfezi girişi)	1 Ekim 1863
Sancak Kalesi Bankı Feneri (Ege)	1 Ekim 1863
Zeytinburnu Feneri	6 Aralık 1863
Hüseyin Burnu Feneri	15 Mart 1864
Mersin Feneri	20 Mart 1864
Sancak Kalesi Feneri (Ege)	15 Ocak 1865
Kefken Feneri	30 Kasım 1879
Çeşme Feneri	30 Kasım 1879
Bafra Feneri	15 Ağustos 1880
Bodrum Feneri	15 Kasım 1880
Rize Feneri	18 Ağustos 1884
Dikili Feneri	12 Ağustos 1886
Yeros Feneri	15 Eylül 1886
Oğlak Adası Feneri (Foça Körfezi)	15 Temmuz 1887
Değirmen Burnu Feneri (Foça Körfezi)	15 Temmuz 1887

1900'lü yılların başlarında Fenerbahçe deniz feneri... Önünde çepeçevre döküntü kayalar...

Görüş alanı en fazla olan fenerler
(Işığı 12 milden daha uzaktan görünen fenerler)

Racon Feneri	23 mil
Akıncı Feneri (Akdeniz)	22 mil
Şile Feneri	21 mil
Anadolufeneri Feneri	20 mil
Zonguldak Feneri	20 mil
Kerempe Burnu Feneri	20 mil
Fethiye Limanı, İblis Burnu Feneri	20 mil
Amasra Feneri	20 mil
Bartın (İstikamet) Feneri	20 mil
Marmara Ereğlisi Feneri	20 mil
Alanya Feneri	20 mil
Rumeli Karaburun Feneri	19 mil
Mersin Feneri	19 mil
Mehmetçik Feneri (eski Hellas)	19 mil
Yelkenkaya Feneri (İzmit)	18 mil
Rumelifeneri Feneri	18 mil
Ahırkapı Feneri	16 mil
Bozcaada Feneri (Batı burnu)	15 mil
Baba Kale Feneri	15 mil
Fenerbahçe Feneri	15 mil
Marmara Ereğlisi (Koyun güney ucu)	15 mil

Gelibolu Feneri	15 mil
Yeşilköy Feneri	15 mil
İğneada Feneri	15 mil
Ölüce Feneri	15 mil
Taşlıburnu Feneri (Kaledonya)	15 mil
Anamur Feneri	15 mil
Bartın Burnu Feneri	15 mil
Trabzon Feneri	15 mil
İnciburnu Feneri	15 mil
Bafra Feneri	15 mil
Deveboynu Burnu Feneri (Ege)	15 mil
Tavşan Ada Feneri (Ege)	15 mil
Kızkulesi Feneri	14 mil
Cıva Burnu Feneri	14 mil
Kefken Adası Feneri	13 mil
Sivriada Feneri	13 mil

Denizden en yüksek fenerler

Taşlıburnu Feneri (Akdeniz, Kaledonya)	227 metre
Alanya Feneri	209 metre
Cide Feneri (Köpekkaya)	204 metre
Marmara Ereğlisi Feneri	196 metre
Enerji kablosu pilonu (Anadolu yakası)	194 metre
Enerji kablosu pilonu (Rumeli yakası)	193 metre
Hayırsızada Feneri	112 metre
Giresun Feneri	111 metre
Martıburnu Feneri (İmralı)	110 metre
Akıncı Feneri (Akdeniz)	109 metre
Sinop Feneri (Boztepe üzerinde)	107 metre
Deveboynu Feneri (Ege)	104 metre
Karaburun Feneri (Ege)	97 metre
Sivriada Feneri	95 metre
Bartın Burnu Feneri	90 metre

Ayrıca loran, shoran gibi elektronik aygıtlarla seyir yapan gemiler için kıyılarımızda üç adet Radio Beacon istasyonu vardır. Bunlar Rumelifeneri, Kefken adası ve Finikedir.

Ülkemiz kıyılarında yer alan fenerlerin tam listesi ve çalışma sistemi aşağıda verilmiştir:

KARADENİZ BÖLGESİ

a- Asetilenli

1- Hopa Ana Mendirek
2- Hopa Tali Mendirek
3- Rize Ana Mendirek
4- Rize Bal. Bar
5- Trabzon Ana Mendirek
6- Trabzon Tali Mendirek
7- Eynesil
8- İskelifiye Bal. Bar
9- Giresun Kuzey Mendirek
10- Giresun Güney Mendirek
11- Piriazizburnu
12- Yason Burnu
13- Fatsa
14- Cıva Burnu
15- Çaltı Burnu
16- Samsun Doğu Mendirek
17- İnci Burnu
18- Gerze
19- Boztepe
20- Akliman
21- Ayancık (Ustaburun)
22- İnebolu Kuzey Mendirek
23- İnebolu Güney Mendirek
24- Köpekkaya
25- Kurucaşile
26- Amasra Kuzey Mendirek
27- Amasra Doğu Mendirek
28- Bartın Güney Mendirek
29- Bartın Kuzey Mendirek
30- Bartın Kuzey İstikamet
31- Bartın Tali Mendirek
32- Bartın Demirliburnu
33- Ereğli Mendirek
34- Ereğli Bozhane Bar.
35- Akçakoca
36- Kefken Ada Doğu Mendirek
37- Kefken Ada Batı Mendirek
38- Şile Mendirek
39- A. Karaburun
40- Eşekadası
41- Midye, Taşburnu
42- Cide Bal. Bar. (B)

b- Elektrik Asetilen

43- Hopa Sarp
44- Hopa
45- Kızkalesi
46- Rize
47- Araklı
48- Trabzon
49- Tirebolu
50- Camburnu (Vona)
51- Giresun
52- Bozuk Kale
53- Çam Burnu (Zefre)
54- Fatsa Ana Mendirek
55- Fatsa Tali Mendirek
56- Ünye
57- Samsun Kuzey Mendirek
58- İnceburun (Sinop)
59- İnebolu
60- Kefkenada
61- İğne Ada

c- Devvar-Elektrik (Bütangaz)

62- Işıklı
63- Bafra
64- Kerempe
65- Amasra
66- Zonguldak
67- Şile
68- R. Karaburun

d- Devvar-Bütangaz

69- Ölüce

e- Bütangaz-Çakar
70- Ağva
71- Ağva Kuzey Mendirek
72- Ağva Güney Mendirek
73- Sakarya
74- Dalyan Burnu (KİLYOS)

f- Sabit Elektrik
75- Trabzon Tali Mendirek
76- Samsun Kuzey Tali Mendirek

77- Samsun Güney Tali Mendirek
78- Cide Bar. (A)
79- Bartın Taşdibi
80- Ereğli Bal. Bar.
81- İğne Ada Tali Mendirek
82- İğne Ada Doğu Mendirek

İSTANBUL BOĞAZI

a- Asetilenli
1- Anadolu Kavak
2- Bebek
3- Kuruçeşme
4- Harem Güney Mendirek
5- Harem Kuzey Mendirek
6- H.Paşa İç. Mendirek Güney
7- Kumkapı Bal. Bar.

b- Sabit Elektrik
8- R. Feneri Bal. Bar. (A)
9- R. Feneri Bal. Bar. (B)

c- Çakar Elektrik
10- Beykoz Selviburnu

d- Devvar Elektrik (Bütangaz)
11- Anadolu
12- Ahırkapı

e- Elektrik-Akü-Çakar
13- Beykoz, İncirköy

f- Elektrik-Asetilen
14- Rumeli
15- Büyükdere
16- Kireçburnu

17- Paşabahçe
18- Kanlıca
19- İstinye
20- Rumelihisarı
21- Kandilli22- Arnavutköy
23- Baltalimanı
24- Defterdar Burnu
25- Beylerbeyi
26- Çengelköy
27- Kızkulesi
28- Salıpazarı
29- İnciburnu
30- Fenerbahçe

g- Bütangaz-Çakar
31- Yeniköy
32- Fil Burnu (A. Kavak)

h- Güneş Enerjili Çakar
33- Büyük Liman
34- Dikili Kaya
35- Haydarpaşa Dış Men. Kuzey
36- Fenerbahçe Kayalığı

ı- Güneş Enerjili Sabit
37- Haydarpaşa İç Mendirek Kuzey
38- Haydarpaşa Dış Men. Güney

MARMARA BÖLGESİ

a- Asetilenli

1- Sivri Ada
2- Burgaz Adası
3- Yıldız Kayalığı
4- Dilek Kayalığı
5- Pendik Mendirek
6- Heybeli Ada
7- Yalova-S.Dere Ana Mendirek
8- Yalova-S.Dere Tali Mendirek
9- Dil Burnu
10- Gölcük
11- B. Çekmece, Değirmen B.
12- İmralı Martıburnu
13- İmralı Değirmen B.
14- Kapsüle
15- Bandırma Tali Mendirek
16- Bandırma Kuzey Mendirek
17- Feneradası
18- Ekinlik
19- Asmalı
20- Balyos
21- Erdek Paşalimanı
22- Sarayköy
23- M.Adası Tali Mendirek
24- M.Adası Ana Mendirek
25- M.Adası Ababurnu
26- Marmara Adası
27- M.Adası Hayırsızada
28- Erdek Tavşanada
29- Karabiga
30- Kara Burun (Biga)
31- İnce Burun (Gelibolu)
32- Silivri Ana Mendirek
33- Silivri Tali Mendirek

b- Bütangaz-Çakar

34- Karacabey
35- Mudanya Arnavutluk
36- Gemlik Tuzlaburnu

37- Yalova Mersinburnu
38- M. Ereğli Sığlık
39- M. Ereğli Örencik
40- Balıkçı Adası
41- Tuzla (H. Ada)

c- Devvar-Bütangaz

42- Bozburun

d- Devvar-Elektrik (Bütangaz)

43- Yelkenkaya
44- Hoşköy

e- Elektrik-Asetilen

45- Pavli Aydınbey
46- Zeytinburnu
47- M. Ereğlisi

f- Sabit Elektrik

48- Mimar Sinan
49- Karabiga Güney Mendirek
50- Karabiga Kuzey Mendirek

g- Elektrik Akülü Çakar

51- Kova Burnu
52- Bostancı Mendirek

h- Elektrik Çakar

53- Yeşilköy

Eskiden, İstanbul Boğazı'nın Karadeniz girişinde denizcilere yol gösteren, Işık adlı fener dubası.

ÇANAKKALE BÖLGESİ

a- Asetilenli
1- Karakova
2- Zincirbozan
3- Çardak
4- Galata
5- Ilgardere
6- Bergaz
7- Kepez
8- Karanfil Burnu
9- Seddülbahir (A)
10- Seddülbahir (B)
11- Anıt

b- Devvar-Elektrik (Bütangaz)
12- Gelibolu

c- Devvar Bütangaz
13- Mehmetçik

d- Elektrikli Çakar
14- Kumkale

e- Elektrikli Akü Çakar
15- Eceabat Ön İstikamet
16- Eceabat Arka İstikamet

f- Akü Çakar
17- Çanakkale Odunluk İskelesi

g- Sabit Elektrik
18- Çanakkale İsk. Barınak

h- Elektrik Asetilenli
19- Çimenlik
20- Kilitbahir

i- Bütangaz Çakar
21- Nara
22- Kilya
23- Akbaş

EGE BÖLGESİ

a- Asetilenli
1- B. Kemikli Burnu
2- Bakla Burnu
3- Gökçeada
4- Gökçeada Mendirek
5- Gökçeada Bar. Tali Mendirek
6- Gökçeada Bar. Ana Mendirek
7- Kaleköy
8- Beşiye Burun
9- Sivrice
10- Edremit Karaburun
11- Edremit Bozburun
12- Yumurta Adası
13- Ali Burnu
14- Korkut Burnu
15- Güneş Adası
16- Alibey Adası
17- Ayvalık-Dolap Boğazı
18- Ayvalık İskele (A)
19- Ayvalık İskele (B)
20- Ayvalık İskele (C)
21- Ayvalık Sancak (A)
22- Ayvalık Sancak ('B)
23- Ayvalık Sancak (C)
24- Bademli
25- Dikili Madraçayı
26- Oğlak Adası
27- Uzun Ada
28- Karaburun (İzmir)
29- Tuzla Burnu (Aliağa)
30- Taşlık Burnu (Aliağa)
31- Tavşan Ada

Laurens'in 1854 tarihli gravüründe Rumeli Feneri ile çevresindeki Rumelifeneri köyü.

32- Ilıca Burnu

33- Pasaport Mendirek

34- İzmir Kuzey Mendirek

35- İzmir Güney Mendirek

36- Çeşme

37- Doğanbey Adası

38- Ufak Ada

39- Eşek Adası

40- Teke Burnu

41- Bayrak Adası

42- Çil Adası

43- Tekağaç

44- B. Kiremit Adası

45- Üçyan Adası (Kargıadası)

46- Çamlık Burnu

47- Bodrum Sentapostal

48- Ören

49- Bodrum Çataladası

50- Gökova

51- Deveboynu

b- Elektrik Asetilenli

52- Kabatepe Kuzey Mendirek

53- Kabatepe Güney Mendirek

54- Foça Değirmen Burnu

55- Kuşadası

56- Hüseyin Burnu

57- Bodrum Batı Mendirek

58- Babakale

c- Sabit Elektrik

59- Dikili Mendirek

60- Boz Burun Bal. Bar.

61- Gökçe Ada İç Liman

62- Kabatepe Barınak

d- Akülü Çakar

63- Bodrum Doğu Mendirek

e- Bütangaz Çakar

64- Mermerburnu (B. Ada)

65- Batıburnu (B. Ada)

66- Damlacık (Bozcaada)

f- Güneş Enerjili Çakar

67- Tavşan Ada (B. Ada)

68- Topan Adası

69- Atabol (Bozburun)

60- Karaburun (Alopi)

71- Foça Azaplar Kayalığı

72- Aliağa Pırasa Adası

73- Çeşme Döküntü Taşı

74- Toprak Adası

75- Ata Adası

76- İnce Burun (Datça)

77- Kara Ada (Bodrum)

78- Nicegöl (Güllük)

79- Bozalan Burnu

80- Süngü Kaya

81- Büyük Saip Adası

82- İnce Burun (Gökova)

g- Elektrikli Çakar

83- Bozcaada Doğu Mendirek

84- Bozcaada Kuzey Mendirek

AKDENİZ BÖLGESİ

a- Asetilenli

1- Altınada

2- Kadırgaburnu

3- İnceburun (Marmaris)

4- Delikada (Dalyan)

5- Karaçay

6- Peksimat Adası

7- Göçek Methal

8- Göçek İç Liman

9- Fethiye Kuzey Sığlık

10- Fethiye Eski Meğri

11- Paçariz burnu

12- Kötüburun

13- Kaş Bucak Mevkii

14- Kaş Bayındır Sahil

15- Kaş Bayındır Send.

16- Finike Ana Mendirek

17- Finike Tali Mendirek

18- Taşlıkburnu (Muavin)

19- Çavuş

20- Antalya (Yeni Lim. Tali Men.)

21- Antalya (Yen Lim. Ana Men.)

22- Selintiburnu

23- Ağalar Limanı (Taşucu)

24- Deliburnu

25- Mersin Kuzey Mendirek Dirsek

26- Mersin Güney Mendirek

27- Mersin Kuzey Mendirek

28- Mersin Güney İstikamet

29- Yumurtalık Yardımcı

30- İskenderun Dirsek

31- İskenderun Batı Mendirek

b- Elektrik Asetilenli

32- Bababurnu

33- Aydıncık (Anamur)

34- Mersin

35- Yumurtalık

36- İskenderun

37- Side

c- Elektrik Çakar

38- Mersin Rehber Ön.

39- Mersin Rehber Arka

40- Antalya Eski Liman Güney
41- Antalya Eski Liman Kuzey
42- İsdemir Batı Mendirek
43- İsdemir Kuzey Mendirek

d- Elektrik-Sabit
44- Mersin Rıhtım No. 4
45- Mersin Rıhtım No. 5
46- İskenderun B. İskele ucu
47- İskenderun İç Lim. Mendirek
48- İsdemir (A) noktası
49- İsdemir (B) noktası
50- İskenderun B. Bar. (A)
51- İskenderun B. Bar. (B)

e- Güneş Enerjili
52- Yılancıkada
53- Karaağaç (Kargılıburun)
54- Küllüburnu (Delik Kaya)
55- Bugluca
56- Avburnu

57- Kargıncık
58- İncekumburnu
59- Keçi Adası
60- Baba Adası
61- İblis Burnu
62- Batık Kaya
63- Çatal Adası
64- Ölü Deniz
65- Kekova
66- Tersane Tepesi
67- Koyun Burnu

f- Devvar Elektrik (Bütangaz)
68- Alanya
69- Karataş

g- Devvar Bütangaz
70- Kızılada
71- Taşlıkburnu
72- Anamur
73- Akıncı

İSTANBUL LİMANI KILAVUZLUK SERVİSİ

Kılavuz kaptanlığın çok eski bir geçmişi olduğu tahmin ediliyor. 4 bin yıl kadar önce, Mezopotamya'da, Kalde'nin Ur limanında görev yapan kılavuz kaptanların uzaklardan gelen teknelere yol gösterdikleri bilinmektedir. M.Ö. 1700'lü yıllarda konan Hammurabi Kanunları'nda da kılavuz kaptanlardan sözedilmekte, "Kaptanın ücreti bir gümüş sikke ise, kılavuz kaptanınki iki gümüş sikke olacaktır!" denmektedir.

İngiltere'de de kılavuzluk mesleğine büyük önem verilmiştir. Kral VII. Henry'nin zamanında 1514'te kılavuzlar yetiştirmek için bir "Denizciler Loncası" kurulmuş, İngiltere'nin en köklü denizcilik kuruluşlarından olan ve kılavuzluk, deniz fenerleri ve şamandıraların yönetimiyle uğraşan Trinitiy House'un temeli daha o dönemde atılmıştır.

İstanbul Limanı Kılavuzluk Servisi, Türkiye Denizcilik İşletmeleri'nin bünyesinde yeralan, İstanbul Liman İşletmesi Müdürlüğü'ne bağlı bir kuruluştur. Görevi, İstanbul ve Çanakkale Boğazları'ndan geçecek gemilerin selâmetle seyretmelerini sağlamaktır.

Kılavuzluk Servisi, Osmanlı Devleti döneminde büyük önem kazanmış olmasına rağmen, bu hizmetten elde edilebilecek büyük kazançlara karşı nedense ilgisiz kalınmıştı. Devletin bu kayıtsızlığına rağmen bu işte büyük çıkarlar gören bazı kişiler, kılavuz kaptan olarak ortaya çıkmışlar, her türlü denetimden uzakta, uzmanlıktan yoksun, bilgisiz, tecrübesiz ve sorumsuz olarak yıllarca çalışmışlar, çok da para kazanmışlardı. Gayrımüslim olan bu kişilerin çoğu Rum kaptanlardı.

Yaşlı bir Rum kaptan Bahriye'ye istida veriyor

Kılavuzluğun büyük önemi, 1892 yılında Marino adında yaşlı bir Rum kaptanın Bahriye Nezareti'ne başvurması üzerine anlaşıldı. Rum kaptan, bu dilekçesinde Çanakkale ve İstanbul Boğazları'nda, ayrıca limandaki kılavuzluk hizmetlerinin, vekili bulunduğu bir şirkete verilmesini istiyordu. Bu imtiyaz karşılığında her yıl Hazine'ye temettü olarak 1.000 altın verecekti.

Dilekçeyi inceleyen dönemin Bahriye Nâzırı Bozcaadalı Hasan Hüsnü Paşa durumun önemini kavrayarak *Mesudiye* fırkateyni kumandanı Hayri Paşa'nın başkanlığında, aynı fırkateynde bir komisyon kurulmasını ve bu alanda çalışmalara başlanmasını emretti. Çalışmalara başlandı. Raporlar yazıldı, nizamnameler hazırlandı, ama ne yazık ki hükûmet yine de bu konu ile yeterince ilgilenmedi; değil ilgilenmek, Rum kaptana cevap bile vermedi.

Mesudiye fırkateyninde toplanan komisyonun üyelerinden Süleyman Nutkî Bey, 1910'da Donanma'dan emekli olunca bu işin üzerinde önemle durmaya başladı. (Bu zat, İstanbul Teknik Üniversitesi Gemi İnşaiye Kürsüsü Başkanlığı da yapan Ord. Prof. Ata Nutku Bey'in babasıdır.)

1914'te toplanan ikinci komisyona yeniden üye olarak giren Süleyman Nutkî Bey, Kılavuzluk Servisi'nin kurulması için gerçekten büyük emek sarfetti. Uzun çalışmalarının sonunda 24 Ağustos 1914 günü bir Kılavuzluk Nizamnamesi düzenlendi ve bu konudaki tüm yetkiler Osmanlı Seyr-i Sefain İdaresi'ne verildi. Ne yazık ki, bu çok yararlı girişim Birinci Dünya Savaşı'nın patlak vermesi üzerine, gerçekleştirilemedi.

1917'de Rusya'daki büyük devrim sonrasında imzalanan Brest-Litovsk Antlaşması ile Karadeniz'den gelen gemilerin Boğazlar'dan geçmeleri ihtimalleri kuvvetleniyordu. Bu durum karşısında Süleyman Nutkî Bey, dönemin Bahriye Nazırı Cemal Paşa'yı kılavuzluk hizmetleri ve imtiyazının önceden Osmanlı Seyr-i Sefain İdaresi'ne verildiği ve bu İdare'nin ise

1930'lu yıllarda kılavuz kaptanlar Kılavuzluk Dairesi'nin önünde.

Harbiye Nezareti'ne bağlı olduğu nedenle, kılavuzluk hizmetlerinin de Seyr-i Sefain tarafından yürütülmesi gerektiğine ikna etti. Ama teşkilat kurulmadığından uygulamaya geçilemedi.

Bu durum karşısında, Süleyman Nutkî Bey yeniden bir rapor hazırlayarak Osmanlı Seyr-i Sefain İdaresi Encümeni'ne verdiyse de Umum Müdür vekil Topal İsmail Hakkı Paşa'nın karşı koyması yüzünden rapor bu sefer de uygulamaya konulamadı. Daha da kötüsü, teşkilâtın kurulması, 1918'de Mütareke günlerine kadar da uzadı. Çünkü o yıllarda müttefikimiz olan Almanlar'dan Kohen adlı bir deniz binbaşısı Boğaz'da kılavuzluk yaptırmaya başlamıştı. Topal İsmail Paşa'nın Kohen adlı bu deniz binbaşısıyla menfaat ilişkileri içinde olduğu söyleniyordu. Ayrıca Süleyman Nutkî Bey, Paşa'nın kötü muamelesiyle karşılaşmıştı.

Teşkilat, Rauf Bey'in sayesinde kuruluyor

Dönemin Bahriye Nazırı Hüseyin Rauf Bey'in (ünlü *Hamidiye* kahramanı Hüseyin Rauf Orbay) ısrarlı tutumu ve desteğiyle 9 Ekim 1918 günü teşkilâtın kurulması gerçekleşebildi. O gün, Osmanlı Seyr-i Sefain İdaresi binasında Süleyman Nutkî Bey'e, bir masa ile iki sandalyenin ancak sığabileceği kadar küçük de olsa, bir oda tahsis edildi. İlk olarak tecrübeli ve bilgili kaptanlardan oluşan bir kılavuzlar heyeti kuruldu.

Kuruluşun parası olmadığı gibi, kılavuzluk edilecek gemiye gitmek için teknesi de yoktu. Hiçbir ödeneği olmadığından gerekli malzemenin karşılanması imkânsız görünüyordu. Kılavuzluk teşkilâtı, kurulmasına kurulmuştu da henüz hizmet veremez durumdaydı. Kaldı ki, yetkililer arasında bu kuruluşun asla hizmet veremeyeceği görüşünde olanlar da vardı.

Süleyman Nutkî Bey yılmadı, usanmadı, teşkilâtı güçlendirmek için çalıştı. O sıralarda Seyr-i Sefain Umum Müdürlüğü'ne atanan Amiral Vasıf

Haliç Tersanesi yapımı 5 numaralı kılavuz motoru açık denizde.

Paşa'ya durumu anlattıktan başka, Harbiye Nezareti'ne de resmen başvurarak kılavuzluk imtiyazının Osmanlı Donanma Cemiyeti'ne devredilerek memleket menfaatlerinin kollanmasını istedi. Türk denizciliği, bu iş için 28 yıl uğraşan emekli fırkateyn kaptanlarından Süleyman Nutkî Bey'e çok şey borçludur.

Başlangıçta, 5.000 lira sermayeye karşılık, yılda 1.500 lira kâr sağlanacağı tahmin ediliyordu. Bunları gözönüne alan Donanma Cemiyeti, imtiyazı 200.000 liraya devralmaya karar verdi. Ne var ki, bu sefer de Osmanlı Seyr-i Sefain İdaresi imtiyazı devretmekten vazgeçti. Nihayet Bahriye Nâzırı'nın emriyle 1 Ocak 1919 günü Osmanlı Seyr-i Sefain İdaresi, Kılavuzluk Hizmetleri Teşkilâtı için 6.000 liralık bir bütçeyi kabul etti. Kılavuzluk teşkilâtı ancak böylece hizmet vermeye başlayabildi.

Cumhuriyet'ten sonra kılavuzluk işleri

Cumhuriyet'in ilânından sonra 1925'te kurulan İstanbul Liman İşleri İnhisarı Şirketi bünyesinde çalışmalarını sürdüren teşkilât 1934 yılının sonlarında Maliye Vekâleti'ne bağlı olarak İstanbul Liman İşleri Müdürlüğü'ne, sonra da 1 Ocak 1938'de Denizbank Umum Müdürlüğü'ne, daha sonra da 30 Haziran 1939'da Münakalât Vekâleti'nin kontrolu altında hizmet vermekte devam etti.

Aynı yıl Devlet Limanları İşletmesi Umum Müdürlüğü'ne geçen kuruluş, 1 Mart 1952 tarih ve 5.842 sayılı kanunla Denizcilik Bankası T.A.Ş.'ne bağlı olan İstanbul Liman İşleri Müdürlüğü'nün Kılavuzluk Servisi olarak bir şeflik düzeyinde hizmet verdi.

1984 yılının Kasım ayında kurum isim değiştirerek Türkiye Denizcilik İşletmeleri bünyesinde İstanbul Liman İşletmesi Kılavuzluk ve Römorkörlük Servisi Şefliği adını aldı. Halen bu ad altında hizmet vermeye devam etmektedir. Ayrıca İzmir Liman İşletmesi'nin de Kılavuzluk ve Römorkörlük Servisi vardır. Rumelikavağı, Harem, Tophane, Tekirdağ, Gelibolu, Mehmetçik (Seddülbahir), Çanakkale, Gemlik, Yarımca, İzmit ve Darıca'daki istasyonlar, TDİ İstanbul Liman İşletmesi'ne bağlıdır.

Dikili, Çeşme, Kuşadası, Güllük ve Marmaris'teki istasyonlar da İzmir Liman İşletmesi'ne bağlıdır. Ayrıca Karadeniz'de Hopa'da, Akdeniz'de de Antalya'da birer istasyon vardır. Haydarpaşa limanı başta olmak üzere bazı limanlarda da Devlet Demiryolları'nın ve BOTAŞ'ın kılavuzluk istasyonları geceli gündüzlü hizmet vermektedir. Ne var ki denizciler, İstanbul Boğazı'ndan geçmekte olan gemilerin güvenliğinin arttırılması için Tellitabya'daki istasyonun Boğaz girişine kaydırılması, Harem'deki istasyonun da hiç olmazsa Yeşilköy'e nakledilmesi gerektiğini ileri sürüyorlar. Karadeniz'den giriş yapan gemiler, daha erken kılavuz alabilecekler, Boğaz'dan çıkarken de, en kritik bölge olan Sarayburnu ve Kumkapı önlerini kılavuz kaptanın kontrolü altında geçeceklerdir. Halbuki günümüzde, kılavuzlar, Sarayburnu açıklarında gemiden ayrıldıkları için, kaptanlar, özellikle geceleri en tehlikeli bölgede kendi başlarına kalmaktadırlar.

Son yıllarda, özel limanlardaki kılavuzluk ve römorkaj hizmetlerinin özelleştirildiği görülüyor. Kılavuz kaptanlardan birkaçı kendi aralarında örgütlenerek Deniz Kılavuzluk A.Ş. adında bir şirketi faaliyete geçirmeleri bu alanda atılan önemli bir adım olmuştur. 122 ortaktan oluşan bu kuruluş Yüksek Denizcilik Okulu mezunları tarafından oluşturulmuş ilk ve ciddi bir şirkettir.

Nemrut Körfezi'nde Ege Gübre; Nemtaş, Limaş, Çukurova Çelik ve Habaş iskelelerinde Uzmar Kılavuzluk ve römorkaj hizmetleri veriyor. Gemport Limanı, kılavuzluk ve römorkaj hizmetlerini kendisi; Çanakkale Çimento da Uzmar Danizcilik vermeye başlamıştır. 1996 yılı Haziran'ından itibaren de İzmit Körfezi'ndeki iskelelere kılavuzluk ve römorkaj hizmetlerini Deniz Kılavuzluk A.Ş. ve Med Maritim Şirketleri vermeye başlamıştır. Bütün iskelelerde verilen kılavuzluk ve römorkaj hizmetlerinin brüt bedelleri üzerinden Millî Emlâk'e ödenen devlet payı % 6,5 oranındadır.

TÜRKİYE LİMANLARINDAKİ KILAVUZLUK TEŞKİLATI

Liman adı	İşleten kuruluş	Kılavuzluk teşkilatı	Kılavuz adedi
Hopa limanı	TDİ	Var (Mecburi) TDİ	2
Rize limanı	Belediye	.....	...
Trabzon limanı	TDİ	Var (Mecburi) TDİ	2
Giresun limanı	TDİ	Var (Mecburi) TDİ	2
Ordu iskelesi	TDİ	.....	...
Fatsa iskelesi	Belediye	.....	...
Samsun limanı	TCDD	Var (Mecburi) TDİ	2
Sinop iskelesi	Belediye	.....	...
İnebolu limanı	Belediye	.....	...
Zonguldak limanı	EKİ	Var (Mecburi) TDİ	1
Ereğli limanı	EKİ	Var (Mecburi) Erdemir	3
Erdemir limanı	Erdemir	Var (Mecburi) Erdemir	3
İstanbul limanı	TDİ-TCDD	Var (Mecburi) TDİ	14
İstanbul Boğazı	TDİ	Var (Mecburi-İhtiyari) TDİ	57
Çanakkale Boğazı	TDİ	Var (Mecburi-İhtiyari) TDİ	57
İzmit Körfezi	TDİ	Var (Mecburi) TDİ	19
Derince limanı	TCDD	Var (Mecburi) TCDD	2
Gemlik iskelesi	Belediye	Var (Mecburi) TDİ	2
Mudanya iskelesi	Belediye	Var (Mecburi) TDİ	2
Bandırma limanı	TCDD	Var (Mecburi) TCDD	2
Tekirdağ limanı	TDİ	Var (Mecburi) TDİ	2
Çanakkale iskelesi	TDİ	Var (Mecburi) TDİ	...
Gelibolu iskelesi	TDİ	Var (Mecburi) TDİ	...
Ayvalık limanı	Belediye	.....	...
Aliağa Körfezi	Tüpraş	Var (Mecburi) TÜPRAŞ	4
Aliağa Petkim	Petkim	Var (Mecburi) PETKİM	2
Nemrut limanı	...	Var (Mecburi) Özel	2
Dikili iskelesi	Belediye	Var (Mecburi) TDİ	9
İzmir limanı	TCDD	Var (Mecburi) TDİ	9
Kuşadası limanı	TDİ	Var (Mecburi) TDİ	9
Güllük iskelesi	TDİ	Var (Mecburi) TDİ	9
Gökova iskelesi	Belediye	.....	...
Göcek limanı	Seka-Etibank	.....	...
Bodrum limanı	Belediye (Yat lim)	....	...
Marmaris iskelesi	Belediye	.....	...

Fethiye iskelesi	Belediye	.....	...
Antalya limanı	TDİ	Var (Mecburi) TDİ	2
Alanya iskelesi	Belediye	Var (Mecburi) TDİ	2
Anamur iskelesi	Belediye	.....	...
Finike limanı	Belediye	.....	...
Mersin limanı	TCDD-ATAŞ	Var (Mecburi) TCDD	5
Taşucu iskelesi	Belediye-SEKA	Var - Özel	2
İskenderun limanı	TCDD	Var (Mecburi) TCDD	2
İsdemir limanı	İSDEMİR	Var (Mecburi) İSDEMİR	...
Yumurtalık limanı	BOTAŞ	Var (Mecburi) BOTAŞ	16

VE, CANKURTARMA HİZMETLERİ

Eski adıyla Tahlisiye İdaresi, 19 Aralık 1869 tarihinde Osmanlı donanmasında hizmet görmekte olan Sir Henry F. Woods tarafından kuruldu. 1923 yılına kadar da hep İngiliz, Fransız ve İtalyanlar tarafından yönetildi.Kuruluş, İstanbul Boğazı'nın Karadeniz çıkışından, Rumeli yakasında Karaburun kıyılarına, Anadolu yakasında da Anadolufeneri'nden başlayarak Yon Burnu'ndan Şile'ye kadar olan kıyılar boyunca hizmet vermekteydi. Kötü hava koşulları ya da herhangi bir arıza nedeniyle zor durumda kalan Türk ve yabancı bandıralı gemilerdeki mürettebatın canlarını kurtarma hizmetini görmekteydi. 1050 İngiliz lirasına satın alınan 2 adet buhar makineli küçük tahlisiye botuyla can kurtarma faaliyetlerinde bulunulmuştu.

1869'dan 1881'e kadar faaliyetini sürdüren Türkiye Tahlisiye İdaresi, bu tarihten sonra 12 yıl Bahriye Nezareti İdaresi altında çalıştı. Daha sonraları Avrupa devletleri müdahale ederek İdare'ye elkoydular. 1883'e kadar süren görüşmeler sonunda, faaliyetin 24 Nisan 1883'te düzenlenen bir nizamname ile seçilen Avrupa delegesinin idaresi altında (ki bu kişi İstanbul'daki İngiltere Konsolosu idi) Liman Riyaseti tarafından sürdürülmesi kararlaştırıldı.

İdare, 1883'ten 1915'e kadar her ne kadar Osmanlı Devleti'nin idaresi altında görünüyorsa da, aslında yabancı devletlerin kontrolu altında çalıştı. 1915 yılında Osmanlı Devleti İdare'ye yeniden elkoydu, ama 1920'de İstanbul'un İngiliz, Fransız ve İtalyan kuvvetleri tarafından bilfiil işgal edilmesi üzerine, Tahlisiye İdaresi de yeniden yabancıların eline geçti; İngiliz, Fransız ve İtalyan temsilcilerden oluşan karma bir komisyon tarafından idare edilmeye başlandı.

Kurtuluş Savaşı'ndan sonraki günler

Türk ordusunun Anadolu'da düşmana karşı kazandığı kesin zaferden sonra, 9 Haziran 1923 günü Tahlisiye İdaresi de Türkiye Cumhuriyeti tarafından ele alındı. 1924'te Millî Müdafaa Vekâleti'ne bağlı kalmak üzere ayrı bir başkanlık olarak İstanbul Bahriye Ticaret-i Umumiyesi'ne verildi.

14 Haziran 1925 tarihinde, 617 sayılı kanunla Tahlisiye İdaresi bağımsız bir müdürlük haline getirilerek İktisat Vekâleti'ne bağlandı. 31 Aralık 1937 tarihinde kaldırılan Tahlisiye Umum Müdürlüğü, ertesi gün Fenerler İdaresi ile birleştirilerek Denizbank bünyesine alındı. Fenerler İdaresi bölümünde yazıldığı gibi, sonra da Denizcilik Bankası'na devredildi.

Kuruluşun 17 ayrı yerde tahlisiye istasyonu vardı:

A- Rumeli yakasında: Kilyos (Merkez), Atlama, Kısırkaya, Molaz, Akpınar, Kunduzdere, Karaburun, Darboğaz.

B- Anadolu yakasında: Yon Burnu (merkez), Riva, Galağra, Adacıklar, Karaburun, Alaçalı ve Şile. Kefken bölgesinde: Kefken Cebesi (Merkez), Kefkenadası.

Ama bu istasyonlardan 10 adedi fonksiyonlarını kaybettiklerinden zaman içinde kaldırıldıkları için, bugün ancak Rumelifeneri, Kilyos, Rumeli Karaburun, Yon burnu, Şile, Cebeci ve Kefken Adası'nda olmak üzere istasyon sayısı 7'ye indirilmiştir. Vardiya halinde çalışan cankurtarma personeli, günün 24 saatinde görev yapmaktadır.

Osmanlı Devleti'nde ilk telefon hattı özel bir müsaade ile İstanbul-Kilyos Tahlisiye merkezi arasına çekilmiş, ilk konuşma burada gerçekleşmiştir.

Karaya yakın sularda zor durumda kalan gemilere kıyıdan roket atılarak gemi ile kıyı arasında bir havai hat kurulmaktadır. Gemi, roketin ulaşmayacağı kadar açıkta ise o zaman özel cankurtaran motorlarıyla gidilerek gemicilerin kurtarılmasına çalışılmaktadır. Bir ara Zonguldak-Samsun'da da istasyon kurulmuşsa da, yararlı olmadığı gerekçesiyle 1941'de kaldırılmıştır.

DOKUZUNCU BÖLÜM
Belediye'nin Uçan Şeytanları

- İstanbul Deniz Otobüsleri

Büyükşehir Belediyesi'nin deniz otobüslerinden Yeditepe.

İstanbul deniz otobüsleri

1987'de, Bedrettin Dalan'ın başkanlığı sırasında, İstanbul Büyükşehir Belediyesi bünyesinde İstanbul Deniz Otobüsleri Sanayii ve Ticaret Anonim Şirketi adı altında bir deniz otobüsleri işletmesi kuruldu. Amaç, süratli yolcu vapurları çalıştırarak toplu taşımacılığa katkıda bulunmaktı. Norveç'te, Fjellstrand tezgâhlarına yaptırılan ilk iki deniz otobüsünün gelmesiyle, o yılın İstanbul'un fethinin yıldönümünde, 29 Mayıs günü Bostancı-Kabataş arasında ilk yolcu seferlerine başlandı.

Devam eden aylarda, üçer ay arayla inşası sona eren deniz otobüslerinin ikişer ikişer gelmesiyle, kuruluşun filosundaki teknelerin sayısı 10'a yükseldi. Bunların birkaçına genellikle tarihimizdeki ünlü denizcilerin adları verildi. Hepsi Yüksek Denizcilik Okulu mezunu, çoğu en az on yıllık tecrübeli uzun yol kaptanlarından ve başmühendislerinden oluşan bir kadro ve personel kuruldu.

İstanbul Deniz Otobüsleri kuruluşu gemilerin işletmeciliğini ve bakımını yapmakla yükümlüydü. Her yıl İstanbul Büyükşehir Belediyesi'ne gemi ve iskele kirası ödemek durumundaydı. Bir geminin maliyeti yaklaşık 8.250.000 Alman markı idi. Tekneler 12 yıllık bir kredi sözleşmesi ile satın alınmıştı, ödeme süresi 1998 sonunda sona erecekti.

Hafif alüminyum alaşımından (Al2Mn5) yapılan tekneler katamaran tipinde idi. 4 kişilik personeli olan bu tekneler 449 yolcu alıyorlardı ve iki ayrı motor gücünde inşa edilmişti. Hepsinin de yakıt kapasitesi 9.000 litre idi, seyir mesafeleri 525 mildi.

* Birinci tipte olanların (Hezarfen Çelebi, Nusret Bey, Sarıca Bey, Uluç Ali Reis, Umur Bey) 2 adet 1510 kW (2 X 2.050 beygir gücünde) motoru vardı. 32 mil hız yapıyorlardı. Bunlardan Uluç Ali Reis'e 1995 yılında MDS sistemi

İstanbul Belediyesi Deniz Otobüsleri İşletmesinin su jeti sistemiyle çalışan Ertuğrul Gazi *deniz otobüsü saatte 24 mil hıza erişiyor.*

monte edilmesi sonucu 7-8 kuvvetindeki denizli havalarda çok rahat seyir yapma olanağı sağlandı. Bu sistemin, bir program dahilinde öteki deniz otobüslerine de monte edilmesi planlanmış bulunuyor.

* İkinci tipte olanların (Çaka Bey I, Çavlı Bey, Karamürsel Bey, Ulubatlı Hasan, Yeditepe I) 2 adet 1.000 kW (2 X 1358 beygir gücünde) motoru vardı. 25 mil hız yapıyorlardı.

Deniz otobüslerinin ana güvertesinden başka bir de üst kat güvertesi daha vardı ki, yolcular burada isterlerse televizyon da izleyebiliyorlardı. Geniş bir uçağın içini andıran salonu çok rahat ve kullanışlıydı. Lacivert ve kırmızı renkli koltukları uçak koltuklarına benziyordu. Ne var ki, bütün bu tip teknelerde olduğu gibi açık güvertesi ve kenarlarda oturacak yeri yoktu. Ama temizliği, rahatlığı ve yüksek hız yapması, bu teknelerin yolcular tarafından kısa zamanda rağbet görmesine neden oldu. Ne var ki taşıma ücretleri, Şehir Hatları vapurlarınkinden daha pahalıydı.

Her gemide bir kaptan, bir başmühendis, bir yağcı iki de gemici bulunmaktadır. Bostancı-Kabataş arasını 23, Kartal-Yalova arasını 50 dakikada; Kabataş-Avşa arasını da yaklaşık 2,5 saatte katetmektedirler. Her gemi 449 yolcu almaktadır. On gemi de en yakın güvenlikli limandan 90 mil uzağa kadar açılabilir olarak klâslanmıştır. Bakımları, anlaşma gereği Pendik Tersanesi'nde yapılmaktadır.

Deniz otobüsleri nerelere çalışıyor?

Deniz otobüsleri Asya yakasında Bostancı (merkez), Kadıköy ve Kartal olmak üzere üç, Avrupa yakasında da Bakırköy, Yenikapı, Eminönü,

Karaköy ve Kabataş olmak üzere beş iskele arasında seferler yapmaya başladı. Ayrıca Yalova, Büyükada ve Marmara Adası ile Avşa'ya da seferler düzenlenmekteydi.

Kuruluşun filosunda başlangıçta birbirinin eşi Norveç yapımı on adet tekne bulunmaktaydı:

* **ÇAKABEY:** 1987'de, Norveç'de Fjellstrand tezgâhlarında yapıldı. 431 gros, 166 net tonluk. Uzunluğu: 38,8 metre, genişliği: 9,7 metre, su kesimi: 2,5 metre. Norveç yapımı 2 adet 1.000 kW. gücünde MTU dizel motoru var. Çift uskurludur.

* **ÇAVLI BEY I:** 1987'de, Norveç'te Fjellstrand tezgâhlarında yapıldı. 431 gros, 166 net tonluk. Uzunluğu: 38,8 metre, genişliği: 9,7 metre, su kesimi: 2,5 metre. Norveç yapımı 2 adet 1.000 kW. gücünde MTU dizel motoru var. Çift uskurludur.

* **HEZARFEN ÇELEBİ:** 1987de, Norveç'te Fjellstrand tezgâhlarında yapıldı. 431 gros, 166 net tonluk. Uzunluğu: 38,8 metre, genişliği: 9,7 metre, su kesimi: 2,5 metre. Norveç yapımı 2 adet 1.510 kW. gücünde MTU dizel motoru var. Çift uskurludur.

Büyükşehir Belediyesi'nin deniz otobüslerinden Karamürsel Bey.

* **KARAMÜRSEL BEY:** 1987'de, Norveç'te Fjellstrand tezgâhlarında yapıldı. 431 gros, 166 net tonluk. Uzunluğu: 38,8 metre, genişiği: 9,7 metre, su kesimi: 2,5 metre. Norveç yapımı 2 adet 1.000 kW. gücünde MTU dizel motoru var. Çift uskurludur.

* **NUSRET BEY:** 1987'de, Norveç'te Fjellstrand tezgâhlarında yapıldı. 431 gros, 166 net tonluk. Uzunluğu: 38,8 metre, genişliği: 9,7 metre, su kesim: 2,5 metre. Norveç yapımı 2 adet 1.510 kW. gücünde MTU dizel motoru var. Çift uskurludur.

* **SARICA BEY:** 1987'de, Norveç'te Fjellestrand tezgâhlarında yapıldı. 431 gros, 166 net tonluk. Uzunluğu: 38,8 metre, genişliği: 9,7 metre, su kesimi: 2,5 metre. Norveç yapımı 2 adet 1.510 kW. gücünde MTU dizel motoru var. Çift uskurludur.

* **ULUBATLI HASAN:** 1987'de, Norveç'te Fjellstrand tezgâhlarında yapıldı. 431 gros, 166 net tonluk. Uzunluğu: 38,8 metre, genişliği: 9,7 metre, su kesimi: 2,5 metre. Norveç yapımı 2 adet 1.000 kW. gücünde dizel motoru var. Çift uskurludur.

* **ULUÇ ALİ REİS:** 1987'de, Norveç'te Fjellstrand tezgâhlarında yapıldı. 431 gros, 166 net tonluk. Uzunluğu: 38,8 metre, genişliğ: 9,7 metre, su kesimi: 2,5 metre. Norveç yapımı 2 adet 1.510 kW. gücünde dizel motoru var. Çift uskurludur.

* **UMURBEY:** 1987'de, Norveç'te Fjellstrand tezgâhlarında yapıldı. 431 gros, 166 net tonluk. Uzunluğu: 38,8 metre, genişliği: 9,7 metre, su kesimi: 2,5 metre. Norveç yapımı 2 adet 1.510 kW. gücünde MTU dizel motoru var. Çift uskurludur.

* **YEDİTEPE I:** 1987'de, Norveç'te Fjellstrand tazgâhlarında yapıldı. 431 gros, 166 net tonluk. Uzunluğu: 38,8 metre, genişliği: 9,7 metre, su kesimi: 2,5 metre. Norveç yapımı 2 adet 1.000 W. gücünde MTU dizel motoru var. Çift uskurludur.

Bu arada Beykoz, Üsküdar, Sarıyer, Yeniköy, İstinye ve Beşiktaş'a da yeni iskele binaları yaptırıldı.

İstanbul Deniz Otobüsleri 1995 yılının Ocak ayında eski 4 numaralı Eminönü iskelesinin bulunduğu yerde Eminönü terminalini açtı. Bu arada her biri 15 milyon dolara malolan iki deniz otobüsü daha satın alarak filosunu takviye etti. M/F *Akşemseddin* ve M/F *Ertuğrul Gazi* adları verilen bu iki tekne 26 Ocak 1995 günü törenle sefere kondu. 155 yolcu alan "monohull" tipindeki bu iki tekne, yolcu sayısının azaldığı saatlerde ve az yolcusu olan hatlarda kullanılıyor. Deniz jeti tipindeki bu iki teknede klâsik pervane dümenleri yerine "su jetleri" var.

İdare, İstanbul-Mudanya ile İstanbul-Bandırma'ya da seferler başlattı. Yazları, Avşa, Marmara adası ile Avcılar'a da seferler koydu. 21 Haziran 1998 günü de Boğaz iskelelerine deneme seferleri başlatıldı.

* **AKŞEMSEDDİN:** Temmuz 1994'te, Batı Avustralya, Austal Ship Pty. Ltd. tezgâhlarında mono-hull tarzında yapıldı. 187 gros tonluk. Uzunluğu: 30 metre, genişliği: 7,05 metre, su kesimi: 1,20 metre. Water-Jet sistemiyle, saatte 26 mil hız yapıyor. 200 mil seyir mesafesi var. Mürettebatı dört kişi. 155 yolcu kapasiteli.

* **ERTUĞRUL GAZİ:** Temmuz 1994'te, Batı Avustralya, Austal Ship Pty. Ltd. tezgâhlarında, mono-hull tarzında yapıldı. 187 gros tonluk. Uzunluğu: 30 metre, genişliği: 7,05 metre, su kesimi: 1,20 metre. Water-Jet sistemiyle saaatte 26 mil hız yapıyor. 200 mil seyir mesafesi var. Mürettebatı dört kişi. 155 yolcu kapasiteli.

Yeni tekneler filoya katılıyor

İstanbul Deniz Otobüsleri Sanayi ve Ticaret Şirketi, filosunu zenginleştirmek ve yolcu taşıdığı iskele sayısını arttırmak amacıyla yeni deniz otobüsleri getirmek üzere girişimlerde bulundu. 1996 Kasım'ında Avustralya'da, Austal Ships PTY Ltd. firmasında inşası sona erdirilen iki yeni deniz otobüsü 17 Aralık 1996 tarihinde gelip filoya katıldı. Bunlara *Piyale Paşa* ile *Sinan Paşa* adları verildi. Herbiri 5 milyon dolara malolmuştu. Daha sonraki tarihlerde, dört deniz otobüsü ile iki de büyük feribot alındı. Yeni açılacak hatlara ilave olarak iki feribotla Yenikapı-Yalova arasında yolcu ve araç taşımacılığına başlandı. 95 araç ile 500 yolcu taşıyan feribotlar İstanbul'dan Yalova'ya 45 dakikada gidebiliyordu. Yakında, bu dev feribotlarla İstanbul-İzmir arasında da araç ve yolcu taşımacılığı yapılması planlanıyor. Dört kişilik mürettebatı olan bu otobüsler 450 kişi taşıyor. Seyir mesafesi 550 mil; pervanesi olmayıp su jeti sistemiyle hareket ediyor. Bu teknelerde mescit de var, abdest almak için tabureli özel lavabolar da... Şirket, bunlardan sekiz adet daha getirterek, bu yeni tipteki deniz otobüslerinin sayısını arttıracak.

* **PİYALE PAŞA:** 1996'da, Avustralya, Henderson'da Austal Ships PTY Ltd. tezgâhlarında inşa edildi. 516 gros, 188 net tonluk. Uzunluğu: 40,1 metre, genişliği: 10,5 metre, su kesimi: 1,3 metre. 2 X 1.980 kW. (2 X 2.600 beygir gücünde) MTU motoru var. Saatte 34 mil hız yapıyor.

* **SİNAN PAŞA:** 1996'da, Avustralya, Henderson'da, Austal Ships PTY Ltd. tezgâhlarında inşa edildi. 516 gros, 188 net tonluk. Uzunluğu: 40,1 metre, genişliği: 10,5 metre, su kesimi: 1,3 metre. 2 X 1.890 kW. (2 X 2.600 beygir gücünde) MTU motoru var. Saatte 34 mil hız yapıyor.

1997 yılında işletme yine birbirinin eşi beş deniz otobüsü getirterek hizmete koydu. Bunların ikisi, *Piri Reis II* ile *Hızır Reis III* 400 yolcu kapasiteli idi; *Oruç Reis V* ise 350 kişilikti.

* **PİRİ REİS II:** 1997'de, Norveç, Omastrand'da Kvaerner Fjellstrand A/S tezgâhlarında deniz otobüsü olarak yapıldı. 395 gros, 119 net tonluk. Uzunluğu: 35 metre, genişliği: 10,1 metre, su kesimi: 3,9 metre. Modern seyir cihazları ile donatılmış. Dört adet 817 beygir gücünde (4 x 610 kW.) dizel motoru var. Seyir mesafesi: 320 mil, saatte 32 mil yapabiliyor. Çift uskurlu. 400 yolcu kapasiteli.

* **HIZIR REİS III:** 1997'de Norveç, Omastrand Kvaerner Fjellstrand A/S tezgâhlarında deniz otobüsü olarak yapıldı. 395 gros, 119 net tonluk. Uzunluğu: 35 metre, genişliği: 10,1 metre, su kesimi: 3,9 metre. Modern seyir cihazları ile donatılmış. Dört adet 817 beygir gücünde (4 x 610 kW.) dizel motoru var. Seyir mesafesi: 320 mil, saatte 32 mil hız yapabiliyor. Çift uskurlu. 400 yolcu kapasiteli.

* **ORUÇ REİS V:** 1997'de, Norveç Omastrand'da Kvaerner Fjellstrand A/S tezgâhlarında deniz otobüsü olarak yapıldı. 395 gros, 119 net tonluk. Uzunluğu: 35

Oruç Reis 5 *(üstte)*, Piri Reis 2 *ve* Hızır Reis 3 *adlı eş tekneler dört motorlu ve modern seyir cihazlarıyla donatılmış oldukları için her türlü hava koşullarında dahi çalışabiliyorlar.

metre, genişliği: 10,1 metre, su kesimi: 3,9 metre. Modern seyir cihazları ile donatılmış. Dört adet 817 beygir gücünde (4 x 610 kW.) dizel motoru var. Seyir mesafesi: 320 mil, saatte 32 mil hız yapabiliyor. Çift uskurlu, 350 yolcu kapasiteli.

* **KAPTAN PAŞA:** Norveç, Omastrand'da Kvaerner Fjellstrand A/S tezgâhlarında deniz otobüsü olarak yapıldı. 395 gros, 119 net tonluk. Uzunluğu: 35 metre, genişliği: 10,1 metre, su kesimi: 3,9 metre. Modern seyir cihazları ile donatılmış. Dört adet 817 beygir gücünde (4 x 610 kW.) dizel motoru var. Seyir mesafesi: 320 mil, saatte 32 mil hız yapabiliyor. Çift uskurlu, 350 yolcu kapasiteli.

* **SEYDİ ALİ REİS:** Norveç, Omastrand'da Kvaerner Fjellstrand A/S tezgâhlarında deniz otobüsü olarak yapıldı. 395 gros, 119 net tonluk. Uzunluğu: 35 metre, genişliği: 10,1 metre, su kesimi: 3,9 metre. Modern seyir cihazları ile donatılmış. Dört adet 817 beygir gücünde (4 x 610 kW.) dizel motoru var. Seyir mesafesi: 320 mil, saatte 32 mil hız yapıyor. Çift uskurlu, 350 yolcu kapasiteli.

Bu deniz otobüslerinin bir eşi de Pendik Tersanesi'ne ısmarlanmıştı. *Temel Reis* adı verilen olan bu deniz otobüsünün yapımı sona erdirildi ve hizmete sokuldu.

Bu arada Avustralya'dan, Malta bayraklı, havuz tipi özel maksatlı *Developing Road* adlı gemiyle 24 Eylül 1997 günü, 35 günlük bir deniz yolculuğundan sonra İstanbul'a gelen iki büyük feribotun da teknik özellikleri şöyledir:

* **CEZAYİRLİ HASAN PAŞA:** 1997'de, Avustralya'da Austal Ship tersanesinde feribot olarak inşa edildi. 2.695 gros tonluk. Uzunluğu: 59,9 metre, genişliği: 17,5 metre. Sevk sistemi: Su jeti. 2 x 6500 kW gücünde dizel motorları var. 95 araç ve 500 yolcu kapasiteli. Tam yüklü olarak saatte 34,5 mil hız yapabiliyor. Maliyeti, 21.300.000 $.

* **TURGUT REİS:** 1997'de, Avustralya'da Austal Ship tersanesinde feribot olarak inşa edildi. 2.695 gros tonluk. Uzunluğu: 59,9 metre, genişliği: 17,5 metre. Sevk sistemi: su jeti. 2 x 6.500 kW. gücünde dizel motorları var. 95 araç ve 500 yolcu kapasiteli. Tam yüklü olarak saatte 34,5 mil hız yapabiliyor. Maliyeti: 21.000.000 $.

Bugün, Bostancı-Kabataş, Bostancı-Karaköy, Kadıköy-Kabataş, Kadıköy-Eminönü, Yalova-Bostancı, Bostancı-Yenikapı, Kadıköy-Bakırköy, Bostancı-Bakırköy, Kartal-Yalova, Yalova-Kabataş, Kadıköy-Yenikapı-Bakırköy, Kadıköy-Karaköy, İstanbul-Armutlu-Mudanya, İstanbul-Bandırma, İstanbul-Armutlu-Küçük Kumla, İstanbul-Çınarcık, İstanbul-Esenköy, Eminönü-Büyükada, İstanbul-Avşa-Marmara Adası, Kabataş-Büyükada, Kabataş-Heybeliada, Kabataş-Burgaz, Bostancı-Büyükada, Bostancı-Burgaz, Bostancı-Kınalıada, Kabataş-Kınalıada, Bostancı-Heybeliada, Kadıköy-Avcılar, Eminönü-Bakırköy-Avcılar, Karaköy-Avcılar, Kadıköy-Beşiktaş, Bostancı-Beşiktaş, Avcılar-Bakırköy, Bostancı-Avcılar, Karaköy-Üsküdar, Bostancı-İstinye, Beşiktaş-İstinye, Beşiktaş-Sarıyer, Beykoz-Üsküdar, Beykoz-Karaköy, Kadıköy-İstinye, Sarıyer-İstinye arasında gidiş-dönüş seferleri yapılmaktadır. Boğaz iskelelerine yapılan seferler henüz deneme seferleridir.

Son olarak, yine Avustralya'ya ısmarlanan birbirinin eşi iki büyük katamaran tipi feribottan sekiz ayda yapılan *Adnan Menderes* adlı olanının 13 gün süren uzun bir yolculuktan sonra gelmesiyle filodaki tekne sayısı 23'e yükseldi. *Turgut Özal* adlı olanı da yakında filoya katılacak.

* **ADNAN MENDERES:** 1998'de, Avustralya'nın Perth kentinde Austal Ship Tersanesinde, alüminyum gövdeli, kataman tipi feribot olarak inşa edildi. 5.992 gros, 2.320 net tonluk. Uzunluğu: 86 metre, genişliği: 24 metre, derinliği: 7,3 metre. 4 adet, herbiri 6.500 beygir gücünde MTU 20V1163 TB73 dizel motoru var. Sürücüsü dahil 800 yolcu, 200 otomobil alıyor. Hızı saatte 37,5 mil. 9 trilyon liraya maloldu.

ONUNCU BÖLÜM

Kaptanlar da Mektepli Oluyor

1945'e kadar okulun staj gemisi olarak kullanılan Sultan Hamid'in 120 gros tonluk Söğütlü *yatı.*

Alaylı gemicilerden mektepli denizcilere

Türk bahriyesi gün gelmiş büyük denizcilerle yücelmiş, gün olmuş bilgisiz kaptanlar, kumandanlar yüzünden arka arkaya felaketler geçirmiştir. 1770 yılında Donanma'nın, Rus ve İngiliz donanmaları tarafından Çeşme'de âni bir baskınla yakılarak yok edildiği gün, coğrafya cahili birçok paşa hatta vezir, Ruslar'ın İstanbul Boğazı'ndan geçmeden nasıl olup da İzmir sularına gelebildiğine akıl sır erdirememiştir!

O yıllarda, Rusya'nın Baltık'taki kıyılarından hareket ederek Atlantik üzerinden Cebelitarık'tan geçip Akdeniz'e gelinebileceğini bilenlerin sayısı, görülüyor ki çok değildir.

Dönemin ünlü denizcisi Cezayirli Gazi Hasan Paşa, bir denizcilik okulu açılmasının şart olduğuna inanıyordu. 18 Kasım 1773'te bugünkü Teknik Üniversite ile Deniz Harp Okulu'nun çekirdeğini oluşturan Mühendishane-i Bahr-i Hümayun adıyla ilk denizcilik okulumuz Macar asıllı bir Fransız generali olan Baron de Tott'un tavsiyeleri ve Cezayirli Gazi Hasan Paşa'nın kişisel girişimleriyle kuruldu. Amaç, savaş gemilerine bilgili subay yetiştirmekti. Kasımpaşa'daki Tersane'nin içinde kurulan bu okulun açılışı Sultan III. Mustafa'nın dönemine rastlıyordu.

Daha sonraları, III. Sultan Selim ile II. Sultan Mahmud'un da mektepli deniz subayı yetiştirilmesi alanında büyük gayretleri oldu. Ama, 1827'de Donanma, bu sefer de Navarin'de İngiliz-Fransız ve Rus donanmaları tarafından ortaklaşa düzenlenen bir baskınla yakılarak yok edildi. Felaketlerin çoğuna sebep, donanmanın, usta denizcilerden, tecrübeli subaylardan, bilgili kaptanlardan yoksun olmasıydı.

20 Mayıs 1828 günü Türk sularına ilk buharlı gemi *Swift*'in gelmesiyle, denizciliğimizdeki buhar makinesi dönemi başlamış oldu. Bir yandan yabancı ülkelerden makineli gemi satın alınıp getirtilirken, öte yandan da Haliç'teki Aynalıkavak Tersanesi'nde buhar makineli gemilerin inşasına başlandı. Modern denizciliği bilen, okullu denizcilere ihtiyaç artık her geçen gün daha artıyordu.

Deniz Mühendishanesi yalnız deniz subayı yetiştirdiğinden, ticaret gemileri için pek yararlı olamıyordu. Geçimini denizcilikten sağlayan Akdeniz'in bazı kıyı şehirlerinin ve adaların halkı, özellikle Rum gençleri, denizciliği öğrenmek için Avrupa'ya gitmeye mecbur kalıyorlardı.

Ali Çelebizade Mehmed Efendi okul açıyor

1848 yılında, Sakız adası halkından Ali Çelebizade Mehmed Efendi adındaki bir denizcinin, Tersane-i Âmire'ye başvurarak Sakız'da denizci olmak isteyen gençlere deniz seyri, gemicilik ve deniz fenerlerine dair dersler vermek için izin istediğini görüyoruz.

Tersane-i Âmire yetkililerinden oluşan bir heyet huzurunda sınavdan geçirilen Mehmed Efendi'nin bu işlerde ehil olduğu anlaşılarak kendisine dönemin Kaptan Paşası tarafından icazet, yani izin verildi.

Mehmed Efendi, Sakız'da, evinin bir odasında açtığı dersanede denizciliğe meraklı ve hevesli gençlere gemicilik dersleri vermeye başladı. Önceleri işler yolunda gitti. 1850 yılının Haziran ayında, dönemin pâdişahı Abdülmecid, Ege adalarını görmek ve denetlemek amacıyla çıktığı Akdeniz seyahatinde Girit ve Rodos'u ziyaret etmiş, bu arada Sakız'a da uğrayarak ada kaymakamının misafiri olmuştu. Üç gün kaldığı bu adada, adına yaptırılan camide cuma namazını kılmış, Mehmet Efendi'nin açtığı dersane ile de yakından ilgilenmişti. Ama, Mehmed Efendi bir süre sonra çıkan bir yangında evi yandıktan başka, bağ, bahçesi de harap olunca, dersanesini kapatmak zorunda kaldı. Yakınları, ona bizzat İstanbul'a giderek Tersane-i Âmire'ye başvurması için imkânlar sağladılar. Mehmed Efendi de hazırlanıp İstanbul'un yolunu tuttu. Tersane-i Âmire'ye başvurdu, çok geçmeden de David Urquhart adlı bir İngiliz'in tavsiye mektubuyla Sadaret makamına çıktı.

David Urquhart, 1831'de II. Mahmud zamanında İstanbul'a gelen İngiltere Büyükelçisi Sir Stradford Canning'e refakat etmiş olan maceraperest bir İngiliz'di. Daha önceden Doğu ülkeleriyle ilişkiler kurmuş, Yunan İhtilali'ne katılmış, bu arada Sakız'daki kuşatmada da bulunmuş, hatta yaralanmıştı. 1832'ye kadar İstanbul'da kalan, bu arada İngiltere Sefareti'nde Başkâtiplik görevi yapan, sonra o yılın Eylül'ünde Türkiye'den ayrılan bu kişi Türkiye ve Türkler hakkında ilgi çekici eserler de yayınlamıştı.

Özel mektupta neler yazıyordu?

Urquhart, 27 Temmuz 1850 günü yazıp Mehmed Efendi'ye verdiği yazısında özetle şöyle diyordu:

"Sakız adası önemli bir denizcilik merkezidir. Halkı, Osmanlı tebaasından olan Rumlar'dır. Çoğu da denizcidir. Ama adada denizcilik fennini öğretecek bir okul olmadığı için, gençler ya Yunanistan'a, ya da diğer Avrupa ülkelerine gitmek zorunda kalmaktadır. Halbuki adada pek az bir para sarfıyla bir denizcilik okulu açılabilir. Bundan da büyük yararlar sağlanır. Kaldı ki, böylelikle, devletin adadaki şan ve şerefi de yükselmiş olacaktır. Padişah, adayı ziyaretinde limanın yenilenmesini istemişti. Ada halkından Ali Çelebizade Mehmed Efendi, navigasyon usul ve fenlerini öğretmek için kendi olanaklarıyla küçük bir okul açmıştı. Orada Türkçe ve Rumca eğitim yapıyordu. Böylece, ticaret gemileri kaptanlarından pek çoğu mesleklerinde bilgilerini arttırmak fırsatını buldu. Mehmed Efendi'nin babası Ali Çelebi de ada halkı tarafından iyi tanınır. Bu okulun yeniden açılması ada halkı için çok yerinde olacaktır. Eski okulun yanması büyük bir kayıptır. Okulun yeniden açılabilmesi için Mehmed Efendi'ye devlet tarafından bir maaş bağlanması, ayrıca Bahriye binbaşısı rütbesinin verilmesi uygun olacaktır. Bu iş için Mecidiye Camii'nin yakınında tek gözlü bir bina yapılması, bu iş ve gerekli âletlerin sağlanması için de 600 riyale yakın bir para yeterli olacaktır. Zamanla hoca sayısı arttırılacak, bina ihtiyaca göre genişletilecek, böylece okul kısa zamanda Adalar Denizi'nin, hatta Akdeniz'in örnek bir deniz eğitim merkezi haline gelecektir. Padişah Efendimiz'in, iki yıl kadar önce Sakız Adası'nı ziyaretinde kendisini huzuruna kabul etmesi, Mehmed Efendi'nin itibarlı bir zat olduğunun işaretidir."

Mehmed Efendi sınavdan geçiriliyor

Sadaret makamı, durumu gözden geçirmesi için meseleyi Meclis-i Vâlâ'ya havale etti. Bizzat Mehmed Efendi'nin de hazır bulunduğu Vekiller

Heyeti toplantısında, kendisine denizcilik, haritalar, seyir âletleri konularında çeşitli sorular sordular, sonunda iki yıl kadar önce Kaptan Paşa'dan aldığı icazeti de gözönünde bulundurarak böyle bir okulun açılması için gerekli müsaadeyi verdiler. Adanın uygun bir yerinde açılacak Ticaret-i Bahriye Mektebi, hiç kuşkusuz devlete büyük millî ve siyasî yararlar sağlayacaktı.

Mehmed Efendi'ye bu hizmetlerine karşılık ada gelirlerinden 500 kuruş maaş bağlanmasına karar verilmişti. Eğer dersleri yapmadığı görülecek olursa bu para kesilecekti. Okulun denetimi, derslerin usulüne göre yapılıp yapılmadığının kontrolü, ada "muhassıl"ları, yâni denetçileri tarafından yürütülecekti. Bu konuda Cezayir-i Bahr-i Sefid Valisi'ne (Adalar Denizi Valisi) yazılı talimat verildi. Maaşıyla ilgilenilmesi için de karar Maliye Nezareti'ne iletildi. 16 Ağustos 1850 tarihli mazbata ile tesbit edilen durum Sadaret makamına takdim edildi.

22 Ağustos 1850 tarihli Sadaret yazısıyla, Meclis-i Vâlâ yazısı ve David Urquhart'ın mektubu Abdülmecid'e arzedildikten üç gün sonra gelen irade ile Mehmed Efendi'ye 500 kuruş maaşla adada Ticaret-i Bahriye Mektebi'ni açarak bahriye hocalığı yapmasına izin verildi.

Bilen, bilmeyen yeni okullar açmaya kalkınca...

Ne var ki, kısa bir süre sonra, Mehmed Efendi'nin şahsına verilen bu imtiyaz, bazı işbitirici kimseler tarafından saptırılarak kendi çıkarlarına kullanılmak istendi. Devletten izin almadan Akdeniz kıyılarındaki bazı merkezlerde yeni yeni bahriye mekteplerinin açılmasına girişildiği görülüyordu.

Mehmed Efendi, durumu hemen bir tezkere ile İstanbul'a, Kaptan Paşa'ya haber verdi. Hocalık yapabilmek için Tersane-i Âmire'de, Meclis-i Bahriye huzurunda imtihana girmenin şart olduğunu belirtiyor, yetersiz kişilerin bahriye mektepleri açmasının zararlı olacağını hatırlatıyordu.

Bu tezkere, Kaptan Paşa kanalıyla hem Sadaret makamına gönderildi, hem de konunun Meclis-i Vâlâ ile Bahriye Meclisi'nde görüşülmesi kararlaştırıldı. Sadaret makamı, 25 Kasım 1850 günlü bir tezkere hazırlayarak Mehmed Efendi'nin mektubuyla birlikte Padişahlık makamına arzetti.

Mehmed Efendi'nin tezkeresine ilk cevap, 13 Aralık 1850 tarihinde Bahriye Meclisi'nden geldi. Cevapta, Osmanlı topraklarında yabancı tebaanın mektep açmasına ruhsat verilemeyeceğinin aşikâr olduğu, Osmanlı tebaasından bir kimsenin de mektep açmadan önce yazılı olarak Bahriye Nezareti'ne haber vermesi gerektiği bildiriliyordu. Ayrıca, mahallî meclislerde durumlarını gösteren bir mazbatanın düzenlenmesi ve okul açacak kişinin İstanbul'da, Bahriye Meclisi'nde Kaptan Paşa'nın huzuruna sınavdan geçirilmesi gerekti.

Bahriye Meclisi'nin bu kararı ile Mehmed Efendi'nin tezkeresi ve Meclis-i Valâ mazbatası tekrar gözden geçirilerek 3 Şubat 1851 günü Sultan Abdülmecid'e arzedildi. İki gün sonra çıkan padişah iradesinde, Ticaret-i Bahriye Mektebi açacak kimselerin evvelce durumlarının mahallî meclislerce incelenmesi, o kişilerin bir mazbata ile birlikte İstanbul'a gelerek Bahriye Mektebi'nde yapılacak bir sınava girmeleri, haklarında bahriye hocalığı yapıp yapamayacaklarına dair kanaat getirilmesi ve durumdan Kaptan Paşa'nın haberdar edilmesi gibi hususlar yeralıyordu.

Padişah'ın bu yoldaki iradesi daha sonra 21 Şubat 1851 günü bir genelge halinde Aydın, Selânik, Girit, Sayda, Cezayir-i Bahr-i Sefid (Adalar Denizi), Kıbrıs, Biga, İzmit, Tırhala, Sakız, Bozcaada, Tekfurdağı (Tekirdağ), Erdek vali, mutasarrıf ve kaymakamlıklarına gönderilerek bu hususta gerekli talimat verildi. Kısacası devlet, ancak kendi denetim ve gözetimi altında, yalnız kendi tebaasından olan kimselerin özel Ticaret-i Bahriye Mektebi açmalarına izin vereceğini bildiriyordu.

Kaptan mektebi için İstanbul'da girişimler

Ticaret gemilerinde çalışan kaptan ve çarkçıların hemen hepsi çekirdekten yetişme, ama ne de olsa "alaylı" kimselerdi. Tecrübeleri varsa da denizcilik fennini okullarda okuyarak öğrenmemişlerdi. Bu bilgisiz kaptanlar, zaman zaman kazalara neden oluyordu ki en büyük neden, bu kişilerin navigasyon bilgilerinin yetersizliğiydi.

Ticaret gemilerine kaptan yetiştirmek amacıyla 5 Aralık 1884 tarihinde, İstanbul'da iki okul birden açıldı: Biri, Haliç'te, havuzların arkasındaki Tersane-i Âmire'ye ait kârgir binalardan birindeki "Nehari Tüccar Mektebi" adlı iki yıllık, gündüzlü öğrenci alınan okul, öteki ise Heybeliada'daki Mekteb-i Bahriye-i Şâhane'ye bağlı olarak, vaktiyle Hünkâr Köşkü olan binada açılan "Leylî Tüccar Kaptan Mektebi" idi. Adından da anlaşılacağı üzere okul yatılıydı ve dört sınıftan oluşuyordu. 65 öğrencisi olan okula 1902-3 yıllarında Mekteb-i Bahriye-i Şahane ve Tüccar Kapudan Mektebi adı verildiyse de 1905'te öğrenci alımı durduruldu, 1908'de ilk mezunlarını verdikten sonra, 1908'de padişah iradesiyle kapatıldı. Okul 24 yıl hizmet vermişti.

Millî Kaptan, Çarkçı Ticaret-i Âlisi, 1920'li yıllarda Kuzguncuk'taki bu eski küçük ahşap binada idi.

Önceden bu okulun müdür vekillerinden ve hocalarından olan Giresunlu Hacı Ahmedzade Abdülhamid Naci Bey, 1909'da, Azapkapı'da Millî ve Hususî Kaptan, Çarkçı Ticaret-i Mekteb-i Âlisi adıyla yeni bir okul açtı. Okulun binası sonra Galata'da Yüksekkaldırım'a taşındı. Binanın elverişsiz olması nedeniyle gündüzlü olan okul, 1909'da Azapkapı'ya, sonra da 1913'te Üsküdar'da Paşalimanı'ndaki eski bir yalıya taşındı. Bu, Üsküdar iskelesinden Kuzguncuk'a doğru giderken sıralanan su depolarının, ambarların pek yakınında, dar, ince uzun cephesi olan, pembe renkli eski bir bina idi. Kitaplarında hep eski Boğaziçi'ni anlatan yazar İffet Evin, *Yaşadığım Boğaziçi* adlı kitabında, okulun rıhtımındaki bembeyaz upuzun göndere çekilen büyük bir bayrağın dalgalanışının tâ uzaklardan görüldüğünü yazar.

Okul ilk mezunlarını 1913'te verdi

Azapkapı'dayken okulun yalnız güverte bölümü vardı, öğrenim rüştiye yâni ortaokul düzeyindeydi. İlk sınıf hazırlık sınıfıydı, sonra iki yıl daha okunuyordu ki, üçüncü sınıfın sonunda mezun olunuyordu. 1910-11 öğretim yılında okula bir yıl daha eklendi, ayrıca bir de makine sınıfı açıldı. 1913'te okul ilk mezunlarını verdi.

Okulda, Bahriye'den olsun, sivil öğretmenlerden olsun, hep bilgili, dirayetli ve tecrübeli kimseler ders veriyordu. Başta okulun kurucusu ve müdürü, kolağasılığından (önyüzbaşı) emekli, Mekteb-i Bahriye-i Şâhane öğretmenlerinden Abdülhamid Naci Bey, Bahriye Mektebi öğretmenliğinden emekli Tahsin Bey, Bahriye Mektebi'nden Kolağası Enver Bey, Türkocağı İdare Müdürü hukuk öğretmeni Lütfi Bey, Bahriye Mektebi'nden Kolağası Hulki Bey, yine Bahriye Mektebi emekli öğretmenlerinden Kadri Bey, Halil Bey, Kâzım Bey ve Muallim Mektebi öğretmenlerinden Macit Bey, hepsi kendi konularında uzman kimselerdi.

Okulda hangi dersler okutuluyor?

Okutulan dersler şunlardı: Türkçe, İngilizce, Kıyı coğrafyası, Fizik, Hesap, Cebir, Hendese, Trigonometri, Deniz hukuku, Elektrik, Teorik ve uygulamalı genel işaretler, Teorik ve uygulamalı denizcilik, Navigasyon ve Kılavuzluk, Genel sağlık, Deniz ticaret hukuku, Karantina, Hidrografi ve Oşinografi, Fen, Makina, Makina resmi, Kimya, Fabrika işleri, Din dersi ve diğer bilgiler...

Okuldaki düzenli öğretim, Tedrisât-ı Bahriye Riyaseti tarafından (Deniz Kuvvetleri Öğretim Başkanlığı) takdirle karşılandı, okul müdürlüğüne bir takdirname gönderildi. Balkan Savaşı ve Birinci Dünya Savaşı dönemlerinde de, mezunların verdikleri hizmetlerden ve makina sınıfı öğrencilerinin tersanelerdeki fedakârca çalışmalarından ötürü, önce Donanma Komutanlığı'ndan sonra da Deniz Fabrikaları Müdürlüğü'nden okula takdirnameler verildi. 1919-20 yıllarında okulun adı: Millî Ticaret Bahriye-i Kapudan ve Çarkçı Mekteb-i Âlisi idi. 1924-25 ders yılında adı Kapudan ve Çarkçı Mektebi olarak değiştirildi.

Bütün varlığını okulun gelişmesine adayan Abdülhamid Naci Bey, Cumhuriyet'in ilânından sonra, 1927 yılında okulu Üsküdar'dan Ortaköy'deki Fer'iye Sarayları adıyla anılan sultan saraylarından birine taşıdı. Bu, Çırağan Sarayı'nın hemen yanıbaşındaki, bugünkü Anadolu Deniz Meslek Lisesi'nin faaliyetini sürdürdüğü bina idi. Hamit Naci Bey, daha sonraları İstanbul Ticaret Odası'ndan aldığı yardımlarla binayı onarmak için kolları sıvadığı sıralarda 80 yaşına gelmiş bulunuyordu.

Okulu nihayet devletleştiriyorlar

1927 yılında Ortaköy'deki Fer'iye Sarayı'na taşınan Millî ve Hususî Ticaret-i Bahriyye Kaptan ve Çarkçı Mektebi, 1928 yılında devletleştirilerek İktisat Vekâleti'ne bağlandı ve Âli Deniz Ticaret Mektebi adını aldı. Her biri ikişer yıl olan güverte ve makine bölümlerinden oluşuyordu. 1909'dan 1928 yılına kadar geçen 19 yılda, 170 güverte, 68 makina olmak üzere 238 mezun verdi.

1930'da yatılı hâle getirilen okul, dört yıl sonra 59 sayılı kararname ile Yüksek Deniz Ticaret Mektebi adını aldı ve bu arada "âli" birimin süresi üç yıla çıkartıldı. Okul artık yatılı öğrenci de alabiliyordu. İngiltere, Hollanda, İsveç, Norveç gibi denizci ülkelerin denizcilik okullarında okutulan dersler gözönüne alınarak müfredat programı yeniden düzenlendi, bu arada bir de laboratuvar açıldı. Okula 1935'te staj gemisi olarak II. Abdülhamid'in yatı *Söğütlü* tahsis edildi. Celal Bayar'ın oğlunun okula hediye ettiği *Yıldız* adlı kotra da, yıllarca genç öğrencilere denizcilik zevk ve tecrübeleri edinmelerinde yararlı oldu.

1939'da kuruluşun Münakalât Vekâleti'ne bağlandığını görüyoruz: Lise bölümü kapatıldı, güverte bölümü dört yıl, makine bölümü de beş yıl oldu.

3 Haziran 1946 günü 4.915 sayılı Yüksek Denizcilik Okulu ve Kursları

Yüksek Deniz Ticaret Mektebi, yıllarca Ortaköy'de, Çırağan Sarayı'nın yanıbaşında hizmet verdi.

Hakkında Kanun'la kuruluşun adı bu sefer de Yüksek Denizcilik Okulu olarak bir kez daha değiştirildi. Makine bölümü de dört yıla indirildi. 1953'te liman başkanı yetiştirilmek amacıyla iki yıllık bir Limancılık Bölümü açıldıysa da bu bölüm 1956'da kapatıldı. 1975'te denizcilik işletmecisi yetiştirilmek üzere dört yıllık bir Ulaştırma İşletme Bölümü açılmışsa da bu bölüm de 1982'de kapatıldı.

Hamit Naci *adlı bu staj gemisi, 1938-42 yıllarında hizmet verdi.*

Okula tahsis edilen *Söğütlü* yatı 1935-38 yılları ara-

Eski adı Ayancık *olan okul gemisi* Hamit Naci *(ikincisi).*

sında hizmet verdi. Onunla, Marmara'da tatbikat yapılırdı. Okulun rıhtımında bir süre daha kıçtan bağlı yatmaktayken 1945'te oradan alındı. Okula ikinci staj gemisi olarak 1938'den itibaren tahsis edilen *Balık* isimli gemiye bir kadirşinaslık örneği olarak okulun kurucusunun adı verildi: *Hamit Naci*. Kaptan Namık Asena'nın dediği gibi, öğrenciler son sınıf stajlarını hep bu gemide yaptılar. Çarşamba günleri tatbikat günüydü. Ayrıca okulda sür'at motoru ve motorbotlar da vardı. Öğrenciler birer ay *Yıldız* kotrasıyla dolaşırlar, tam bir denizci gibi geceleri açıkta yatarlardı.

Beş yıl sonra 1942'de hizmetten alınan bu geminin yerine Donanma'nın *Ayancık* adlı mayın arama-tarama gemisi tahsis edildi; tabii onun da adı *Hamit Naci* olarak değiştirilerek... O da ötekiler gibi kıçtan okulun rıhtımına bağlandı. Eskiliğine rağmen yıllarca hizmet verdi.

* **HAMİT NACİ:** 1916'da, İngiltere, Beverley'de, Cook, Welton & Gemmell Ltd. tezgâhlarında yapıldı. Önce *Sesotris, Rinovia,* adlarıyla çalıştı. Türkiye'ye gelince *Balık* adı verildi. Tatbikat gemisi olunca *Hamit Naci,* sonra, Kalkavanlar'a satılınca *Ziya Kalkavan* adını aldı. 1955'te tadil edildi. *Kara Mehmet* adlı tekneden çıkartılan dizel motor monte edildi. 327 gros tonluktu. Uzunluğu: 42 metre, genişliği: 7 metre, su kesimi: 4,2 metre idi.

* **HAMİT NACİ:** 1942'de, Avustralya, Brisbane'de, Evans Deakin & Co. Ltd. tezgâhlarında mayın arama tarama gemisi olarak yapıldı. Önce *Launceston* adıyla çalıştı. Türkiye'ye gelince adı *Ayancık* olarak değiştirildi. 686 gros tonluktu. Uzunluğu: 56,7 metre, genişliği: 9,5 met- re, su kesimi: 4,8 metre idi. 2 adet 1.000'er beygirlik Maryborough yapımı tripil buhar makinesi vardı. Kısa bir süre sonra okul tatbikat gemisi olarak Yüksek Denizcilik Okulu'na verildi. 1965'te Haliç Tersanesi'nde tadil edildi. Yıllar sonra sökülmek üzere satıldı.

18 Ağustos 1981 günü, okulun 2.507 sayılı Denizcilik Yüksek Okul Kanunu ile Deniz Kuvvetleri Komutanlığı'nın bünyesi içine alındığını görüyoruz. Tuzla'ya taşınan okulun adı Denizcilik Yüksek Okulu ve Eğitim Merkezi Komutanlığı olarak yine değişikliğe uğradı. Dört yıl süreli güverte bölümü ve makine bölümündeki öğrencileri sivil kaptan olarak ticaret kaptanlarına eleman yetiştirmekteydi.

Okul, 6 Ekim 1988 günü de 3.477 sayılı yasa gereğince İstanbul Teknik Üniversitesi'ne devredildi, adı da Denizcilik Yüksekokulu olarak değiştirildi, İstanbul Teknik Üniversitesi Rektörlüğü'ne bağlandı. Günümüzde güverte ve makina olmak üzere iki ana dalda öğretim yapmakta olan okula her yıl 100 kadar yatılı öğrenci alınmakta, bunların masrafları devlet tarafından karşılanmaktadır.

Ortaköy Denizcilik Meslek Lisesi

Deniz Alâka ve Menfaatleri Yüksek Koordinasyon Kurulu 4. toplantısında, Yüksek Denizcilik Okulu'nun Tuzla'ya taşınmasıyla boşalan Ortaköy'deki binaların Milli Eğitim Bakanlığı'na devredilerek bu binalarda Denizcilik Meslek Lisesi kurulmasına ve 1982-1983 öğretim yılı başında faaliyete geçmesine karar verilmişti.

Bu karar doğrultusunda 20 Ağustos 1982 tarihinde Milli Eğitim ve Ulaştırma Bakanları arasında imzalanan bir protokolle Ortaköy'deki Yüksek Denizcilik Okulu binaları Milli Eğitim Bakanlığı'na devredildi.

Milli Eğitim Bakanlığı tarafından yapılan gerekli onarım sonucunda 4

Ekim 1982 günü Gemi Makinaları ve Güverte Bölümleri'ne alınan 140 öğrenciyle, eğitim ve öğretime başlandı.

1983-1984 öğretim yılında mevcut bölümlere Gemi Elektroniği ve Haberleşme Bölümü ile Liman ve Deniz İşletme Bölümleri eklendi. Milli Eğitim Bakanlığı'nın 4.3.1985 tarih ve 324/03162 sayılı olurları ile 1985-1986 öğretim yılında İngilizce hazırlık sınıfı açılmasına ve Anadolu Denizcilik Meslek Lisesi olarak eğitim sürdürmesine karar verilmişti. Aynı öğretim yılında, Liman ve Deniz İşletme Bölümü kapatıldı. 1983-1984 öğretim yılında, Devlet Parasız Yatılı Okul statüsüne geçirilen okula meslek lisesi sınavını kazanan ortaokul son sınıf öğrencileri arasında gemiadamlarının yeterliliği ve sayısı hakkındaki tüzük hükümleri uyarınca, Fizik Kondisyon Mülakat sınavında başarı gösterenlerin ailelerinin maddi durumlarına göre parasız ya da yatılı olarak kazandıkları bölümlere kayıtları yapılmaktadır. Halen okulda; Güverte, Gemi Makinaları, Gemi Elektroniği ve Haberleşme Bölümleri Eğitim ve Öğretime devam etmektedir. Denizcilik İşletmeleri A.Ş.'nin 1955, Batı Almanya yapımı *Akdeniz* gemisi 1997'de staj gemisi olarak okula verilmiştir.

Her yıl ortalama 115 öğrenci hazırlık sınıfına kaydolmaktadır. Bu öğrencilerin değişik nedenlerle 80-85 tanesi bir üst sınıfa devam etmekte, dolayısı ile her yıl 70-75 öğrenciyi de mezun ederek Deniz Ticaret sektörüne kazandırılmaktadır. Ancak bu elemanların büyük bölümü üniversitelere devam etmeyi tercih etmektedir.

Yüksek Denizcilik Okulu'nda bu okul mezunlarına tanınan kontenjan 4-5 kişi gibi düşük sayıda kalmaktadır. Oysa ki bu okul öğrencilerine doğrudan Yüksek Denizcilik Okulu'na devam imkânı sağlanması daha yararlı sonuçlar doğuracaktır. Okul mezunlarının gemilerde kıyı kaptanı olarak görev alma imkânı vardır. Ayrıca, askerliklerini Deniz Kuvvetleri'nde yapabilirler.*

Mektepli kaptanların pîri Hamit Naci Bey

Türkiye'de ilk kez özellikle sivil kaptan ve çarkçı yetiştiren yüksek okulun kurucusu Abdülhamid Naci Bey, 1854'te İstanbul'da Heybeliada'da doğdu. 1870'te Bahriye Mektebi'ne girerek 9 Mayıs 1877 günü 23 yaşında Mekteb-i Bahriye'den mezun olarak genç bir deniz teğmeni olarak Donanma'ya katıldı.

(*) Deniz Ticaret Odası, Deniz Sektörü Raporu (1994).

İlk gemisi, o günlerin en modern savaş gemilerinden *Âsar-ı Tevfik* zırhlısı oldu. Seyir subayı yardımcısı olarak mesleğe atılan Hamit Naci Bey, 1877'de başlayan Osmanlı-Rus Savaşı'na katıldı. Batum, Çürüksu ve Sohukale harekâtlarında görev aldı. Tuna nehri ağzındaki Osmanlı deniz üssü Sulina'da düşman torpidolarının limanda demir üstünde yatan 6 Türk gambotuna yaptıkları başarısız gece baskınını, olayların içinde yaşadı.

Hamit Naci Bey, aynı yıl *Necm-i Şevket* zırhlı korvetine seyir memuru olarak atandı. Rusya ve Romanya kıyılarının ablukasında faal bir rol oynadıktan başka, Sulina'ya kara-

Kaptan Mektebi'nin kurucusu Hamit Naci Bey (Soyadı: Özdeş). (1854-1937).

dan saldıran Ruslar'a karşı istihkâmlarda bizzat top başına geçerek batarya subaylığı görevini üstlendi ve düşmanı kanlı bir şekilde püskürtmeyi başardı.

Sulina, Ayastefanos anlaşması gereğince Ruslar'a terkedildikten sonra Hamit Naci Bey, İstanbul'da *Nüveyd-i Fütuh* briki ile *Resmo* vapuru ve *Necm-i Şevket* ile *Muin-i Zafer* adlı zırhlı korvetlerde seyir subaylıklarında bulundu.

Japonya'ya gidecek *Ertuğrul* firkateynine seyrüsefer memuru olarak atandıysa da irade çıkmadığı için tayini durduruldu. Şansı varmış ki, *Ertuğrul*'un dönüşü sırasındaki o müthiş fırtınada kayalara bindirmesiyle meydana gelen faciadan böylece kurtulmuş oldu. 1897 Türk-Yunan Savaşı patlak verdiği zaman *Mahmudiye* zırhlısına tayini çıktıysa da sonradan yerine Kadıköylü Şefik Kaptan getirildi. Teselya'nın Yunanlılar'a teslimine de tanık olan Hamit Naci Bey, daha sonra kendini İdare-i Mahsusa'nın posta vapurlarına tayin ettirdi. *Bahr-i Cedid* vapuruyla Trabzon'dan Trablusgarp'a asker ve yolcu taşıdı. Üç yıl çalıştıktan sonra 1900'de yeniden Donanma'ya dönerek *Mesudiye* zırhlısında bölük subayı oldu. Bu dönemde yüzbaşılığa terfi etti.

İki ay kadar *Hanya* adlı stasyoner vapurda görevli olarak Selânik'te bulunan Hamit Naci Bey, daha sonra kendini mesleğinin bilim yönüne verdi. İstanbul'da, Heybeliada'da Mekteb-i Fünun-ı Bahriye'ye bağlı olarak açılmış ve dördüncü sınıfı yeniden konmuş olan okula Devletler Deniz Hukuku, Deniz Ticaret Hukuku, Merasim Teşrifatı, Bahriye ve İşarat-ı Umumiye hocası olarak görev yapmaya başladı. Ayrıca Mekteb-i Bahriye'de de Topçuluk ve Terbiye-i Askeriye dersleri veriyordu.

1907'ye kadar 10 yıl hocalık yaptı Hamit Naci Bey. Bu arada okuttuğu derslerden *Topçuluk ve Denizde İşarat-ı Umumiye* adlı bir kitap yazdı, kolağası rütbesine terfi etti.

Hamit Naci Bey emekli oluyor

Hamit Naci Bey, II. Abdülhamid'in giderek ağırlaşan mutlakiyet idaresinin zorlukları karşısında ders verme imkânının da kalmadığını belirterek istifasını vermek istediyse de kabul edilmemesi üzerine emekliliğini istemeye mecbur oldu. 13 Kasım 1907 günü önyüzbaşılıktan emekli oldu. Serbest hayata atılınca Karaköy rıhtımında bir hana yazıhane açarak denizle ilgili işlerde dava vekilliği ve fen müşavirliği yapmaya başladı. Yılların tecrübesi ve geniş bilgisinden başka ileriyi gören bir kimse olarak, denizciliğin memlekete sağlayacağı büyük yararları görüyor, bunun da ancak deniz eğitimiyle mümkün olacağına inanıyordu.

1908'de İkinci Meşrutiyet ilân edildikten sonra Hamit Naci Bey bir Denizciler Cemiyeti kurdu, ayrıca Heybeliada'daki Ticaret-i Bahriye Mektebi'nin kapanması üzerine de sırf kendi cesaret ve imkânlarına dayanarak 1909'da Millî Ticaret-i Bahriye Kaptan ve Çarçı Mektebi'ni açmayı başardı.

Kendi elyazısı ile kaleme alıp altını imzaladığı biyografisinin son satırlarında şunları yazmıştır:

"... Bu mektebin tamirini dahi cemiyetten amele göndererek biz yaptık. Bâde, Millî Ticaret-i Bahriye Kaptan ve Çarçı Mektebi'ni 1909'da tesis ve küşad edip bugüne kadar 151 sivil kaptan, 51 çarçı yetiştirdim ve ömrüm oldukça da yetiştirmeye sai ve gayret göstereceğimi arz ederim."

Denizciliğimize pek büyük hizmetleri dokunan bu büyük hoca Soyadı Kanunu çıktığı zaman Özdeş soyadını aldı. 1937'de Heybeliada'da öldüğünde 83 yaşındaydı. Merhumun Heybeliada mezarlığındaki taşında şunlar yazılıdır:

"Ey denizci! Bütün ömrünü denize ve denizcilere veren Hamit Naci Özdeş burada yatıyor. Onu hatırla.

22 Birincikânun (Aralık) (1854-1937)"

Hamit Naci Bey'in idealini yaşatmak gerek

Günümüzde, Yunanistan'da 16 denizcilik okulu ile bir de Yüksek Denizcilik Okulu olduğunu duyuyoruz. Bizde tek bir okulla denizci yetiştirmeye çalışmak elbette ki çok yetersiz.

1960'lı yıllarda, Haliç Tersanesi'nin bünyesinde Millî Eğitim Bakanlığı'nca tasdikli Denizcilik Bankası Erkek Sanat Enstitüsü adında 6 yıllık bir deniz lisesi vardı; burada, daha çok o camiada çalışanların çocukları okuyordu. Yazları gemilerde, tersanelerde çalışırlar, mezun olunca da mecburi hizmetlerini İdare'nin gemilerinde, çeşitli tesislerinde çalışarak yaparlar, meslek sahibi olurlardı. Öğrencilerin her türlü giyecekleri, ders araçları, öğle yemekleri ve harçlıkları Banka tarafından sağlanırdı. Ne var ki, bir süre sonra okulun kapatılması yoluna gidildi.

Genel Müdür Nezih Neyzi'nin zamanında bir eğitim plânı hazırlanarak değişik yerlerde denizcilik okullarının açılmasına karar verildi. Antalya'da limancılık, Mudanya'da elektronik, Ordu'da gemicilik eğitimi yapan okullar açılacaktı. Öncelik Ordu'daki okuldaydı. İki portatif binada hizmet görecek olan bu okul 4 Kasım 1974 günü resmen açıldıysa da ne yazık ki ömrü uzun olmadı, 5-6 yıl sonra elde olmayan nedenlerle kapatıldı. Okuldan mezun olan gençlerin bir kısmı Yüksek Denizcilik Okulu'na alındı, bir kısmı da başka okullara gittiler.

Yine ne yazık ki öteki iki okul hiç açılamadı. Günümüzde yalnız Ortaköy'de T.C. M. Eğt. Bakanlığı'na bağlı Ziya Kalkavan Anadolu Meslek Lisesi, Anadolu Lisesi statüsünde hizmet vermektedir. Mezunlar, eğitimlerini Tuzla'da Tahafuzhane mevkiinde İstanbul Teknik Üniversitesi'ne bağlı Denizcilik Fakültesi'nde sürdürmektedir. Öte yandan Gemi İnşaat ve Deniz Bilimleri Fakültesi de İstanbul Teknik Üniversitesi'nin bünyesinde yeralmaktadır. Son olarak kurulan bir vakıfla yeni bir Kaptan Okulu'nun açılmasına çalışılmaktadır. Amasra'da, bugün müze olan büyük taş binanın bir zamanlar Kaptan Mektebi olduğunu öğrendiysek de fazla bilgi almamız mümkün olamadı. Son olarak yeni bir kaptan okulu için vakıf kurma çalışmaları sürdürülmekteydi.

Son yıllarda, doğrudan ya da dolaylı olarak deniz personeli yetiştiren okul sayısının çok arttığı görülüyor. Ama, yine de bu okullar ülke ihtiyacını karşılayamamaktadır. Bu okulların başında Denizcilik Yüksek Okulu (DYO) gelmektedir. Üst düzeyde eleman yetiştiren bu okuldan mezun olanların yarısından fazlası fiilen denizde, % 30'u karada, denizle ilgili işlerde çalışmakta, geri kalanı ise diğer alanlara geçmektedir. Bu okuldan başka aşağıdaki kuruluşlar doğrudan ya da dolaylı olarak deniz personeli yetiştirmektedir:

* Ege Üniversitesi'ne bağlı Denizcilik Meslek Yüksek Okulu ile Su Ürünleri Yüksek Okulu,

* Ege Üniversitesi'ne bağlı Çeşme Meslek Yüksek Okulu, Denizcilik Bölümü,

* 9 Eylül Üniversitesi Deniz İşletmeciliği ve Yönetimi Yüksek Okulu,

* Karadeniz Teknik Üniversitesi'ne bağlı Deniz Bilimleri ve Teknolojisi Yüksek Okulu.

Ayrıca denizcilikle ilgili orta öğretim kurumları da aşağıda sıralanmıştır:

* Anadolu Denizcilik Meslek Lisesi (İstanbul, Ortaköy'de),

* Endüstri Meslek Lisesi (Samsun'da, Gemi Makinaları Bölümü var),

* Endüstri Meslek Lisesi (İzmir'de, Gemi Makinaları Bölümü var),

* Endüstri Meslek Lisesi (Gölcük'te, Gemi Elektroniği ve Haberleşme Bölümü var),

* Beykoz Su Ürünleri ve Denizcilik Meslek Lisesi (İstanbul'da).

Bitirirken...

Evet... önce Şirket-i Hayriye'nin Boğaz vapurları, arkasından Seyr-i Sefain'in büyüklü küçüklü bütün gemileri...

Şimdi de süvariler, iskeleler, şilepler, fenerler, dünden bugüne öyküler derken geldik denizlerdeki uzun yolculuğumuzun sonuna...

İstanbul, o güzelim Boğaz'ıyla, Halic'iyle, Ada'sıyla, Moda'sıyla büyük bir liman kenti... İstanbullu'yum diyenlerin büyük bir çoğunluğu giderek sırtını denize dönse bile şehir yine Boğaz'la, Haliç'le, kısacası denizle iç içe... İşte liman, işte tersaneler, işte boy boy, büyüklü küçüklü her türden tekneler...

İstanbul'da dün olduğu gibi bugün de vapura biniliyor... Otomobiller, otobüsler yollarda saatlerce tıkanıp kalsalar, sabah-akşam onbinlercesi köprülere sığmasalar bile, Kadıköylüler'in, Üsküdarlılar'ın, Adalılar'ın günlük yaşamında vapurun hâlâ vazgeçilmez bir yeri var. Karayollarıyla rekabet mücadelesini kaybetmiş olsa bile yine de haftada bir, iki, Sarayburnu'ndan yolcu vapurları kalkıyor. Karadeniz'e çalışan vapur yok, ama şimdilik de olsa Bandırma'ya, İzmir'e var ya...

İtiraf etmek gerek; vapurlar da, gemiler de artık geçmiş günlerin o güzel vapurları, gemileri değil. Yarım yüzyıl önce kolalı örtülerin serildiği kadife koltuklu vapurlarla yolculuk eden eski İstanbullular, sanmam ki günümüzde hayatta kalmış olsun... Bırakın bembeyaz, martı gibi özel bir yatı andıran zarif yandan çarklıların çoktan yok olup gittiğini, arşivlerde-

Ahşap döşemeli 1877 Galata Köprüsü'ne yanaşmış boru bacalı eski Haliç vapurları.

ki, şunun bunun elindeki fotoğrafları bile artık sararıp solmaya başladı... Peki, ya bu vapurlarla her sabah işine gücüne, ya da cumaları Sarıyer'e sulara, pazarları Adalar'a gezip tozmaya giden o nezih, saygılı, görgülü vapur yolcularına ne oldu? Değişik bir ırktı da soyu mu tükendi, ne?

Günümüzde yine vapurlar var, yine vapurlara biniliyor. Ama ne vapurlar o eski vapur, ne de yolcuların çoğu o eski yolcu... Bir kalabalık, bir telâş, bir itiş kakıştır gidiyor sabah akşam postalarında... İhmal edilen temizliğine de, bozulan düzenine de ister istemez iyice alıştık besbelli... Vapurda geçirilecek süre, en çok on beş, bilemediniz yirmi dakikadır, ama mutluluk dolu, huzur dolu, insanın yorgunluğunu alan, karamsarlığını kovan bir yirmi dakikadır bu... Şair Aytül Akal'ın da dediği gibi, karşı yakalılar için yirmi dakikalık bir mutluluktu vapur yolculukları... Bugün ise bir boşvermişlik, bir gelişigüzellik ki, insan ister istemez sormadan edemiyor:

-"Hani, yirmi dakikalık mutluluğum nerede?"

ESER TUTEL
Selâmiçeşme, Aralık 1997

KAYNAKÇA

Abdülehad Nuri, *Osmanlı Seyr-i Sefain Tarihçesi* - Seyr-i Sefain İdaresi neşriyatı, 1926.

Orhan Kızıldemir, *İlk Buharlı Geminin Türkiye'ye Gelişi ve Türk Deniz Ticareti Resmî ve Özel Kuruluşları* - Türkiye Denizcilik Sendikası, 1992.

Türk Lloydu, Sicil Kitabı - *150 Gros Tondan Büyük Ticaret Filosu*- Denizcilik Bankası Matbaası, 1960, 1965, Türk Lloydu Vakfı, 1979, 1985, 1992, 1994, 1996, 1998.

Değişik yılların *Lloyd Gemi Sicilleri* - Londra, 1914, 1918.

Deniz Ticaret Odası, Değişik yılların *Deniz Sektörü Raporları*.

Kültür Bakanlığı ve Tarih Vakfı'nın ortak yayını, *Dünden Bugüne İstanbul Ansiklopedisi*, 1994.

Reşat Ekrem Koçu, *İstanbul Ansiklopedisi* - 1974.

Zihni Bilge, *İstanbul Rıhtımlarının Tarihçesi* - 1955.

Denizyolları İdaresi, *Türk Deniz Ticareti* - Denizyolları Neşriyat:, 1937.

Ahmed Hamdi, *İstanbul Limanı* - Akşam Matbaası, 1929.

İsmail Habib Aksoy, *İstanbul'da Tarihî Yapılarda Uygulanan Temel Sistemleri* - 1982.

Ali İhsan Gençer, *Türk Denizcilik Tarihi Araştırmaları* - 1986.

İslâm Tarih, Sanat ve Kültür Araştırma Merkezi, *Çağını Yakalayan Osmanlı* - IRCICA Yayını, 1995.

Akdeniz Medeniyetleri Araştırma Enstitüsü, *19. Yüzyıl İzmir Fotoğrafları* - Vehbi Koç Vakfı, 1997.

DİZİN

Albüm

1919 yılı Mayıs'ında, Mustafa Kemal Paşa ile, ideal arkadaşlarını İstanbul'dan Samsun'a götüren 41 yıllık Bandırma *vapuru.*   *(Ressam: Firuz Aşkın)*

BOĞAZ'IN EN ESKİ İSKELESİ

1800'lü yılların ortalarında açılan Üsküdar iskelesi Boğaz'daki vapur iskelelerinin en eskisidir. Önceleri günde ancak üç, ya da dört vapurun uğradığı bu iskeleye günümüzde tarifeli olarak Eminönü'ne, Kabataş'a, Beşiktaş'a ve Haliç'e giden 130'dan fazla vapur yanaşıp kalkıyor.

GÜNDE 80 VAPUR

Eminönü'nden kalkarak Boğaz'a giden yolcu vapurlarının ilk iskelesi Beşiktaş'tır. Yanıbaşındaki Barbaros Hayrettin iskelesiyle birlikte bu iskeleye günde Boğaz'a, Eminönü'ne, Üsküdar'a ve Kadıköy'e gidip gelen 80'den fazla vapur yanaşmakta, yolcu indirip yolcu almaktadır.

LİMANIN ÜÇ BÜYÜK HİZMET BİNASI

*İstanbul'un deniz yoluyla
dışarıya açılan kapısı
Karaköy rıhtımındaki
Yolcu Salonu'dur.
Alt katında gümrük
hizmetlerinin görüldüğü
binada Liman Lokantası,
Postane, Danışma bürosu
ve Free-shop dükkânları
vardır.*

*Türkiye Denizcilik
İşletmeleri'nin Karaköy'deki
tarihî Genel Müdürlük
binası. Önde, İstanbul
Deniz Otobüsleri idaresinin
Karaköy iskelesi görülüyor.*

*İstanbul Liman Müdürlüğü
bu mavi binada hizmet
görüyor. Yanıbaşındaki
küçük beyaz bina ise Liman
Sağlık Merkezi binasıdır.*

LİMANDAKİ RÖMORKÖRLER

Büyük gemiler, yanaşırken de hareket ederken de daima güçlü römorkörlere ihtiyaç duyarlar. Solda, İstanbul limanındaki römorkörlerden Söndüren 3. Sağda da bir süre önce hizmet dışı bırakılan eski istimli römorkörlerden Tekirdağ.

Limanlarımızda pek çok benzeri ve eşi olan römorkörlerden Serviburnu. *Arkada, Sarayburnu rıhtımında ise* İskenderun *ile* Avşa *yolcu gemileri yanaşmış. Sağa doğru demiryolu ferisi ile Şehir Hattı vapurları sıralanmış.*

Trenle bağlantısı bulunan limanlarımız Devlet Demiryolları İşletmesi'ne bağlıdır. İşte, TCDD'nin kendi limanlarında hizmet gören römorkörlerinden RM 1502 Haydarpaşa limanında.

İZMİR'İN KÖRFEZ HATTI VAPURLARI

1977, Alaybey Tersanesi yapımı 9 Eylül, iskelede hareket saatini bekliyor.

Konak-Karşıyaka arasında çalışan vapurlardan 1951, Almanya'da yapılan Selçuk yolcu vapuru bir kış günü Körfez sularında.

Bergama *(1951) yolcu vapuru iki sefer arası Konak iskelesinde.*

Bir başka havası vardır İzmir Körfez Hattı vapurlarının... İşte bunlardan Bergama, 9 Eylül *ve de* Alaybey, *Konak iskelesinde, borda bordaya bağlamışlar. Birincisi Almanya, öteki ikisi Alaybey'de inşa edilmiş.*

Süvarilerin yabancı sularda en yakın yardımcısı kılavuz kaptandır. Kılavuzları gemilere götürüp alan hizmet teknelerinden Pilot 79 *limana giren bir gemiye pilot götürüyor.*

1970'te Polonya'da inşa edilen
General sınıfı kuru yük
gemilerinden
General
Zeki Doğan
Haydarpaşa
rıhtımına
yanaşmak üzere.

DENİZ
NAKLİYATI'NIN
FİLOSUNDAN

1979 Norveç yapımı
ro-ro gemisi Yusuf
Ziya Öniş, *İzmir*
körfezinde.

1971'de Yugoslavya'da inşa edilen kuru yük gemilerinden Gediz *şilebi Haydarpaşa limanında.*

18.653 gros tonluk Kaptan Burhanettin Işım *adlı ro-ro gemisinin* Kaptan Abidin Doran *adlı bir de eşi var.*

1978'de, Deniz Kuvvetleri Komutanlığı'nın Gölcük Tersanesi'nde inşa edilmiş olan kuru yük gemisi: Konya.

BELEDİYE'NİN DENİZ OTOBÜSÜ

İstanbul Belediyesi'ne bağlı İstanbul Deniz Otobüsleri adlı kuruluşun 1978'de Norveç'te inşa ettirdiği birbirinin eşi 10 deniz otobüsünden Nusret Bey, Haydarpaşa önlerinde yol kesmiş, manevra yapmak üzere....

TARİHİ TERSANENİN TARİHİ HAVUZU

Haliç'teki, Fatih Sultan Mehmet tarafından temeli atılan Tersane-i Âmire'nin kapladığı geniş alanda bugün dört büyük tersane yanyana sıralanıyor. İşte, en baştaki Haliç Tersanesi'nin, birbirine geçme taşlarla inşa edilmiş üç havuzundan biri. İçinde Şehir Hattı vapurlarından birinin bakım ve onarımı yapılmakta...

HALİÇ'TE BİR EMEKTAR

Yıllarca Haliç sularında yolcu taşıyan 9 numaralı Haliç vapuru kadro dışı bırakılıp, satılmadan az önce Yemiş iskelesinden kalkmış, Unkapanı Köprüsü'nün altından geçtikten sonra Kasımpaşa iskelesine yanaşacak. Arka planda ünlü Yeni Cami.

GÖREVİ GEMİ KURTARMAK

Gemi Kurtarma'nın tahlisiye gemisi Alemdar II, *eski İstinye Tersanesi'nin rıhtımında.*

Karadeniz'den gelen gemilere İstanbul Boğazı'nın girişini işaretleyen iki deniz fenerinden batı kıyısındaki Rumeli Feneri. Bir özelliği de, içinde bir yatırın kabrinin bulunması.